FACLAIR NA PÀRLAMAID

DICTIONARY OF TERMS

Neach-deasachaidh/Editor
Clive Leo McNeir

The European Language Initiative

Tha sinn air leth taingeil airson a' chuideachaidh airgid a fhuaras bho na leanas:
Urras Brosnachaidh na Gàidhlig agus Comunn Gàidhlig Inbhir Nis.

We acknowledge with thanks the financial support of: the
Gaelic Language Promotion Trust and the Gaelic Society of Inverness

Foillsichte le / Published by:

Pàrlamaid na h-Alba	The Scottish Parliament
Dùn Èideann	Edinburgh
EH99 1SP	EH99 1SP

Dèante le / Produced by:

The European Language Initiative
PO Box 1901
Wicken
Milton Keynes
MK19 6DN

LAGE/ISBN 1 84268 904 5

Comataidh Stiùiridh - Management Committee

Cathraiche - Chairman
Dr Hugh Dan MacLennan

Allan Campbell
Catriona Dunn
Mary Anne MacDonald
Donald Morrison
Ailig O' Henley
An t-Oll. Roibeard Ó Maolalaigh

The European Language Initiative
Neach-deasachaidh - Editor
Clive Leo McNeir

Sgioba Dèanaimh- Production Team
Dolina MacLeod
Cassandra McNeir
Annie MacSween
Roy Wentworth

Sgioba Cho-chomhairleach– Consultants' Team
Dr Éamonn Ó hÓgáin
Ian MacDonald
Dr Donald John MacLeod

Clàr-innse - Contents

Modh Co-chomhairleachaidh

Is e seo a' chiad deasachadh de dh'fhaclair le briathrachas a bhuineas do Phàrlamaid na h-Alba ann an Gàidhlig na h-Alba agus ann am Beurla. Chan eilear an dùil gur e obair chrìochnaichte a tha ann.

'S e fear de na prìomh chuspairean a bha fa chomhair an sgioba a chuir ri chèile am faclair seo dìth briathrachais a fhreagradh air beachdachadh is deasbad foirmeil ann an suidheachadh pàrlamaide. Ged a tha aithris is beachdachadh air cùisean a bhuineas do dh'àrd-riaghaltas agus do riaghaltas ionadail air a bhith gan dèanamh sa Ghàidhlig sna pàipearan-naidheachd agus sna meadhanan tro na bliadhnachan, cha robh sa chumantas aonta ann a thaobh roghainn agus cleachdaidh ann am briathrachas teicnigeach. B' e pàirt de dhleastanas sgioba a' phròiseict, mar sin, corpas de bhriathrachas foirmeil a chruthachadh ris am bitheadh luchd-cleachdaidh na Gàidhlig deònach gabhail, cho fad 's a tha sin comasach, anns gach meadhan agus sa bheatha phoblaich.

Mar a bha am pròiseact a' leantainn air adhart dh'fhairich sinn gun robh e mar uallach òirnn a bhith a' dol nas fhaide na a' cheist a-mhàin a thaobh roghainn ann am briathrachas. Tha farsaingeachd aig a' Ghàidhlig na cleachdadh cumanta, agus beartas aice ann am bàrdachd is ann an rosg a thèid air ais tro iomadh linn. Ach a chionn nach deach a cleachdadh gu cunbhalach mar mheadhan air riaghaltas tron àm sin, tha beàrnan na briathrachas. Dh'adhbharaich seo duilgheadasan ann a bhith a' feuchainn ri beachdan is coincheapan sònraichte a chur an cèill.

B' e am prìomh dhuilgheadas eile neo-chunbhalachd a thaobh cleachdadh air a' cheart-litreachadh aontaichte ann an Gàidhlig na h-Alba. A rèir brath a' phròiseict dh'fheumadh sinn beachdachadh air "issues which are related to ... [the] standardisation of Gaelic orthography." Gheibhear cunntas air a' mhodh obrachaidh a bha againn air an roinn seo der n-obair san Fhacal-toisich don fhaclair seo. Tha sinn ag earbsa gun do ghabh sinn os làimh a' chùis seo ann an dòigh chiallaich, reusanta, agus gun robh sinn a' leantainn ri prionnsabalan air a bheil aonta aig a' mhòr-chuid de luchd-cleachdaidh agus luchd-foghlaim na Gàidhlig bho chaidh Riaghailtean-stiùiridh Litreachadh na Gàidhlig (GOC) fhoillseachadh an 1981. Bha sinn ga mheas reusanta a bhith a' togail air a' cho-aontachd sin agus gun a bhith a' dol thairis air seann cheistean far nach robh feum air.

Tha na trì prìomh raointean seo, 's e sin (a) a bhith a' cruthachadh briathrachas a bhitheas freagarrach airson a chleachdadh ann an suidheachadh foirmeil agus sa phàrlamaid, anns a bheil (b) briathran ùra a lìonas na beàrnan a tha ann an ceartuair, agus (c) a bhith gan cuartachadh seo ann am modh litreachaidh a chuidicheas an neach-cleachdaidh, 's iad seo na dùbhlain a bu mhotha air an tug sinn aghaidh. Tha sinn den bheachd gun robh sinn an dà chuid ciallach is cunbhalach nar dòigh obrach. 'S e an neach-cleachdaidh fhèin a bheir breith air co-dhiù a tha sinn air a bhith soirbheachail sa ghnothach. 'S iad na briathran a gheibhear ann am *Faclair na Pàrlamaid* ar n-oidhirp as fheàrr air fuasgladh fhaighinn air na cùisean doirbh seo. Tha sinn a-nis a' toirt cuireadh don choimhearsnachd Ghàidhlig breith a thoirt air mar ghoireas airson fiosrachaidh agus mar inneal gus obrachadh leis.

Tha a' chiad deasachadh seo air a rùnachadh mar bhonn beachdachaidh agus mar phàirt de mhodh dealbhaidh farsaing air cànain, agus bidh Gnàth Chomataidh ann gus sùil a chumail air mar a thèid a chleachdadh agus gus leudachadh a dhèanamh air. Tha an sgioba deasachaidh aig TELI agus a' Bhuidheann-stiùiridh a' cuir fàilte bhlàth air deasbad feumail. Na bitheadh a bheag de theagamh aig an neach-cleachdaidh gur e cuireadh fìor a tha seo gus beachd a thoirt dhuinn air mar a shoirbhich leinn ann a bhith a' cur aghaidh air na cuspairean seo agus air mar a dheigheadh againn air an obair a rinneadh gu ruige seo a chur am feabhas. Thèid gach tuairmse a sgrùdadh gu mionaideach agus thèid ealla a ghabhail riutha. Dh'iarradh sinn air neach-cleachdaidh sam bith aig am bheil beachdan air an obair fios a chur thugainn aig an t-seòladh a leanas:

Oifigear na Gàidhlig
Pàrlamaid na h-Alba
Dùn Èideann
EH99 1SP

Post-dealain: Alex.O'Henley@scottish.parliament.uk

Process of Consultation

This is the first edition of a dictionary of terminology relevant to Scotland's Parliament in Scottish Gaelic and English. It is not intended to be the last word on that subject.

One of the key issues facing the team that has compiled this dictionary has been the lack of a body of terms suited to formal discussions and debates in a parliamentary context. The proceedings of central and local government have of course been reported and discussed in Gaelic in the press and media over the years, but the choice and usage of technical vocabulary has not been commonly agreed or applied. Part of the role of the project team has therefore been to seek to arrive at a corpus of formal terminology that should be acceptable as far as possible to Gaelic users across all media and in public life.

We have found ourselves obliged during this project to go beyond the question of the choice of vocabulary. Gaelic is not a language that lacks diversity in general use, and it possesses a cultural richness in poetry and prose that dates back over many centuries. However, because it has not been used as a regular medium of government throughout this time, there are gaps in its vocabulary. This has created difficulties when attempting to express particular ideas or concepts.

The other major problem has been inconsistency in the application of the agreed orthography of Scottish Gaelic. The brief for the project required us to consider "issues which are related to ... [the] standardisation of Gaelic orthography." Our approach to this aspect of our work is outlined in the Foreword to this dictionary. We trust that we have handled this question in a sensible and reasonable way, adhering to principles that have been broadly accepted by Gaelic speakers and educators since the publication of the Gaelic Orthographic Conventions (GOC) in 1981. It seemed to us reasonable to build on that consensus and not to revisit old questions unnecessarily.

These three key areas of (a) producing acceptable terminology for formal and parliamentary use, with (b) new terms to make up for existing shortfalls and (c) encompassing these in a system of orthography that helps the user, have been the greatest challenges that we have faced. We believe we have been sensible and consistent in our approach. Whether, or to what extent, we have been successful, is for the user to judge. The terms contained in the *Faclair na Pàrlamaid* are our best effort at resolving these complex problems. We now invite the Gaelic-speaking community to judge it as a reference resource and working tool.

This first edition is intended as a focus for discussion as part of a wider language planning process and a Standing Committee will continue to monitor and develop its application. The editorial team at The European Language Initiative and its Management Group warmly welcome constructive debate. Users should be in no doubt that this is a genuine invitation to inform us of how far we have succeeded in addressing these issues and how we could improve on the work we have undertaken so far. Every comment will be thoroughly examined and taken into account. Any user who has observations to make is requested to contact us at the following address:

The Gaelic Officer
The Scottish Parliament
Edinburgh
EH99 1SP

E-mail: Alex.O'Henley@scottish.parliament.uk

FACAL-TOISICH

RO-RÀDH

Chaidh Faclair na Pàrlamaid a chur ri chèile is a dheasachadh le sgioba stèidhichte le The European Language Initiative (TELI), buidheann neo-phoileataigeach, neo-phrothaide, a bhitheas gu sònraichte a' dèanamh fhaclairean airson seirbheis phoblaich. Chaidh a' mhòr-chuid den obair ann a bhith a' cur ri chèile an stòr-dàta a choileanadh anns na sia mìosan bhon Iuchar chun na Dùbhlachd 2000. Chaidh an deasachadh agus an tuilleadh co-chomhairleachaidh a choileanadh an dèidh sin.

Chan robhar an dùil gur e sgrìobhainn fhoghlaimte a bhitheadh san fhaclair seo a dh'fhuiricheadh air sgeilp sa chèis-leabhraichean neo a rachadh a ghlèidheadh ann an leabharlannan. B' e ar n-amas goireas fiosrachaidh feumail a chruthachadh a bhitheadh cho farsaing agus cho furasta a chleachdadh agus a bha comasach san ùine a bha againn don chiad deasachadh seo. Tha sinn air fiosrachadh bunaiteach a thaobh gràmair a chur ann don fheadhainn dom faodadh seo a bhith na chuideachadh nan obair, ach cha do dh'an-luchdaich sinn an leabhar le fios cànanach. An àite sin, b' fheàrr leinn taic a chur ris na h-uilt far an robh e iomchaidh le eisimpleirean den chànan ga chleachdadh. San roinn Bheurla – Gàidhlig, mar eisimpleir, tha sinn air na riochdan ginideach agus iomarra air ainmearan Gàidhlig a shealltainn, agus riochd an ainmeir ghnìomhairich do na gnìomhairean Gàidhlig. Tha sinn ag earbsa gum bi iad seo cuideachail do luchd-cleachdaidh. Tha na pàirtean cainnt air an sealltainn anns a' Ghàidhlig ri taobh bhriathran Gàidhlig agus anns a' Bheurla ri taobh bhriathran Beurla. Gheibhear liosta le mìneachadh air na giorrachaidhean a chaidh a chleachdadh airson seo an dèidh an fhacail-toisich.

Ged a dh'iarradh sinn bun-tomhas a shuidheachadh do bhriathran, tha sinn uaireannan air faclan a chur a-staigh ann an rèimean cànain an dà chuid foirmeil agus neo-fhoirmeil far an robh sin iomchaidh. Gheibh an neach-cleachdaidh briathran foirmeil a bhitheas freagarrach airson an cleachdadh sa phàrlamaid, ann an obair comataidh agus ann an sgrìobhainn a leithid Aithisgean Bliadhnail, agus briathran neo-fhoirmeil freagarrach, mar eisimpleir, airson an cleachdadh ann an còmhradh cumanta agus sna meadhanan.

Aig an ìre thùsail seo gheibhear san Fhaclair tiotalan nan roinnean ann an Riaghaltas na h-Alba agus am ministearan mar a bha iad aig an àm a chaidh sinn sa chlò. Gheibhear cuideachd ainmean nan comataidhean Pàrlamaide a tha ann an ceartuair. Mar thoradh air atharrachaidhean ann an rianachd agus ann an cùram roinne thig atharrachaidhean ann an tiotal mar a bhitheas an ùine a' dol seachad, agus 's e obair leantainneach a bhitheas ann lorg a chumail air na h-atharrachaidhean seo agus am biathadh a-steach don stòr-dàta mu choinneamh dheasachaidhean eile san àm ri teachd. San aon dòigh, gheibhear san Fhaclair ainmean cuid de dh'Achdan Pàrlamaid, ach chan e liosta iomlan a tha ann fhathast. Thèid leudachadh sna raointean seo agus ann an raointean eile ann an deasachaidhean eile a bhitheas ri teachd

Tha sinn air uibhir de dh'eisimpleirean agus de cho-ionadachaidhean a chur ann is a cheadaicheadh an ùine dhuinn, mar iùil phrataigeach air cleachdadh a' chànain. A thaobh stoidhle, tha an leabhar seo eadar-dhealaichte air cuid de dhòighean ri faclairean eile. Chaidh Faclair na Pàrlamaid a dheilbh, na chruth agus na dhreach, mar ghoireas airson a bhith ag obair leis a' chànan bheò. Mar eisimpleir 's ann a dh'aon ghnothach a chaidh beàrnan-dealachaidh gu math farsaing a chur ann eadar faclan is eadar uilt. Tha iad air an dealachadh san dòigh sin gus gum bi rùm aig an neach-cleachdaidh a notaichean fhèin a sgrìobhadh annta. Ma tha briathran no abairtean feumail agaibh a bhuineas don Phàrlamaid, nithean a shaoileas sibh cuideachail agus nach deach a chur san Fhaclair aig an ìre seo, bhitheadh sinn nur comainn nan cuireadh sibh thugainn iad gus beachdachadh orra mar phàirt den chùrsa cho-chomhairleachaidh.

FOREWORD

INTRODUCTION

Faclair na Pàrlamaid has been compiled and edited by a team established by The European Language Initiative (TELI), a non-political, non-profit body which specialises in producing dictionaries for public service. The main task of compiling the database was completed within the period of six months from July to December 2000. Editing and further consultation were completed thereafter.

This dictionary is not intended to be an erudite publication destined to sit on the bookshelf or be confined to libraries. Our aim has been to create a practical reference work that is as comprehensive and as user-friendly as possible within the time available for this first edition. We have included basic grammatical information for those who might find it useful in their work, but we have not overloaded the publication with linguistic data. Instead, we have preferred to support the entries where appropriate with examples of the language in action. In the English – Gaelic section, for example, we have given the genitive and plural forms of Gaelic nouns and the verbal noun form of Gaelic verbs. We trust that users will find these helpful. Parts of speech are shown in Gaelic beside Gaelic terms and in English beside English terms. Details of the abbreviations used for this purpose are listed after this foreword.

While seeking to arrive at a standardisation of terms, we have in certain instances included words in formal and informal registers where appropriate. Users will find formal terms suitable for use in Parliament, in committee work and documents such as Annual Reports, and informal terms suitable, for example, for use in general conversation and in the media.

At this initial stage in its development the Faclair contains the titles of Scottish Executive departments and their ministers in operation at the time we went to press. It contains the names of current Parliamentary committees. Changes of organisation and portfolio will result in changes of title as time passes, and it will be a continuing task to keep track of these changes and feed them into the database for future editions. Similarly, the Faclair contains the names of a number of Acts of Parliament, but it is not yet a comprehensive list. Expansion in these and other areas is a task for future editions.

We have included as many examples and collocations as time permitted as a practical guide to the use of the language. In style, our publication differs in some ways from other dictionaries. In its format and layout Faclair na Pàrlamaid is designed to be a working tool of the living language. The relatively generous spacing of the entries, for example, is deliberate. They are spaced so that users have room to add in their own notes. If you have useful terms, phrases or expressions relevant to Parliament that you find helpful, and which were not included at this stage, please send them to us to take into account as part of the consultation process.

ÀITE-TÒISEACHAIDH
Bha dà amas sa bhrath a fhuaradh don phròiseact. B' e a' chiad fhear faclair de bhriathrachas sònraichte a bhuineadh do Phàrlamaid na h-Alba a chruthachadh. B' e an dara fear "to consider issues which are related to ... [the] standardisation of Gaelic orthography."

Ghabh TELI mar àite-tòiseachaidh gum feumte togail air an leantainneachd a fhuaradh mar thoradh air Riaghailtean-stiùiridh Litreachadh na Gàidhlig (GOC), foillsichte an 1981. Ghabh sinn ris na prionnsabalan a stèidh GOC mar àite-tòiseachaidh agus lean sinn riutha sa bhriathradair seo. Tha sinn den bheachd nach robh roghainn reusanta eile ann seach am modh obrachaidh seo, oir b' e seo a' bhunait air a bheil clann air a bhith gan teagasg tron fhichead bliadhna a chaidh seachad. Nan robh sinn air riaghailtean an litreachaidh atharrachadh air dhòigh mhì-reusanta bhitheadh adhartas nam fichead bliadhna seo air a chur air cùl agus thigeadh tomhas mòr de mhì-chinnt an lùib sin.

Nar n-obair bha am faclair sgoile, *Brìgh nam Facal* (foillsichte ann an 1991), na chuideachadh dhuinn, oir tha e a' gabhail a-steach molaidhean Riaghailtean-stiùiridh Litreachadh na Gàidhlig (GOC), nì a bha feumail a thaobh cunbhalachd an litreachaidh. Ghabh sinn beachd cuideachd air obair eile a chaidh a dhèanamh air a' chuspair seo, gu sònraichte na molaidhean a rinneadh an lùib a' phròiseict CALL. (Oilthigh Dhùn Èideann, 1997).

Ann a bhith a' beachdachadh air ceist a' cheart-litreachaidh, bha sinn taingeil comhairle fhaighinn bho Bhòrd na Ceilteis air cuspairean fa leth, ach gu seachd àraid (I wouldn't use sònraichte in this circumstance) mu shèimheachadh agus mun tuiseal shealbhach ann an abairtean ainmearach. Dh'fhaodadh gum biodh e feumail dhaibhsan aig a bheil ùidh ann an ceistean mionaideach cànain den t-seòrsa seo cunntas fhaighinn air na prionnsabalan a chleachd sinn ri linn na comhairle a fhuair sinn. Tha gèarr-chunntas le eisimpleirean seaghach air a thoirt dhuibh an dèidh an ro-ràidh seo.

Cha robh e comasach dhuinn dèiligeadh ri ceist an litreachaidh mar a mhiannaicheamaid air sgàth na h-ùine a bha againn. Tha mòran obrach fhathast ri dhèanamh san raon seo ach tha sinn ag earbsa gun deach deagh thoiseach tòiseachaidh a dhèanamh ann a bhith a' cur mholaidhean air adhart mun dòigh san gabh GOC a chleachdadh is a leudachadh gus stèidh làidir a shuidheachadh mun t-slighe air adhart.

Aonta agus Adhartas – CO-LABHAIRT DHÙN ÈIDEANN, SAMHAIN 2000
PUINGEAN MIONAIDEACH
Chuireadh co-labhairt air adhart le Comunn na Gàidhlig agus Comataidh-stiùiridh a' phròiseict ann an Dùn Èideann san t-Samhain 2000. B' e amas na co-labhairt *aonta agus adhartas* fhaighinn. Aig a' cho-labhairt chaidh grunnan phuing a chur air adhart le sgioba TELI gus beachdachadh orra. Chaidh na puingean sin a dheasbad aig buidhnean-obrach a chaidh a chumail aig a' cho-labhairt agus fhuaireadh aonta orra a bha cha mhòr aon-ghuthach. Tha na puingean air am mìneachadh gu h-ìosal.

1 Prionnsabal
Dhaingnich sinn ar taic do mholaidhean GOC a chaidh fhoillseachadh ann an 1981. Ghabhadh faclair a dheigheadh a dhèanamh fo iùil a' phròiseict seo ris na molaidhean sin. Thàinig sinn chun a' cho-dhùnaidh gum biodh e feumail cuid de phrìomh mholaidhean GOC a chur an cuimhne dhaoine.

2 An stràc trom
Mhol sinn gur e an stràc trom a-mhàin a dheigheadh a chleachdadh gus sìneadh ann am fuaim fuaimreig a shealltainn.

3 An stràc geur
Mhol an sgioba gum bu chòir cur às don stràc gheur.

4 Eisimpleir sònraichte
Bha sinn den bheachd gum bu chòir à / às ("bho; a-mach à") a sgrìobhadh leis an stràc throm gus càileachd fuaim na fuaimreig a shealltainn.

STARTING POINT

The brief for the project contained two aims. The first was to create a dictionary of specialist terms relevant to Scotland's Parliament. The second aim was "to consider issues which are related to ... [the] standardisation of Gaelic orthography."

TELI adopted as its starting point the need to build on the continuity established by the Gaelic Orthographic Conventions (GOC), published in 1981. We have taken the principles laid down by GOC as our starting point and followed them in this lexicon. It is our belief that there could be no logical alternative to this approach, which has been the basis on which children have been taught in schools for the past two decades. Any unreasonable departure from the conventions would have set back the progress of twenty years and led to widespread confusion.

In our work we were helped by the school dictionary, *Brìgh nam Facal* (published 1991), to the extent that it embodied the principles of GOC and was a useful guide to consistency in spelling. We also took into account further thinking on this subject, in particular the recommendations of the CALL project (Edinburgh University, 1997)

In considering the question of orthography, we were glad to receive advice from colleagues on the Board of Celtic Studies on general issues, but most specifically on the subject of lenition and genitives in noun phrases. Users who are interested in such technical matters may find it helpful to have an outline of the principles that we have followed as a result of the advice received. A summary is given with practical examples after this foreword.

Our ability to address the question of orthography was necessarily limited by the time available to us. There remains much more to be done in this area, but we trust and believe that we have made a useful start in focusing on how GOC can be used and further developed to provide a sound basis on which to move forward in the future.

Aonta agus adhartas - THE EDINBURGH SEMINAR, NOVEMBER 2000
POINTS OF DETAIL

A seminar organised by Comunn na Gàidhlig and the project's Management Group took place in Edinburgh in November 2000. Its aim was to achieve consensus and consistency – *aonta agus adhartas*. At the seminar a number of points were put forward by the TELI team for discussion. They were examined in working groups at the seminar and achieved almost unanimous approval. The points are outlined below.

1 Principle

We confirmed our support for the recommendations laid down in the Gaelic Orthographic Conventions of 1981. The dictionary developed under this project would embody those principles. We decided that it would be helpful to set out a number of key points as a reminder of GOC's recommendations.

2 The grave accent

We recommended the use solely of the grave accent to denote a lengthened vowel sound.

3 The acute accent

The team recommended that the acute accent should be eliminated.

4 Specific example

We took the view that the term for "out of" should be written with the grave accent: "à / às", to denote the particular quality of the vowel sound.

5 Stràcan air fuaimreagan sgrìobhte ann an ceann-litrichean
Chaidh a thoirt fa-near nach deach dèiligeadh ris a' cheist seo ann an GOC. Bha an sgioba den bheachd nach robh ach aon dòigh anns am bu chòir dèiligeadh ris a' cheist seo agus nach biodh e ciallach aon riaghailt a chleachdadh, mar eisimpleir airson ainmean-àitean, agus riaghailt eile airson briathrachais eile.

Bheachdaich sinn air na roghainnean a bha ann agus mhol sinn gun deigheadh stràcan a chleachdadh air ceann-litrichean. A thuilleadh air cùisean teicnigeach co-cheangailte ri dealbh-sgrìobhadh, agus bathar-bog adhartach an là an-diugh a' toirt cothruim na stràcan sin a chleachdadh gu furasta, thug dà phrìomh smuain buaidh oirnn:

a) cha robh e math do dh'fhoghlam chloinn-sgoile agus bha e dualtach an cur troimh-chèile a bhith ag iarraidh orra na stràcan a thoirt air falbh bho na ceann-litrichean an uair a bha iad air an teagasg na stràcan a chleachdadh air na litrichean sin an uair a bha iad gan sgrìobhadh beag.

b) gun na stràcan a bhi gan sealltainn bhiodh cunnart ann gum biodh ainmean-àitean air am fuaimneachadh ann an dòigh cheàrr.

6 "na h-Alba" no "na h-Albann"?
Mhol an sgioba gun deigheadh "na h-Alba" a chleachdadh.

7 Sgrìoban-ceangail, asgairean agus beàrnan co-cheangailte riutha
Bu chòir molaidhean GOC a leantainn gu mionaideach a thaobh nan sgrìoban-ceangail. Cha deigheadh sgrìob-cheangail a chleachdadh, mar eisimpleir, ann an "an seo", "an sin" no "an siud" a bu chòir a bhith air an sgrìobhadh mar fhacail air leth, no ann an "carson" agus "airson" a bu chòir a bhith air an sgrìobhadh mar aon fhacal. Ann am facail cho-fhillte mar "neach-rannsachaidh" chaidh a thoirt fainear gur e an cleachdadh san là an diugh an sgrìob-cheangail a chumail.

A thaobh an asgair, chaidh mothachadh gun robh GOC deònach gabhail ri eadar-dhealachaidhean ann an dualchainnt. Mhol an sgioba gum bu chòir leantainn air adhart le beàrn an dèidh an asgair far an robh sin air a mholadh. Tha GOC a' gabhail ri "balla àrd" agus "ball' àrd", "duine òg" agus "duin' òg". B' e ar beachd, far am biodh e iomchaidh, gum bu chòir don Fhaclair gabhail ri cruthan leithid "balla àrd" agus "duine òg" oir bha iad sin a' riochdachadh a' chànain fhoirmeil agus bhitheadh sin na bu fhreagarraich airson a bhith air a chleachdadh an lùib na Pàrlamaid.

8 't' aig toiseach facail a bhuineas do ghnìomhairean mhì-riaghailteach
Tharraing an sgioba aire don duilgheadas a tha ann le facail a bhith air am fuaimneachadh a rèir an litreachaidh agus chaidh moladh gum bu chòir cudthrom a bhith air a chur air a' phuing seo ann an sgoiltean.

9 "st" no "sd", "sc" no "sd", "sp" no "sb"?
Rinn an sgioba na molaidhean a leanas a tha a rèir GOC.
st: bu chòir seo a chleachdadh aig toiseach, am broinn agus aig deireadh facail
sg: bu chòir seo a chleachdadh aig toiseach, am broinn agus aig deireadh facail
sp: bu chòir seo a chleachdadh aig toiseach agus aig deireadh facail, ach thèid gabhail ris an dà chuid sp agus sb am broinn facail.

Chaidh a thoirt fa-near gur e roghainn an neach fhèin a tha san litreachadh a thèid a chleachdadh ann an ainmean pearsanta.

10 Moladh coitcheann
Bha sinn den bheachd gun robh làn thìde GOC a sgaoileadh às ùr cho farsaing 's a ghabhadh gus am biodh buaidh èifeachdach aige air cunbhalachd dòigh litreachaidh na Gàidhlig aig gach ìre den t-siostam foghlaim agus gum bu chùis seo a bha an urra ri Ùghdarras Teisteanasan na h-Alba.

5 Accents on capital vowels

It was noted that this question was not handled in GOC. The team believed that there could be no 'halfway house' in dealing with this issue, and that it would not be wise to adopt one rule, for example for placenames, and another rule for general vocabulary.

We considered the options and advocated using accents on upper case letters. Apart from technical word-processing considerations, where modern software facilitates the retention of these accents, we were influenced by two main thoughts

a) it was unsound educationally and a potential cause of confusion to teach school pupils to remove accents on capitals that they had been taught to insert on lower case letters.

b) the correct pronunciation of many placenames would be jeopardised without the accents;

6 "na h-Alba" or "na h-Albann"?

The team recommended the use of "na h-Alba.

7 Hyphens, apostrophes and related spacing

Hyphenation should strictly follow GOC recommendations. There would be no hyphens, for example, in "an seo", "an sin" or "an siud" which should be kept as separate words, or in "carson" and "airson" which should be kept as single words. In terms such as "neach-rannsachaidh" it was noted that current practice retained the hyphen.

With regard to use of the apostrophe, it was noted that GOC makes allowance for dialectal variation. The team advocated retaining the space after the apostrophe where recommended. GOC accepts both "balla àrd" and "ball' àrd", "duine òg" and "duin' òg". It was our view that where appropriate, forms similar to "balla àrd" and "duine òg" should be the model for the Faclair as they represented the formal register and were therefore more suited to use in the context of Parliament.

8 Initial 't' in irregular verb forms.

The team drew attention to the problem of spelling pronunciation and recommended that consideration be given to reinforcement of this point in schools.

9 "st" or "sd" , "sc" or "sd", "sp" or "sb"?

The team made the following recommendations in line with GOC.

st: should be used in initial, internal and final positions

sg: should be used in initial, internal and final positions

sp: should be used in initial and final positions, with sp / sb as alternatives in internal positions

It was recognised that in personal names the spelling is a matter of individual choice.

10 General recommendation

We believed that the time was right to relaunch GOC to the widest possible audience to achieve the greatest impact and consistency of orthography across all levels of the Gaelic educational system and this was a matter for the Scottish Qualifications Authority.

Nar beachd bhiodh e feumail leudachadh a dhèanamh air GOC, agus mhol sinn gun deigheadh leabhar-iùil ullachadh air ceart-litreachadh na Gàidhlig a bheireadh stiùireadh do luchd-cleachdaidh a' chànain air fad. Dh'fhaodadh a leithid de leabhar, mar eisimpleir, comhairle a thoirt air nithean mar an stoidhle a bu chòir a chleachdadh ann a bhith a' sgrìobhadh litrichean foirmeil.

Tha buill an sgioba dheasachaidh agus an sgioba riaghlaidh air fad moiteil gun robh compàirt aca ann a bhith ag ullachadh a' chiad deasachaidh a tha seo de dh'Fhaclair na Pàrlamaid. Tha sinn ag earbsa gum bi e air leth feumail do luchd-cleachdaidh na Gàidhlig an dà chuid sa Phàrlamaid agus air a taobh a-muigh, ann am foghlam, sna meadhanan agus ann an raointean eile den bheatha phoblaich. Tha e na thoileachas dhuinn gun d'fhuair sinn an cothrom air pàirt a ghabhail ann a bhith a' cur ri leasachadh Pàrlamaid na h-Alba aig àm cho eachdraidheil ann am beatha ar dùthcha.

An t-Oll Ùisdean D MacIllinnein
Cathraiche
Bòrd-stiùiridh

Clive Leo McNeir
Neach-deasachaidh
Iomairt Cànan na h-Eòrpa

In our view it would be advantageous to expand GOC, and we recommended the production of a handbook on orthography for the guidance of all users of the language. Such a publication could, for example, contain advice on such matters as the style to be used when writing formal letters.

All the members of the editorial and management team are proud to be associated with the production of this first edition of the Faclair na Pàrlamaid. We hope and trust that it will prove to be a valuable support to users of Gaelic both inside and outwith Parliament, in education, the media and other areas of public life. We are delighted to have had the opportunity to play our part in the development of Scotland's Parliament at a truly historic moment in the life of our country.

Dr Hugh Dan MacLennan
Chairman
Management Group

Clive Leo McNeir
Editor
The European Language Initiative

Notaichean air Sèimheachadh agus air an Tuiseal Ghinideach ann an Abairtean Ainmearach

SÈIMHEACHADH AN TAOBH A-STAIGH ABAIRTEAN AINMEARACH

1 Ann an co-fhillidhean dlùth-cheangailte (air an tuigsinn an seo mar cho-ionann ri faclan le sgrìob-cheangail) bidh ainmear sa ghinideach a tha a' càileachadh (agus a' leantainn) ainmeir eile air a shèimheachadh no gun a bhith air a shèimheachadh a rèir mar a bhitheadh buadhair càileachaidh san aon suidheachadh (seo a rèir nan riaghailtean a tha air an sealltainn ann an Calder *A Gaelic Grammar*).

Eisimpleirean:

plana-gnìomha (fir) 'action plan' gun sèimheachadh;

buidheann-ghnìomha (boir) 'action group' le sèimheachadh (cf. glaine-fhìona, 'a wine glass').

2 Ann an co-fhillidhean neo-dhlùth-cheangailte (air an tuigsinn an seo mar chòmhlain gun sgrìob-cheangail) cha bhi an t-ainmear càileachaidh sa ghinideach air a shèimheachadh.

Eisimpleir:

buidheann (boir) comhairleachaidh 'an advisory body' gun sèimheachadh (cf. glaine fìona, 'a glass of wine').

GINIDICH AN TAOBH A-STAIGH ABAIRTEAN AINMEARACH

3 Ann an co-fhillidhean den t-seòrsa *ainmear ginideach1* + *ainmear ginideach2* (.i. an uair a bhitheas co-fhilleadh den t-seòrsa *ainmear1* + *ainmear2* gu h-iomlan a' càileachadh ainmeir eile a tha a' tighinn roimhe), ann an cleachdadh Gàidhlig an-ceartuair tha an ginideach ann an *ainmear1* neo-chomharraichte ann an abairtean neo-chinnteach agus comharraichte ann an abairtean cinnteach.

Eisimpleirean:

Ann an abairtean neo-chinnteach (.i. abairtean gun an t-alt sa Ghàidhlig)

(meud) cunntas cothromachaidh '(size) of a balance sheet'

('cunntas' neo-chomharraichte airson ginidich agus 'cothromachaidh' gun a bhith air a shèimheachadh).

Ann an abairtean cinnteach (.i. abairtean leis an alt)

(meud) a' chunntais chothromachaidh '(size) of the balance sheet'

('a' chunntais' comharraichte airson a' ghinidich agus 'chothromachaidh' air a shèimheachadh).

Tha co-fhillidhean den t-seòrsa 'cunntas cothromachaidh' air an sealltainn mar seo:

cunntas *(fir)* cothromachaidh

cunntais chothromachaidh *gin*

i.e. san dara sreath den chlàrachadh tha *ainmear1* air a shealltainn le ginideach comharraichte ged nach eil an t-alt a' nochdadh sa chlàrachadh.

4. Ann an co-fhillidhean den t-seòrsa *ainmear ginideach1* + *alt* + *ainmear ginideach2* chan eil an ginideach comharraichte ron alt ann an cleachdadh àbhaisteach na Gàidhlig (ged a bhitheas an t-ainmear a tha ron alt, mas e ainmear dìleas fireann a tha ann, sa chumantas a' tighinn fo bhuaidh an t-sèimheachaidh cho-chàrail a bhuineas do dh'ainmearan dìleas sa ghinideach).

Eisimpleir:

Clàr nan Làraichean Àrsaidh 'the Sites and Monuments Register'

(meud) Chlàr nan Làraichean Àrsaidh '(the size) of the Sites and Monuments Register'

Tha co-fhillidhean den t-seòrsa seo air an sealltainn mar a leanas:

Clàr *(fir)* nan Làraichean Àrsaidh

Chlàr nan Làraichean Àrsaidh *gin*

5. Bidh ainmearan ann an co-fhillidhean le sgrìob-cheangail (agus buadhairean) air an sèimheachadh ma bhitheas iad a' leantainn ainmearan boireann singilte ginideach nach eil a' gabhail 'e' dheireannach sa ghinideach no a tha air an 'e' a chall.

Eisimpleir:

rianachd-cheartais 'justiciary'

(cliù na) rianachd-cheartais '(the reputation of the) justiciary'

Tha co-fhillidhean den t-seòrsa seo air an sealltainn mar a leanas:

rianachd-cheartais *boir*

rianachd-cheartais *gin*

Notes on Lenition and the Genitive Case in Noun Phrases

LENITION WITHIN NOUN PHRASES

1 In closely bound compounds (taken here as being equivalent to hyphenated words) a noun in the genitive qualifying (following) another noun will be lenited or not as a qualifying adjective would be in the same position (according to the rules given in Calder *A Gaelic Grammar*).

Examples:
plana-gnìomha (masc) 'action plan' without lenition;
buidheann-ghnìomha (fem) 'action group' with lenition (cf. glaine-fhìona, a wine glass).

2 In non-closely bound compounds (here taken as non-hyphenated groups) the qualifying genitive noun will not be lenited.
Example:
buidheann (fem) comhairleachaidh 'an advisory body' without lenition (cf. glaine fìona, a glass of wine).

GENITIVES WITHIN NOUN PHRASES

3 In compounds of the type *genitive noun1 + genitive noun2* (i.e. in cases where a *noun1 + noun2* compound as a whole qualifies another, preceding, noun), in current Gaelic usage the genitive in *noun1* is unmarked in indefinite phrases and marked in definite phrases.

Examples:
In indefinite phrase (i.e. phrase without article in Gaelic)
(meud) cunntas cothromachaidh '(size) of a balance sheet'
(cunntas unmarked for genitive and cothromachaidh not lenited).

In definite phrase (i.e. phrase containing definite article)
(meud) a' chunntais chothromachaidh '(size) of the balance sheet'
(a' chunntais marked for genitive and chothromachaidh lenited.

Compounds of the type cunntas cothromachaidh are shown as:
cunntas *(fir)* cothromachaidh
cunntais chothromachaidh *gin*
i.e. in the second line of the entry *noun1* is shown with marked genitive although the definite article does not appear in the entry.

4 In compounds of the type *genitive noun1 + article + genitive noun2* the genitive is not marked before the definite article in normal Gaelic usage (though the noun in question if a proper noun and masculine will generally if susceptible undergo syntactic proper noun lenition).

Example:
Clàr nan Làraichean Àrsaidh 'the Sites and Monuments Register'
(meud) Chlàr nan Làraichean Àrsaidh '(the size) of the Sites and Monuments Register'
Compounds of this type are shown as:
Clàr *(fir)* nan Làraichean Àrsaidh
Chlàr nan Làraichean Àrsaidh *gin*

5 Nouns in hyphenated compounds (and adjectives) following genitive singular feminine nouns which have lost or do not form genitive with final '-e' will be lenited.

Example:
rianachd-cheartais 'justiciary'
(cliù na) rianachd-cheartais '(the reputation of the) justiciary'
Compounds of this type are shown as:
rianachd-cheartais *boir*
rianachd-cheartais *gin*.

6. A thaobh chòmhlan a tha air an roinn ann an dà phàirt, sa bheil:
(a) an toiseach, dà ainmear a tha ceangailte nas dlùithe (co-dhiù a tha sgrìob-cheangail ann gus nach eil), eisimpleir: bòrd trèanaidh 'training board';
(b) an còrr den abairt ainmearach, eisimpleir: gnìomhachas còmhdhail ròidean 'road transport industry';

Tha an ginideach sa chumantas comharraichte a-mhàin air an ainmear chàileachaidh (an dara ainmear) sa chiad phàirt, agus air an ainmear dheireannach san dara pàirt (saor bho shèimheachadh co-chàrail an ainmeir dhìlis air a' chiad ainmear den chiad phàirt).

Eisimpleir:

Bòrd Trèanaidh Gnìomhachas Còmhdhail Ròidean 'Road Transport Industry Training Board'

(buill) Bhòrd Trèanaidh Gnìomhachas Còmhdhail Ròidean 'Road Transport Industry Training Board (members)'

Tha co-fhillidhean den t-seòrsa seo air an sealltainn mar a leanas:

Bòrd *(fir)* Trèanaidh Gnìomhachas Còmhdhail Rathaidean / Ròidean

Bhòrd Trèanaidh Gnìomhachas Còmhdhail Rathaidean / Ròidean *gin*

6 In groups which fall into two parts, having:

a) firstly, two closely bound nouns (whether hyphenated or not), example: bòrd trèanaidh 'training board';

b) the rest of the noun phrase, example: gnìomhachas còmhdhail ròidean 'road transport industry'

The genitive is generally marked in the qualifying (second) noun of the first part, and the final noun of the second part, only (apart from proper noun lenition of the first noun of the first part).

Example:

Bòrd Trèanaidh Gnìomhachas Còmhdhail Ròidean 'Road Transport Industry Training Board'

(buill) Bhòrd Trèanaidh Gnìomhachas Còmhdhail Ròidean 'Road Transport Industry Training Board members'

Groups of this type are shown as:

Bòrd *(fir)* Trèanaidh Gnìomhachas Còmhdhail Rathaidean / Ròidean

Bhòrd Trèanaidh Gnìomhachas Còmhdhail Rathaidean / Ròidean *gin*

Buidheachas

Tha Iomairt Cànan na h-Eòrpa (TELI) air leth taingeil airson na sàr chomhairle, an treòrachaidh agus na taice a fhuaireadh bho Bhuidheann-riaghlaidh a' phròiseict rè a' chunnraidh.

Tha an sgioba deasachaidh agus cuir ri chèile aig TELI air buannachd mhòr fhaighinn às a' chuideachadh a fhuaireadh bhon bhuidheann chomhairleachaidh aig gach ìre den phròiseact, agus bu mhiann leis an sgioba taing chridheil a thoirt dhaibh airson na h-obrach mhòir a rinn iad.

Tha sinn air a bhith air leth fortanach gun robh taic againn bho luchd-obrach Chomunn na Gàidhlig oir chùm an sàr chomasan a thaobh rianachd agus stiùireadh ionmhais agus an cuideachadh càirdeil am pròiseact ag obrachadh gu rèidh.

Tha an sgioba a' toirt taing chridheil don Àrd-ollamh Uilleam MacGillÌosa bho Oilthigh Dhùn Èideann airson aoigheachd a nochd an roinn aige agus airson na comhairle agus a' mhisneachaidh a thug e dhuinn.

Bha sinn air leth taingeil airson na h-aoigheachd a fhuair sinn bho Chomhairle nan Eilean Siar agus na fàilte cridheil a chuireadh òirnn leis an Neach-gairm agus leis a' Cheannard. Bha a' Chomhairle, Oilthigh Dhùn Èideann agus BBC Craoladh nan Gaidheal fialaidh ann a bhith a' saoradh luchd-obrach gus cuideachadh ler n-obair

Bu mhath leinn ar taing a chur an cèill don Àrd-ollamh Cathair Ó Dochartaigh airson a cho-obrachaidh le bhith ag ullachadh na tairgse agus le cùisean poileasaidh aig ìrean tùsail a' phròiseict.

Fhuaras maoineachadh airson a' phròiseict bho Riaghaltas na h-Alba, bho Chomunn na Gàidhlig agus bho Iomairt na Gaidhealtachd is nan Eilean, le tuilleadh taice bho Chomunn Gàidhlig Inbhir Nis agus bho Urras Brosnachaidh na Gàidhlig, agus tha sinn air leth taingeil airson a' chuideachaidh a thug iad dhuinn.

Acknowledgements

The European Language Initiative (TELI) gratefully acknowledges the excellent advice, guidance and support of the project's Management Group throughout the contract.

The TELI editorial and compilation team has greatly benefited from the help of its consultants' group at all stages of the project and wishes to express sincere thanks for the considerable amount of work undertaken by our colleagues.

We have been most fortunate to enjoy the support of the staff of Comunn na Gàidhlig whose outstanding administration, financial management and friendly assistance have ensured the smooth running of the project.

The team warmly thanks Professor William Gillies of Edinburgh University for the hospitality of his department and his personal advice and encouragement.

We were most grateful for the hospitality received from Comhairle nan Eilean Siar, (the Western Isles Council), and the welcome given to us by the Convenor and the Chief Executive. The Comhairle, Edinburgh University and BBC Craoladh nan Gàidheal have been generous in releasing staff to contribute to our work.

We are pleased to record our thanks to Professor Cathair Ó Dochartaigh for his collaboration on the preparation of the tender and on policy matters in the formative stages of the project.

The budget for the project was provided by the Scottish Executive, Comunn na Gàidhlig and Highlands and Islands Enterprise, with further contributions from the Gaelic Society of Inverness and the Gaelic Language Promotion Trust, whose support we acknowledge with gratitude.

Giorrachaidhean

ainmear gnìomhaireach	*agr*	verbal noun
boireann	*boir*	feminine
buadhair	*br*	adjective
co-ghnìomhair	*cgr*	adverb
fireann	*fir*	masculine
fireann / boireann	*fir / boir*	masculine or feminine
ginideach	*gin*	genitive
gnìomhair	*gr*	verb
iolra	*iol*	plural
naisgear	*nr*	conjunction
roimhear	*roi*	preposition
roimhear le ginideach	*roi le gin*	preposition plus genitive
singilte	*sg*	singular

Abbreviations

buadhair	*adj*	adjective
co-ghnìomhair	*adv*	adverb
naisgear	*conj*	conjunction
ainmear	*n*	noun
iolra	*npl*	plural noun
roimhear	*prep*	preposition
gnìomhair	*v*	verb

FACLAIR NA PÀRLAMAID

GAELIC - ENGLISH

a bharrachd *cgr*
further *adj*
aon phuing a bharrachd
one further point

a chèile,
ri chèile *cgr*
together *adv*

a' chiad *br*
first *adj*
1 sa chiad àite
first past the post
2 A' Chiad Leughadh (de Bhile)
First Reading (of a Bill)

a dh'aindeoin *roi le gin*
notwithstanding *adv*
a dh'aindeoin nan gearan
notwithstanding the objections

a dh'aon ghnothach *cgr*
deliberate,
intentional,
express *adj*
òrdugh a dh'aon ghnothach
express instruction

a dheòin (neach) *roi*
intentional *adj*
gun a bhith a dheòin (neach)
unintentional *adj*

a rèir *roi le gin*
according to,
in pursuance of,
in compliance with,
relative *adj*
1 a rèir an lagha
according to law
2 luachan a rèir a chèile
relative values
3 cha tig na h-argamaidean a rèir a chèile
the arguments are mutually exclusive
4 a rèir sin
proportionately (correspondingly)
5 dèan *gr* **a rèir**
conform with / to
6 gun a bhith (a' tighinn) a rèir
non-compliance *n*
7 chan eil A agus B (a' tighinn) a rèir a chèile
there is a mismatch between A and B

a rèir *roi,*
gun a bhith a rèir
at variance with
cha robh na chaidh ainmeachadh a rèir na fìrinn
the statement was at variance with the facts

à seo suas *cgr*
hence *adv*

a thaobh *roi le gin*
in pursuance of,
with reference to,
with respect to

a thuilleadh *cgr*
further *adj*
aon phuing a thuilleadh air sin
one further point

abaich *br*
mature *adj*

abaich *gr*
mature *v*

abaichead *fir*
maturity *n*

abair *gr*
say *v*
a ràdh na bha aca ri ràdh
to have their say

abairt *boir*
expression *n* (phrase)
abairt fheumail
a useful expression

àbhaist *boir*
norm *n*

acfhainn-smàlaidh teine *boir*
fire-fighting equipment *n*

Achd *boir*
Act *n*
1 Achd an Aonaidh
Act of Union
2 Achd Pàrlamaid
Act of Parliament
3 Achd an Fhoghlaim
Education Act

Achd *boir* **a' Mhàil**
Rent Act *n*

Achd *boir* **an Dàimh Chinnidh**
Race Relations Act *n*

Achd *boir* **an Fhuaim**
Noise Act *n*

Achd *boir* **Atharrachaidh Làraichean Adhraidh**
Places of Worship Sites Amendment Act *n*

Achd *boir* **Atharrachaidh Slàinte a' Phobaill**
Public Health Amendment Act *n*

Achd *boir* **Chorparaidean Bhailtean Ùra agus Leasachaidh Bhailteil**
New Towns and Urban Development Corporations Act *n*

Achd *boir* **Còmhdhail agus Obraichean**
Transport and Works Act *n*

Achd *boir* **Cosgaisean a' Mhàil**
Rent Charges Act *n*

Achd *boir* **Dealbhaidh (Stuthan Cunnartach)**
Planning (Hazardous Substances) Act *n*

Achd *boir* **Dealbhaidh (Togalaichean air Liosta agus Àrainnean Glèidhteachais)**
Planning (Listed Buildings and Conservation Areas) Act *n*

Achd *boir* **Dealbhaidh agus Dìolaidh**
Planning and Compensation Act *n*

Achd *boir* **Dealbhaidh Baile is Dùthcha**
Town and Country Planning Act *n*

Achd *boir* **Dìon air Cur à Taigh**
Protection from Eviction Act *n*

Achd *boir* **Dìon air Longan Briste**
Protection of Wrecks Act *n*

Achd *boir* **Dìon Rèididheachd**
Radiological Protection Act

Achd *boir* **Foghlaim Sgoiltean Àraich agus Sgoiltean Tabhartais**
Nursery Education and Grant Maintained Schools Act *n*

Achd *boir* **Fuaim agus Gràine Reachdail**
Noise and Statutory Nuisance Act *n*

Achd *boir* **Glanaidh Sgudail (Goireas-taitneis)**
Refuse Disposal (Amenity) Act *n*

Achd *boir* **Gual nam Mèinnean Fosgailte**
Open Cast Coal Act *n*

Achd *boir* **Leasachaidh Baile**
Town Development Act *n*

Achd *boir* **Lùghdachaidh Trafaig Rathaidean / Ròidean (Cuimsean Nàiseanta)**
Road Traffic Reduction (National Targets) Act *n*

Achd *boir* **na Còmhdhalach**
Transport Act *n*

Achd *boir* **na h-Eòrpa Shingilte**
Single European Act *n*

Achd *boir* **na Rèile**
Railways Act *n*

Achd *boir* **nam Bailtean Ùra**
New Towns Act *n*

Achd *boir* **nam Buidhnean Poblach (Cead Coinneamhan a Fhrithealadh)**
Public Bodies (Admissions to Meetings) Act *n*

Achd *boir* **nam Pìob-loidhneachan**
Pipelines Act

Achd *boir* **nam Puinnsean**
Poisons Act *n*

Achd *boir* **nan Àiteachan Fosgailte**
Open Spaces Act *n*

Achd *boir* **nan Ciontach a thaobh Trafaig Rathaidean / Ròidean**
Road Traffic Offenders Act *n*

Achd *boir* **nan Dachaighean Clàraichte**
Registered Homes Act *n*

Achd *boir* **nan Gabhaltas Beaga agus nan Cuibhreann Talmhainn**
Smallholdings and Allotments Act *n*

Achd *boir* **nan Leabharlannan is nan Taighean-tasgaidh Poblach**
Public Libraries and Museums Act *n*

Achd *boir* **nan Stòr-amaran**
Reservoirs Act *n*

Achd *boir* **nan Stuthan Rèidio-beò**
Radioactive Substance Act *n*

Achd *boir* **Nursaichean, Bhan-ghlùine agus Luchd-tadhail Slàinte**
Nurses, Midwives and Health Visitors' Act *n*

Achd *boir* **Oifis a' Phuist**
Post Office Act *n*

achd *boir* **phoileataigeach**
political act *n*

achd *boir* **phrìobhaideach Pàrlamaid**
private act *n* of Parliament

Achd *boir* **Riochdachaidh an t-Sluaigh**
Representation of the People Act *n*

Achd *boir* **Saidheans agus Teicneolais**
Science and Technology Act *n*

Achd *boir* **Slàinte a' Phobaill**
Public Health Act *n*

Achd *boir* **Slàinte a' Phobaill (Drèanadh Thogalaichean Ciùird)**
Public Health (Drainage of Trade Premises) Act *n*

Achd *boir* **Slàinte a' Phobaill (Smachd air Galaran)**
Public Health (Control of Diseases) Act *n*

Achd *boir* **Smachdachaidh Trafaig Rathaidean / Ròidean**
Road Traffic Reduction Act *n*

Achd *boir* **Teagaisg agus Àrd-fhoghlaim**
Teaching and Higher Education Act *n*

Achd *boir* **Teàrainteachd Shòisealta**
Social Security Act *n*

Achd *boir* **Trafaig nan Rathaidean / Ròidean**
Road Traffic Act *n*

Achd *boir* **Trèanaidh Bodhaig agus Chur-seachad**
Physical Training and Recreation Act *n*

achdachadh *fir*
enactment *n* (of a bill or law)

achmhasan *fir*
rebuke *n*
1 **thoir** *gr* **achmhasan (do)**
rebuke *v*
2 **feumaidh mi achmhasan a thoirt don Mhinistear**
I must take the Minister to task

acranaim *fir*
acronym *n*

ad hoc *boir*
ad hoc *n*
comataidh ad hoc
ad hoc committee

adhartach *br*
progressive *adj*

adhartas *fir*
progress *n*
sùil a chumail air adhartas
to monitor progress

adhbhar *fir*
cause,
ground,
occasion,
reason *n*
1 **tagradh airson adhbhair**
to argue for a cause
2 **adhbhar an duilgheadais**
the cause of the problem
3 **bun-adhbhar don iarrtas**
ground for the application
4 **adhbhar tagraidh**
ground of appeal
5 **cha robh adhbhar againn riamh teagamh a chur na chliù**
we never had occasion to doubt his integrity
6 **adhbhar èiginneach**
a compelling reason
7 **càineadh gun adhbhar cothromach**
unjustified criticism
8 **ionnsaigh gun adhbhar cothromach air a chliù**
an unwarranted attack on his integrity
9 **tha eagal oirbh gun adhbhar**
your fears are groundless
10 **air an adhbhar sin**
hence *conj*

adhbharaich *gr*
lead to,
occasion,
pose *v*
1 **adhbharachadh gun deach aithisg ullachadh**
to lead to the preparation of a report
2 **còmhradh adhbharachadh**
to occasion comment
3 **duilgheadas adhbharachadh**
to pose a problem

agair *gr*
submit *v*
tha mi ag agairt gu bheil mo bheachd ceart
I submit that my view is correct

agallaiche *fir*
interviewer *n*

agallamh *fir*
interview *n*
1 **àite-agallaimh**
interview area
2 **dèan** *gr* **agallamh (le)**
interview *v*

agartach *br*
litigious *adj*

agartach *fir*
litigant *n*

agartachd *boir*
litigation *n*
dèidheil *br* **air agartachd, tugta** *br* **do dh'agartachd**
litigious *adj* (person)

agartas *fir*
representations *npl*

aghaidh *boir*
face,
façade *n*
rach *gr* **an aghaidh**
counter *v*

àicheadh *fir*
denial,
refusal *n*
rach *gr* **às àicheadh**
deny *v*

àicheidh *gr*
deny *v*

aideachadh *fir*
confession *n*

aidich *gr*
concede *v*
tha mi ag aideachadh gur e co-dhùnadh obann a bha ann
I concede that it was a hasty decision

aidich *gr*
confess *v*

àidseant *fir*
agent *n* (in election)

ailtire *fir*
architect *n*
ailtire deilbh-thalmhainn
landscape architect

aimhreit *boir*
dispute *n*
(fìor) aimhreit eatorra
a bitter dispute between them

aimhreiteach *br*
argumentative *adj*

aimsireil *br*
temporal *adj*
na Morairean Aimsireil
the Lords Temporal

aineolach *br*
ill-informed *adj*
beachd aineolach
an ill-informed comment

aingidh *br*
heinous *adj*
1 **casaid aingidh**
heinous offence
2 **eucoir aingidh**
heinous crime

aingidheachd *boir*
iniquity *n*
chaidh aingidheachd a mhaitheadh dha
his iniquity was pardoned

ainm *fir* **cìse**
nominal charge *n*

ainm *fir* **sgrìobhte**
signature *n*
le ainm sgrìobhte shìos
undersigned

ainmeachadh *fir*
nomination *n*
pàipear ainmeachaidh
nomination paper

ainmich *gr*
announce,
cite (as evidence),
designate,
nominate *v*
1 **ainmeachadh**
nomination
2 **neach a chaidh ainmeachadh**
nominee
3 **taghadh ainmeachadh**
to announce an election
4 **rud** *fir* **air ainmeachadh**
announcement

ainmiche *fir*
nominator *n*

ainmichte *br*
designated *adj*
oifigear ainmichte
designated officer

air adhart *cgr*
forward,
forwards *adv*
1 **a chithear air adhart**
foreseeable
2 **cho fad 's a chithear air adhart**
in the foreseeable future
3 **argamaid a chur air adhart**
to advance an argument
4 **adhbhar a chur air adhart**
to further a cause
5 **atharrachadh a chur air adhart**
to move an amendment
6 **bile a chur air adhart**
to promote a bill
7 **gluasad a chur air adhart**
to put forward a motion
8 **dol air adhart le deasbad**
to proceed with a debate
9 **thoir air adhart**
bring *v* forward,
carry *v* over
10 **gluasad a thoirt air adhart**
to bring forward a motion

air aghaidh *cgr*
forward *adv*
ann a bhith a' cur air aghaidh
in furtherance of

air ais *cgr*
back,
backwards *adv*
1 **cuir air ais**
remit (cancel) *v*
2 **fios a chumail air ais**
to withhold information

air bhog *cgr*
afloat *adv*
1 **cur** *fir* **air bhog**
launch *n*
2 **cur** *fir* **air bhog a-rithist**
relaunch *n*
3 **cuir air bhog a-rithist**
relaunch *v*

air bhonn *cgr*
established *br*
1 **cuir air bhonn**
establish *v*
2 **cur** *fir* **air bhonn**
establishment *n* (setting up)
3 **caidreabhas a chur air bhonn**
to forge an alliance

air chois *cgr*
instituted *adj*
cùis-lagha a chur air chois
to institute legal proceedings

air cùl (chùisean) *roi*
underlying *adj*
an gluasad a gheibhear air cùl chùisean - tha e math
the underlying trend is good

air falbh *cgr*
away *adv*
1 **tha sin a' toirt air falbh bho chliù**
that detracts from his reputation
2 **dì-cheadachadh a thoirt air falbh**
to remove a disqualification
3 **ùghdarrasan a thoirt air falbh**
to withdraw powers
4 **a' chuip a thoirt air falbh**
to withdraw the whip

air leth *cgr*
outstanding *adj,*
in isolation,
apart *adv*
1 **euchd air leth math**
an outstanding achievement
2 **cur** *agr* **air leth**
to appropriate
3 **cur** *fir* **air leth**
appropriation *n*

air thuaiream
at random *adv*
taghadh air thuaiream
to chose at random

air thùs *cgr*
in front *adv*
rach *gr* **air thùs**
pioneer *v*

air tùs gnothaich
in the forefront

aire *boir*
circumspection *n*
tha mi a' dèiligeadh ris a' mholadh le (ro-)aire
I approach the proposal with circumspection

aireach *br*
circumspect *adj*
tha mi fhathast aireach mun mholadh
I remain circumspect about the proposal

aireachas *fir*
supervision *n*

àireamh *boir* **fòn**
telephone number *n*

àireamhail *br*
statistical *adj*

àireamh-bhratha *boir*
reference *n* (number)

àireamh-shluaigh *boir*
population *n*

airgead *fir*
currency *n*
1 airgead làidir
strong currency
2 airgead lag
weak currency

airgead *fir* **an seilbh**
investment *n*

airgead *fir* **luaisgeach**
fluctuating currency *n*

airgead *fir* **neo-cheangailte**
floating currency *n*

airgead *fir* **singilte na h-Eòrpa**
European single currency *n*

airgead-dìolaidh *fir* **cliù-mhillidh**
libel damages *npl*

airgead-làimhe *fir*
cash *n*

airidh *br*
worthy *adj*
1 òraid airidh air moladh
a speech worthy of praise
2 bhathar airidh air àrdachadh
promotion was gained on merit

airidheachd *boir*
merit *n*

air-loidhne *br*
on-line *adj*

air-teachdaireachd *br*
on-message *adj*
gu bhith air-teachdaireachd feumaidh sibh aontachadh ri poileasaidhean a' phàrtaidh
to be on-message you must agree with party policies

air thùs *cgr*
first *adv*
reachdas a thèid air thùs (ghnothaichean)
pioneering legislation

ais-cheumach *br*
retrograde *adj*

air ais *cgr*
back *adv*
(fìor) cheum air ais
a retrograde step

ais-ghabhalach *br*
retrospective *adj*
1 reachdas ais-ghabhalach
retrospective legislation
2 cìs-leigeil ais-ghabhalach
retrospective taxation
3 cuirear an lagh an sàs gu h-ais-ghabhalach
the law is to be applied retrospectively

ais-ghairm *boir*
repeal *n*

ais-ghairm *gr*
repeal *v*
1 Achd ais-ghairm
to repeal an Act
2 a ghabhas ais-ghairm
repealable *adj*

ais-ghnìomhach *br*
reactionary,
retrospective *adj*

ais-ghnìomhaiche *fir*
reactionary *n*

ais-ìocadh *fir* **cìse**
tax rebate *n*

àite *fir*
place,
role,
space *n*
1 àite a bhith aig (neach)
to play a role
2 àite fosgailte
open space
3 ann an àite (rud)
in lieu of
4 cuir *gr* **an àite**
substitute *v*
5 cuir *gr* **às àite**
supersede *v*

àite *fir* **air thoiseach**
priority *n*

àite *fir* **bàn**
vacancy *n*

àite *fir* **oifisean**
office accommodation *n*

àite *fir* **poblach**
public place *n*

Àite *fir* **Sònraichte Dìona**
Special Protection Area *n* (SPA)

Àite *fir* **Sònraichte Leasachaidh**
Special Development Area *n*

àite-còmhnaidh *fir* **sealach**
temporary accommodation *n*

àite-fuirich *fir*
accomodation *n* (building)
thoir *gr* **àite-fuirich do**
accommodate (house) *v*

àite-obrach *fir*
workplace *n*
1 cròileagan aig an àite-obrach
workplace nursery / crèche
2 san àite-obrach
in the workplace

aithisg *boir*
report *n*
1 ìre na h-aithisge
report stage
2 sgrìobhadh aithisg
report writing

aithisg *boir* **air adhartas**
progress report *n*

aithisg *boir* **bhliadhnail**
annual report *n*

aithisg *boir* **comataidh**
committee report *n*

aithisg *boir* **eadar-amail**
interim report *n*

aithisg *boir* **lagha**
law report *n*

Aithisg *boir* **Oifigeil**
Official Report *n*

àithn *gr*
command,
precept *v*

àithn *gr* **(le cùirt)**
decree *v*

aithne *boir*
knowledge *n*
1 cur *fir* **an aithne**
introduction *n*
2 aoigh a chur an aithne (dhaoine eile)
to introduce a guest
3 (neach) a chur an aithne (neach eile)
to effect an introduction

àithne *boir* **britheimh**
interlocutor *n*

aithneachadh *fir*
identification *n*
aithneachadh agus sgrìobhainnean
identification and documentation

àithne-chùirte *fir*
decree *n*

aithnich *gr*
acknowledge,
know *v*
1 aithneachadh gun d'fhuaras litir
to acknowledge receipt (of letter)
2 aithnichidh mi an neach sin
I know that person

aithnichte (mar ...) *br*
acknowledged (as ...) *adj*
eòlaiche aithnichte
an acknowledged expert

àithntean *boir iol*
precepts *npl*

aithreachas *fir*
regret *n*
gabh *gr* **aithreachas**
to regret

aithris *boir*
commentary,
statement *n*
1 aithris rùin
statement of intent
2 aithris air an lagh
statement of the law
3 aithris air fìrinn na cùise
statement of facts
4 aithris fo bhòidean / fo mhionnan
statement on oath

aithris *gr*
comment *v*

aithris *boir* **air adhartas**
position statement *n*
(update on progress)

aithris *boir* **air suidheachadh**
position statement *n*
(statement of policy)

aithris *boir* **rùin**
mission statement *n*

aithris *boir* **sgrìobhte**
written statement *n*

Alba *boir*
Scotland *n*

Alba *boir* **Eachdraidheil**
Historic Scotland *n*

Alba *boir* **Europa**
Scotland Europa *n*

alladh *fir*
report *n*
cuir alladh air
libel *v*,
slander *v*

alt *fir*
article,
facility,
link *n*
1 alt sa phàipear-naidheachd
newspaper article
2 Alt ann an Cunnradh
Article in a Treaty
3 alt a bhith aig neach air cànainean
to have a facility for languages

altramaich *gr*
foster *v* (a child)

alt-rathad *fir*
link road *n*

àm *fir*
time,
timing,
stage *n* (period of time)
1 aig a h-uile àm
at all times
2 eadar-theachd an deagh àm, tighinn a-steach an deagh àm
a timely intervention

3 **tomhas ama a' ghluasaid ghileatain**
the timing of the guillotine motion
4 **àm a' ghluasaid ghileatain**
the timing of the guillotine motion
5 **bha an t-eadar-theachd an deagh àm**
the intervention was well-timed
6 **thàinig e / i a-steach an deagh àm**
the intervention was well-timed
7 **àm a chaidh seachad**
past *n*
8 **san àm iomchaidh**
in the fullness of time

Àm *fir* **nan Ceist**
Question Time *n*

àm *fir* **ri teachd**
future *n*
san àm ri teachd
at a future date,
in the future

àm *fir* **suidhe**
sitting *n*

a-mach *cgr*
out *adv*
1 **bho seo a-mach**
hereinafter
2 **air a chumail a-mach**
excluded *adj*
3 **cuspair a chumail a-mach à aithisg**
to exclude a subject from a report
4 **cuir a-mach**
issue *v*

a-mach à òrdugh *br*
out of order *adj*
neach a riaghladh a-mach à òrdugh
to rule someone out of order

amaideach *br*
ridiculous *adj*
suidheachadh amaideach
a ridiculous situation

amalachas *fir*
integration *n*
amalachas sòisealta
social integration

amalaich *gr*
amalgamate,
integrate *v*

amalaichte *br*
integrated *adj*
poileasaidhean amalaichte
integrated policies

amas *fir*
aim,
objective *n*
1 **cuimsean is amasan**
aims and objectives
2 **amas a shuidheachadh**
to set an objective

àmbasaid *boir*
embassy *n*

amharas *fir*
suspicion *n*
1 **bhathar an amharas air a chuid rùintean**
his motives were regarded with suspicion
2 **gun aon amharas a bhith air (neach)**
to be above suspicion
3 **a bhith fo amharas**
to be under suspicion
4 **chaidh an neach (a bha) fo amharas a chur an grèim**
the suspect was arrested
5 **tha mi an amharas gu bheil i ceart**
I suspect she is right
6 **amharas a chur air a chliù**
to impugn his good name
7 **fo amharas**
suspect *adj*

amharasach *br*
questionable,
suspicious *adj*
1 **giùlan amharasach**
questionable behaviour
2 **tha mi amharasach à chuid rùintean**
I am suspicious of his motives
3 **dòigh-ghiùlain amharasach**
suspicious behaviour
4 **suidheachaidhean amharasach**
suspicious circumstances
5 **pacaid às a bheilear amharasach**
a suspicious package
6 **bhathar amharasach às argamaid**
his logic was suspect
7 **tha adhbhar agam a bhith amharasach à chuid rùintean**
I have reason to suspect his motive

amharc *fir*
view *n*
san amharc
prospective *adj*

a-muigh *cgr*
outside *adv*
1 **sgrùdadh(-airgid) bhon taobh a-muigh**
external audit
2 **maoineachadh bhon taobh a-muigh**
external funding

an aghaidh *roi le gin*
against *prep*
1 **an aghaidh an lagha**
contrary to law
2 **rach** *gr* **an aghaidh**
counter *v*

an àird *cgr*
up *adv*
cosgaisean a' dol an àird
rising costs

an cois *roi le gin*
accompanying *adj*
pàipearan an cois...
accompanying papers

an dèidh *roi le gin*
after *prep*
1 **na dhèidh sin**
subsequently *adv*
2 **tha mi a' cleachdadh a' bhriathair seo an dèidh beachdachadh**
I use this term advisedly

3 an dèidh do chumhachdan a bhith air an tiomnadh (gu Pàrlamaid na h-Alba)
post-devolution *adj*
(of the Scottish Parliament)
4 an dèidh làimhe
subsequently *adv*
5 an dèidh seo
hereupon *adv*

an làthair *cgr*
present *adj*

an lùib *roi*
in connection with,
in contact with *prep*
1 nì (a tha) an lùib (litreach)
enclosure *n* (in a letter)
2 rach *gr* **an lùib a chèile**
amalgamate *v*

an seo *cgr*
here *adv*

an urra ri
qualified *adj* (conditional)

ana-cainnt *boir*
abuse *n* (verbal)
dèan *gr* **ana-cainnt ri**
abuse *v* verbally

ana-gèill *boir*
deadlock *n*
(cùis) a dhol gu ana-gèill
to reach a deadlock

anailis *boir*
analysis *n*
anailis chosgaisean
analysis of costs

an-àm *fir*
ill timing *n*
bha an tighinn a-staigh an an-àm
the intervention was ill-timed

an-asgaidh *cgr*
free *adj*
saor is an-asgaidh
free of charge

anbharra *fir*
redundancy *n*
airgead-dìolaidh anbharra
redundancy payment

anbharra *fir* **saor-thoileach**
voluntary redundancy *n*

an-dràsta *cgr*
now *adv*
sabaid a' briseadh a-mach an-dràsta is a-rithist
sporadic outbreaks of hostility

an-luchdachadh *fir*
overloading *n*

an-luchdaich *gr*
overload *v*

an-luchdaichte *br*
unwieldy *adj*
tha an reachdas air fàs an-luchdaichte
the legislation has become unwieldy

ann an dìomhaireachd
off the record

a-nuas *cgr*
down *adv*
dòigh-obrach a-nuas bhon mhullach
a top-down approach

aoigheachd *boir*
hospitality *n*
seòmar / seòmraichean aoigheachd
hospitality suite

aonachd *boir*
unity *n*
aonachd a' phàrtaidh
the unity of the party

aonad *br*
unit *n*
aonad airson poileasaidh eaconamaich
economic policy unit

Aonad *fir* **airson Às-dùnaidh Shòisealta**
Social Exclusion Unit *n*

Aonad *fir* **Cànain Nàiseanta na Cuimrigh**
National Language Unit (*n*) of Wales

aonad *fir* **gnothachais beag**
small business unit *n*

aonad *fir* **mòr-thachartais**
major incident unit *n*

Aonad *fir* **Poileasaidh Slàinte**
Health Policy Unit *n*

aonad *fir* **slàinte a' phobaill**
public health unit *n*

Aonad *fir* **Smachd Sgrùdaidh**
Survey Control Unit *n*

aonad *fir* **stiùiridh obrach**
occupational guidance unit *n*

Aonad *fir* **Tar-chur Cloinne-sgoile**
Pupil Referral Unit *n* (PRU)

Aonad *fir* **Teicneolais**
Technology Unit *n*

aonadh *fir*
merger,
union *n*

aonadh *fir* **ciùird**
trade union *n*

Aonadh *fir* **Eòrpach**
European Union *n* (EU)

Aonadh *fir* **Luchd-Obrach Bhùth, Cheàird Riarachaidh agus an Leithid**
Union (*n*) of Shop Workers, Distribution and Allied Trades (USDAW)

Aonadh *fir* **Luchd-obrach Còmhdhail is Choitchinn**
Transport and General Workers Union *n*
(TGWU)

Aonadh *fir* **Nàiseanta Luchd-naidheachd**
National Union (*n*) of Journalists
(NUJ)

Aonadh *fir* **Nàiseanta Luchd-obrach nam Mèinnean**
National Union (*n*) of Mineworkers
(NUM)

Aonadh *fir* **Nàiseanta Luchd-obrach Thuathanas**
National Union (*n*) of Farmworkers
(NUF)

Aonadh *fir* **Nàiseanta Luchd-teagaisg**
National Union (*n*) of Teachers
(NUT)

Aonadh *fir* **Nàiseanta nan Oileanach**
National Union (*n*) of Students
(NUS)

Aonadh *fir* **Nàiseanta nan Oileanach an Alba**
National Union (*n*) of Students in Scotland

Aonadh *fir* **Nàiseanta nan Òstairean le Ceadachd**
National Union *n* of Licensed Victuallers

Aonadh *fir* **Nàiseanta nan Tuathanach**
National Farmers' Union *n*
(NFU)

Aonadh *fir* **Nàiseanta Thuathanach na h-Alba**
National Farmers' Union (*n*) of Scotland

Aonadh *fir* **Nàiseanta Thuathanach Shasainn agus na Cuimrigh**
National Farmers' Union (*n*) of England and Wales

Aonadh *fir* **nan Croitearan**
Scottish Crofters' Union *n*

Aonadh *fir* **nan Neo-Eisimeileach**
Union (*n*) of Independents

Aonadh *fir* **Postail Coitcheann**
Universal Postal Union *n*

aonaich *gr*
integrate *v*

aonaichte *br*
united,
integrated *adj*
1 nochd iad aghaidh aonaichte
they presented a united front
2 poileasaidhean aonaichte
integrated policies

aonar,
na aonar *cgr*
in isolation,
stand-alone *adj*
1 air a ghabhail na aonar
taken in isolation
2 buidheann a sheasas na aonar
a stand-alone body

aonarachd *boir*
isolation *n*

aonarachdas *fir*
isolationism *n*

aonaraiche *fir*
isolationist *n*

aonarail *br*
isolationist *adj*
poileasaidhean aonarail
isolationist policies

Aonghas
Angus (Constituency)

aon-ghuthach *br*
unanimous *adj*
1 beachd aon-ghuthach
a unanimous view
2 gu h-aon-ghuthach
unanimously *adv*

aon-inntinn *boir*
unanimity *n*
aon-inntinn a ruighinn
to achieve unanimity

aon-seaghach *br*
unambiguous *adj*

aonta *fir*
agreement,
approval,
assent,
consent,
endorsement *n*
1 aonta an sgrìobhadh
agreement in writing
2 aonta fo làimh
assent under hand
3 aonta fo sheula
assent under seal
4 aonta àrd-labhrach
a ringing endorsement
5 cuir *gr* **aonta ri**
approve *v*
6 bu mhath leam aonta a chur ris an aithisg
I wish to endorse the report
7 bhòtadh mòr-chodach le aonta
qualified majority voting
8 thoir *gr* **aonta do**
assent *v*

aonta *fir* **cead-reice**
agency agreement *n*
(in commerce)

aonta *fir* **dealbhaidh**
planning consent *n*

aonta *fir* **laghail**
legal agreement *n*

Aonta *fir* **Rìoghail**
Royal Assent *n*

aonta *fir* **tostach**
tacit approval *n*

aontaich *gr*
concur,
consent,
pass *v*
1 tha mi ag aontachadh ris an iarrtas agad
I consent to your request
2 dh'aontaich iad a' chùis a dheasbad
they consented to discuss the issue
3 am buidseat aontachadh
to pass the budget
4 Achd / lagh aontachadh
to pass an Act / a law

aontaich *gr* **gun deasbad**
nod (*v*) through
chaidh aontachadh ris an iarrtas gun deasbad
the application was nodded through

aontaich *gr* **ri**
countenance *v*
aontachadh ri atharrachadh
to countenance change

aontaichte *br*
agreed *adj*
1 beachd aontaichte
agreed opinion
2 beachd aontaichte a' phàirtidh
the agreed party line

aon-taobhach *br*
unilateral *adj*
rinn iad (nì) gu h-aon-taobhach
they have acted unilaterally

aon-taobhachail *br*
unilateralist *adj*
poileasaidh aon-taobhachail
a unilateralist policy

aon-taobhachas *fir*
unilateralism *n*

aon-taobhaiche *fir*
unilateralist *n*

àrachas *fir*
insurance,
assurance *n* (against risk)

Àrachas *fir* **Nàiseanta**
National Insurance *n* (NI)

àraich *gr*
foster *v* (nurture)
gus deagh chaidreabh àrach
to foster good relations

Àrainn *boir* **Fhrionasach a thaobh Niotrait**
Nitrate Sensitive Area *n*

àrainneachd *boir* **phoileataigeach**
political background *n*

ar-a-mach *fir*
rebellion,
revolution *n*
1 a nì ar-a-mach
revolutionary *adj* (political)
2 neach *fir* **ar-a-mach**
revolutionary *n*
3 dèan *gr* **ar-a-mach**
to rebel

Arcaibh
Orkney (Constituency)

arc-eòlas *fir*
archaeology *n*
1 arc-eòlas teasairginn
rescue archaeology
2 Urras an Arc-Eòlais Theasairginn
Rescue Archaeology Trust

àrd- *br*
head,
senior *adj*
àrd-uachdaran
head landlord

Àrd Ruigh agus Shotts
Airdrie and Shotts (Constituency)

àrdachadh (ceum) *fir*
promotion *n* (staff)
1 modh àrdachaidh
promotion procedure
2 thoir *gr* **àrdachadh (ceum) do**
promote *v* (staff)

àrdachadh *fir* **an ceum-inbhe**
preferment *n*

àrdachadh-chàirdean *fir*
nepotism *n*

àrdaich *gr*
promote (staff),
raise *v*
àrdachadh don mhoraireachd
to raise to the peerage

àrd-bhall *fir*
senior member *n*

àrd-bhriathrach *br*
outspoken *adj*
neach a bheir càineadh àrd-bhriathrach air poileasaidh an riaghaltais
an outspoken critic of government policy

àrd-cheannard *fir*
chief (*n*) of staff,
supremo *n*

Àrd-choimisean *fir*
High Commission *n*

àrd-choinneamh *boir*
summit meeting *n*

àrd-chomhairleach *fir*
senior adviser *n*

àrd-chomhairleach *fir* **air àiteachas is àrainneachd**
senior agri-environment adviser *n*

àrd-chomhairleach *fir* **air poileasaidh**
senior policy adviser *n*

Àrd-chuip *boir*
Chief Whip *n*

àrd-chùirt *boir*
high court *n*
Àrd-Chùirt a' Cheartais
High Court of Justiciary

Àrd-mhorair *fir* **Cùirt an t-Seisein**
Lord President (*n*) of the Court of Session

Àrd-mhorair *fir* **na Comhairle**
Lord President (*n*) of the Council

Àrd-neach-clàraidh *fir*
Registrar (*n*) General

Àrd-neach-lagha *fir* **a' Chrùin**
Solicitor-General *n*

Àrd-neach-lagha *fir* **a' Chrùin an Alba**
Solicitor-General (*n*) for Scotland

Àrd-neach-sgrùdaidh *fir*
Auditor General *n*

àrd-neach-stiùiridh *fir*
superintendent *n*

Àrd-neach-tagraidh *fir*
Attorney-General *n*

àrd-oifigear *fir*
senior officer *n*

àrd-oifigear *fir* **(gnìomha)**
chief executive *n*

àrd-oifigear *fir* **meidigeach rianachd**
senior administrative medical officer *n*

Àrd-oifis *boir*
Central Office *n*

àrd-riaghaltas *fir*
central government *n*

àrd-rùnaire *fir*
general secretary,
senior secretary *n*

Àrd-sheansalair *fir*
Lord Chancellor *n*

àrd-sheirbheis *boir* **chatharra**
senior civil service *n*

àrd-sheirbheiseach *fir* **catharra**
senior civil servant *n*

Àrd-sheumarlan *fir*
Lord Chamberlain *n*

Àrd-shiorraidh, Àrd-shiorram *fir*
Sheriff Principal *n*

Àrd-stiùiriche *fir*
Director General *n*

Àrd-uachdaran *fir*
Sovereign *n*

àrd-ùrlar *fir*
podium,
platform,
stage *n*

arfuntachadh *fir*
forfeiture *n*

argamaid *boir*
argument,
contention *n*
1 **'s e m' argamaid nach gabh am poileasaidh a chur an gnìomh**
my contention is that the policy is unworkable
2 **a bhuineas don argamaid**
material to the argument

argamaid *boir* **le fiaradh**
special pleading *n*

a-rithist *cgr*
again *adv*
dèan *gr* **rud a-rithist**
to resume

artaigilean *fir iol* **companaidh**
articles (*npl*) of association
artaigilean is ionnsramaidean
articles and instruments

às-bhathar *fir*
export *n*

às-dùnadh *fir*
exclusion *n*
às-dùnadh sòisealta
social exclusion

às leth *roi le gin*
on behalf of

as lugha *br*
minimum,
minimal *adj*
fon chunnart as lugha
at minimal risk

as motha
maximum *adj*

às-mhalairt *boir*
export *n*

a-steach *cgr*
in *prep*
1 **fiosrachadh a chur a-steach do choimpiutar**
to input information into a computer
2 **ath-thagradh a chur a-steach**
to lodge an appeal
3 **aithisg a chur a-steach**
to submit a report
4 **tha mi a' cur seo a-steach airson d' aonta**
I submit this for your approval
5 **cur a-steach ann an cùis**
interference in / with a matter

ath-achdachadh *fir*
re-enactment *n*

ath-achdaich *gr*
re-enact *v*

Athair *fir* **na Pàrlamaid**
Father (*n*) of the House / Parliament

ath-aithris *boir*
repetition *n*
bha an neach-labhairt ri ath-aithris
the speaker was guilty of repetition

ath-aithris *gr*
rehearse,
repeat *v*
1 **argamaid ath-aithris**
to rehearse an argument
2 **chaidh an argamaid ath-aithris iomadh uair**
the argument has been rehearsed many times
3 **a nì ath-aithris**
repetitive

ath-aithriseach *br*
iterative *adj*
bha an òraid ath-aithriseach agus iom-fhillte
the speech was iterative and complex

ath-aithriseil
repetitive *adj*

atharrachadh *fir*
alteration,
amendment,
change,
transfer *n*
1 **atharrachadh gluasaid**
alteration of motion
2 **atharrachadh air aithisg**
amendment of a report
3 **atharrachadh poileasaidh**
a change of policy
4 **Òrdugh Atharrachaidh Dreuchd**
Transfer of Functions Order
5 **atharrachadh cumhachd**
the transfer of powers
6 **òrdugh atharrachaidh**
transfer order
7 **am Bile mar a chaidh atharrachadh**
the Bill as amended

atharrachadh *fir* **cruth**
transformation *n*
atharrachadh cruth eaconamaidh na roinne
the transformation of the region's economy

atharrachadh *fir* **millteach**
wrecking amendment *n*

atharrachadh *fir* **poileasaidh**
policy change *n*

atharraich *gr*
amend,
change,
overturn,
transfer,
vary *v*
1 **feumar an lagh atharrachadh**
it is necessary to amend the law
2 **cùrsa atharrachadh**
to change course
3 **co-dhùnadh atharrachadh**
to overturn a decision
4 **am Bile mar a chaidh atharrachadh**
the Bill as amended
5 **atharraich (bho àm gu àm)**
fluctuate

atharraichte *br*
amended *adj*

ath-bheachdachadh *fir*
reappraisal,
reconsideration *n*
dèan *gr* **ath-bheachdachadh air**
to revisit

ath-bheachdaich *gr*
reappraise,
reconsider *v*
bu chòir dhuinn ath-bheachdachadh air a' chùis gu lèir
we should revisit the whole issue

ath-bheothachadh *fir*
revitalisation *n*
Ath-bheothachadh Coimhearsnachd
Community Revitalisation

ath-bhreithneachadh *fir*
review *n*
ath-bhreithneachadh a dhèanamh air Achd / air Reachd
to review an Act / Statute

ath-bhreithneachadh *fir* **laghail**
judicial review *n*

ath-bhreithneachadh *fir* **shochairean**
welfare review *n*

ath-bhuannachadh *fir*
recoupment *n*

ath-bhuannaich *gr*
recoup *v*

athchuinge *boir*
petition *n*
thoir *gr* **athchuinge do**
petition *v*

Athchuingeach *fir* **Oifigeil**
Official Petitioner *n*

athchuingiche *fir*
petitioner *n*

ath-chunnt *gr*
re-count *v* (votes)

ath-chunntadh *fir*
re-count *n* (of votes)
1 **ath-chunntadh iarraidh**
to demand a recount
2 **ath-chunntadh òrdachadh**
to order a recount

ath-dhìol *gr*
repay *v*

ath-dhìoladh *fir*
redress (financial),
repayment,
restitution *n*

ath-eagrachadh *fir*
reorganisation *n*
ath-eagrachadh riaghaltais ionadail
local government reorganisation

ath-ghabh *gr*
poind *v*
chaidh a chuid seilbh ath-ghabhail
his goods were poinded

ath-ghabhail *fir*
poinding *n*

ath-ghairm *boir* **fiosrachaidh**
information retrieval *n*

ath-leasachadh *fir*
reform,
reforming *n*
1 a nì ath-leasachadh
reforming *adj*
2 dealas airson ath-leasachaidh
reforming zeal

ath-leasachadh *fir* **bun-reachdail**
constitutional reform *n*

ath-leasachadh *fir* **cìse**
tax reform *n*

ath-leasachadh *fir* **lagha**
law reform *n*

ath-leasachadh *fir* **pàrlamaid**
parliamentary reform *n*

ath-leasachadh *fir* **poileataigeach**
political reform *n*

Ath-leasachadh *fir* **Reachdas Croitearachd**
Crofting Legislation Reform *n*

ath-leasachadh *fir* **riaghaltais ionadail**
local government reform *n*

ath-leasachadh *fir* **san dòigh-thaghaidh**
electoral reform *n*

ath-leasachadh *fir* **shochairean**
welfare reform *n*

ath-leasachail *br*
reforming *adj*
riaghaltas ath-leasachail
a reforming government

ath-leasaich *gr*
reform *v*
riaghaltas ionadail ath-leasachadh
to reform local government

ath-nuadhaich *gr*
renew *v*

ath-riarachadh *fir*
redistribution *n*
ath-riarachadh na maoine
the redistribution of wealth

ath-riaraich *gr*
redistribute *v*

ath-sgrìobh *gr*
transcribe *v*

ath-sgrìobhadh *fir*
transcript *n*

ath-sgrùdachail *br*
revisionist *adj*

ath-sgrùdachas *fir*
revisionism *n*

ath-sgrùdadh *fir*
revision *n*
1 ath-sgrùdadh poileasaidh
policy review
2 neach *fir* **ath-sgrùdaidh**
revisionist *n*

ath-shèid *gr*
reflate *v*
an eaconamaidh ath-shèideadh
to reflate the economy

ath-shèideadh *fir*
reflation *n*
ath-shèideadh air an eaconamaidh
reflation of the economy

ath-structaraich *gr*
restructure,
reorganise *v*

ath-thagh *gr*
re-elect *v*

ath-thaghadh *fir*
re-election *n*

ath-thagradh *fir*
appeal *n*
modh ath-thagraidh
appeals procedure

ath-thagradh *fir* **dealbhaidh**
planning appeal *n*

ath-thagraiche *fir*
appellant *n*

ath-thaobhadh *fir*
realignment *n*

ath-thaobhaich *gr*
realign *v*

atmhorachd *boir*
inflation *n*
ìre na h-atmhorachd
inflation rate

B

bac *gr*
curb,
deter,
obstruct,
embargo *v*
1 deasbad / còmhradh a bhacadh
to curb debate / discussion
2 cùrsa a' cheartais a bhacadh
to obstruct the course of justice
3 bacadh tro bhith a' dèanamh dàil
to filibuster
4 air a bhacadh gu
embargoed until

bacadh *fir*
embargo,
obstruction *n*
1 bacadh a chur air brath-naidheachd
to place an embargo on a news item

2 **bacadh an deasbaid**
the obstruction of the debate
3 **bacadh tro bhith a' dèanamh dàil**
filibuster,
filibustering
4 **a nì bacadh**
obstructionist,
obstructive
5 **innleachdan a nì bacadh**
obstructionist tactics

bagrach *br*
hectoring *adj*
labhairt ann an dòigh bhagraich
to speak in a hectoring tone

bagradh *fir*
hectoring *n*

baigearachd,
bi *gr* **baigearachd**
beg *v*

baile *fir*
town *n*

Baile *fir* **Átha Cliath**
Dublin *n*

baile *fir* **mòr**
city *n* (large town)

baile *fir* **munaiseapail**
municipal borough *n*

baile (roinne-taghaidh) *fir*
borough *n*

Baile Dhùn Lèibhe
Livingston (Constituency)

baileat *fir*
ballot *n*
1 **baileat a chumail**
to hold a ballot
2 **baileat tro thogail làmhan**
ballot by show of hands
3 **dèan** *gr* **baileat de**
ballot *v*

baileat *fir* **dìomhair**
secret ballot n

baileat *fir* **tron phost**
postal ballot *n*

bàillidh *fir* **oighreachd**
estate factor *n*

bailteil *br*
urban *adj*
1 **tabhartas leasachaidh bhailteil**
urban development grant
2 **sgìre bhailteil**
urban district
3 **tabhartas calpa-sheilbh bailteil**
urban investment grant
4 **prògram bailteil**
urban programme

Baintighearna *boir*
Lady *n* (peeress / wife of knight)

bàirlinn *boir*
summons *n*
1 **bàirlinn a chur a-mach**
to issue a summons
2 **bàirlinn a lìbhrigeadh**
to issue a summons

ball *fir*
member *n*
1 **Ball Liosta**
List Member
2 **gach stàit a tha na ball den Aonadh**
each member-state of the Union

ball *fir* **ainmichte**
nominated member *n*

Ball *fir* **den Chomhairle Dhìomhair**
Privy Councillor *n* (PC)

Ball *fir* **Liosta**
List Member *n*

ball *fir* **neo-eisimeileach**
independent member *n*

Ball *fir* **Pàrlamaid**
Member (*n*) of Parliament (MP)
1 **Ball Pàrlamaid Albannach nan Eilean Siar**
Western Isles MSP
2 **Ball Pàrlamaid Westminster nan Eilean Siar**
Western Isles MP

Ball *fir* **Pàrlamaid Eòrpaich**
Member (*n*) of the European Parliament (MEP)

Ball *fir* **Pàrlamaid na h-Alba**
Member (*n*) of the Scottish Parliament (MSP)

ball *fir* **roinne-pàrlamaid**
constituency member *n*

Ball *fir* **Seanadh Èireann a Tuath**
Member (*n*) of the Northern Ireland Assembly (MLA)

Ball *fir* **Seanaidh**
Assembly Member *n* (AM) (Wales)

balla *fir* **nan sgrionachan**
media wall *n*

ball-comhairle *fir*
council member *n*

ballrachd *boir*
membership *n*

ball-stàit *boir*
member-state *n*
ball-stàit den Aonadh Eòrpach
member-state of the European Union (EU)

bàn *br*
vacant *adj*
roinn-phàrlamaid bhàn
a vacant seat in Parliament

Banbh is Buchan
Banff and Buchan (Constituency)

Banca *fir* **Calpa na h-Eòrpa**
European Investment Bank *n* (EIB)

Banca *fir* **Coitcheann na h-Eòrpa**
European Central Bank *n*

Banca *fir* **Sàbhalaidh Nàiseanta**
National Savings Bank *n*

banca-dàta *fir*
data bank *n*

ban-mhoraire *boir*
peeress *n*
Ban-mhoraire
Lady (peeress / wife of knight)

bann *fir*
security *n* (bond)

bannan-sàbhalaidh *fir iol* **pisich**
premium savings bonds *npl*

ban-phoileas *boir*
policewoman *n*

bànrigh *boir*
queen *n*
A Mòrachd a' Bhànrigh
Her Majesty The Queen

ban-stàitire *boir*
stateswoman *n*

Bàr *fir* **an t-Seòmair**
Bar (*n*) of the House

barail *boir*
assumption,
conjecture,
estimation *n* (opinion),
point (*n*) of view
1 **barail reusanta**
a reasonable assumption
2 **chan eil an sin ach barail thuairmseach**
that is mere conjecture
3 **bha na Buill uile den aon bharail**
all the Members were like-minded

barail *boir* **a ghabhas breugnachadh**
rebuttable presumption *n*

barail *boir* **adhartach**
progressive opinion *n*

barail *boir* **dhaingeann**
entrenched position *n*

barail *boir* **nach gabh breugnachadh**
irrebuttable presumption *n*

baralach *br*
speculative *adj*

barganachadh *fir*
negotiation *n*
1 **gun a bhith ri bharganachadh**
not negotiable
2 **ionnstramaid ri bharganachadh**
negotiable instrument

barganaich *gr*
negotiate *v*
tairgse bharganaichte
negotiated tender

barganaiche *fir*
negotiator *n*

barrachdas *fir*
additionality *n*

barrantachadh *fir*
accreditation *n*

barrantaich *gr*
accredit,
commission *v*

barrantaichte *br*
accredited,
qualified *adj*
(having gained qualifications)
inbhe neach-theagaisg bharrantaichte
qualified teacher status

barrantas *fir*
assurance,
qualification,
guarantee *n*
1 **le barrantas lagha**
legally qualified *adj*
2 **thug e barrantas**
he gave an assurance
3 **le barrantas dà bhliadhna**
guaranteed for two years

barrantas *fir* **creideis airson às-mhalairt**
export credit guarantee *n*
roinn barrantais chreideis airson as-mhalairt
export credit guarantee department

Barrantas *fir* **Dreuchdail Coitcheann na h-Alba**
General Scottish Vocational Qualification *n* (GSVQ)

Barrantas *fir* **Proifeasanta Nàiseanta airson Ceannais-sgoile**
National Professional Qualification (*n*) for Headship (NPQH)

barrantas *fir* **togail**
building warrant *n*

bathar *fir* **a-steach**
import *n*

bathar-bog *fir*
software *n*

beachd *fir*
judg(e)ment,
opinion,
persuasion,
view,
viewpoint *n*
1 **tha mi den bheachd sin**
I am of that persuasion
2 **beachd aon-ghuthach, beachd a h-uile duine**
a unanimous view
3 **tha mi den bheachd aontachadh riut**
I am minded to agree with you

4 **a bhith de bheachd mearachdach**
to labour under a misapprehension
5 **tha mi den bheachd gur e sin a' chùis**
I assume that to be the case
6 **tha a' Chùirt a' cumail ris a' bheachd**
the Court holds

beachd *fir* **a' mhòr-shluaigh**
mainstream opinion *n*

beachd *fir* **air thuairmeas**
straw poll *n*

beachd *fir* **an t-sluaigh**
grassroots opinion *n*

beachd *fir* **laghail**
legal opinion *n*

beachd *fir* **poileataigeach**
political thought *n*

beachdachadh *fir*
consideration,
deliberation,
discussion,
speculation *n*
1 **greis beachdachaidh**
a period of deliberation
2 **buidheann beachdachaidh**
discussion group

beachdaich *gr*
deliberate,
discuss,
speculate *v* (non-financial)

beachdan *fir iol* **calg-dhìreach an aghaidh a chèile**
diametrically opposing views *npl*

beachd-inntinn *fir*
mindset *n*

beag *br*
small *adj*

beag-chuid *boir*
minority *n*
leis a' bheag-chuid
minority *adj*

beag-chuid *br*
minority *adj*
1 **riaghaltais beag-chuid, riaghaltas na beag-chodach**
minority government
2 **riaghladh (leis a') bheag-chuid**
minority rule

beairt *boir* **mhoralta**
moral framework *n*

bean *boir* **mèar**
mayoress *n*

bean *gr* **ri**
tamper (*v*) with

beàrn *boir*
gap,
loophole *n*
1 **beàrn san reachdas**
a gap in the legislation
2 **beàrn laghail**
legal loophole
3 **a lìonas beàrn**
stop-gap *adj*

being *boir*
bench *n*

being-aghaidh *boir*
front bench *n*
1 **neach-labhairt na beinge-aghaidh**
front-bench spokesperson
2 **neach-labhairt airson nam beingean-aghaidh**
front-bench spokesperson

beinge-aghaidh *br*
front-bench *adj*

beingean *boir iol* **(luchd-)dùbhlain**
opposition benches *npl*

beingear-aghaidh *fir*
front-bencher *n*

being-chùil *boir*
back bench *n*
ball air na beingean-cùil
back-bench member

beò-ghlac *gr*
transfix *v*
tha e a' beò-ghlacadh a luchd-èisteachd le chomas labhairt
he transfixes the audience by his rhetoric

beothail *br*
animated *adj*
iomlaid bheachdan (a tha) beothail
an animated exchange of views

beothalachd *boir*
animation,
vitality *n*
1 **labhair i le beothalachd**
she spoke with animation
2 **beothalachd a thoirt air ais san eaconamaidh ionadail**
to revitalise the local economy

beul *fir*
mouth *n*
1 **droch bheul**
verbal abuse
2 **freagairt bheòil**
oral answer / reply
3 **ceist bheòil**
oral question
4 **rannsachadh beòil**
oral examination
5 **cùmhnant beòil**
a verbal contract

beul-bheingear *fir*
front-bencher *n*

beum *roi*
reproach *n*
gun bheum do
without prejudice to

beusachd *boir* **phoblach**
public decency *n*

beusachd *boir* **phroifeiseanta**
professional etiquette *n*

beusail *br*
ethical *adj*
poileasaidh (dhùthchannan) cèin beusail
ethical foreign policy

beusalachd *boir*
ethics *n*

bhèato *fir*
veto *n*
1 **còir bhèato**
power of veto
2 **bhèato a dhèanamh**
to exercise a veto
3 **dèan bhèato air**
veto *v*

bhòt *boir*
vote *n*
1 **aon bhall aon bhòt**
one member one vote (OMOV)
2 **bhòt sa Phàrlamaid**
division (in Parliament)

bhòt *gr*
vote *v*
1 **atharrachadh a bhòtadh as**
to vote down an amendment
2 **bhòtadh airson tagraiche**
to vote for a candidate
3 **bhòtadh le cunntadh làmh**
to vote by show of hands
4 **na bhòt aig an taghadh**
the turnout at the election

bhòt *boir* **chlàraichte**
recorded vote *n*

bhòt *boir* **cion-earbsa**
vote *(n)* of no confidence

bhòt *boir* **co-dhùnaidh**
deciding vote *n*

bhòt *boir* **cronachaidh**
vote (*n*) of censure

bhòt *boir* **earbsa**
vote (*n*) of confidence

bhòt *boir* **làimhe**
show (*n*) of hands

bhòt *boir* **leasachail**
supplementary vote *n*

bhòt *boir* **neach-ionaid**
proxy vote *n*

bhòt *boir* **neo-làthaireach**
absent vote *n*

bhòt *boir* **sheulachaidh**
casting vote *n*
bhòt sheulachaidh a' chathraiche
casting vote of the chair(man)

bhòt *boir* **shingilte ghluasadach**
single transferable vote *n* (STV)

bhòt *boir* **tron phost**
postal vote *n*

bhòtadh *fir*
poll,
polling,
vote,
voting *n*
1 **bhòtadh trom / aotrom**
heavy / light poll
2 **bhòtadh neo-làthaireach**
absent voting
3 **leig** *gr* **gu bhòtadh**
put (*v*) to the vote

bhòtadh *fir* **eileagtronaigeach**
electronic voting *n*
siostam-bhòtaidh eileagtronaigeach
electronic voting system

bhòtadh *fir* **neo-làthaireach**
absent voting *n*

bhòtadh *fir* **tron phost**
postal ballot *n*

bi *gr* **... ann**
form,
consist *v*
1 **is iadsan an t-ath riaghaltas a bhitheas ann**
they will form the next government
2 **tha trì clàsan sa mholadh**
the proposal consists of three clauses

bile *fir*
bill *n* (parliamentary)
bile prìobhaideach
private (member's) bill

Bile *fir* **Airgid**
Money Bill *n* (parliamentary)

Bile *fir* **Buill Phrìobhaidich**
Private Member's Bill *n*

bile *fir* **chòraichean**
bill (*n*) of rights

Bile *fir* **Pàrlamaide**
Parliamentary Bill *n*

Bile *fir* **Prìobhaideach**
Private Bill *n* (Parliamentary)

bileag-thagraidh *boir*
claim form *n*

bileag-thuairisgeil *boir*
return *n* (form)
bileag-thuairisgeil ionmhais
financial return

binn *boir*
judg(e)ment *n* (adjudication)

bitheanta *br*
frequent *adj*
coinneamhan bitheanta
frequent meetings

bitheantas *fir*
frequency *n*
bitheantas nan coinneamhan
frequency of meetings

Biùro *fir* **Eòrpach nam Mion-Chànan**
European Bureau (*n*) for Lesser-used Languages

biurocrasaidh *fir*
bureaucracy *n*
bureaucracies *pl*

biùrocrat *fir*
bureaucrat *n*

biurocratach *br*
bureaucratic *adj*
1 smachd biurocratach
bureaucratic control
2 caint bhiurocratach, briathrachas biurocratach
bureaucratic jargon / language

blas *fir* **fuaim**
soundbite *n*

bliadhna *boir*
year *n*
1 o bhliadhna gu bliadhna
from year to year
2 a h-uile bliadhna
on an annual basis
3 bliadhna fhiosgail
fiscal year

bliadhnail *br*
annual *adj*

bliadhna-ionmhais *boir*
financial year *n*

bochd *br*
poor *adj*
1 daoine bochd
poor people
2 tionndadh-a-mach bochd san taghadh
a poor turnout in the election
3 cho bochd agus a tha an argamaid
the poverty of the argument
4 air fhàgail bochd
impoverished *adj*
5 fàg *gr* **bochd**
impoverish *v*

bochdainn *boir*
poverty *n*
1 ribe na bochdainn
poverty trap
2 an sàs anns a' bhochdainn
poverty trap

bogsa *fir* **nan òraid**
despatch box *n*

bogsa-baileit *fir*
ballot-box *n*

bòid *boir*
oath *n*
1 bòid dhìlseachd
oath of allegiance
2 bòid a mhionnachadh
to swear an oath

bòidich *gr*
swear *v*

bòrd *fir*
table,
board *n*
1 cuir air bòrd
put (*v*) down
2 atharrachadh a chur air bòrd
to put down / table an amendment

Bòrd *fir* **an Dàimh Chinnidh**
Race Relations Board *n*

Bòrd *fir* **Bhannan is Sheilbhean**
Securities and Investments Board *n*

bòrd *fir* **ceadachd**
licensing board *n*

Bòrd *fir* **Cead-saoraidh na h-Alba**
Parole Board (*n*) for Scotland

Bòrd *fir* **Deuchainn Nàiseanta Sgoiltean Àraich**
National Nursery Examination Board *n* (NNEB)

Bòrd *fir* **Foghlaim Slàinte na h-Alba**
Health Education Board (*n*) for Scotland (HEBS)

Bòrd *fir* **Leasachaidh na Gaidhealtachd is nan Eilean**
Highlands and Islands Development Board *n*

Bòrd *fir* **Margaidh a' Bhainne**
Milk Marketing Board *n*

Bòrd *fir* **Margaidh na Clòimhe**
Wool Marketing Board *n*

Bòrd *fir* **na Turasachd**
Tourism Board *n*

Bòrd *fir* **Paroil na h-Alba**
Parole Board (*n*) for Scotland

bòrd *fir* **slàinte**
health board *n*
Bòrd Slàinte na Gaidhealtachd
Highland Health Board

Bòrd *fir* **Taic Laghail na h-Alba**
Scottish Legal Aid Board *n*

Bòrd *fir* **Trèanaidh Gnìomhachas Còmhdhail Rathaidean / Ròidean**
Road Transport Industry Training Board *n*

bòrd *fir* **turasachd**
tourist board *n*

Bòrd *fir* **Turasachd na h-Alba**
Scottish Tourist Board *n*

bòrd-geal *fir*
white board *n*

boycott *fir*
boycott *n*
dèan *gr* **boycott air**
to boycott

bràigh *fir / boir*
hostage *n*

brath *fir*
notice *n*
1 tha mi air brath fhaighinn san robh an aon sgeul
I have received a notice to that effect
2 brath a leigeil gu na meadhanan
to brief the media

brath *gr*
betray *v*
1 co-obraiche a bhrath
to betray a colleague
2 an dùthaich a bhrathadh
to commit treason

brath *fir* **air ceistean**
notice (*n*) of questions

brath *fir* **coinneimh**
notice (*n*) of meeting

brath *fir* **deireannach**
final notice *n*

brath *fir* **gluasaid**
notice (*n*) of motion

brath *fir* **naidheachd**
press statement,
press briefing *n*
cur *fir* **a-mach brath naidheachd**
issue of a press briefing

brathadh *fir*
betrayal *n*
gnìomh brathaidh
an act of betrayal

brath-aithris *fir*
de-briefing *n*

brath-ullachaidh *fir*
briefing *n*

breith *boir*
finding,
judg(e)ment,
verdict *n*
1 breith fon lagh
finding of law
2 breith a thoirt
to give a verdict
3 breith Àrd-chùirte
High Court ruling

breith *boir* **cho-aontachail**
concurring judg(e)ment *n*

breith *boir* **dheireannach**
final judg(e)ment *n*

breith *boir* **sgrìobhte**
written judg(e)ment *n*

breitheach *br*
judicial *adj*

breithneachadh *fir*
review *n*
1 cumail fo bhreithneachadh
keep under review
2 breithneachadh air na thachair bho chionn ghoirid
review of recent events
3 breithneachadh moralta
moral judg(e)ment

breithnich *gr*
vet *v*
moladh a bhreithneachadh
to vet a proposal

breith-rèite *boir*
arbitration *n*
1 thoir *gr* **breith-rèite**
arbitrate *v*
2 is i a bheir a' bhreith-rèite dheireannach
she will be the final arbiter

breug *boir*
untruth *n*

breugnaich *gr*
refute,
rebut *v*

briathar *fir*
term *n*

brìgh *boir*
meaning,
substance *n*
1 brìgh na h-aithisg
the substance of the report
2 tha e gun bhrìgh dhomh
it is immaterial to me

brìoghmhor *br*
meaningful,
substantive *adj*
1 deasbad brìoghmhor
a meaningful debate
2 cùis bhrìoghmhor
substantive issue
3 gluasad brìoghmhor
substantive motion

bris *gr*
break,
contravene *v*
1 bhris e an t-sàmhchair
he broke the silence
2 achd / riaghailt a bhriseadh
to contravene an act / a rule

bris *gr* **a-steach (air)**
interrupt,
infringe *v*
briseadh a-steach air còraichean
to infringe rights

briseadh *fir*
breach *n*
1 briseadh na sìthe
breach of the peace
2 briseadh an lagha
breach of the law
3 briseadh air saorsainnean catharra
breach of civil liberties

briseadh *fir* **a-steach**
interruption,
infringement *n*
briseadh a-steach air còraichean
infringement of rights

briseadh *fir* **chrìochan**
trespass *n*

briste *br*
out of order *adj*
tha an t-àrdaichear briste
the lift is out of order

britheamh *fir*
judge *n*

britheamh *fir* **ath-thagraidhean**
appeal judge *n*

Britheamh *fir* **Sgìre**
Justice (*n*) of the Peace (JP)

britheamhan *fir iol* **a' Chrùin**
judiciary *n* (judges)

brochan *fir*
hotchpotch *n*

brod *fir le gin*
model *adj*
brod an sgeama
a model scheme

brosnachadh *fir*
inducement,
inspiration *n*

brosnachadh *fir* **cìse**
tax incentive *n*

brosnachadh *fir* **slàinte**
health promotion *n*
Ùghdarras Brosnachaidh Shlàinte
Health Promotion Authority

brosnachail *br*
inspiring,
stirring,
uplifting *adj*
1 sealladh brosnachail
an inspiring sight
2 òraid bhrosnachail
stirring speech

brosnaich *gr*
inspire,
urge *v*
brosnachadh tro eisimpleir
to inspire by example

brosnaichte *br*
inspired *adj*

Bruaich Chluaidh agus Muileann Dhaibhidh
Clydebank and Milngavie (Constituency)

bruid *boir*
captivity *n*
neach *fir* **am bruid**
hostage *n*

bruidhinn *gr*
talk *v*

Bruiseal, am *fir*
Brussels *n*
bha e a' bruidhinn anns a' Bhruiseal
he was talking in Brussels

buadhach *br*
influential *adj*

buadhaich *gr* **air**
defeat,
overcome *v*
buadhachadh air an luchd-dùbhlain
to defeat the opposition

buadhmhor *br*
effective,
persuasive *adj*

buaidh *boir*
effect,
impact,
influence,
victory *n*
1 buaidh a' phoileasaidh
the impact of the policy
2 is e buaidh na cìse ìre na h-atmhorachd a mheudachadh
the knock-on effect of the tax would be inflationary
3 bidh iomadh droch bhuaidh aig a' chùrsa seo
this course of action will have serious ramifications
4 is ann aig an luchd 'chan eadh' a tha a' bhuaidh
the 'noes' have it
5 aig a bheil buaidh
influential *adj*
6 bi *gr* **... buaidh aig**
prevail *v*
7 is ann aig an reachdas a bhitheas a' bhuaidh
statute prevails

buaidh *boir* **san taghadh**
election victory *n*

buaidhean *boir iol* **ceannais**
leadership *n* (quality of a leader)

buailteach *br*
liable *adj*
1 a bhith buailteach do chùis-lagha
to be liable for an action
2 tha e buailteach air a bhith a' cur ris an fhìrinn
he is prone to exaggeration
3 a bhith buailteach gu h-ionmhasail
to be financially liable

buailteachd *boir*
liability *n*
buailteachd do chìs
tax liability

buair *gr*
heckle *v*

buaireadair *fir*
heckler *n*

buaireadh *fir*
dispute,
heckling *n*
tha buaireadh air èirigh
a dispute has arisen

buaireanta *br*
disputatious *adj*

buaireasach *br*
emotive,
inflammatory *adj*
1 cùis bhuaireasach
an emotive issue
2 aithris bhuaireasach
inflammatory statement

bualadh-bhas *fir* **fada**
ovation *n*

buan *br*
long-lasting *adj*

buannachd *boir*
gain,
profit,
capital *n*
1 buannachd is call
profit and loss
2 buannachd phoileataigeach a dhèanamh à
to make political capital out of

buannachd *boir* **calpa**
capital gain *n*
cìs buannachd calpa
capital gains tax

buannaich *gr*
win,
gain *v*
1 bhòtaichean a bhuannachd
to win votes
2 mòr-chuid (de bhòtaichean) a bhuannachd
to gain a majority vote
3 buannachd le gluasad mòr (san luchd-bhòtaidh)
to win by a landslide

bucas-baileit *fir*
ballot-box *n*

buidheachas *fir*
gratitude *n*

buidheann *boir*
group,
body,
faction,
organisation *n*
1 buidheann coimhearsnachd
community organisation
2 a' bhuidheann G8 (de na dùthchannan as beartaiche)
G8 group (of industrialised nations)

Buidheann *boir* **airson Ath-ghnàthachaidh tro Thrèanadh**
Organisation (*n*) for Rehabilitation through Training

Buidheann *boir* **airson Co-obrachaidh agus Leasachaidh Eaconamaich**
Organisation (*n*) for Economic Co-Operation and Development (OECD)

buidheann *boir* **àrainneachd**
environment agency *n*

buidheann *boir* **brosnachaidh**
interest group *n*

buidheann *boir* **comhairleachaidh**
advisory body *n*

Buidheann *boir* **Chorporra Pàrlamaid na h-Alba**
Scottish Parliamentary Corporate Body *n* (SPCB)

Buidheann *boir* **Chùisean Àrainneachd**
Environmental Affairs Group *n*

Buidheann *boir* **Chùisean Leasachaidh Eaconamaich, Comhairle agus Cosnaidh**
Economic Development, Advice and Employment Issues Group

Buidheann *boir* **Comhairleachaidh an Riaghaltais air Gàidhlig**
Scottish Executive Advisory Group (*n*) on Gaelic

Buidheann *boir* **Comhairleachaidh Pàrlamaid air Sàbhailteachd Còmhdhail**
Parliamentary Advisory Council (*n*) for Transport Safety

buidheann *boir* **cothruim**
access group *n*

Buidheann *boir* **Dìon an Iasgaich**
Fisheries Protection Agency n

Buidheann *boir* **Dìon an Iasgaich an Alba**
Scottish Fisheries Protection Agency *n*

Buidheann *boir* **Dìon Àrainneachd na h-Alba**
Scottish Environmental Protection Agency *n*

buidheann *boir* **gnìomha**
task force *n*

Buidheann *boir* **Gnìomhach Rannsachaidh Charbad**
Vehicle Inspectorate Executive Agency *n*

Buidheann *boir* **Iasgairean na h-Alba**
Scottish Fishermen's Oranisation *n*

buidheann *boir* **iomairt**
interest group *n*

Buidheann *boir* **Iomairt agus Chùisean Gnìomhachais**
Enterprise and Industrial Affairs Group *n*

buidheann *boir* **le ùidh / le com-pàirt sa chùis**
interested body *n*

Buidheann *boir* **Malairt na Cruinne**
World Trade Organisation *n* (WTO)

Buidheann *boir* **Nàiseanta na h-Òigridh**
National Youth Agency *n*

Buidheann *boir* **nan Dùthchannan Aonaichte airson Foghlaim, Saidheans is Cultair**
United Nations Educational, Scientific and Cultural Organisation *n* (UNESCO)

Buidheann *boir* **nan Seirbheisean Coitcheann**
Common Services Agency *n*

Buidheann *boir* **Neo-roinneil Maoinichte leis an Riaghaltas**
Non-Departmental Government Funded Body *n*

Buidheann *boir* **Phoblach Neo-roinneil**
Non-Departmental Public Body *n* (NDPB)

buidheann *boir* **phoileataigeach**
political organisation *n*

Buidheann *boir* **Rannsachaidh Roinneil airson Margaideachd Tuathanachais-ghàrraidh**
Regional Horticultural Marketing Inspectorate *n*

buidheann *boir* **reachdail**
statutory body,
legislative body *n*

buidheann *boir* **riaghaltais**
government agency *n*

buidheann *boir* **riochdachaidh**
delegation *n* (group)
tha iad a' cur buidhne riochdachaidh
they are sending a delegation

Buidheann *boir* **Rìoghail nan Itealan**
Royal Aircraft Establishment *n* (RAE)

Buidheann *boir* **Saidheans Àiteachais na h-Alba**
Scottish Agricultural Science Agency *n*

buidheann *boir* **shaor-thoileach**
voluntary organisation *n*

buidheann *boir* **sheirbheisean cosnaidh**
employment service agency *n*

Buidheann *boir* **Sheirbheisean Trèanaidh**
Training Services Agency *n*

Buidheann *boir* **Slàinte na Cruinne**
World Health Organisation *n* (WHO)

buidheann *boir* **stèidhichte**
establishment *n* (body)
buidheann stèidhichte a chur air bhonn
to establish an institution

buidheann *boir* **stiùiridh**
management group,
steering group *n*

Buidheann *boir* **Tabhartais Oileanach na h-Alba**
Student Awards Agency (*n*) for Scotland

buidheann *boir* **thar-phàrtaidh**
cross-party group(ing) *n*

Buidheann *boir* **Trèanaidh**
Training Agency *n*

Buidheann *boir* **Treànaidh Luchd-teagaisg**
Teacher Training Agency *n* (TTA)

buidheann-bheachdachaidh *boir*
think-tank *n*

buidheann-ghnìomha *boir*
action group,
agency,
executive agency *n*

Buidheann-ghnìomha *boir* **airson Sheirbheisean Togalaich is Talmhainn**
Property Services Agency *n* (PSA)

Buidheann-ghnìomha *boir* **Clàir airson Mhaoinean Structarail na h-Eòrpa**
Programme Executive (*n*) for European Structural Funds

Buidheann-ghnìomha *boir* **na Mara is nam Maor-chladach**
Maritime and Coastguard Agency *n*

Buidheann-ghnìomha *boir* **nam Mèinnean Fosgailte**
Open Cast Executive *n*

Buidheann-ghnìomha *boir* **nan Ceadan-siubhail**
Passport Agency *n*

buidheann-iomairt *boir* **shaor-thoileach**
voluntary agency *n*

buidheann-obrach *boir*
working group *n*

buidheann-òigridh *boir*
youth organisation *n*

Buidheann-rianachd *boir* **Leasachaidh Chèin**
Overseas Development Administration *n* (ODA)

buidheann-stiùiridh *boir*
directorate *n*

Buidheann-stiùiridh *boir* **Comhairleachaidh air Pàrlamaid na h-Alba**
Consultative Steering Group (*n*) on the Scottish Parliament

Buidheann-stiùiridh *boir* **Seirbheis Nàiseanta na Slàinte**
National Health Service Directorate *n*

buidheann-tagraidh *boir*
deputation,
pressure group *n*

buidhnean *fir iol* **dùbhlanach**
opposing factions *npl*

buidseat *fir*
budget *n*
1 **Am Buidseat**
The Budget
2 **easbhaidh sa bhuidseat**
budget deficit
3 **poileasaidh a thaobh a' bhuidseit**
budget policy
4 **òraid a' bhuidseit**
budget speech
5 **a bhuineas don bhuidseat**
budgetary
6 **smachd air a' bhuidseat**
budgetary control

buidseat *fir* **bliadhnail**
annual budget *n*
cuairt-bhuidseit na bliadhna
annual budget cycle

buidseat *fir* **calpa** *fir*
capital budget *n*

buidseat *fir* **coitcheann nan sgoiltean**
general schools budget *n* (GSB)

buidseat *fir* **gun fhàs**
standstill budget *n*

buidseat *fir* **lom**
net budget *n*

buidseat *fir* **prògraim**
programme budget *n*

buidseat *fir* **sgoiltean ionadail**
local schools budget *n* (LSB)

buidseat *fir* **sùbailte**
flexible budget *n*

buidseatadh *fir* **bun-neoni**
zero-based budgeting *n*

buil *boir*
outcome,
consequence,
impact *n*
1 **'s e a' bhuil, mar bhuil air**
in consequence of
2 **measadh buile**
impact assessment
3 **dearbhadh buil na bhòt / an taghaidh**
to declare the result of the election

buileachadh *fir*
implementation *n*
Aonad Buileachaidh
Implementation Unit

builich *gr*
grant,
implement,
present *v*
1 **cead a bhuileachadh**
to grant leave
2 **tha an t-ùghdarras air a bhuileachadh air a' Mhinistear**
the authority is vested in the Minister
3 **poileasaidh a bhuileachadh**
to implement a policy

builichte le mandat *br*
mandated *adj*

buin *gr* **do**
belong (*v*) to,
concern *v*
1 **a bhuineas do (rud)**
material *adj*
2 **an neach dom buin a' chùis**
to whom it may concern

buin *gr* **(ri)**
apply,
interfere,
tamper *v*
1 **buinidh a' bhreith ris an nì seo sa chlàr-ghnothaich**
the ruling applies to this item of business
2 **nach buin don ghnothach**
irrelevant

bun *fir*
source *n*

bunait *fir / boir*
basis *n*
casaid gun bhunait
an unfounded allegation

bunaiteach *br*
fundamental *adj*
prionnsabal bunaiteach
a fundamental principle

bunait-sluaigh *fir*
population base *n*

bun-bheachd *fir*
concept *n*

bun-bhuidseat *fir*
base budget *n*

bun-chùis *boir*
factor *n*

bun-fiosrachaidh *fir*
background information *n*

bun-nòs *fir* **poileataigeach**
political institution *n*

bun-reachd *fir*
constitution *n*
Bun-reachd Bhreatainn
the British Constitution

bun-reachd *fir* **neo-sgrìobhte**
unwritten constitution *n*

bun-reachd *fir* **sgrìobhte**
written constitution *n*

bun-reachdail *br*
constitutional *adj*

bun-structair *fir*
infrastructure *n*

buntainneach *br*
relevant *adj*

buntainneas *fir*
relevance *n*

bun-tomhas *fir*
standard *n*

bun-tomhasach *br*
standard *adj*

bùrach *fir*
shambles *n*
tha am poileasaidh ann am fìor bhùrach
the policy is an utter shambles

bùrt *fir*
ridicule,
derision *n*
1 **cùis-bhùirt a dhèanamh de (neach)**
to hold up to ridicule
2 **bùrt a dhèanamh ri òraid**
to greet a speech with derision

bùthan *fir* **bhòtaidh**
polling booth *n*

cabhag *boir*
haste *n*
cabhag neo-iomchaidh
indecent haste

Cabhlach *fir* **Rìoghail, An**
Royal Navy *n*

càcas *fir*
caucus *n*
1 càcas sa phàrtaidh
party caucus
2 càcas sa phàrlamaid
parliamentary caucus

Caibineat *fir*
Cabinet *n*

caidreabhach *fir*
ally *n*

caidreabhas *fir*
embrace *n*
dol an caidreabhas (le)
to enter into an alliance (with)

caidreachas *fir*
alliance,
federation *n*

Caidreachas *fir* **a' Phoileis**
Police Federation *n*

Caidreachas *fir* **Iasgairean na h-Alba**
Scottish Fishermen's Federation *n*

Caidreachas *fir* **nan Uachdaran Fearainn**
Scottish Landowners' Federation *n*

càileachd *boir*
quality *n*

càileachdail *br*
qualitative *adj*
breith chàileachdail
a qualitative judgment

caill *gr*
lose *v*
1 eàrlas a chall
to lose a deposit
2 taghadh a chall
to lose an election

càin *boir*
fine *n*
1 chaidh càin ceud not air
he was fined a hundred pounds
2 càin shuidhichte
fixed penalty

càin *gr*
criticise,
denounce *v*

càineadh *fir*
criticism,
denunciation *n*

cainneachdail *br*
quantitative *adj*

cainnich *gr*
quantify *v* (technical)

càirdeach *br*
related *adj*
bha an dithis càirdeach
the two were related

cairt *boir* **bhòtaidh**
polling card *n*

cairt-aithneachaidh *boir*
identity card,
identification card *n*

caisg *gr*
cut,
proscribe,
block *v*
bhòt a chasgadh
to block a vote

caismeachd *boir* **an Labhraiche**
Speaker's procession *n*

caiteachas *fir*
expenditure *n*
sgrùdadh air caiteachas
expenditure review

caiteachas *fir* **calpa**
capital expenditure *n*
aithisg-adhartais air caiteachas calpa
capital expenditure progress report

caiteachas *fir* **fon t-suim shuidhichte**
underspend *n*

caiteachas *fir* **poblach**
public expenditure *n*
gearraidhean ann an caiteachas poblach
public expenditure cuts

caiteachas *fir* **riaghaltais**
government expenditure *n*

caiteachas *fir* **riaghaltais ionadail**
local government expenditure *n*

caiteachas *fir* **shochairean**
welfare spending *n*

caiteachas *fir* **ùghdarrais ionadail**
local authority expenditure *n*

caith *gr*
spend *v* (time, money)

caith *gr* **a-mach**
dismiss *v*
beachd a chaitheamh a-mach
to dismiss an idea

caith *gr* **fon t-suim shuidhichte**
underspend *v*

caitheamh *fir*
spending *n*
caitheamh fon t-suim shuidhichte
underspending *n*

caitheamh *fir* **calpa**
capital spending *n*

caitheamh *fir* **cumhachd**
power consumption *n*

caithream *fir*
acclamation *n*

calg-dhìreach an aghaidh
diametrically opposed *adj*
1 tha an dà chùis calg-dhìreach an aghaidh a chèile
the two matters are diametrically opposed
2 tha i calg-dhìreach na aghaidh
she is diametrically opposed to it
3 cur bheachdan calg-dhìreach an aghaidh a chèile
polarisation of opinions

call *fir*
loss,
deficit,
defeat *n*
call anns an taghadh
defeat in the election

call *fir* **san taghadh**
election defeat *n*

call-creideis *fir*
liquidation *n*
call-creideis companaidh
the liquidation of a company

calpa *fir*
capital *n*

calpa *fir* **suidhichte**
fixed capital *n*

calpa-iarratach *br*
capital-intensive *adj*

camara *fir* **faire**
security camera *n*

camara *fir* **telebhisein**
TV camera *n*

cànan *fir*
language *n*
cànan oifigeil
official language

cànran *fir*
whingeing *n*
dèan *gr* **cànran**
whinge *v*

cànranach *br*
whingeing *adj*

caochladh *fir*
variation *n*
1 caochladh bheachd
divergence of opinion
2 agus a chaochladh
vice versa *adv*

caochlaideach *br*
fluctuating *adj*

caochlaideachd *boir*
fluctuation *n*

caomhain *gr*
reserve *v*
breith a chaomhnadh
to reserve judgement

caomhnach *br*
conservative *adj*
(philosophy)

car *fir*
turn *n*
car a chur de cho-dhùnadh
to reverse a decision

car *fir* **iomlan**
U-turn *n*
car iomlan a chur (de)
to perform a U-turn

car *fir* **math**
upturn *n*
1 tha cuisean air car math a ghabhail dhuinn a seo
this is an upturn in our fortunes
2 air car math a ghabhail
on the upturn

car *fir* **teannachaidh**
tweaking *n*

car *fir* **tuathal**
reversal *n*
car tuathal san fhortan
reversal of fortune

carbad *fir*
vehicle *n*
carbad a dhràibheadh
to drive a vehicle

càrn-obrach *fir*
backlog *n*

Carraig, Cumnag agus Srath Dhùin
Carrick, Cumnock and Doon Valley (Constituency)

càs *fir*
predicament *n*

casaid *boir*
prosecution,
protest,
charge,
accusation *n*
1 casaid eas-onair
a charge of dishonesty
2 cuir *gr* **casaid às leth**
prosecute *v*

casaideachadh *fir*
(airson eucoir an aghaidh an stàite)
impeachment *n*

casaidich *gr*
(airson eucoir an aghaidh an stàite)
impeach *v*

casg *fir*
stop,
barring *n*
1 casg a chur air duilgheadasan
to obviate problems
2 fo chasg reachdail
statute-barred *adj*

casgadh *fir*
blocking *n*
casgadh Bhilean
blocking of Bills

cathachail *br*
militant *adj*

cathair *boir*
chair,
city *n*
(with city status)
1 bhith sa chathair
presidency
(of a body / meeting),
presiding *adj*
2 chaidh iarraidh oirre a chathair a ghabhail
she was asked to take the chair
3 Cathair Inbhir Nis
City of Inverness
4 meadhan na cathrach
city centre
5 cathair a ghabhail aig coinneimh
to chair a meeting

Cathair *boir* **an Labhraiche**
Speaker's Chair *n*

cathair *boir* **breitheanais**
judicial bench *n*

Cathair *boir* **Challdainn**
Kirkcaldy (Constituency)

cathair-bhaile *boir*
city *n*

cathair-chuibhle *boir*
wheelchair *n*
cothrom cathair-chuibhle
wheelchair access

catharra *br*
civic,
civil *adj*

cathraiche *fir*
chair / chairman / chairperson,
president *n* (of a body / meeting)

cathraiche *fir* **comataidh**
committee chair / chairman / chairperson *n*

caucus *fir*
caucus *n*
caucus sa phàrtaidh
party caucus

cead *fir*
concession,
discretion,
dispensation,
indulgence,
leave,
licence,
permission *n*
1 dh'iarr mi cead a' Phrìomh Mhinisteir
I have sought the indulgence of the First Minister
2 cead tagradh a dhèanamh
leave to appeal
3 cead a thoirt
to give permission
4 le ur cead
with (all due) respect
5 le cead na comataidh
at the committee's discretion

cead *fir* **dealbhaidh**
planning permission *n*

ceadachadh *fir*
approval *n* (permission)

ceadachadh *fir* **laghail**
legalisation *n*

ceadachadh *fir* **tostach**
tacit approval *n*

ceadachd *boir*
licence,
permit,
franchise *n*
1 fo cheadachd *br*
licensed *adj*
2 ceadachd (margaideachaidh)
franchise (commercial)
3 togalach gun cheadachd
unlicensed premises
4 thoir *gr* **ceadachd (margaideachaidh) do**
franchise *v*

ceadaich *gr*
approve,
license,
permit,
sanction *v*
ceuman a cheadachadh
to approve measures

ceadaichte *br*
admissible,
licensed,
permissible *adj*
1 fianais cheadaichte
admissible evidence
2 chan eil e ceadaichte bhòtadh bho na Gailearaidhean
it is not permissible to vote from the Galleries
3 ceadaichte a chur an aghaidh chìsean
tax deductible

cead-reice *fir*
agency *n*
aonta cead-reice
agency agreement
(in commerce)

ceàird *boir*
trade,
profession *n*

cealg *boir*
treachery,
hypocrisy *n*

cealgach *br*
hypocritical,
underhand *adj*
innleachdan cealgach
underhand tactics

cealgair *fir*
hypocrite *n*

ceangail *gr*
affiliate *v* (to),
bind,
ally *v* (oneself)
thu fhèin a cheangal ri buidhinn
to ally yourself to a group

ceangailte *br*
bound *adj*
ceangailte fon lagh
legally bound

ceangal *fir*
connection,
liaison,
link,
affiliation *n*
1 a cheangal ri
to affiliate to
2 dèan *gr* **ceangal**
liaise *v*,
log *(v)* on

ceangal *fir* **bhideo**
video link *n*

ceangal *fir* **ionmhasail**
financial interest *n*

ceangaltach *br*
binding *adj*
1 aonta ceangaltach
a binding agreement
2 co-dhùnadh ceangaltach
a binding decision
3 ceangaltach fon lagh
legally binding

ceann *fir*
head,
heading,
end *n*
1 a bhith air ceann coinneimh
to preside over a meeting
2 ceann-cuspair
a subject heading
3 an ceann seala
in due course
4 air a' cheann thall
in the fullness of time
5 an ceann sreath
in the fullness of time
6 pàipear le ceann (clò-bhuailte)
headed paper

ceannachd *boir* **èigneachail**
compulsory purchase *n*
òrdugh ceannachd èigneachail
compulsory purchase order (CPO)

ceannairceach *br*
obstructive *adj*
dol a-mach ceannairceach
obstructive behaviour

ceann-ama *fir*
deadline *n*
ceann-ama a choileanadh
to meet a deadline

ceannard *fir*
leader *n*
a bhith nad cheannard air pàrtaidh
to lead a party

Ceannard *fir* **an Taighe**
Leader (*n*) of the House

Ceannard *fir* **Catharra (na Roinne)**
Permanent Secretary *n*

ceannard *fir* **fo-roinne**
section head *n*

Ceannard *fir* **Thaigh nam Morairean**
Leader (*n*) of the House of Lords

Ceannard *fir* **Thaigh nan Cumantan**
Leader (*n*) of the House of Commons

ceannard-aonaid *fir*
head (*n*) of unit

ceannardas *fir*
leadership *n* (quality of a leader, position of leader)
ceannardas a nochdadh
to show leadership

ceannas *fir*
presidency,
rule,
headship,
hegemony *n*
1 bhith an ceannas
presiding *adj*
2 ceannas an lagha
the rule of law
3 chaidh ainmeachadh gus ceannas a bhith aige air a' phròiseact
he was nominated to oversee the project

Ceannas *fir* **an Aonaidh Eòrpaich**
Presidency (*n*) of the European Union

ceann-là *fir* **àireamhachd**
enumeration date *n*

ceann-là *fir* **dùnaidh**
closing date *n*

ceann-latha *fir*
date *n*
1 ceann-latha sònraichte
a specific date
2 ceann-latha obrachaidh
operative date
3 ceann-latha a chur air sgrìobhainn
to date a document

ceannsachail *br*
repressive *adj*

ceannsaich *gr*
control,
repress *v*

ceannsal *fir*
control,
repression *n*
ceannsal mòr-thachartais
major incident control

ceann-stàite *fir*
head (*n*) of state

ceann-suidhe *fir*
president *n*
òraid a' chinn-suidhe
presidential address

Ceann-suidhe *fir* **a' Choimisein Eòrpaich**
President (*n*) of the European Commission

Ceann-suidhe *fir* **Cùirt nan Coimhearsnachdan Eòrpach**
President (*n*) of the Court of the European Communities (Luxembourg)

ceap *fir* **coireachaidh**
scapegoat *n*

ceapadh *fir* **casgach**
preventive detention *n*

cearclach *br*
circular *adj*
argamaid chearclach
a circular argument

ceàrn *fir*
zone *n*
1 **ceàrn iomairt**
enterprise zone
2 **Ceàrn an Euro**
Euro zone

Ceàrn *fir* **Eaconamach na h-Eòrpa**
European Economic Area *n*

ceàrn *fir* **le àrainneachd chugallaich**
environmentally sensitive area *n* (ESA)

ceàrn *fir* **le cuideachadh**
assisted area *n*
inbhe ceàrnaidh le cuideachadh
assisted area status

ceàrn *fir* **le prìomhachas a thaobh foghlaim**
educational priority area *n* (EPA)

ceàrn *fir* **leasachaidh choitchinn**
general improvement area *n* (GIA)

ceàrnaidhean *fir iol* **obair-ghnìomha thaigheadais**
housing action areas *npl* (HAA)

ceàrn-taghaidh *fir*
electoral region *n*

ceàrr *br*
wrong,
incorrect *adj*
1 **a bhith air an taobh cheàrr de riaghladh**
to be on the wrong side of a ruling
2 **a bhi ceàrr**
to be in the wrong
3 **barail cheàrr fhaighinn**
to gain a wrong impression
4 **bhitheadh e ceàrr ...**
it would be wrong to ...
5 **dh'aidich iad gun robh iad ceàrr**
they admitted they were wrong

ceart *br*
correct,
just,
proper,
right *adj*
1 **ceart gu poileataigeach**
politically correct
2 **an fhreagairt cheart**
the right answer
3 **ùghdarras ceart**
proper authority

ceartachadh *fir*
correction *n*

ceartaich *gr*
correct,
rectify,
redress *v*
an cothrom a cheartachadh
to redress the balance

ceartas *fir*
justice *n*
1 **a rèir ceartais**
justifiable (*adj*)
2 **a rèir prionnsabalan ceartais**
according to principles of justice

ceartas *fir* **nàdarra**
natural justice *n*
riaghailtean a' cheartais nàdarra
the rules of natural justice

ceartas *fir* **poileataigeach**
political justice *n*

cèise-ball *fir* **poileataigeach**
political football *n*

ceasnachail *br*
inquisitorial *adj*
siostam ceasnachail
inquisitorial system

ceasnaich *gr*
query,
question,
dispute *v*
co-dhùnadh a cheasnachadh
to dispute a decision

ceist *boir*
enquiry,
query,
issue,
question *n*

ceist *boir* **bheag fhaoin**
quibble *n*
ceistean beaga faoine!
quibbles!

ceist *boir* **èiginneach**
emergency question *n*

ceist *boir* **fìrinne**
question (*n*) of fact

Ceist *boir* **gu Ministear**
Question (*n*) to a Minister *n*

ceist *boir* **lagha**
point (*n*) of law,
question (*n*) of law

ceisteachan *fir*
questionnaire *n*
ceisteachan a chur a-mach
to issue a questionnaire

Ceistean *boir iol* **a' Phrìomh Mhinisteir**
First Minister's Questions *npl*

Ceistean *boir iol* **don Phrìomhaire**
Prime Minister's Questions *npl*

Ceistean *boir iol* **Èiginneach**
Urgent Questions *npl*

ceistean *boir iol* **leasachail**
supplementary questions *npl*

ceòthach *br*
woolly *adj*

ceud *fir*
hundred *n*
sa cheud
per cent

ceudad *fir*
percentage *n*

ceum *fir*
measure,
step *n*
1 ceum pàrlamaid
parliamentary measure
2 ceuman tèarainteachd
security measures
3 gabh *gr* **ceum**
step *v*

ceum *fir* **dearbhaidh**
pilot measure *n*

ceum *fir* **pìolait**
pilot measure *n*

ceumannan *fir iol* **smachdachaidh**
disciplinary measures *npl*

ciad *br*
first,
initial *adj*
1 ciad cheann-là
initial date
2 ciad chuibhreann
initial allowance

ciall *boir*
reason,
sense *n*
1 tha ar ciall ag innse dhuinn gum bi sinn faicilleach
reason dictates that we act with caution
2 ciall a dhèanamh
to talk sense
3 moladh gun chiall
an insane proposal

ciallaich *gr*
imply *v*

Cill Mhearnaig agus Lughdan
Kilmarnock and Loudoun (Constituency)

Cille Brìde an Ear
East Kilbride *n* (Constituency)

cinneadail *br*
racial *adj*
1 lethbhreith chinneadail
racial discrimination
2 frionas cinneadail
racial tension

cinneadh *fir*
race *n*

cinnteach *br*
certain,
categorical *adj*
1 faodaidh tu a bhith cinnteach
you may rest assured
2 dèan *gr* **cinnteach**
verify,
ascertain *v*
3 tha i cinnteach na barail
she speaks with conviction
4 (dol às) àicheadh gu cinnteach
to deny categorically

ciogailteach *br*
thorny *adj*
1 cùis chiogailteach
a thorny issue
2 duilgheadas ciogailteach
a thorny problem

cion *fir* **earbsa**
no confidence *n*
1 gluasad cion earbsa
no confidence motion
2 bhòt cion earbsa
vote of no confidence

cion-cosnaidh *fir*
unemployment *n*
sochair cion-cosnaidh
unemployment benefit

cion-cosnaidh *fir* **òigridh**
youth unemployment

cionta *fir*
guilt *n*

ciontach *br*
guilty *adj*
an fheadhainn (a tha) ciontach
the guilty party

ciontach *fir*
offender *n*

ciorram *fir*
disability *n*
cuibhreann ciorraim
disability allowance

ciorramach *br*
disabled *adj*
1 dràibhear / neach ciorramach
disabled driver / person
2 slighe do chiorramaich
disabled access

cìs *boir*
charge,
duty,
fee,
levy,
tariff,
tax,
taxation *n*
1 cìs sheirbheis
a charge for services
2 cìs shiogaireat
cigarette duty
3 bann cìse
taxation band
4 poileasaidh cìse
taxation policy
5 cuir *gr* **cìs (air)**
tax *v*

cìs *boir* **ann an ainm a-mhàin**
nominal charge *n*

cìs *boir* **cheann**
poll tax *n*

cìs *boir* **clàir-bhòtaidh**
poll tax *n*

cìs *boir* **comhairle**
council tax *n*

cìs *boir* **corparaid**
corporation tax *n*

cìs *boir* **cosnaidh**
income tax *n*

cìs *boir* **cosnaidh ionadail**
local income tax *n*

cìs *boir* **cusbainn**
customs duty *n*

Cìs *boir* **Luach-Leasaichte**
Value Added Tax *n* (VAT)

cìs *boir* **phàighte**
tax paid *adj*

cìs-oighreachd *boir*
inheritance tax *n*

cìs-seilbhe *boir*
inheritance tax *n*

ciste *boir* **cùl-earalais**
war chest *n*

clag *fir* **bhòtaidh**
division bell *n*

claoidh *gr*
harass *v*

claonadh *fir*
inclination *n*

claon-bharail *boir*
prejudice *n*
le claon-bharail
prejudiced *adj*

claon-bhreith *boir*
prejudice *n*
gun chlaon-bhreith
without prejudice

claon-roinn (air sgìre) taghaidh *boir*
gerrymandering *n*
dèan *gr* **claon-roinn (air sgìre taghaidh)**
gerrymander *v*

clàr *fir*
agenda,
programme,
schedule,
record,
timetable *n*
1 clàr nan imeachdan
record of proceedings
2 cuir *gr* **air clàr**
programme *v*
3 cuir *gr* **air clàr(-ama)**
schedule,
timetable *v*
4 dèan *gr* **clàr de**
schedule *v* (to list)

Clàr *fir* **Com-pàirtean nam Ball**
Register (*n*) of Members' Interests

clàr *fir* **corra**
balance sheet *n*

clàr *fir* **fearainn**
land register *n*

clàr *fir* **inbhe**
status-map *n*

clàr *fir* **luchd-bhòtaidh**
electoral roll,
electors' list *n*

Clàr *fir* **nan Làraichean Àrsaidh**
Sites and Monuments Register *n*

clàrachadh *fir*
enrolment *n* (registration)

clàrachadh *fir* **chom-pàirtean**
registration (*n*) of interests

clàrachadh *fir* **luchd-bhòtaidh**
voter registration *n*

clàradh *fir* **airson màil**
rent registration *n*

clàradh *fir* **fiosrachaidh**
notification *n*

clàradh *fir* **taghaidh**
electoral registration *n*

clàraich *gr*
enrol,
record,
register *v*
1 clàraichidh sinn a' phuing sin sa gheàrr-chunntas
we will record that point in the minutes
2 gluasad a chlàradh
to register a motion

clàraichte *br*
registered,
laid down *adj*
mar a tha clàraichte sna Gnàth-riaghailtean
as laid down in Standing Orders

clàr-ama *fir*
timetable *n*
1 an clàr-ama reachdail
the legislative timetable
2 clàr-ama teann
tight schedule

clàr-bhòtaidh *fir*
electoral register *n*

Clàrc *fir* **an Oifigeir-riaghlaidh**
Clerk (*n*) to the Presiding Officer

clàrc *fir* **an taghaidh**
poll clerk *n*

Clàrc *fir* **an t-Siorraidh,**
Clàrc *fir* **an t-Siorraim**
Sheriff Clerk *n*

Clàrc *fir* **na Pàrlamaid**
Clerk (*n*) of the Parliament

Clàrc *fir* **Thaigh nam Morairean**
Clerk (*n*) of the House of Lords

Clàrc *fir* **Thaigh nan Cumantan**
Clerk (*n*) of the House of Commons

clàrc-comataidh *fir*
committee clerk *n*

clàr-cearcaill *fir*
pie chart *n*

clàr-èisteachd *fir*
sounding-board *n*

clàr-gnothaich *fir*
agenda *n*
1 **nì sa chlàr-ghnothaich**
agenda item
2 **clàr-gnothaich falaichte**
hidden agenda

clàr-iarrtais *fir*
application form *n*

clàr-innse *fir* **toradh gnìomhachais**
index (*n*) of industrial production

clàs *fir*
clause *n*
clàsa èirig ann an cunnradh
penalty clause in a contract

clàsa *fir* **leasachaidh**
rider *n* (to a document)

clàsa *fir* **mìneachaidh**
interpretation clause *n*

clàsa *fir* **rabhaidh**
rider *n* (to a document)

cleachd *gr*
deploy,
employ,
exercise,
practise *v*
1 **argamaidean a chleachdadh**
to deploy arguments
2 **seòl a chleachdadh**
to employ tactics
3 **còir a chleachdadh**
to exercise a right
4 **poileataics a chleachdadh**
to practise politics

cleachdadh *fir*
use,
custom,
practice (habit),
convention *n*
1 **nòs is cleachdadh**
custom and practice
2 **cleachdadh cumanta**
common practice
3 **à cleachdadh**
obsolete *adj*
4 **eisimpleir de dheagh chleachdadh**
an example of good practice
5 **an cleachdadh as fheàrr**
best practice
6 **cleachdadh agus modh**
practice and procedure
7 **leanaidh sinn an cleachdadh àbhaisteach**
we will comply with the usual convention

cleachdaidhean *fir iol* **pàrlamaid**
parliamentary practices *npl*

cleamhnachadh *fir*
affiliation *n*

cleamhnaich *gr*
affiliate *v*

clèireach *br*
secretarial *adj*
1 **luchd-clèireachd**
secretarial staff
2 **obair-chlèireachd**
secretarial work

clèireach *fir*
secretary *n* (clerical)

clèireach *fir* **cùirte**
sheriff clerk *n*

clèireachas *fir*
secretariat *n*

Clèireachas *fir* **Riaghaltas na h-Alba**
Scottish Executive Secretariat *n* (SES)

clì *br*
left *adj*

Cliath *boir* **Nàiseanta**
National Grid *n* (mapping)

cliù *fir*
credit *n*
reputation *n*
1 **bha e na chliù dhi**
it was to her credit
2 **cliù na Pàrlamaid**
the reputation of Parliament
3 **(deagh) c(h)liù a' Bhuill seo**
the (good) reputation of this Member
4 **cliù a chosnadh**
to establish a reputation

cliù-mhill *gr*
slander *v*

cliù-mhill *gr* **(ann an sgrìobhadh)**
libel *v*

cliù-mhilleadh *fir*
libel,
slander *n*

cliù-mhillteach *br*
libellous,
slanderous *adj*

cliù-mhilltear *fir*
libeller,
slanderer *n*

clò *fir*
press *n*

clò-sgrìobh *gr*
type *v*

clò-sgrìobhadair *fir*
copy typist,
typewriter *n*

clò-sgrìobhadh *fir*
typing *n*

clò-sgrìobhaiche *fir*
typist *n*

clò-sgrìobhaiche *fir* **claistinn**
audio-typist *n*

clò-sgrìobhainn *boir*
typescript *n*

club-obrach *fir*
job club *n*

club-òigridh *fir*
youth club *n*

cluich *gr*
play *v*

cluinn *gr*
hear *v*

cneasta *br*
right *adj*
caidreabhas nach eil cneasta
an unholy alliance

cnuasachadh *fir*
reflection *n* (consideration)
an dèidh an tuilleadh cnuasachaidh
on (further) reflection

co- *br*
joint *adj*
1 co-ùghdarras
joint authority
2 co-rùnaire
joint secretary

co-aonachadh *fir*
unification *n*
co-aonachadh na Gearmailt
German unification

co-aonaich *gr*
unify *v*
an nàisean a cho-aonachadh
to unify the nation

co-aonaichte
unified *adj*

co-aonta *fir* **tar-phàrtaidh**
cross-party consensus *n*

co-aontachail *br*
consensual,
consensus *adj*
1 beachd co-aontachail
consensus view
2 poileataics cho-aontachail
consensus politics

co-aontachd *boir*
consensus,
mutual agreement *n*
1 co-aontachd bheachd
consensus of opinion
2 tro cho-aontachd
by mutual agreement

Coatbridge agus Chryston
Coatbridge and Chryston
(Constituency)

cobhair-sgrìobhainn *boir*
aide-memoire *n*

co-bhann *boir*
coalition *n*
connection *n*
1 an co-bhoinn ri
in connection with
2 rach *gr* **an co-bhoinn ri**
partner *v*
3 an co-bhoinn
jointly (*adv*)
4 tha sinn air aontachadh a dhol còmhla riutha ann an co-bhoinn
we have agreed to partner them in a coalition

co-bhanntachd *boir*
coalition *n*
1 co-bhanntachd a stèidheachadh
to form a coalition
2 co-bhanntachd thar-phàrtaidh
cross-party coalition

Co-bhuidheann-obrach *boir* **air Sgrùdadh Slàinte Chloinne**
Joint Working Party (*n*) on Child Health Surveillance

co-chathraiche *fir*
joint-chair(man) *n*

co-cheangail *gr*
combine *v*

co-cheangailte *br*
related *adj*
gnothaichean co-cheangailte (ri chèile)
related matters

co-cheangal *fir*
relation *n*
an co-cheangal ri
in relation to

co-chomataidh *boir*
joint committee *n*

Co-chomataidh *boir* **air Rannsachadh Clionaigeach**
Joint Clinical Research Committee *n*

Co-chomataidh *boir* **Ceangail**
Joint Liaison Committee *n* (JLC)

Co-chomataidh *boir* **Glèidhteachais Nàdair**
Joint Nature Conservation Committee *n*

co-chomhairle *boir*
consultation *n*
an co-chomhairle ri
in consultation with

co-chomhairleachadh *fir* **poblach**
public consultation *n*

co-chomhairleachaidh *br*
consultative *adj*

co-chòmhragaiche *fir*
adversary *n*

co-chòrd *gr*
accord *v*

co-chòrdadh *fir*
accord,
unity *n*
1 **co-chòrdadh poileataigeach**
political settlement
2 **co-chòrdadh san adhbhar**
unity of purpose
3 **gun cho-chòrdadh (ri)**
unsympathetic *adj*
(not in sympathy with)

co-chòrdail *br*
consistent *adj*
tha sin co-chòrdail ri ar poileasaidh
that is consistent with our policy

co-chothrom *fir*
balance *n*
1 **co-chothrom bheachd**
balance of opinion
2 **co-chothrom an riochdachaidh**
balance of representation
3 **co-chothrom cumhachd**
balance of power

co-chruinneachadh *fir*
assembly,
convention *n* (body)
tha an co-chruinneachadh a' coinneachadh ann an Dùn Èideann
the convention is meeting in Edinburgh

Co-chruinneachadh *fir* **Bun-reachdail na h-Alba**
Scottish Constitutional Convention *n*

Co-chruinneachadh *fir* **na Gaidhealtachd is nan Eilean**
Highlands and Islands Convention *n*

co-chruinneachadh *fir* **òigridh**
youth assembly *n*

Co-chruinneachadh *fir* **Ùghdarrasan Ionadail na h-Alba**
Convention (*n*) of Scottish Local Authorities (COSLA)

co-chur *fir* **ghoireasan / stòrais**
resource allocation *n*

còd *fir* **giùlain**
code (*n*) of conduct

Còd *fir* **Obrach na Seirbheis Chatharra**
Civil Service Code *n*

còd *fir* **obrachaidh**
code (*n*) of practice

còd *fir* **puist**
postcode *n*

Còd *fir* **Ministreil**
Ministerial Code *n*
Còd Giùlain Ministreil
Ministerial Code of Conduct

còdachadh *fir*
codification *n* (of laws etc)

co-dhealbhadh *fir*
joint planning *n*

co-dhearbh *gr*
corroborate *v*

co-dhùin *gr*
decide,
call *v*
1 **modh co-dhùnaidh**
decision-making process
2 **co-dhùin an aghaidh**
overrule *v*
3 **co-dhùnadh an aghaidh neach-labhairt**
to overrule a speaker
4 **tha a' bhòt ro fhaisg airson co-dhùnadh ma deidhinn**
the vote is too close to call
5 **tha mi a' co-dhùnadh gu bheil am poileasaidh neo-chothromach**
I conclude that the policy is unjust

co-dhùnadh *fir*
conclusion,
decision,
decision-making *n*
1 **co-dhùnadh a ruighinn**
to reach a conclusion
2 **co-dhùnadh a chur an dara taobh**
to overrule a decision
3 **buidheann co-dhùnaidh**
decision-making body
4 **co-dhùnadh a thoirt**
to draw an inference

co-dhùnadh *fir* **luchd-gnìomha**
executive decision *n*

co-dhùnadh *fir* **poileataigeach**
political decision *n*

co-fheall *boir*
conspiracy *n*
1 **co-fheall gus fiaradh a chur air cùrsa ceartais**
conspiracy to pervert the course of justice
2 **teòraidh cho-fheall**
conspiracy theory

co-fhlaitheas *fir*
commonwealth *n*
an Co-fhlaitheas
the Commonwealth

cogadh *fir*
war *n*,
hostilities *npl*
tha am pàrtaidh a-nis air ghleus cogaidh
the party is now on a war footing

co-ghiorraich *gr*
abridge *v*

co-ghiorraichte *br*
abridged *adj*

co-ghlac *gr*
encapsulate *v*
an cuid amasan a cho-ghlacadh
to encapsulate their objectives

co-ghnàths *fir*
protocol *n*
cumail ri co-ghnàths
to observe protocol

co-fhaireachdainn *boir*
sympathy *n*
gun cho-fhaireachdainn
unsympathetic *adj*
(lacking in sympathy)

cogais *boir*
conscience *n*
trustair gun chogais
an unprincipled rogue

coigreach *fir*
stranger *n*

coilean *gr*
carry (*v*) out,
discharge,
fulfil,
honour,
meet,
perform,
serve *v*
1 **dleastanasan a choileanadh**
carry out functions
2 **dleastanas a choileanadh**
to discharge a function
3 **riochd a choileanadh**
to fulfil a role
4 **comain a choileanadh**
to fulfil an obligation
5 **tha iad air an gealladh a choileanadh**
they have honoured their commitment
6 **feuman an t-sluaigh a choileanadh**
to meet the needs of the public
7 **dleastanas a choileanadh**
to perform a duty
8 **teirm dreuchd a choileanadh**
to serve a term of office

coileanadh *fir* **dligheach**
due process *n*
coileanadh dligheach an lagha
the due process of law

coileanta gu dligheach *br*
duly enacted *adj*

Coille an Ear, A' Choille an Ear
Eastwood (Constituency)

Coilltearachd *boir* **Chroiteir**
Crofter Forestry *n*

coimeas *fir*
comparison *n*
1 **coimeas a dhèanamh**
to make a comparison
2 **cunntasan a choimeas ri chèile**
to compare notes
3 **an coimeas ris a' mheasrachadh / ris an tuairmse**
compared with the estimate

coimeasg *fir*
merger *n* (of companies)

coimeasg *gr*
merge *v*

coimhearsnachd *boir*
community *n*

Coimhearsnachd *boir* **Cumhachd Atamaich na h-Eòrpa**
European Atomic Energy Community *n* (Euratom)

Coimhearsnachd *boir* **Dìon na h-Eòrpa**
European Defence Community *n*

Coimhearsnachd *boir* **Eaconamach na h-Eòrpa**
European Economic Community *n* (EEC)

Coimhearsnachd *boir* **Eòrpach**
European Community *n*

Coimhearsnachd *boir* **Guail is Stàilinn na h-Eòrpa**
European Coal and Steel Community *n*

coimhearsnachd *boir* **ionadail**
local community *n*

coimisean *fir*
commission *n*
bheachdaich an coimisean air an teisteanas
the commission considered the evidence

Coimisean *fir* **air Gnàth-riaghailtean**
Standing Orders Commission *n*

Coimisean *fir* **airson Co-ionannachd Chothroman**
Equal Opportunities Commission *n*

Coimisean *fir* **airson Co-ionannachd Cinnidh**
Commission (*n*) for Racial Equality

Coimisean *fir* **Ath-sgrùdaidh Cùisean Eucoir na h-Alba**
Scottish Criminal Cases Review Commission *n*

Coimisean *fir* **Chrìoch an Riaghaltais Ionadail**
Local Government Boundary Commission *n*

Coimisean *fir* **Eòrpach**
European Commission *n*

Coimisean *fir* **Lagh na h-Alba**
Scottish Law Commission *n*

Coimisean *fir* **Luchd-obrach na h-Alba**
Staff Commission (*n*) for Scotland

Coimisean *fir* **Nàiseanta nam Ban**
Women's National Commission *n*

coimisean *fir* **nam prìsean**
price commission *n*

Coimisean *fir* **nan Lèir-shealbhachd is nan Coimeasg**
Monopolies and Mergers Commission *n*

Coimisean *fir* **nan Sochairean-leasachaidh**
Supplementary Benefit Commission *n*

Coimisean *fir* **Neo-eisimeileach Telebhisein**
Independent Television Commission *n*

coimisean *fir* **rannsachaidh**
commission (*n*) of enquiry

Coimisean *fir* **Rìoghail**
Royal Commission *n*

Coimisean *fir* **Rìoghail nan Ealain**
Royal Fine Arts Commission *n*

Coimisean *fir* **Rìoghail nan Làraichean Àrsaidh is Eachdraidheil an Alba**
Royal Commission (*n*) on the Ancient and Historical Monuments of Scotland

Coimisean *fir* **Trèanaidh**
Training Commission *n*

Coimiseanair *fir*
Commissioner *n*

Coimiseanair *fir* **Eòrpach**
European Commissioner *n*

Coimiseanair *fir* **Iasaid airson Obraichean Poblach**
Public Works Loan Commissioners *npl*

coimiseanair *fir* **lagha** *fir*
law commissioner *n*

Coimiseanair *fir* **na Pàrlamaid airson Rianachd**
Parliamentary Commissioner (*n*) for Administration (PCA)

coimpiutar *fir*
computer *n*
coimpiutar pearsanta
personal computer *n* (PC)

coimpiutarachadh *fir*
computerisation *n*

co-inbheach *fir*
peer *n* (social equal)

coinbheinsean *fir*
convention *n* (agreement)
tha sinn air ar teannachadh le cumhaichean a' choinbheinsein
we are bound by the terms of the convention

Coineagan a Deas
Cunninghame South (Constituency)

Coineagan a Tuath
Cunninghame North (Constituency)

coinneachadh *fir*
meeting *n*
amannan coinneachaidh Pàrlamaid na h-Alba
sittings of the Scottish Parliament

coinneamh *boir*
appointment, meeting *n*
coinneamh a chur air dòigh
to arrange a meeting

coinneamh *boir* **brath-ullachaidh**
briefing meeting *n*

coinneamh *boir* **Caibineit**
Cabinet meeting *n*

coinneamh *boir* **choitcheann bhliadhnail**
annual general meeting *n*

coinneamh *boir* **comataidh**
committee meeting *n*

coinneamh *boir* **comhairle** *boir*
council meeting *n*

coinneamh *boir* **naidheachd**
press conference *n*

coinneamh *boir* **phoblach**
public meeting *n*

coinneamh-èiginn *boir*
emergency meeting *n*

coinnich *gr*
meet *v*
coinneachadh gu tric
to meet often

coinnich *gr* **ri**
meet *v*
1 coinneachadh ri targaid
to meet a target
2 coinneachadh ri feuman an t-sluaigh
to meet the needs of the public

co-iomairt *boir*
joint venture *n*

co-ionann *br*
equal *adj*
an suidheachadh a dhèanamh co-ionann
to level the playing field

co-ionannachd *boir*
equality *n*
gnothach na co-ionannachd
the equality agenda

co-ionannachd *boir* **bhòtaichean**
equality (*n*) of votes

co-ionannachd *boir* **chothroman**
equal opportunities *n*
poileasaidh co-ionannachd chothroman
equal opportunities policy

co-ionannachd *boir* **cinnidh**
race equality *n*

co-ionannachd *boir* **cothruim**
equality (*n*) of opportunity

co-ionannachd *boir* **gnè**
sex equality *n*

co-ionannachd *boir* **san taghadh**
electoral parity *n*

co-ionmhasachadh *fir*
joint finance *n*

còir *boir*
claim,
right *n*
1 còir a thagairt air gliocas
to lay claim to wisdom
2 còir cothruim
right of access / entry
3 còir tagraidh
right of appeal
4 còir inntrigidh
right of entry
5 còraichean *boir iol* **catharra**
civil rights
6 còraichean *boir iol* **co-ionann**
equal rights
7 mì-ghnàthachadh chòraichean daonna
human rights abuse

còir *boir* **air a bhith air thoiseach**
precedence *n*

còir *boir* **bhòtaidh**
franchise (political),
voting right *n*
chaidh an còraichean-bhòtaidh a thoirt bhuapa
they were disenfranchised

Còir *boir* **Ceartais na h-Alba**
Justice Charter (*n*) for Scotland

còir *boir* **gabhaltais**
security (*n*) of tenure

còir *boir* **laghail**
legal right *n*

còir *boir* **mhoralta**
moral right *n*

còir *boir* **shònraichte**
prerogative *n*

coirb *br*
corrupt *adj*
dèan *gr* **coirb**
corrupt *v*

coirbeachd *boir*
corruption *n*

còir-bhòtaidh *boir*
suffrage,
franchise *n* (political)
1 thoir *gr* **còir-bhòtaidh bho**
disenfranchise *v*
2 thoir *gr* **còir-bhòtaidh do**
enfranchise *v*

coirbte *br*
corrupt *adj*
cleachdaidhean coirbte
corrupt practices

coirbteachd *boir*
corruption *n*

còir-dhlighe *boir* **rìoghail**
royal prerogative *n*

coire *boir*
fault *n*
coire fhaighinn do neach
to find fault with someone

coireach *br*
at fault
tha mi a' gabhail ris gur e mi fhìn as coireach
I accept that the fault is mine

coiseachd *boir* **gu mì-laghail**
trespass *n*

coisinn *gr*
establish *v*

coitcheann *br*
general,
generic,
standard,
universal *adj*
1 sgilean coitcheann
generic skills
2 còir-bhòtaidh choitcheann
universal suffrage

coiteachadh *fir*
lobbying *n*

coitich *gr* **ri**
lobby *v*
coiteachadh a dhèanamh ri Ball Pàrlamaid
to lobby a Member of Parliament

co-labhairt *boir*
conference,
seminar *n*
1 seòmar co-labhairt
conference room
2 co-labhairt air poileasaidh
policy seminar
3 cumail *boir* **cho-labhairtean bhideo**
video conferencing

co-labhairt *boir* **aig inbhe cho-ionainn**
round table conference *n*

Co-labhairt *boir* **Foghlaim Nursaichean**
Nurse Education Forum *n*

co-labhairt *boir* **fòn**
telephone conferencing *n*

co-labhairtean *boir iol* **bhideo**
video conferencing *n*

Colaiste *boir* **Rìoghail an Nursaidh**
Royal College (*n*) of Nursing

Colaiste *boir* **Rìoghail Foghlaim an Dìona**
Royal College (*n*) of Defence Studies

Colaiste *boir* **Rìoghail nam Ban-glùin**
Royal College (*n*) of Midwives

Colaiste *boir* **Rìoghail nan Dotairean Teaghlaich**
Royal College (*n*) of General Practitioners

colaiste *boir* **taghaidh**
electoral college *n*

co-leanailteach *br*
consecutive *adj*
trì làithean co-leanailteach
three consecutive days

coltas *fir*
expression *n* (appearance)
an coltas a bha air na h-aodannan aca
the expressions on their faces

co-luach *fir* **an airgid**
exchange rate *n*
co-luach na not
the exchange rate against the pound

comain *boir*
obligation *n*
comain reachdail
statutory obligation

comann *fir*
society *n* (organisation)

Comann *fir* **airson Cloinne le Ciorram Inntinn**
Society (*n*) for Mentally Handicapped Children

Comann *fir* **airson Cùram Shònraichte do Naoidhein**
Special Care Baby Association *n*

Comann *fir* **Albannach Dìon nan Ainmhidhean**
Scottish Society (*n*) for the Prevention of Cruelty to Animals (SSPCA)

Comann *fir* **Àrd-oifigearan nan Ùghdarrasan Ionadail**
Society (*n*) of Local Authority Chief Executives (SOLACE)

Comann *fir* **Ath-leasachaidh nan Taghaidhean**
Electoral Reform Society *n*

Comann *fir* **Ball-coise na h-Alba**
Scottish Football Association *n*

Comann *fir* **Bathar-Tharraing nan Rathaidean / Ròidean**
Road Haulage Association *n*

Comann *fir* **Crìosdail nam Ban Òga**
Young Women's Christian Association *n* (YWCA)

Comann *fir* **Crìosdail nam Fear Òga**
Young Men's Christian Association *n* (YMCA)

Comann *fir* **Dìon nan Ceàird**
Trades Protection Association *n*

Comann *fir* **Foghlamach an Luchd-Chosnaidh**
Workers Educational Association *n* (WEA)

Comann *fir* **Luchd-seilbh nan Tràlairean**
Trawler Owners Association *n*

Comann *fir* **Luchd-teagaisg Àrd-sgoiltean na h-Alba**
Scottish Secondary Teachers' Association *n*

Comann *fir* **na h-Ùireach**
Soil Association *n*

Comann *fir* **Nàiseanta Dìon Chloinne**
National Society (*n*) for the Prevention of Cruelty to Children (NSPCC)

Comann *fir* **Nàiseanta nan Caorach**
National Sheep Association *n*

Comann *fir* **Nàiseanta Pheinnseinearan Seann Aoise**
National Old Age Pensioners Association *n*

Comann *fir* **nam Fàrsanach**
Ramblers Association *n*

Comann *fir* **nan Ailtirean**
Society (*n*) of Architects

Comann *fir* **nan Dall**
Society (*n*) for the Blind

Comann *fir* **nan Oifigearan Foghlaim**
Society (*n*) of Education Officers

Comann *fir* **nan Teanant**
Tenants' Association *n*

Comann *fir* **nan Tuathanach Màil**
Tenant Farmers Association *n*

Comann *fir* **Phàrant agus Luchd-teagaisg**
Parent Teacher Association *n* (PTA)

Comann *fir* **Proifeiseanta an Luchd-teagaisg**
Professional Association of Teachers *n* (PAT)

Comann *fir* **Rìoghail airson Beatha-Theasairginn**
Royal Life Saving Society *n* (RLSS)

Comann *fir* **Rìoghail airson Glèidhteachas Nàdair**
Royal Society (*n*) For Nature Conservation

Comann *fir* **Rìoghail airson Seachnadh Thubaistean**
Royal Society (*n*) for the Prevention Of Accidents (RoSPA)

Comann *fir* **Rìoghail Albannach airson Dìon na Cloinne**
Royal Scottish Society (*n*) for the Prevention of Cruelty to Children (RSSPCC)

Comann *fir* **Rìoghail Dìon nan Ainmhidhean**
Royal Society (*n*) for the Prevention Of Cruelty To Animals (RSPCA)

Comann *fir* **Rìoghail Dìon nan Eun**
Royal Society (*n*) for the Protection of Birds (RSPB)

Comann *fir* **Rìoghail nan Ealain**
Royal Society (*n*) of Arts (RSA)

Comann *fir* **Saor-mhalairt na h-Eòrpa**
European Free Trade Association *n* (EFTA)

comann *fir* **taigheadais**
housing corporation *n*

Comann *fir* **Teaghlaichean Shaighdearan, Sheòltairean agus Luchd-adhair**
Soldiers', Sailors' and Airmens' Families Association *n* (SSAFA)

comann *fir* **ùghdarrais ionadail**
local authority association *n*

comann-sòisealta *fir*
society *n* (community)
àite an duine fa leth sa chomann-shòisealta
the individual's place in society

Comann-Stèidhichte *fir*, **an**
the Establishment *n*

Comar nan Allt agus Cill Saidhe
Cumbernauld and Kilsyth (Constituency)

comas *fir*
ability *n*
capacity *n*
competence *n*
1 tha e thar mo chomais
it is beyond my competence
2 comas cuir an gnìomh fon lagh
legal enforceability
3 a bheir comas
enabling
4 riochd a bheir comas
enabling role
5 reachdas a bheir comas
enabling legislation

comas *fir* **margaidh**
potential market *n*

comas *fir* **obrachaidh**
viability *n*

comasach *br*
able,
competent *adj*
1 dèan *gr* **comasach**
enable,
facilitate *v*
2 neach *fir* **a nì comasach**
facilitator *n*

comasachadh *fir*
enabling *n*
comasachaidh *fir gin*
enabling *adj*

comasan *fir iol* **cìs-atharrachaidh**
tax-varying powers *npl*

comataidh *boir*
committee *n*

comataidh *boir* **adhbharan coitcheann**
general purposes committee *n*

Comataidh *boir* **air Gnàth-riaghailtean**
Standing Orders Committee *n*

Comataidh *boir* **airson Thabhartasan Oilthigh**
University Grants Committee *n*

Comataidh *boir* **an Foghlaim, , a' Chultair agus an Spòrs**
Education, Culture and Sport Committee *n*

Comataidh *boir* **an Ionmhais**
Finance Committee *n*

Comataidh *boir* **an Taighe**
Committee (*n*) of the Whole House

Comataidh *boir* **nan Athchuingean Poblach**
Public Petitions Committee *n*

comataidh *boir* **barganachaidh**
negotiating committee *n*

comataidh *boir* **Caibineit**
Cabinet committee *n*

comataidh *boir* **ceangail**
liaison committee *n*

Comataidh *boir* **a' Cheartas (1 / 2)**
Justice Committee (1 / 2) *n*

Comataidh *boir* **a' Cheartais Shòisealta**
Social Justice Committee *n*

comataidh *boir* **co-chomhairleachaidh**
consultative committee *n*

Comataidh *boir* **Co-ionannachd Chothroman**
Equal Opportunities Committee *n*

Comataidh *boir* **na Còmhdhail agus na h-Àrainneachd**
Transport and Environment Committee *n*

comataidh *boir* **comhairleachaidh**
advisory committee *n*

Comataidh *boir* **Comhairleachaidh a' Bhradain**
Salmon Advisory Committee *n*

Comataidh *boir* **Comhairleachaidh air Turasachd Tuathanais**
Farm Tourism Advisory Committee *n*

Comataidh *boir* **Comhairleachaidh air Spongiform Encephalopathaidh**
Spongiform Encephalopathy Advisory Committee *n* (SEAC)

Comataidh *boir* **Comhairleachaidh Luchd-cleachdaidh Còmhdhail**
Transport Users Consultative Committee *n*

Comataidh *boir* **Comhairleachaidh Luchd-obrach**
Staff Advisory Committee *n*

Comataidh *boir* **Comhairleachaidh Luchd-obrach Seirbheis Nàiseanta na Slàinte**
National Health Staff Advisory Committee *n*

Comataidh *boir* **Comhairleachaidh Oifis a' Phuist**
Post Office Advisory Committee *n* (POAC)

Comataidh *boir* **Craolaidh Gàidhlig**
Gaelic Broadcasting Committee *n*

comataidh *boir* **cuspair**
subject committee *n*

comataidh *boir* **dealbhaidh**
planning committee *n*

comataidh *boir* **dealbhaidh ionadail**
local planning committee *n*

Comataidh *boir* **Comataidh** *boir* **nan Dòighean-obrach, Comataidh** *boir* **nam Modhan**
Procedures Committee *n*

Comataidh *boir* **Eaconamach is Shòisealta na-h Eòrpa**
European Economic and Social Committee *n*

Comataidh *boir* **Eòrpach**
European Committee *n*

comataidh *boir* **faire**
watchdog committee *n*

comataidh *boir* **faire (a' phoileis)**
watch committee *n*

comataidh *boir* **fhiaclair ionadail**
local dental committee *n* (LDC)

comataidh *boir* **ghnìomhach**
executive committee *n*

comataidh *boir* **gnothaich**
business committee *n*

Comataidh *boir* **Inbhean ann am Beatha Phoblaich**
Committee (*n*) on Standards in Public Life

Comataidh *boir* **Inbhean**
Standards Committee *n*

Comataidh *boir* **Leasachaidh Dhùthchail**
Rural Development Committee *n*

Comataidh *boir* **Luchd-obrach Nursaidh Nàiseanta**
National Nursing Staff Committee *n*

comataidh *boir* **mhodhan meidigeach**
medical practices committee *n* (MPC)

Comataidh *boir* **na h-Iomairt agus an Fhoghlaim Bheatha**
Enterprise and Lifelong Learning Committee *n*

Comataidh *boir* **nan Cunntas Poblach**
Public Accounts Committee *n* (PAC)

comataidh *boir* **nan cuspairean coitcheann**
general purposes committee *n*

comataidh *boir* **nan dotairean-teaghlaich**
family practitioner committee *n*

Comataidh *boir* **nan Roinnean**
Committee (*n*) of the Regions (COR)

comataidh *boir* **phrògram**
programme committee *n*

comataidh *boir* **rannsachaidh**
committee *(n)* of enquiry

comataidh *boir* **reachdail**
statutory committee *n*

comataidh *boir* **reachdais**
legislation committee *n*

Comataidh *boir* **an Fho-reachdais**
Subordinate Legislation Committee *n*

Comataidh *boir* **Riaghaltais Ionadail**
Local Government Committee *n*

comataidh *boir* **roinneil**
regional committee *n*

Comataidh *boir* **Roinneil airson Drèanadh Fearainn**
Regional Land Drainage Committee *n*

comataidh *boir* **roinne-pàrlamaid**
constituency committee *n*

Comataidh *boir* **Sgrùdaidh**
Audit Committee *n*

Comataidh *boir* **Sgrùdaidh Fo-reachdais**
Subordinate Legislation Scrutiny Committee *n*

Comataidh *boir* **Sgrùdaidh nan Cunntas**
Committee (*n*) of Auditors

Comataidh *boir* **Sàbhalaidh Nàiseanta**
National Savings Committee *n*

Comataidh *boir* **Shochairean Sheann Daoine**
Old People's Welfare Committee *n*

Comataidh *boir* **na Slàinte agus Cùraim Choimhearsnachd**
Health and Community Care Committee *n*

comataidh *boir* **stiùiridh**
management committee,
steering committee *n*

comataidh *boir* **stiùiridh ospadail**
hospital management committee *n* (HMC)

comataidh *boir* **thaghte**
select committee *n*

comataidh *boir* **taghaidh**
committee (*n*) of selection

comataidh-sgrùdaidh *boir*
inspection committee *n*

comhairle *boir*
advice,
counsel,
council *n*
1 **cuir** *gr* **comhairle ri**
confer *v*
2 **comhairle a chur ri (neach / buidhinn) air cuspair**
to consult on a subject

Comhairle *boir* **air Alcol an Alba**
Scottish Council (*n*) on Alcohol

Comhairle *boir* **an Aonaidh Eòrpaich**
Council (*n*) of the European Union

comhairle *boir* **baile**
borough council,
town council *n*

Comhairle *boir* **Bhuidhnean Saor Thoileach na h-Alba**
Scottish Council (*n*) for Voluntary Organisations

comhairle *boir* **cathair-bhaile**
city council *n*

Comhairle *boir* **Choitcheann an Nursaidh**
General Nursing Council *n*

Comhairle *boir* **Com-pàirteachais**
Partnership Council *n*

Comhairle *boir* **Craolaidh Sgoiltean**
School Broadcasting Council *n*

Comhairle *boir* **Dhìomhair**
Privy Council *n*

comhairle *boir* **dhùthchail**
rural council *n*

Comhairle *boir* **Ealain na h-Alba**
Scottish Arts Council *n*

Comhairle *boir* **Foghlam Coimhearsnachd na h-Alba**
Scottish Community Education Council *n*

comhairle *boir* **ghnìomhach**
executive council *n*

comhairle *boir* **gun mhòr-chuid**
hung council *n*

comhairle *boir* **ionadail**
local council *n*

comhairle *boir* **laghail**
legal advice *n*

Comhairle *boir* **Leasachaidh Eaconamaich Nàiseanta**
National Economic Development Council *n* (NEDC)

Comhairle *boir* **Leasachaidh is Gnìomhachais na h-Alba**
Scottish Council (*n*) for Development and Industry

comhairle *fir* **luchd-chleachdaidh**
consumer council *n*

Comhairle *boir* **Luchd-cleachdaidh na h-Alba**
Scottish Consumer Council *n*

Comhairle *boir* **Luchd-chleachdaidh Oifis a' Phuist airson Alba**
Post Office Users' Council (*n*) for Scotland

Comhairle *boir* **Luchd-cleachdaidh Uisge is Òtrachas na h-Alba**
Scottish Water and Sewerage Consumers' Council *n*

Comhairle *boir* **Luchd-obrach Shaidheansail agus Dhreuchdail**
Scientific and Professional Staffs Council *n*

Comhairle *boir* **Mhaoineachaidh Foghlam Àrd-ìre na h-Alba**
Scottish Higher Education Funding Council *n*

Comhairle *boir* **Maoineachaidh nan Oilthighean**
Universities Funding Council *n*

Comhairle *boir* **Mhinistearan (an Aonaidh Eòrpaich)**
Council (*n*) of Ministers (of the European Union)
Comhairle nam Ministearan
the Council of Ministers

Comhairle *boir* **Mòr-roinn Lunnainn**
Greater London Council *n* (GLC)

Comhairle *boir* **na h-Eòrpa**
Council (*n*) of Europe

Comhairle *boir* **Nàiseanta airson Shaorsainnean Catharra**
National Council (*n*) for Civil Liberties

Comhairle *boir* **Nàiseanta an Uisge**
National Water Council *n*

Comhairle *boir* **Nàiseanta Luchd-chleachdaidh Oifis a' Phuist**
Post Office Users' National Council *n* (POUNC)

Comhairle *boir* **Nàiseanta Togail Thaighean**
National House Building Council *n*

Comhairle *boir* **nan Ealain**
Arts Council *n*

Comhairle *boir* **nan Sgoiltean Àraich (CNSA)**
Gaelic Pre-school Council *n*

Comhairle *boir* **Rannsachaidh Àrainneachd Nàdair**
Natural Environmental Research Council *n*

Comhairle *boir* **Rannsachadh Foghlaim na h-Alba**
Scottish Council (*n*) for Research in Education

Comhairle *boir* **Rannsachaidh Saidheans**
Science Research Council *n*

comhairle *boir* **roinneil**
regional council *n*

Comhairle *boir* **Sàbhailteachd nan Rathaidean / Ròidean**
Road Safety Council *n*

comhairle *boir* **sgìre**
district council *n*

Comhairle *boir* **Sgoiltean Neo-eisimeileach na h-Alba**
Scottish Council (*n*) of Independent Schools

Comhairle *boir* **Shaor-Thoileach airson Cloinne Ciorramaich**
Voluntary Council (*n*) for Handicapped Children

Comhairle *boir* **Shlàinte**
Health Council

comhairle *boir* **slàinte ionadail**
local health council *n*

Comhairle *boir* **Spòrs**
Sports Council *n*
Comhairle Spòrs na h-Alba
Sports Council for Scotland

Comhairle *boir* **Thaighean-tasgaidh na h-Alba**
Scottish Museums Council *n*

Comhairle *boir* **Tinneas na Dibhe an Alba**
Scottish Council (*n*) on Alcohol

Comhairle *boir* **Trèanaidh agus Iomairt**
Training and Enterprise Council *n* (TEC)

comhairleach *fir*
adviser, counsellor *n*
comhairleach poileasaidh
policy adviser

comhairleach *fir* **air cleachdadh fearainn**
land use adviser *n*

comhairleach *fir* **air eaconamaidh dhùthchail**
rural economy adviser *n*

comhairleach *fir* **deilbh-talmhainn**
landscape adviser *n*

comhairleach *fir* **fastaidh nursaichean**
nursing employment adviser *n*

comhairleach *fir* **fiadh-bheatha**
wildlife adviser *n*

comhairleach *fir* **poileasaidh**
policy adviser *n*

comhairleach *boir* **poileataigeach**
political adviser *n*

comhairleach *fir* **tuathanachais-ghàrraidh**
horticultural adviser *n*

comhairlich *gr* **(do)**
advise *v*

comhairliche *fir*
councillor *n*

comhairliche *fir* **ionadail**
local councillor *n*

comhairliche *fir* **sgìre**
district councillor *n*

co-mhalairt *boir*
reciprocal trade *n*
aonta co-mhalairt
reciprocal trade arrangement

co-mhaoineachadh *fir*
joint funding *n*

comhaois *fir*
peer *n* (contemporary)

comhaoisean *fir iol*
peers *npl* (contemporaries)

comharr *fir*
mark, sign *n*
tha e na (dheagh) chomharr air a misneachd
it is a tribute to her courage

comharra *fir* **coileanaidh**
performance indicator *n*

comharra *fir* **treòrachaidh**
guideline *n*

comharradh *fir* **cam-fhiarach**
zigzag marking *n*

comharradh *fir* **cinn-latha**
date stamp *n*

comharradh-aithneachaidh *fir*
identification mark *n*

comharraich *gr*
indicate, identify, earmark, reflect, underline *v*
1 **bu mhath leam cùis cùraim a chomharrachadh**
I wish to flag up a matter of concern
2 **tha seo a' comharrachadh nan cùraman a tha òirnn**
this reflects our concerns

3 **tha toradh an taghaidh a' comharrachadh a' mheas a tha aig daoine orra**
the election result underlines their popularity

comharraich *gr* **ionmhas**
budget *v*
ionmhas a chomharrachadh mu choinneimh fàis
to budget for growth

còmhdaich *gr*
cover *v*

còmhdhail *boir*
transport, convention *n* (body)

Còmhdhail *boir* **nan Aonaidhean Ciùird**
Trades Union Congress *n* (TUC)

còmhla *cgr*
together *adv*
1 **rach** *gr* **còmhla**
combine *v*
2 **na suimean a tha anns a' bhuidseat a chur còmhla**
to aggregate the amounts contained in the budget

còmhlan *fir* **obrach**
working party *n*

còmhlan *fir* **poileataigeach**
political group *n*

còmhlan-gnìomha *fir*
executive body *n*

còmhnaidh *boir*
residence,
occupation *n* (of a building)

còmhnard *br*
level *adj*

còmhradh
dialogue *n*
bi *gr* **còmhradh**
confer *v*

còmhragail *br*
adversarial *adj*
poileataics chòmhragail
adversarial politics

còmhraidhean *fir iol*
negotiation *n*
proceedings *npl* (discussions)

còmhstri *boir*
conflict *n*
1 **còmhstri airson cumhachd**
power struggle
2 **còmhstri phoileataigeach**
political conflict

communiqué *fir*
communiqué *n*

com-pàirt *boir*
interest *n*
1 **com-pàirt a chlàradh**
to register an interest
2 **com-pàirt ionmhasail a bhith aig neach ann an companaidh**
to have a financial interest in a company

com-pàirt *boir* **beatha**
life interest *n*

com-pàirt *boir* **fho-roinneil**
sectional interest *n*

com-pàirt *boir* **ionmhasail**
financial interest,
monetary interest *n*
1 **com-pàirt ionmhasail fhoillseachadh**
to declare a financial interest
2 **com-pàirt ionmhasail fhoillseachadh**
to declare a monetary interest
3 **com-pàirt ionmhasail a bhith aig neach ann an companaidh**
to have a financial interest in a company

com-pàirt *boir* **neo-ionmhasail**
non-financial interest *n*

com-pàirteach *br*
inclusive,
participative *adj*
deamocrasaidh com-pàirteach
participative democracy

com-pàirteachadh *fir*
inclusion, participation *n*
com-pàirteachadh sòisealta
social inclusion

com-pàirteachadh *fir* **poblach**
public participation *n*

com-pàirteachadh *fir* **poileataigeach**
political participation *n*

com-pàirteachadh *fir* **sòisealta**
social inclusion *n*

com-pàirteachas *boir*
partnership *n*
com-pàirteachas torach
a fruitful partnership

com-pàirtiche *fir*
partner *n*

companaidh *fir le boir*
company *n*

Companaidh *fir / boir* **a' Ghriod Nàiseanta plc**
National Grid Company plc *n*

companaidh *fir / boir* **seilbhe gun cheangal**
open-ended investment company *n* (OEIC)

comraich *boir* **phoileataigeach**
political asylum *n*

conaltradh *fir*
communication *n*
1 **conaltradh cuideachail**
constructive dialogue
2 **dèan** *gr* **conaltradh**
communicate *v*

conas *fir*
annoyance,
wrangle *n*
na cuir conas feirge air
do not provoke him to anger

Concordait *boir*
Concordat *n*

connsachadh *fir*
clash,
feud,
feuding,
wrangling *n*
connsachadh leis an luchd-dhùbhlain
a clash with the opposition

connsaich *gr*
clash,
feud,
wrangle *v*
connsachadh leis an luchd-dhùbhlain
to clash with the opposition

connspaid *boir*
controversy,
dispute *n*
gun chonnspaid
undisputed *adj*

connspaideach *br*
confrontational,
contentious,
controversial *adj*
cùis chonnspaideach
a controversial / sensitive issue

consal *fir*
consul *n*
Àrd-chonsal
Consul General

consalachd *boir*
consulate *n*

contra-chasaid *boir*
counter-allegation *n*

contra-mholadh *fir*
counter-proposal *n*

contrarra *br*
contrary *adj*
beachdan contrarra
contrary observations

contrarrachd *fir boir*
contradiction *n*

co-obrachadh *fir*
collaboration,
co-operation *n*

co-obraich *gr*
collaborate,
co-operate *v*

co-òrdanaich *gr*
co-ordinate *v*

co-òrdanaiche *fir*
co-ordinator *n*

Co-òrdanaiche *fir* **Feuman Sònraichte Foghlaim**
Special Educational Needs Co-Ordinator *n*
(SENCO)

co-òrdanaiche *fir* **stiùbhardachd**
stewardship co-ordinator *n*

cor *fir*
state *n* (condition)

còraichean *boir iol* **daonna**
human rights *npl*

còraichean *boir iol* **phàrant**
parental rights *npl*

còrdadh *fir*
agreement,
compact,
pact,
understanding *n*
1 còrdadh a thaobh ìre seirbheis
service level agreement
2 còrdadh a ruighinn
to reach a compromise

Còrdadh *fir* **Coitcheann air Taraifean is Malairt**
General Agreement on Tariffs and Trade *n*
(GATT)

co-rèir *fir*
proportion *n*
ann an co-rèir ri
in accordance with

co-rèireach *br*
proportionate,
proportional *adj*
1 air stèidh cho-rèirich
on a proportional basis
2 gu co-rèireach *cgr*
proportionately *adv*

co-rèireachas *fir*
proportionality *n*

co-rèiteachadh *fir*
compromise *n*
fuasgladh co-rèiteachaidh
compromise solution

co-rèitich *gr*
compromise *v*

co-roinn *boir*
proportion *n*

co-roinn *gr*
share *v*
cumhachd a cho-roinn
to share power

co-roinn *boir* **fiosrachaidh**
information exchange *n*

co-roinneil *br*
proportional *adj*
riochdachadh co-roinneil
proportional representation

Corparaid *boir* **Leasachaidh Baile Ùir**
New Town Development Corporation *n*

Corparaid *fir* **Taigheadais**
Housing Corporation *n*

corporra *br*
corporate *adj*
buidheann chorporra
corporate body

còrr *fir*
balance *n* (of money)
1 còrr (corran) ionmhasail
financial balance(s)
2 còrr (corran) obrachaidh
working balance(s)

cosg *fir*
spending *n*

cosg *gr*
spend *v* (money)
cosg cus
overspend *v*

cosgais *boir*
cost *n*
1 cosgaisean rianachd oifise
office overheads
2 cosgaisean taghaidh
election expenses
3 cosgaisean taigheadais
housing costs
4 cosgaisean tuiteamach
incidental expenses
5 cus cosgais air a' bhuidseat
an overspending on the budget

cosgais *boir* **bhith-beò**
cost (*n*) of living

cosgais *boir* **calpa**
capital cost *n*

cosgais *boir* **cheadaichte**
allowable expense *n*

cosgais *boir* **obrachaidh**
operating cost *n*

cosgais *boir* **ruithe**
running cost *n*

co-sgeama *fir le boir*
joint scheme *n*

cosg-èifeachdach *br*
cost-effective *adj*

cosg-èifeachdas *fir*
cost-effectiveness *n*

co-sgrìobhadair *fir*
correspondent *n*

co-shoighneachadh *fir*
countersignature *n*

co-shoighnich *gr*
countersign *v*

co-sholar *fir*
joint provision *n*

cosnadh *fir*
earnings *npl*
employment *n*
cosnadh sealach
temporary employment

co-thabhartail *br*
contributory *adj*
peinnsean co-thabhartail
contributory pension

co-thachartach *br*
concurrent *adj*

co-thagh *gr*
co-opt *v*

co-thaghadh *fir*
co-option *n*

co-thaghte *br*
co-opted *adj*
1 ball co-thaghte
co-opted member
2 neach co-thaghte
co-optee *n*

cothaich *gr*
overcome *v* (conquer)

co-thaobhadh *fir*
alignment *n* (political)

cothlamadh *fir*
mixture *n*
dèan *gr* **cothlamadh**
merge *v*

cothrom *fir*
access *n*
1 air chothrom
on balance
2 cothrom air fiosrachadh
access to information
3 cothrom ruigheachd don mhòr-shluagh
accessibility to the public
4 sàr chothrom
a golden opportunity

cothrom *fir* **charbad**
vehicular access *n*

cothrom *fir* **math**
opportunity *n*

cothromach *br*
fair,
balanced,
equitable,
just,
objective *adj*
1 deasbad cothromach
a balanced debate
2 cunntas cothromach
fair comment
3 a bhith cothromach air an t-suidheachadh
to rise to the occasion
4 a' bruidhinn gu cothromach
objectively speaking
5 measadh cothromach
an objective assessment
6 gu cothromach
objectively *adv*

cothromachadh *fir*
balance *n*
cothromachadh malairt
balance of payments

cothromaich *gr*
balance,
weigh *v*
1 argamaid a chothromachadh
to balance an argument
2 am buidseat a chothromachadh
to balance the budget

co-uachdranachd *boir*
joint sovereignty *n*

co-uallach *fir*
collective responsibility *n*

crannchur *fir*
lottery *n*
An Crannchur Nàiseanta
National Lottery

craobh-sgaoil *gr*
promulgate *v*

craoil *gr*
broadcast *v*
craoil air telebhisean
televise

craoladair *fir*
broadcaster *n*
craoladair còmhnaidheach
resident broadcaster

craoladh *fir*
broadcast *n*
craoladh air telebhisean
televising

craoladh *fir* **(pàrtaidh) poileataigeach**
(party) political broadcast *n*

craoladh *fir* **taghaidh**
party election broadcast *n*

creach *boir*
plunder *n*
air tòir creiche
predatory *adj*

crèche *fir*
crèche *n*

creideamh *fir* **poileataigeach**
political creed *n*

creideas *fir*
credibility,
credit,
faith *n*
1 **dìth creideis**
credibility gap
2 **cìs-chreideas**
tax credit
3 **nì a sheallas creideas**
an act of faith
4 **creideas a bhith aig neach às**
to have faith in

Creideas *fir* **Cìse Theaghlaichean a tha ag Obair**
Working Families
Tax Credit *n*

creideas *fir* **teaghlaich**
family credit *n*

creideasach *br*
fiduciary *adj*

creideasan *fir iol* **cìse**
tax credits *n*

cridhe *fir*
heart *n*
tha sinn ag aontachadh ris a' bheachd sin le ar n-uile chridhe
we wholeheartedly
endorse the view

crìoch *boir*
border,
boundary,
close,
conclusion,
limit,
limitation *n*
1 **atharrachadh chrìoch**
boundary change
2 **cùisean a thoirt gu crìoch**
to bring proceedings to
a close
3 **crìoch a' ghnothaich**
the conclusion of business
4 **crìochan ionmhasail**
financial limits
5 **reachd nan crìoch (ama)**
statute of limitations
6 **crìochan ama**
time constraints
7 **tha e ceadaichte an taobh-staigh crìochan àraidh**
it is permitted within certain
limitations
8 **crìoch a chur air cunnradh**
to terminate a contract

crìoch *boir* **ama-phàighidh**
time limit *n* (for payment)

crìoch *boir* **ionmhais** *boir*
cash limit *n*

crìochnachadh *fir*
winding-up *n*
òraid chrìochnachaidh
a winding-up speech

crìochnaich *gr*
close,
complete,
conclude *v*
1 **an deasbad a chrìochnachadh**
to close the debate
2 **pròiseact a chrìochnachadh**
to complete a project
3 **tha sinn a-nis a' crìochnachadh ar gnothaich**
we now conclude our business

criom *gr*
erode *v*
ar còraichean a chriomadh
to erode our rights

criomadh *fir*
erosion *n*
criomadh air ar còraichean
erosion of our rights

crìonadh *fir*
decline *n*
1 **crìonadh a' phàrtaidh**
the decline of the party
2 **crìonadh sa cheud**
percentage decline

crom *gr* **do cheann**
nod *v*

cromadh *fir* **(den cheann)**
nod *n*
1 **chaidh an t-iarrtas a bhuileachadh le cromadh den cheann**
the application was granted on
the nod
2 **aontachadh le cromadh den cheann**
to nod through

cron *fir*
damage,
detriment,
harm *n*
1 **cuibhreachadh cron**
damage limitation
2 **gun chron dar taobh**
without detriment to our cause
3 **tomhas mòr de chron**
substantial harm
4 **dèan** *gr* **cron air**
harm *v*

cronachadh *fir*
castigation,
censure *n*
1 **deasbad cronachaidh**
censure debate
2 **gluasad cronachaidh**
censure motion

cronaich *gr*
castigate,
censure *v*

cruadal *fir*
hardship *n*

cruaidh-cheasnachadh *fir*
cross-examination *n*

cruaidh-cheasnaich *gr*
cross-examine *v*

cruinn *br*
circular,
precise *adj*
1 gu cruinn ceart
precisely *adv*
2 cur am briathran cruinne cearta
to express precisely

cruinneachadh *fir* **lagha**
body (*n*) of law

cruinneachadh *fir* **sòisealta**
function *n* (social event)
a bhith an làthair aig cruinneachadh (sòisealta)
to attend a function

cruinneas *fir*
precision *n*
cruinneas an argamaid
the precision of their argument

cruinnich *gr*
assemble,
marshal *v*
1 fiosrachadh a chruinneachadh
to assemble information
2 cruinneachadh airson coinneimh
to assemble for a meeting
3 cothroman neach a chruinneachadh
to marshal one's forces

crùn *fir*
crown *n*
an Crùn
The Crown

cruthachadh *fir* **poileasaidh**
policy formulation *n*

cruthadair-bheachd *fir*
opinion-former *n*

cruthaich *gr*
form,
raise *v*
1 co-bhanntachd a chruthachadh
to form a coalition
2 mothachadh a chruthachadh
to raise awareness

cruth-atharrachadh *fir*
transformation *n*

cruth-atharraich *gr*
transform *v*
an suidheachadh a chruth-atharrachadh
to transform the situation

cuairt *boir* **dheireannach**
final *n* (sports)

cuairt *boir* **poileasaidh**
policy cycle *n*

cuairteag *boir* **atmhorachd**
inflationary spiral *n*

cuairtich *gr*
circulate,
encompass *v*
pàipearan a chuairteachadh airson coinneimh
to circulate papers for a meeting

cuairtlitir *boir*
circular *n* (document)
1 cuairtlitir taigheadais
housing circular
2 cuairtlitir riaghaltais
government circular
3 cuairtlitir a chur a-mach
to issue a circular

cuango *fir*
quango *n*
stàit fo bhuaidh nan cuangothan
quango state

cuasai-bhreitheach *br*
quasi-judicial *adj*

cùbaid *boir* **deasbaid**
soapbox *n*

cùbainn *boir* **deasbaid**
soapbox *n*

cudthrom *fir*
pressure,
stress,
weight *n*
1 cudthrom na h-obrach (a tha ri dèanamh)
pressure of business
2 tha sinn ag obair fo chudthrom mòr
we are working under great stress
3 comhairle mu chudthrom inntinn
stress counselling
4 tha mi airson cudthrom a chur air puing
I wish to stress a point
5 cudthrom a chur air puing
to highlight a point
6 cudthrom a leigeil air neach
to exert pressure on a person
7 tha mi airson cudthrom a leigeil air a' phuing seo
I wish to press home the point
8 toirt air neach mearachd a dhèanamh le bhith a' leigeil cus cudthruim air
to pressurise someone into making a mistake

cudthromach *br*
weighty *adj*
tha iomadh cuspair cudthromach air a' chlàr-ghnothaich
there are many weighty matters on the agenda

cudthromachd *boir*
seriousness *n*
cudthromachd an t-suidheachaidh
the seriousness of the situation

cugallach *br*
unstable *adj*
an suidheachadh a dhèanamh cugallach
to destabilise the situation

cuibhreachadh *fir*
cap, capping,
restriction *n*
1 cuibhreachadh Cìse Comhairle
Council Tax capping

2 cuibhreachadh air caiteachas
a cap on expenditure
3 cuibhreachadh air caiteachas
restriction of expenditure
4 cuibhreachadh cìse
charge capping

cuibhreachail *br*
restrictive *adj*
gnàthasan cuibhreachail
restrictive practices

cuibhreann
ration,
allowance *n*
1 cuibhreann saor bho chìs
tax allowance
2 cuibhreann cheann
capitation allowance

cuibhreann *fir* **an-fhoise**
disturbance allowance *n*

cuibhreann *fir* **buill**
member's allowance *n*

cuibhreann *fir* **cìse**
tax allowance *n*

cuibhreann *fir* **dealachaidh sealach**
temporary separation allowance *n*

Cuibhreann *fir* **Dìolaidh Stuic air Talamh Àrd**
Hill Livestock Compensatory Allowance *n*

cuibhreann *fir* **frithealaidh**
attendance allowance *n* (for caring / for attending meetings)

cuibhreann *fir* **siubhail**
mileage allowance *n*

Cuibhreann *fir* **Sònraichte Margaidh**
Special Market Allowance *n*

cuibhreann *fir* **tòiseachaidh-obrach**
job start allowance *n*

cuibhrich *gr*
cap,
restrict,
limit *v*
1 am buidseat a chuibhreachadh
to cap the budget
2 chaidh an tabhartas a chuibhreachadh aig ìre na bliadhna an-uiridh
the grant was capped at last year's level
3 tha seo a' cuibhreachadh ar raon obrach
this limits our scope for action

cuibhricheadh *fir* **reataichean**
rate capping *n*

cuibhrichte *br*
limited,
restricted *adj*
1 àireamh chuibhrichte de roghainnean
a limited number of options
2 cothrom cuibhrichte
limited capacity
3 inbhe chuibhrichte
restricted capacity

cuibhrinneachadh *fir*
rationing *n*

cuibhrinnich *gr*
ration *v*

cuideachadh *fir*
aid,
assistance *n*
1 uidheaman cuideachaidh gus tuigse nas fheàrr fhaighinn air a' chùis
aids to a better understanding of the matter
2 cuideachadh roghnach roinneil
regional selective assistance
3 cuideachaidh *fir gin*
assistant *adj*

cuideachail *br*
helpful,
subsidiary *adj*
1 gluasad cuideachail
subsidiary motion
2 reachdas cuideachail
subsidiary legislation

cuidhteas *fir*
receipt *n* (written)

cuidich *gr*
aid,
facilitate *v*

cuidich *gr* **le**
assist,
second *v* (a motion)

cuid-seilbhe *boir*
property *n*

cuilbheart *fir / boir*
conspiracy *n*
1 cuilbheirt tostachd
conspiracy of silence
2 dean *gr* **cuilbheart**
conspire *v*

cuilbheartan-bacaidh *iol*
stone-walling *n*
chaidh cuir às don Bhile le cuilbheartan-bacaidh na feadhna a bha na aghaidh
the Bill was defeated by the stone-walling tactics of its opponents

cuimhne *boir*
memory *n*
gleidheadh an cuimhne
to commit to memory

cuimhneachadh *fir*
commemoration *n*

cuimhneachaidh *fir gin*
commemoration,
commemorative *adj*
1 seirbheis cuimhneachaidh
commemoration service
2 stampaichean cuimhneachaidh
commemorative stamps

cuimhneachan *fir*
commemoration *n*

cuimhnich *gr*
commemorate *v*

Cuimrigh,
a' Chuimrigh *boir*
Wales *n*

cuimsich *gr* **air**
target *v*
1 cuimseachadh air stòrasan
to target resources
2 cuimseachadh air feumalachdan
to target needs

cuingeadan *boir iol* **ionmhasail**
financial constraints *npl*

cuingealachd *boir*
constraint *n*
cuingealachdan ama
time constraints

cuingealaich *gr*
restrict *v*

cuip *boir*
whip *n* (party official)
Oifis nan Cuipean
Whips' Office

cuip *gr*
whip *v*

cuip *boir* **an riaghaltais**
government whip *n*

cuip *boir* **aon-loidhne**
one-line whip *n*

cuip *boir* **dà-loidhne**
two-line whip *n*

cuip *boir* **nan dùbhlanach**
opposition whip *n*

cuip *boir* **thrì-loidhne**
three-line whip *n*

cuir *gr*
cast,
place,
put,
refer *v*
1 bhòt a chur
to cast a vote
2 cur ann an cunntas
to place on record
3 tha mi a' cur adhart gun tèid an gluasad a chur
I move that the motion be put
4 cùis a chur chun na comataidh
to refer a matter to the committee
5 dàil a chur air beachdachadh
to defer consideration

cuir *gr* **aghaidh air**
confront,
address *v*
aghaidh a chur air nì
to address a matter

cuir *gr* **air**
charge *v*
uallach a chur air ministear
to charge a Minister with a duty

cuir *gr* **air bhonn** *gr*
set (*v*) up
a chur air bhonn
to set up a committee

cuir *gr* **a-mach**
issue *v*
sumanadh a chur a-mach
to issue a summons

cuir *gr* **an aghaidh**
object,
oppose,
contradict,
challenge *v*
1 cur an aghaidh puing
to raise an objection
2 cur an aghaidh bhòtaidh (sa phàrlamaid)
to challenge a division
3 tha i air buidhnean an aonta a chur an aghaidh a chèile
she has alienated the parties to the agreement
4 òrdugh gun chur na aghaidh
unopposed order
5 an ceannard, gun duine a' cur na aghaidh
the undisputed leader
6 chan eil duine a' cur an aghaidh a h-ùghdarrais
her authority is undisputed
7 leughadh Bile gun chur na aghaidh
unopposed reading of a Bill

cuir *gr* **an aithne**
acquaint *v*

cuir *gr* **an cèill**
declare,
produce,
state,
record,
embody *v*
1 bu mhiann leinn ar buidheachas a chur an cèill
we wish to record our thanks
2 barail a chur an cèill
to voice an opinion
3 tha seo a' cur an cèill grunn phrionnsabal
this embodies a number of principles

cuir *gr* **an dara taobh**
overrule,
dispense (with),
dispose (of),
quash (an election),
waive *v*
1 cumha a chur an dara taobh
to dispense with a condition
2 tha sinn air an argamaid sin a chur an dara taobh
we have disposed of that argument
3 gnàth-riaghailtean a chur an dara taobh
to suspend / waive Standing Orders,
suspension of Standing Orders

cuir *gr* **an eagar**
process *v* (handle, deal with)

cuir *gr* **an gnìomh**
enforce (law, legislation),
administer,
apply,
deploy *v*
1 ceartas a chur an gnìomh
to administer justice

2 an achd / an lagh a chur an gnìomh
to apply the act / law
3 innleachdan a chur an gnìomh
to deploy strategies
4 tha an achd ga cur an gnìomh
the act comes into effect / force
5 cha ghabh a' chùis a chur an gnìomh fon lagh
the matter is not legally enforceable

cuir *gr* **an ìre**
posture *v*

cuir *gr* **an neo-bhrìgh**
invalidate,
counteract *v*

cuir *gr* **an sàs**
enforce *v* (law, legislation)

cuir *gr* **às**
put (*v*) out
cuir às mean air mhean
to phase out

cuir *gr* **às do**
abolish,
annul,
cancel,
dispel,
repeal *v*
1 cuir às do thagradh
to cancel a nomination
2 tha mi airson cur às don bheachd sin
I wish to dispel that notion
3 cur às do lagh
to repeal a law
4 cur às do dhùbhlan
to stamp out opposition

cuir *gr* **às leth**
accuse,
charge,
impute *v*
1 casaid a chur às leth (neach)
to charge with an offence
2 casaid a chur às leth (neach)
to level an accusation
3 air a chur às leth
imputed *adj*

cuir *gr* **dheth**
postpone,
suspend,
cancel *v*
1 tha a' choinneamh ga cur dheth airson cairteal na h-uarach
the sitting is suspended for 15 minutes
2 coinneamh a chur dheth
to cancel a meeting

cuir *gr* **do**
inject *v*
faireachdainn a chur do dheasbad
to inject passion into a debate

cuir *gr* **fo**
subject *v*
labhraiche a chur fo bhuaireadh
to subject a speaker to heckling

cuir *gr* **fodha**
overwhelm *v*
bha iad air an cur fodha le duilgheadasan
they were overwhelmed by the difficulties

cuir *gr* **ìmpidh air**
urge,
persuade,
press *v*
cuiridh mi ìmpidh air an rùnaire gum faighear freagairt
I will press the secretary for a reply

cuir *gr* **mu sgaoil**
dissolve *v*
a' Phàrlamaid a chur mu sgaoil
to dissolve Parliament

cuir *gr* **ri**
add,
contribute,
charge,
raise *v*
1 chan eil an còrr agam ri chur ris na thubhairt mi
I have nothing to add to my statement
2 cuir ri cunntas
to charge an account

cuir *gr* **ri chèile**
produce (to set out),
formulate,
form *v*
tha iad a' feuchainn ri riaghaltas a chur ri chèile
they are trying to form an administration

cuir *gr* **ris (an fhìrinn)**
exaggerate *v*

cuir *gr* **romhad**
commit *v* (oneself)

cuir *gr* **sìos**
put (*v*) down,
table *v*
1 atharrachadh a chur sìos
to put down an amendment
2 leasachadh a chur sìos
to table an amendment

cuir *gr* **smal air**
sully *v*
smal a chur air cliù neach
to sully one's reputation

cuir *gr* **suas ri**
stand *v*
cha chuir mi suas ris a' chòrr buairidh
I will not stand for any further disruption

cuir *gr* **(tagradh)**
apply *v*
cuir (tagradh) airson
to apply for

cuir *gr* **thuige**
exert *v*
thu fhèin a chur thuige
to exert oneself

cuir *gr* **troimhe-chèile**
upset *v*

cuireadh *fir*
invitation
1 cuireadh gu tachartas
invitation to an event
2 cuireadh gus tairgseachadh
invitation to tender
3 thoir *gr* **cuireadh do**
invite *v*

Cùirt *boir* **a' Cheartais**
the Court *(n)* of Justice

Cùirt *boir* **an Fhearainn**
Land Court *n*

Cùirt *boir* **an Fhearainn an Alba**
Scottish Land Court *n*

cùirt *boir* **an t-siorraidh, cùirt** *boir* **an t-siorraim**
sheriff court *n*

cùirt *boir* **ath-thagraidh**
court (*n*) of appeal

cùirt *boir* **ceadachd**
licensing court *n*

Cùirt *boir* **Ceartais na h-Eòrpa**
European Court (*n*) of Justice

cùirt *boir* **chatharra**
civil court *n*

Cùirt *boir* **Eadar-nàiseanta a' Cheartais**
International Court (*n*) of Justice

cùirt *boir* **eadraiginn**
arbitration court *n*

Cùirt *boir* **Eòrpach nan Còraichean Daonna**
European Court (*n*) of Human Rights

cùirt *boir* **lagha**
law court *n*

cùirt *boir* **luachaidh ionadail**
local valuation court *n*

cùirt *boir* **nam maighstirean lagha**
magistrates' court *n*

cùirt *boir* **nan ath-thagraidhean**
appeal court *n*

cùirt *boir* **sgìre**
district court *n*

Cùirt *boir* **Sgrùdadh Chunntais na h-Eòrpa**
European Court (*n*) of Auditors

cùis *boir*
case,
hearing,
issue *n*
1 cnag na cùise
the heart of the matter
2 fìrinn na cùise a thoirt am follais
to establish the facts
3 fìrinn na cùise a dhearbhadh
to establish the facts

cùis *boir* **a ghearras tarsainn (air cuspairean)**
cross-cutting issue *n*

cùis *boir* **breithneachaidh**
matter (*n*) of judg(e)ment

cùis *boir* **earbsa**
matter (*n*) of trust *n*

cùis *boir* **modha**
procedural matter *n*

cùis *boir* **spàirne**
bone (*n*) of contention

cùis-bhùirt *boir*
object (*n*) of ridicule
object (*n*) of derision
1 cùis-bhùirt a dhèanamh (de neach)
to expose to ridicule
2 cùis-bhùirt a dhèanamh de neach-dùbhlain
to ridicule an opponent
3 òraid a tha na cùis-bhùirt
a risible speech

cùisean *boir iol*
proceedings *npl* (discussions)

cùisean *boir iol* **dhùthchannan cèin**
foreign affairs *npl*

cùisean *boir iol* **dùthchail**
rural affairs *npl*
Roinn Chùisean Dùthchail
Rural Affairs Department

cùisean *boir iol* **na dùthcha**
home affairs *npl*

cùis-ghearain *boir*
grievance *n*
dòigh-obrach a thaobh chùisean-gearain
grievance procedure

cùis-lagha *boir*
legal action *n*,
proceedings *npl* (legal)

cùis-lagha *boir* **chatharra**
civil action,
civil case *n*

cùis-lagha *boir* **cliù-mhillidh**
libel suit *n*

cùl *fir*
back *n*
an labhraiche cùil
the shadow spokesman

cùlachadh *fir*
alienation *n* (causing hostility)

cùl-bheingear *fir*
back-bencher *n*

cùl-chàin *gr*
slander *v*

cùl-chainntear *fir*
detractor *n*

cùl-ghairm *boir*
revocation *n*
òrdugh cùl-ghairme
revocation order

cùl-ghairm *gr*
revoke *v*
1 **òrdugh a chùl-ghairm**
to revoke an order
2 **àithne-chùirte a chùl-ghairm**
to revoke a decree
3 **a ghabhas cùl-ghairm**
revocable *adj*

cùl-sgrìobhadh *fir*
endorsement *n*
cùl-sgrìobhadh air cead dràibhidh
endorsement of driving licence

cùl-stòr *fir*
reserve *n* (financial)
maoin chùl-stòir
reserve fund

cùl-taic *fir*
patronage *n*

cultar *fir*
culture *n*

cultarach *br*
cultural *adj*
poileasaidh cultarach
cultural policy

cùm *gr*
maintain (argue in debate)
comply *v*
1 **argumaid nach gabh a cumail suas**
an unsustainable argument
2 **gun a bhith a' cumail ris na riaghailtean**
non-compliance with the rules

cùm *gr* **bho**
exclude *v*
pàrtaidh a chumail bho choinneimh
to exclude a party from a meeting

cùm *gr* **fodha**
suppress *v*
cànan a chumail fodha
to suppress a language

cùm *gr* **ri**
comply *v* (with)

cùm *gr* **suas**
maintain (look after),
sustain,
uphold *v*
1 **argamaid a chumail suas**
to sustain an argument
2 **mathas / inbhe na dreuchd seo a chumail suas**
to uphold the standards of this office
3 **traidisean a chumail suas**
to uphold a tradition

cumadh *fir*
shape,
proportion *n* (symmetry)
cumadh a thoirt air poileasaidh
to shape policy

cumadh *fir* **fearainn**
landscaping *n*

cumail *boir* **fodha**
suppression *n*

cumail *boir* **suas**
maintenance *n*

cumha *boir*
condition,
reservation,
proviso,
stipulation,
provision *n*
1 **na cumhaichean (air fad)**
terms and conditions
2 **cumhaichean cunnraidh**
conditions of contract
3 **gun chumhaichean**
without reservation
4 **gèilleadh gun chumhachan**
unconditional surrender
5 **le cumha**
provisional *adj*
(with conditions)

cumhach *br*
conditional *adj*
òrdugh cumhach
conditional order

cumhachan *boir iol* **cosnaidh**
employment conditions *npl*

cumhachan *boir iol* **iomraidh**
terms (*npl*) of reference

cumhachd *fir*
power *n*
1 **cumhachd a thoirt nas fhaisg air na daoine**
subsidiarity
2 **cumhachd air a thiomnadh**
delegated power
3 **cumhachd glèidhte**
reserved power
4 **cumhachd air a ghleidheadh fo chùram Westminster**
a power reserved to Westminster
5 **tha seo a' tighinn fo chumhachd Pàrlamaid na h-Alba**
this is a devolved power of the Scottish Parliament
6 **thar chumhachd**
ultra vires

cumhachd *fir* **nàiseanta**
national power *n*

cumhachd *fir* **reachdail**
legislative power,
statutory power *n*

cumhachd *fir* **tiomnaichte**
devolved power *n*

cumhachdan *fir iol* **air an tiomnadh**
delegated powers *npl*
fo chumhachdan air an tiomnadh
under delegated powers

cumhachdan *fir iol* **caitheimh**
spending powers *npl*

cumhachdan *fir iol* **cosg**
spending powers *npl*

cumhachdan *fir iol* **dealbhaidh**
planning powers *npl*

cumhachdan *fir iol* **sònraichte**
special powers *npl*

cumhachd-gnìomha *fir*
executive power *n*

cùmhnant *fir*
condition,
convention *n* (agreement)
1 **cùmhnantan obrach**
conditions of employment
2 **cùmhnantan seirbheis**
conditions of service

Cùmhnant *fir* **air Còraichean a' Chinne Daonna**
Convention (*n*) on Human Rights

Cùmhnant *fir* **Ramsar**
Ramsar Convention *n*

Cùmhnant *fir* **Ùr**
New Deal *n*

cùmhnantan *fir iol* **seirbheis**
conditions (*npl*) of service

cunbhalach *br*
uniform *adj*

cunbhalachd *boir*
proportion *n* (symmetry)

cunnart *fir*
risk *n*

cunnart *fir* **bho theine**
fire risk *n*

cunnart *fir* **teine**
fire hazard *n*

Cunninghame a Deas
Cunninghame South
(Constituency)

Cunninghame a Tuath
Cunninghame North
(Constituency)

cunnradail *br*
contractual *adj*
dleastanas cunnradail
contractual obligation

cunnradair *fir*
contractor *n*

cunnradh *fir*
treaty,
contract *n*
1 **cunnradh sealbhachaidh**
treaty of accession
2 **cunnradh a dhèanamh airson pròiseict**
to contract to undertake a project
3 **cunnradh a dhèanamh a thighinn a-mach à sgeama**
to contract out of a scheme

Cunnradh *fir* **na Ròimhe**
Treaty (*n*) of Rome

cunnradh *fir* **obrach**
contract (*n*) of employment

cunnradh *fir* **riaghaltais**
government contract *n*

cunnradh *fir* **ùine-suidhichte**
fixed-term contract *n*

cunnt *gr*
count *v*
bhòtaichean a chunntadh
to count votes
cunnt mise san àireimh
count me in

cunntach *br*
economical *adj*
cunntach air an fhìrinn
economical with the truth

cunntachail *br*
accountable,
responsible *adj*
riaghaltas cunntachail
accountable government

cunntachalachd *boir*
responsibility,
accountability *n*
cunntachalachd don mhòr-shluagh
public accountability

cunntachalachd *boir* **dheamocratach**
democratic accountability *n*

cunntachalachd *boir* **don phoball**
public accountability *n*

cunntadh *fir*
accounting,
count *n* (of votes)
bliadhna cunntaidh
accounting year

cunntadh *fir* **nan bhòt**
count *n* (election)

Cunntairean *fir iol* **Oifis a' Phuist eta**
Post Office Counters Ltd *n*

cunntas *fir*
account,
census,
record,
version,
report *n*
1 **cunntasan poblach**
public accounts
2 **cunntas sluaigh**
census of population
3 **dàta cunntais**
census data
4 **clàraichte sa chunntas**
on the record
5 **chan ionann an cunntas a tha agaibhse air a' chùis agus am fear a tha agamsa**
your version of events is different from mine
6 **cuir** *gr* **às a' chunntas**
write (*v*) off
7 **cunntas a thoirt air ais**
to report back
8 **cunntas a thoirt air adhartas**
to report progress
9 **thoir dhuinn cunntas as ùr air adhartas**
please update us on progress
10 **cunntas foirmeil a thoirt air bile**
to report a bill
11 **cunntas foirmeil a thoirt don chomataidh**
to report to committee
12 **cunntas sgrìobhte a thoirt air coinneimh**
to report a meeting

cunntas *fir* **a chuireadh (gu neach)**
account rendered *n*

cunntas *fir* **as ùr**
update *n*
cunntas as ùr air adhartas
an update on progress

cunntas *fir* **bheachd**
opinion poll *n*
cunntas bheachd neo-fhoirmeil
straw poll

cunntas *fir* **cheann**
capitation (tax), poll *n*

cunntas *fir* **cothromachaidh**
balance sheet (financial statement)

cunntas *fir* **ionmhasail**
financial statement *n*

cunntas *fir* **mìneachaidh**
exposition *n*
cunntas mìneachaidh (a thoirt) air poileasaidh
exposition of a policy

cunntas *fir* **obrach**
job specification *n*

cunntas *fir* **sgaoilidh**
exit poll *n*

cunntasachd *boir*
accountancy, accounting *n*
1 **rian cunntasachd**
accounting arrangements
2 **oifigear cunntasachd**
accounting officer

cunntasachd *boir* **calpa**
capital accounting *n*

cunntasair *fir*
accountant *n*

cunntasan *fir iol* **bliadhnail**
annual accounts *npl*

cuòraichte *br*
quorate *adj*
coinneamh chuòraichte
a quorate meeting

cuòram *fir*
quorum *n*
1 **le cuòram**
quorate *adj*
2 **bha a' choinneamh (air a gairm mar) gun chuòram**
the meeting was (declared) inquorate

cuota *fir*
quota *n*
cuota taghaidh
electoral quota

cur *fir* **a leth-taobh**
suspension *n*

cur *fir* **aghaidh (air)**
confrontation *n*

cur *fir* **an cèill**
expression (of thought), notification *n*
1 **cur an cèill buidheachais**
an expression of gratitude
2 **ìre cuir an cèill**
notification rate

cur *fir* **an dara taobh**
suspension *n*
gnàth-riaghailtean a chur an dara taobh
suspension of standing orders

cur *fir* **an gnìomh**
administration, application, deployment *n*
1 **cur an gnìomh a' cheartais**
administration of justice
2 **cur an gnìomh an lagha**
the application of the law / law enforcement
3 **bha am poileasaidh a-nis ga chur an gnìomh**
the policy was now underway
4 **ga chur an gnìomh bhon latha an-diugh**
with effect from today

cur *fir* **an ìre**
posturing *n*

cur *fir* **an seilbh poblach**
public investment *n*

cur *fir* **às**
putting (*n*) out
cur *fir* **às mean air mhean**
phasing-out (*n*)

cur *fir* **às (do nì)**
disposal *n*
cosgaisean cuir às (do nì)
disposal costs

cur *fir* **às do**
abolition *n*

cur *fir* **às leth**
imputation *n*

cur *fir* **bhuat**
repudiation *n*

cur *fir* **gu buil poileasaidh**
policy implementation *n*

cur *fir* **ri chèile**
production, formulation *n*
cur ri chèile poileasaidh
policy formulation

cur *fir* **troimhe-chèile**
upset *n*
chuir toradh na bhòt cùisean troimhe-chèile gu mòr
the result of the vote was a major upset

cùram *fir*
responsibility (duty, assigned task), worry *n*
a bhith fo chùram mu dhuilgheadas
to be worried about a problem

cùram *fir* **roinne**
portfolio *n*
1 **cùram ministeir**
ministerial portfolio
2 **Ministear gun Chùram Roinne**
Minister without Portfolio

cùram-chloinne *fir*
child care *n*
cùis chùraim-chloinne
a child-care issue

cur-a-steach *fir*
input *n*
bha an cur-a-steach na chuideachadh mòr
their input was regarded as a valuable contribution

cùrsa *fir* **casaideachaidh**
impeachment proceedings *npl*

cùrsa *fir* **co-chomhairleachaidh**
consultation process *n*

cur-sìos *br*
derogatory *adj*
1 **facal cur-sìos**
a derogatory remark
2 **neach** *fir* **cur-sìos**
detractor *n*

cus *fir*
undue,
too much *adj*
bha cus buaidh aige air a cho-oibrichean
he exerted an undue influence on his colleagues

cuspair *fir*
subject,
subject matter,
topic *n*
1 **cuspair moralta**
moral issue
2 **bruidhinn a-rithist air cuspair**
to return to a topic

cuthach *fir*
madness *n*

dachaigh *boir*
home *n*
1 **poileasaidh na dachaigh**
domestic policy
2 **daoine gun dachaigh**
homeless *n*
3 **gun dachaigh**
homeless *adj*
4 **a bhith gun dachaigh**
homelessness

Dachaigh *boir* **Nàiseanta Chloinne**
National Children's Home *n*

dà-chànanach *br*
bilingual *adj*
poileasaidh dà-chànanach
bilingual policy

dà-chànanas *fir*
bilingualism *n*

dàil *boir*
delay *n*
1 **dàil a chur ann an co-dhùnadh**
to defer a decision
2 **cur deasbaid an dàil**
adjournment of a debate
3 **tha a' choinneamh air a cur an dàil chun na h-ath-sheachdain**
the meeting has been adjourned until next week

Dail Chluaidh
Clydesdale (Constituency)

dàileachadh *fir*
moratorium *n*

dàimh *fir sg* **cinnidh**
race relations *npl*

dàimh *fir* **poblach**
public relations *npl* (PR)

dàimhean-obrach *fir iol*
labour relations *npl*

daingeann *br*
determined,
steadfast *adj*
1 **thug iad ionnsaigh dhaingeann**
they made a determined assault
2 **bha iad daingeann airson a' chùis a ghleidheadh**
they were determined to win
3 **dh'fhan e gu daingeann is e ann an cruaidh-chàs**
he remained steadfast in adversity

daingneachadh *fir*
ratification *n*

daingneachd *boir*
determination *n*
lean iad a' chùis le daingneachd
they pursued the matter with determination

daingnich *gr*
consolidate,
ratify,
sanction *v*
1 **tha sinn a nis a' daingneachadh ar suidheachaidh**
we are now consolidating our position
2 **cunnradh a dhaingneachadh**
to ratify a treaty

dalma *br*
blatant *adj*
ionnsaigh dhalma
a blatant attack

damaiste *fir*
damage *n*
oidhirp gus damaiste a chuibhreachadh
a damage limitation exercise

dàn *br*
bold,
presumptuous *adj*
1 **am faod mi bhith cho dàn agus a ràdh?**
may I venture to suggest?
2 **bhathar an dùil gun deach e ro dhàn**
his action was considered presumptuous
3 **tha thu a' dol ro dhàn**
you presume too much

dàn *fir*
fate *n*
tha thu a' dol ro dhàn
you presume too much

dànachd *boir*
boldness *n*
tha de dhànachd agam a ràdh
I venture to suggest

dà-phàirtidh *br*
bipartisan *adj*
1 dòigh-obrach dhà-phàirtidh
bipartisan approach
2 taic on dà phàirtidh
bipartisan support

dara *br*
second *adj*
1 an dara suidhe
second sitting
2 an dara bhòt
second ballot
3 an dara seòmar
second chamber
4 an Dara Leughadh de Bhile
Second Reading of a Bill

dàrna *br*
second *adj*

dàrnach *br*
secondary *adj*
dàrnach reachdas
secondary legislation

dàs *fir*
dais *n*

dà-shreathach *br*
two-tier *adj*
1 rianachd dhà-shreathach
two-tier administration
2 modh dhà-shreathach
a two-tier process

dàta *fir*
data *npl*

dà-thaobhach *br*
bilateral *adj*
1 còrdadh dà-thaobhach
bilateral agreement
2 rèiteachadh dà-thaobhach
bilateral understanding

deachd *gr*
dictate *v*
teacsa a dheachdadh
to dictate a text

deachdaire *fir*
dictator *n*
's e làn dheachdaire a tha ann
he is an absolute dictator

deachdaireachd *boir*
dictatorship *n*
deachdaireachd an deagh rùin
a benevolent dictatorship

deagh-ghean *fir*
goodwill *n*
tha am poileasaidh air deagh-ghean a thogail am measg an t-sluaigh
the policy has generated goodwill among the people

dealachadh *fir*
separation *n*
beachd (luchd-)dealachaidh
separatist opinion

dealaich *gr*
separate *v*
neach *fir* **a tha airson dealachadh**
separatist *n*

dealas *fir*
commitment *n*
dealas airson ceartais
a commitment to justice

dealbh *fir*
picture,
image *n*
an dealbh air an sgrion
the image on the screen

dealbh *gr*
plan *v*

dealbh *gr* **innleachdan**
scheme *v*

dealbhadh *fir*
planning *n*

dealbhadh *fir* **baile agus dùthcha**
town and country planning *n*

dealbhadh *fir* **clàir**
programme planning *n*

dealbhadh *fir* **fad-ùine**
long-term planning

dealbhadh *fir* **ghoireasan**
resource planning *n*

dealbhadh *fir* **ionmhasail**
financial planning *n*

dealbhadh *fir* **poileasaidh**
policy planning *n*

dealbhadh *fir* **prògraim**
programme planning *n*

dealbhadh *fir* **roinneil**
regional planning *n*
Comhairleach airson Dealbhaidh Roinneil
Regional Planning Adviser

dealbhadh *fir* **sgiobachd**
manpower planning *n*

dealbhadh *fir* **stòrais**
resource planning *n*

dealbh-tìre *fir*
landscaping

deamocrasaidh *fir*
democracy *n*

deamocrasaidh *fir* **a' phobaill**
people's democracy *n*

deamocrasaidh *fir* **am measg an t-sluaigh**
grassroots democracy *n*

deamocrasaidh *fir* **an t-sluaigh**
popular democracy *n*

deamocrasaidh *fir* **ionadail**
local democracy *n*

deamocrasaidh *fir* **libearalach**
liberal democracy *n*

deamocrasaidh *fir* **pàrlamaideach**
parliamentary democracy *n*

deamocratach *br*
democratic *adj*
dèan *gr* **deamocratach**
democratise *v*

deamocratach *fir*
democrat *n*

dèan *gr*
act,
fulfil,
perform,
produce *v* (to make)
1 dèanamh a rèir mholaidhean
to act on recommendations
2 feum a dhèanamh
to fulfil a function
3 dèanamh gu coileanta
to perform well

dèan *gr* **a' chùis**
manage *v*

dèan *gr* **a' chùis (air)**
overcome *v* (solve)

dèanadachd *boir*
agency *n* (abstract)

dearbh *gr*
attest (a signature),
carry,
certify,
convince,
declare,
determine,
establish,
insist,
prove,
substantiate,
underline,
validate,
verify *v*
1 tha a' bhòta air a dearbhadh
the vote is carried
2 an fhìrinn a dhearbhadh
to determine the truth
3 dhearbh an t-Oifigear Riaghlaidh a' cheist
the Presiding Officer determined the question
4 cumhaichean a' chunnraidh a dhearbhadh
to determine the conditions in the contract
5 tha mi a' dearbhadh gu bheil mi a' dol a bhruidhinn
I insist on speaking
6 tagradh a dhearbhadh
to substantiate a claim

dearbh *gr* **ceàrr**
rebut *v*

dearbhadh *fir*
determination,
insistence,
proof,
trial *n*
1 dearbhadh na cùise
the determination of the issue
2 dearbhadh reachdail
statutory declaration
3 cha robh dearbhadh air buannachd a' phoileasaidh
the case for the policy was unproven
4 dèan *gr* **dearbhadh air**
pilot *v* (a scheme)
5 gun dearbhadh
unproven *adj*

dearbh-aithne *boir*
identity *n*
dearbh-aithne nàisein
a nation's identity

dearbhte gun cheist *br*
indisputable *adj*

dearmad *fir*
oversight *n* (error)

dearmadach *br*
negligent *adj*

dearmadachd *boir*
negligence *n*

deasbad *fir*
debate,
dispute *n*
1 deasbad air Òraid na Bànrighe
debate on the address (Queen's Speech)
2 cha robh a' chùis fo dheasbad
the matter was not in dispute
3 dol air adhart le deasbad
to proceed with a debate

deasbad *gr*
debate *v*

deasbad *fir* **cronachaidh**
censure debate *n*

deasbad *fir* **deamocratach** *fir*
democratic debate *n*

deasbad *fir* **èiginn**
emergency debate *n*

deasbad *fir* **goirid**
short debate *n*

deasbad *fir* **làn-choinneimh**
plenary debate *n*

deasbad *fir* **pàrlamaid**
parliamentary debate *n*

deasg *fir* **cuideachaidh**
help desk *n*

deasg *fir* **frithealaidh**
service desk *n*

deas-ghnàth *fir*
ceremonial *n*

deas-ghnàthach *br*
ceremonial *adj*

deatamach *br*
necessary,
crucial *adj*
1 mar a tha deatamach
as and when necessary
2 cùis dheatamach
a matter of crucial importance

deifir *boir*
haste,
urgency *n*
1 deifir neo-iomchaidh
indecent haste
2 cùis a dh'fheumas deifir
a matter of urgency

deifireach *br*
urgent *adj*
1 cùis dheifireach
a matter of urgency
2 gu deifireach
urgently *adv*

dèilig *gr*
cover,
deal,
treat *v*
1 tha mi air dèiligeadh ris a' chùis sin a cheana nam òraid
I have already covered that matter in my address
2 dèiligeadh ri cùis
to deal with a matter
3 dèiligeadh ann an airgead
to deal in money
4 dhiùlt e dèiligeadh leotha
he refused to treat with them
5 dèiligeadh gu math / gu dona leis an luchd-obrach
to treat the staff well / badly

deimhinne *br*
categorical *adj*
1 àicheadh deimhinne
a categorical denial
2 (dol às) àicheadh gu deimhinne
to deny categorically

deimhinneach *br*
positive *adj*
1 a thighinn gu ceann ann an dòigh dheimhinnich
to end on a positive note
2 dòigh-smuaineachaidh dheimhinneach
a positive attitude

deimhinnte *br*
definitive *adj*
teacsa deimhinnte
definitive text

dèineas *fir*
vehemence *n*

deireannach *br*
final,
ultimate *adj*
1 oidhirp dheireannach gus a' chùis a rèiteach
a last-ditch attempt to save the situation
2 a' chulaidh-bhacaidh dheireannach
the ultimate deterrent

deònach *br*
willing *adj*
1 ball deònach sa chom-pàirteachas
a willing member of the partnership
2 chan eil i idir deònach cur suas ri amadain
she does not suffer fools gladly

deòntas *fir*
willingness *n*
tha iad air deòntas a nochdadh gus co-obrachadh
they have shown a willingness to co-operate

deuchainn *boir*
examination (school etc),
test *n*
1 ùine deuchainne
test period
2 cùis deuchainne
test case
3 deuchainn teachd-a-steach
means test
4 dèan *gr* **deuchainn air**
test *v*
5 thoir *gr* **deuchainnean do**
examine *v*

dian *br*
intensive,
vehement,
violent *adj*
1 bha i a' cur gu dian an aghaidh an sgeama
she was vehement in her opposition to the scheme
2 dian easaontachd
a violent disagreement
3 gu dian
intently,
vehemently *adv*

dian-bheachdachadh *fir*
brainstorming *n*

dì-cheadachadh *fir*
disqualification *n*
1 dì-cheadachadh bho dhreuchd a chumail
disqualification from holding office
2 dì-cheadachadh a thogail / a thoirt air falbh
to lift / remove a disqualification

dì-cheadaich *gr*
disqualify *v*
dì-cheadachadh bho dhreuchd a chumail
to disqualify from holding office

dì-chòirich *gr*
disenfranchise *v*
chaidh an dì-chòireachadh
they were disenfranchised

dì-chòirichte *br*
disenfranchised *adj*

dì-dhaingneachaidh *br*
destabilising *adj*
buaidh dì-dhaingneachaidh
a destabilising influence

dì-dhaingnich *gr*
destabilise *v*

dì-eucoirich *gr*
decriminalise *v*

dìleas *br*
loyal *adj*
am pàrtaidh-dùbhlain dìleas
the loyal opposition

dì-leasaichte *br*
underdeveloped *adj*

dìlseachd *boir*
loyalty,
solidarity *n*

dì-luachadh *fir*
devaluation *n*
dì-luachadh airgid
devaluation of currency

dìmeas *fir*
disregard,
disrespect *n*
1 **dìmeas air an fhìrinn**
disregard for the truth
2 **dèan** *gr* **dìmeas**
disregard *v*

dìobair *gr*
abdicate *v*
dleastanas a dhìobradh
to abdicate responsibility

diofar *fir*
margin
le diofar beag (eatarra)
by a slender margin

dìoghlaim *gr*
garner *v*
stòrasan a dhìoghlam
to garner resources

dìol *fir*
abuse *n*
droch dhìol air cloinn
child abuse

dìol *gr*
compensate *v*

dìoladh *fir*
account,
compensation *n*
toirt gu dìoladh
to hold to account

dìolain *br*
illegitimate *adj*

dìolanas *fir*
illegitimacy *n*

dìomhair *br*
private,
classified,
secret,
confidential *adj*
1 **fiosrachadh dìomhair**
classified information
2 **baileat dìomhair**
secret ballot
3 **rùn-dìomhair oifigeil**
official secret
4 **dìomhair agus fo rùn**
private and confidential
5 **fìor dhìomhair**
top secret

dìomhaireachd *boir*
privacy,
confidentiality,
secrecy *n*
1 **ann an dìomhaireachd**
off the record
2 **tha sinn airson còmhradh ann an dìomhaireachd**
we wish to confer in private
3 **chaidh an gnothach a chumail ann an diomhaireachd**
the proceedings were held in camera

dìon *fir*
defence,
protection,
safeguard *n*
dìon air inbhean mathais sa bheatha phoblaich
the protection of standards in public life

dìon *gr*
defend,
protect,
safeguard *v*
1 **gus ar suidheachadh a dhìon**
to protect our position
2 **an suidheachadh a dhìon**
to safeguard the situation
3 **nach gabh a dhìon**
unjustifiable

dìon *fir* **dàta**
data protection *n*
Achd Dìon Dàta
Data Protection Act

dìon *fir* **luchd-cleachdaidh**
consumer protection *n*

dìonachd *fir*
immunity *n*
dìonachd bho chasaid
immunity from prosecution

dìonadair *fir*
defender *n*
dìonadair a' chreideimh
defender of the faith

dìonta *br*
immune *adj*
dìonta bho chàineadh
immune from criticism

Dioplòma *fir* **Coitcheann Nàiseanta**
Ordinary National Diploma *n* (OND)

Dioplòma *fir* **Nàiseanta Àrd-ìre**
Higher National Diploma *n* (HND)

dioplòmasach *br*
diplomatic *adj*
saorsa dhioplòmasach
diplomatic immunity

dioplòmasaidh *fir / boir*
diplomacy *n*

dioplòmasaidh *fir / boir* **a' mheagafoin**
megaphone diplomacy *n*

diosg-aithneachaidh *fir*
identity disc *n*

dìreach *br*
direct,
straight *adj*
1 **taghaidhean dìreach**
direct elections
2 **cainnt làidir dìreach**
robust language
3 **strì dhìreach eadar dà thagraiche**
a straight fight between two candidates
4 **còmhradh dìreach**
straight talking

dì-riaghladh *fir*
deregulation *n*

dì-riaghlaich *gr*
deregulate *v*

dìt *gr*
condemn *v*

dìteadh *fir*
condemnation,
conviction *n*

dìth *boir* **dachaigh**
homelessness *n*

dìthreachdach *br*
lawless *adj*

diù,
cha diù le *gr*
be (*v*) beneath one's dignity
cha diù leam a' cheist sin a freagairt
I will not dignify that question with an answer

diùlt *gr*
decline,
dismiss,
refuse,
reject *v*
1 **cuireadh a dhiùltadh**
to decline an invitation
2 **tagradh a dhiùltadh**
to dismiss an appeal
3 **mar a dhiùlt iad leigeil le**
their refusal to allow

diùlt *gr* **gabhail ri**
repudiate *v*

diùltadh *fir*
refusal,
rejection *n*

diùraidh *fir*
jury *n*

dleas *gr*
command *v*
1 **urram a dhleasadh**
to command respect
2 **rinn sinn a' chùis air taic a dhleasadh**
we have managed to secure support

dleastanas *fir*
duty,
responsibility,
obligation *n*
1 **briseadh dleastanais**
breach of duty
2 **'s e poileasaidh cànain fear de dhleastanasan a' Mhinisteir**
language policy is one of the Minister's responsibilities
3 **mothachadh air dleastanas**
a sense of responsibility
4 **mar dhleastanas**
obligatory *adj*

dleastanas *fir* **catharra**
civic duty *n*

dleastanas *fir* **faire**
watching brief *n*
dleastanas faire a chumail
to maintain a watching brief

dleastanas *fir* **moralta**
moral obligation *n*

dleastanas *fir* **reachdail**
statutory duty,
statutory obligation *n*

dleastanas *fir* **riochdachaidh**
representational role *n*

dleastanas-sònraichte *fir*
assignment *n*
tha i ag obair air dleastanas-sònraichte
she is working on an assignment

dligheach *br*
just *adj*
adhbhar dligheach
just cause

dlighe-chomas *fir*
jurisdiction *n*
a ghluasad bho dhlighe-chomas
to remove from the jurisdiction of

dlighe-eòlas *fir*
jurisprudence *n*

dligheil *br*
legitimate *adj*
dèan *gr* **dligheil**
legitimate,
legitimise *v*

dlùth-cheangail *gr*
merge *v*

dlùth-cheangal *fir*
merger *n* (of companies)

dlùth-phàirteachas *fir*
solidarity *n*

do-atharrachaidh *br*
irrevocable *adj*

do-bharganachaidh *br*
non-negotiable *adj*

do-bhreugnachaidh *br*
indisputable *adj*
puing dho-bhreugnachaidh
an indisputable point

dochainn *gr*
injure,
prejudice *v*

dochairich *gr*
prejudice *v*

dochann *fir*
injury *n*

dochannach *br*
injurious,
prejudicial *adj*

dòchasach *br*
positive *adj*

do-choirbte *br*
incorruptible *adj*

do-dhealaichte *br*
inalienable *adj*
còir dho-dhealaichte
an inalienable right

do-dhèanta *br*
impractical,
impracticable *adj*
tha an t-atharrachadh, mar a tha e san dreachd, do-dhèanta
the amendment as drafted is impracticable

do-fhuasgailte *br*
inextricable *adj*

dogma *fir* **poileataigeach**
political dogma *n*

dòigh *boir*
mechanism,
method,
procedure *n*
1 **dòigh obrach**
method of working
2 **dòigh air adhart a thathar a' moladh**
recommended course of action
3 **dòigh air adhart san iomairt**
plan of campaign
4 **cuir** *gr* **air dòigh**
organise *v*

Dòigh *boir* **Bhòtaidh Ball a Bharrachd**
additional member system *n* (AMS)

dòigh *boir* **teiche**
means (*n*) of escape

dòigh-labhairt *boir* **mhoralta**
moral tone *n*

dòigh-obrach *boir*
procedure *n*
1 **dòigh-obrach a thaobh chùisean-gearain**
grievance procedure
2 **dòigh-obrach an èiginn**
emergency procedure
3 **dòigh-obrach làn-sgrùdaidh**
full scrutiny procedure

doilgheasach *br*
regrettable *adj*
nì doilgheasach
a regrettable occurrence

doilleir
woolly *adj*
le smuaintean doilleir
woolly-minded

do-leasachaidh *br*
irremediable *adj*

do-leigheas *br*
irremediable

do-mhìneachadh *br*
unaccountable *adj*

dòmhlachadh (sluaigh) *fir*
overcrowding *n*

dona *br*
bad *adj*
duilgheadas a dhèanamh nas miosa
to aggravate a problem

doras-èiginn *fir*
emergency exit *n*

doras-teine *fir*
fire door *n*

do-rèiteachail *br*
irreconcilable *adj*
eadar-dhealachaidhean do-rèiteachail
irreconcilable differences

do-sgaoilte *br*
indissoluble *adj*

do-sgaraichte *br*
inextricable *adj*,
inextricably *adv*

do-sheachanta *br*
mandatory,
unavoidable *adj*
òrdugh-cùirte do-sheachanta
mandatory injunction

dotair *fir* **grèisidh (naidheachdan)**
spin doctor *n*

do-thràchdte *br*
not negotiable *adj*

do-thuigsinn *br*
unaccountable *adj*

dragh *fir*
worry,
trouble *n*
1 **bha e na dhragh mòr dhuinn uile**
it was a great worry to us all
2 **a chuireas dragh air**
upsetting *adj*
3 **tha an suidheachadh a' cur dragh orm**
the situation worries me
4 **cha bhithear a' gabhail dragh ma dheidhinn**
it is nothing to worry about

draghail *br*
worried,
worrying *adj*
suidheachadh draghail
a worrying situation

dràmadach *br*
dramatic *adj*
ceist dhràmadach
a rhetorical question

dreach *fir*
appearance *n*
cuir *gr* **dreach glan air**
whitewash *v*

dreach *fir* **poileataigeach**
political complexion *n*

dreachd *boir*
draft *n*
dèan *gr* **dreachd**
draft *v*

dreachd *br*
draft *adj*
dreachd de sgrìobhainn / de dh'aithisg / de thionndadh
draft document / report / version

dreachdadair *fir*
draftsman *n*
Dreachdadair na Pàrlamaid
Parliamentary Draftsman

dreachdadh *fir*
drafting *n*

dreuchd *boir*
occupation,
office (position),
profession,
career,
capacity,
designation *n*
1 **dreuchd a ghabhail**
to assume office
2 **a bhith ann an dreuchd**
to be in office
3 **dreuchd fhàgail**
to step down from office
4 **BP a chur à dreuchd rè ùine**
to suspend a Member of Parliament
5 **cur ball à dreuchd rè ùine**
suspension of a member
6 **na dhreuchd mar bhall**
in his capacity as a member
7 **cur an dreuchd poileataigeach**
political appointment
8 **tha i airidh air àrd dhreuchd**
she is worthy of high office
9 **cuir** *gr* **an dreuchd**
appoint *v*
10 **cuir** *gr* **luchd-obrach an dreuchd**
staff *v*
11 **luchd-obrach a chur à dreuchd**
to dismiss staff
12 **an dèidh do neach a dhreuchd a leigeil dheth**
during one's retirement
13 **ball den chomataidh tro dhreuchd**
ex-officio member of the committee

dreuchd *boir* **cathraiche**
chairmanship *n*

dreuchd *boir* **gnìomha**
executive role *n*

dreuchd *boir* **phoileataigeach**
political appointment *n*

dreuchd *boir* **reachdail**
statutory function *n*

dreuchdail *br*
professional,
vocational *adj*

drile-theine *boir*
fire drill *n*

droch *br*
bad,
serious *adj*
droch dhuilgheadas
a serious problem

droch-bheachdaichte
ill-considered *adj*
bha an gnìomh droch-bheachdaichte
the action was ill-considered

droch-comhairleach *br*
misguided *adj*
gu droch-comhairleach
misguidedly *adv*

duais *boir*
reward *n*

Duais *boir* **airson Mathais do Ghnothachais Bheaga**
Small Firms Merit Award *n*

Duais *boir* **na Bànrighe airson Às-mhalairt**
Queen's Award (*n*) for Export Achievement

dual *fir*
strand *n*
's e sin aon dual san deasbaireachd
that is one strand of the argument

dualchas *fir*
tradition,
heritage *n*

Dualchas *fir* **na Cruinne**
World Heritage *n*
tha inbhe aig an àrainn mar làrach Dhualchas na Cruinne
the area has the status of a World Heritage site

Dualchas *fir* **Nàdair na h-Alba**
Scottish Natural Heritage *n*

dualchasach *br*
traditional,
heritage *adj*
1 **luachan dualchasach**
traditional values
2 **oirthir dhualchasach**
heritage coast

dubh *gr* **às**
write (*v*) off
fiachan a dhubhadh às
to write off a debt

dubh-chàin *gr*
vilify *v*
bidh e a' dubh-chàineadh neach a bhitheas na aghaidh
he vilifies his opponents

dubh-chàineadh *fir*
vilification *n*

dùbhlain *fir gin*
opposition *adj*,
challenge *n*
1 **an Caibineat dùbhlain**
the shadow Cabinet
2 **an labhraiche dùbhlain**
the shadow spokesman
3 **dùbhlan cuideachail**
constructive opposition
4 **dùbhlan a chumail ris a' mhinistear**
to shadow the minister
5 **dùbhlan do dh'ùghdarras na Pàrlamaid**
a challenge to the authority of Parliament
6 **tha a' chùis na dùbhlan**
the problem poses a challenge

dùbhlan *fir* **ceannardais** *fir*
leadership challenge *n*

dùbhlan *fir* **chuideachail**
constructive opposition *n*

dùbhlan *fir* **laghail**
legal challenge *n*

dùbhlanaich *fir iol*
opposition *n* (people)

dùblachadh *fir*
duplication *n*

dùil *boir*
belief,
hope,
expectation *n*
lean an deasbad cùrsa ris an robh dùil
the debate followed predictable lines

duilgheadas *fir* **tòiseachaidh**
teething problem *n*

duilich *br*
regretful,
regrettable *adj*
1 **tha mi duilich nach urrainn dhomh a bhith an làthair**
I regret I am not able to attend
2 **gu duilich**
regrettably

duilichinn *boir*
regret *n*
tha e na adhbhar duilichinne dhomh
it is a matter of regret to me

dùin *gr*
close *v*
a bhòt a dhùnadh
to close the vote

dùin *gr* **a-mach**
exclude *v*
a dhùineas a-mach
exclusiveness

dùisg *gr*
awaken,
raise *v*

Dùn Bhreatainn
Dumbarton (Constituency)

Dùn Dèagh an Ear
Dundee East (Constituency)

Dùn Dèagh an Iar
Dundee West (Constituency)

Dùn Èideann a Deas
Edinburgh South (Constituency)

Dùn Èideann a Tuath agus Lite
Edinburgh North and Leith (Constituency)

Dùn Èideann an Ear agus Musselburgh
Edinburgh East and Musselburgh (Constituency)

Dùn Èideann an Iar
Edinburgh West (Constituency)

Dùn Èideann Pentlands
Edinburgh Pentlands (Constituency)

Dùn Phàrlain an Ear
Dunfermline East (Constituency)

Dùn Phàrlain an Iar
Dunfermline West (Constituency)

Dùn Phris
Dumfries (Constituency)

dùnadh *fir*
closure,
exclusion *n*
1 **deasbad dùnaidh**
a closure debate
2 **dùnadh sòisealta**
social exclusion

dùrachdach *br*
impassioned *adj*
1 **rinn i òraid dhùrachdach**
she made an impassioned speech
2 **tagradh dùrachdach**
an impassioned plea

dùthaich *boir*
nation *n*

dùthchail *br*
rural *adj*
1 **com-pàirteachas / poileasaidh dùthchail**
rural partnership / policy
2 **eaconamaidh dùthchail**
rural economy

Dùthchannan *boir iol* **Aonaichte, Na**
United Nations *npl*

eacarsaich *boir*
exercise *n*

eaconamach *br*
economical *adj*

eaconamachd *boir*
economics *npl*
(financial aspects)
tha eaconamachd na cùise a' coimhead math
the economics of the situation are looking good

eaconamaidh *fir / boir*
economy *n*
1 **eaconamaidh adhartach**
enterprise economy
2 **eaconamaidh margaidh**
market economy

eaconamas *fir*
economics *n*
(economic science)
's e saidheans doirbh a tha ann an eaconamas
economics is a difficult science

eadar-aghaidh *boir*
interface *n*

eadar-ama *fir*
meantime,
interim period *n*
1 **anns an eadar-ama**
in the meantime
2 **solar san eadar-ama**
transitional provisions
3 **ullachaidhean san eadar-ama**
transitional arrangements

eadar-amail *br*
interim,
transitional *adj*
ùine eadar-amail
transitional period

eadar-bhreith *boir*
arbitration *n*

eadar-bhreitheach *br*
interlocutory *adj*
òrdugh(-cùirte)
eadar-bhreitheach
interlocutory injunction

eadar-dhealachadh *fir*
discrepancy *n*

eadar-dhealaichte *br*
different,
alternative *adj*
1 **nì** *fir* **eadar-dhealaichte**
exception *n*
2 **sgeamaichean**
eadar-dhealaichte
alternative schemes

eadar-dhìoghaiseach *br*
inter-diocesan *adj*

eadar-dhiosaplaineach *br*
inter-disciplinary *adj*

eadar-dhreuchdail *br*
inter-disciplinary *adj*

eadar-easbaigeach *br*
inter-diocesan *adj*
Coimisean Eadar-easbaigeach
nan Sgoiltean
Inter-Diocesan Schools
Commission

eadar-ghluasad *boir*
transition *n*

eadar-lìon *fir*
internet *n*
An t-Eadar-lìon
The Internet

eadar-mheadhanach *br*
intermediary *adj*

eadar-mheadhanaich *gr*
mediate *v*

eadar-mheadhanair *fir*
intermediary *n*

eadar-riaghaltasan *br*
intergovernmental *adj*
1 **ceanglaichean**
eadar-riaghaltasan
intergovernmental relations
2 **còmhraidhean**
eadar-riaghaltasan
intergovernmental talks

eadar-roghnach *br*
alternative *adj*
sgeamaichean eadar-roghnach
alternative schemes

eadar-roinneil *br*
interdepartmental,
interregional *adj*
1 **buidheann-obrach**
eadar-roinneil
inter-departmental working
party
2 **co-obrachadh eadar-roinneil**
interregional co-operation

eadar-theachd *fir*
intervention *n*
dèan *gr* **eadar-theachd**
intervene *v* (parliamentary
sense)

eadar-theachdaiche *fir*
interventionist *n*

eadar-theachdail *br*
interventionist *adj*

eadar-theangachadh *fir*
translation *n*
(languages)
1 **eadar-theangachadh**
co-leanailteach
consecutive translation
2 **bùthan eadar-theangachaidh**
translation booth
3 **seirbheisean**
eadar-theangachaidh
translation services

eadar-theangachadh *fir*
mar-aon
simultaneous translation *n*
goireasan
eadar-theangachaidh mar-aon
simultaneous translation
facilities

eadar-theangaich *gr*
translate *v*
(languages)

eadar-theangaiche *fir*
translator *n*
1 **eadar-theangaiche**
co-leanailteach
consecutive translator
2 **eadar-theangaiche mar-aon**
simultaneous translator

eadar-theangair *fir*
translator *n*
1 **eadar-theangair**
co-leanailteach
consecutive translator
2 **eadar-theangair mar-aon**
simultaneous translator

eadraiginn *boir*
interference *n*
rach *gr* **san eadraiginn**
intervene,
interfere *v*

eadra-lìon *fir*
intranet *n*

eagallach *br*
swingeing *adj*
gearradh eagallach
swingeing cut

eagarach *br*
systematic *adj*
dìon eagarach air phoileasaidh
a systematic defence of policy

eag-eòlaiche *fir*
ecologist *n*

Eaglais Bhreac an Ear, An
Falkirk East (Constituency)

Eaglais Bhreac an Iar, An
Falkirk West (Constituency)

eagrachadh *fir*
organisation *n* (systematic arrangement)

ealanta *br*
talented *adj*
òraidiche ealanta
a talented orator

earail *boir*
exhortation *n*

earalaich *gr*
exhort,
caution *v*
neach-amharais earalachadh
to caution a suspect

earalas *fir*
precaution *n*
1 **earalas ciallach a chleachdadh**
to take reasonable precautions
2 **earalas teine**
fire precautions

earb *gr* **à**
trust *v*

earbsa *boir*
confidence,
faith,
trust *n*
1 **chan eil earbsa aig a' Phàrlamaid às a' Phàrtaidh**
that party does not enjoy the confidence of Parliament
2 **bhòt chion earbsa**
vote of no confidence
3 **earbsa a bhith aig neach às**
to have faith in
4 **chan eil am pàirtidh ud a' faighinn earbsa bhon Phàrlamaid**
that party does not enjoy the confidence of Parliament

earbsa *boir* **phoblach**
public confidence *n*

earbsach *br*
trustworthy,
sound *adj*
tha a bhreithneachadh earbsach
his judgment is sound

eàrlas *fir*
deposit *n* (election)
chaill e eàrlas
he lost his deposit

eàrlas *fir* **caillte**
lost deposit *n*

Earra-Ghaidheal agus Bòid
Argyll and Bute (Constituency)

earraid *fir le boir*
sheriff officer *n*

earrann *boir*
instalment,
section,
sector *n*
1 **ann an earrannan**
by instalment
2 **prìomh earrann den reachdas**
major plank of the legislation
3 **earrann de dh'Achd**
section of an Act
4 **earrann den eaconamaidh**
sector of the economy

earrann *boir* **an òir**
golden share *n*
tha earrann an òir ann an làmhan an riaghaltais
the government holds a golden share

earrann *boir* **phoblach**
public sector *n*

earrann *boir* **phrìobhaideach**
private sector *n*

easaonta *boir*
disagreement,
dissension,
dissent,
variance *n*
bhòt easaonta
vote of dissent

easaontach *br*
dissenting,
dissident *adj*
1 **guthan easaontach**
dissenting voices
2 **breithneachadh easaontach**
dissenting judgment
3 **beachd easaontach**
dissident view

easaontaich *gr*
disagree,
dissent *v*
easaontachadh ri beachd
to dissent from a view

easaontaiche *fir*
dissident *n*

easbhaidh *boir*
deficit *n*

eas-onair *boir*
dishonour *n*

eas-onarach *br*
dishonest *adj*

eas-onaraich *gr*
dishonour *v*
1 **do theaghlach eas-onarachadh**
to dishonour one's family
2 **seic eas-onorachadh**
dishonour *(v)* a cheque

Eastwood
Eastwood (Constituency)

eas-ùmhlach *br* **(do dh'òrdugh-cùirte)**
contumacious *adj*

eas-ùmhlachd *boir* **chatharra**
civil disobedience *n*

eas-ùmhlachd *boir* **(do dh'òrdugh-cùirte)**
contumacy *n*

èideadh *fir*
uniform,
robe *n*

1 **èideadh na dreuchd**
robe of office
2 **èideadh pàrlamaid**
parliamentary robe

èifeachd *boir*
efficacy,
validity *n*
èifeachd phoileataigeach
political efficacy

èifeachdach *br*
effective,
efficient,
valid *adj*
tha an tairgse èifeachdach gu deireadh na mìos
the offer is valid until the end of the month

èifeachdas *boir*
efficiency,
effectiveness *n*
Aonad Èifeachdais
Efficiency Unit

èigheachd *boir*
proclamation *n*

èiginn *boir*
crisis *n*,
straits *npl*
ann an èiginn
as a last resort

èiginneach *br*
urgent,
pressing *adj*
1 **rianachd èiginneach**
crisis management
2 **tha gnothach èiginneach ri dèiligeadh ris**
there is pressing business to handle

èigneachadh *fir*
enforcement *n*
èigneachadh lagha
law enforcement

èigneachail *br*
compulsory,
mandatory *adj*
òrdugh-cùirte èigneachail
mandatory injunction

èignich *gr*
force *v*
bhòtadh èigneachadh
to force a division / vote

eileamaid *boir*
factor,
element *n*
tha dà eileamaid anns an atharrachadh
there are two elements to the amendment

Eileanan Siar, Na h-Eileanan Siar
Western Isles (Constituency)

einnseanair *fir* **pròiseict**
project engineer *n*

einnseanair *fir* **sàbhailteachd rathaidean / ròidean**
road safety engineer *n*

eiriceachd *boir*
heresy *n*

èirich *gr*
rise *v*
èirigh gus labhairt
to rise to speak

Èirinn *boir* **a Tuath**
Northern Ireland *n*

eirmseach *br*
witty *adj*
1 **gearradh-cainnt eirmseach**
elegant wit
2 **òraid eirmseach**
a witty speech
3 **neach eirmseach**
a witty person
4 **nochd e cho eirmseach is a bha e**
he displayed great wit
5 **tha an duine eirmseach**
the man is a wit

eirmseachd *boir*
initiative,
wit *n*
's e neach-eirmseachd a tha ann
the man is a wit

eisgeachd *boir*
exception *n*

eisimeil *boir*
dependence *n*
tha am poball nar n-eisimeil
the public is counting on us

eisimpleir *fir*
example *n*
1 **eisimpleir a shealltainn / a nochdadh**
to set an example
2 **eisimpleir gus a leantainn**
role model
3 **fìor dheagh eisimpleir**
prime example

èist *gr*
listen *v*

èisteachd *boir*
hearing *n*,
soundings *npl*
èistidh mi ri beachdan
I will take soundings

eitic *boir*
ethics *n*

eiticeil *br*
ethical *adj*
poileasaidh (dhùthchannan) cèin eiticeil
ethical foreign policy

eòlas *fir*
knowledge,
know-how *n*

Eòrpach *br*
European *adj*

eu-ceartas *boir*
injustice *n*

eucoir *boir*
crime,
misdemeanour,
(criminal) offence *n*
1 **dèan** *gr* **eucoir**
offend *v*
2 **dèan** *gr* **na eucoir**
criminalise *v* (a deed or action)

3 **dèan** *gr* **na (h-)eucorach**
criminalise *v* (a person)
4 **eucoir a dheanamh**
to commit a crime / an offence

eucoireach *br*
heinous *adj*

eucoirich *gr*
criminalise *v*

eucorach *fir*
criminal,
offender *n*
casaid eucorach
criminal offence

eugsamhail *br*
miscellaneous *adj*

euro *fir / boir*
euro *n*
1 **sòn an euro**
the euro zone
2 **ceàrn an euro**
the euro zone
3 **bloc an euro**
the euro block

euslainteach *fir*
invalid *n*

fa chomhair *roi le gin*
before *prep*
cuir *gr* **fa chomhair na Pàrlamaid**
lay (*v*) before Parliament

fa leth *cgr*
respectively *adv*

fàbhar *fir*
favour *n*
1 **ann am fàbhar**
in favour
2 **am fàbhar (neach)**
preferential
3 **làimhseachadh am fàbhar (neach)**
preferential treatment
4 **fàbhar fhaighinn**
to find favour

fàbharach *br*
opportune,
favourable *adj*
1 **'s e àm fàbharach a tha seo**
this is an opportune time
2 **tha fortan fàbharach don treun**
fortune favours the brave

facail *fir iol* **shusbainteach**
operative words *npl*
na facail shusbainteach ann an tìodhlacas
operative words in a conveyance

facal *fir*
word,
remark *n*
1 **facal neo-bhrìgheil**
a passing remark
2 **na faclan mu dheireadh ann an deasbad**
closing remarks of a debate
3 **facal a bhith agad an**
to have a say in
4 **cunntas facal air an fhacal**
verbatim report
5 **tar-sgrìobhadh facal air an fhacal**
verbatim transcript

facs *fir*
fax *n*
cuir *gr* **facs (gu)**
fax *v*

fad *br* **is farsaing**
widely *adv*,
widespread *adj*
1 **tha poileasaidh a' phàrtaidh aithnichte fad is farsaing**
the party's policy is widely known
2 **mì-thoileachas fad is farsaing**
widespread discontent

fada *br*
long *adj*
1 **san ùine-fhada**
in the long run
2 **gun a bhith nas fhaide na an ath sheachdain**
not later than next week

fad-ùine *boir*
long term *n*
sealladh san fhad-ùine
the long-term view

fad-ùine *br*
long-term *adj*

fàg *gr* **air**
accuse,
allege *v*
1 **chaidh seo fhàgail oirre**
she was accused of this
2 **an fhoill a chaidh fhàgail air (neach)**
the alleged fraud

fàg *gr* **nas miosa dheth**
marginalise *v*
fàgaidh am poileasaidh luchd an anacothruim eadhon nas miosa dheth
the policy will marginalise the disadvantaged

faice *br*
ancillary *adj*
1 **ùghdarrasan faice**
ancillary powers
2 **faochadh faice**
ancillary relief

faiceall *boir*
caution,
prudence *n*
1 **imich le faiceall**
to proceed with caution
2 **tha e a' comhairleachadh faicill,**
tha e a' moladh faicill
he counsels caution
3 **faiceall a thaobh ionmhais**
financial prudence
4 **tha sinn air ar faiceall ro a leithid a ghealladhean**
we are wary of such promises

faicilleach *br*
wary *adj*

faicsean *fir*
faction *n*
faicseanan an aghaidh a chèile
opposing factions

faidhle *boir*
file *n*
1 siostam rianachd fhaidhleachan
file management system
2 cèis-fhaidhleachan
filing cabinet
3 clàrc fhaidhleachan
filing clerk
4 faidhle phearsanta
personal file
5 cuir *gr* **ann am faidhle**
file *v*

faidhlich *gr*
file *v*

faigh *gr*
receive *v*
1 faigh buannachd (à)
profit *v*
2 faigh cothrom air
access *v*
3 faigh de bhòtaichean
poll *v* (to receive votes)
4 fhuaras ur litir
I am in receipt of your letter
5 chan eil am pàirtidh ud a' faighinn earbsa bhon Phàrlamaid
that party does not enjoy the confidence of Parliament

faigh *gr* **a-mach**
ascertain *v*
fìrinn na cùise fhaighinn a-mach
to ascertain the facts

faighinn *boir*
receipt *n* (receiving)

faighnich *gr*
enquire,
query *v*
faighneachd a bheil
to query whether / if

fàilte *boir*
welcome *n*
1 fàilte a chur (air neach)
to extend a welcome
2 ceud fàilte a chur air (neach, nì)
to extend a warm welcome
3 cuir *gr* **fàilte air**
greet *v*
4 tha mo phàrtaidh-sa a' cur fàilte air a' phoileasaidh seo
my party welcomes this policy
5 is e ceum air an cuirear fàilte a tha sa phoileasaidh seo
the policy is a welcome development

fàiltiche *fir*
receptionist *n*

faire *boir*
watch *n*
bi *gr* **fo fhaire phoblaich**
lie *v* in state

Faire *boir* **Coimhearsnachd**
Neighbourhood Watch *n*

faireachdainn *boir*
feeling *n*
faireachdainn is beachd
gut reaction

faireachdainn *boir* **an aghaidh**
hostility *n*
tha faireachdainnean làidir ann an aghaidh a' mholaidh
there is some hostility towards the proposal

faireachdainn *boir* **phoileataigeach**
political climate *n*

fairich *gr*
feel,
sound *v*
faireachdainn neònach
to sound strange

fàisneachd *boir*
prediction,
prophecy,
forecast *n*
1 fàisneachd a dhèanamh
to make a prediction
2 rinn e fàisneachd air toradh an deasbaid
he predicted the outcome of the debate
3 fàisneachd air àireimh-shluaigh
population forecast
4 dèan *gr* **fàisneachd air**
predict *v*

fàisneis *boir*
information,
intelligence *n* (covert research)

fàisnich *gr*
prophesy *v*

falach,
am falach *cgr*
concealed *br*
cuir *gr* **am falach**
conceal,
secrete *v*

falachd *boir*
feud *n*
falachd phoileataigeach
political feud

falamh *br*
empty,
vacant *adj*
1 coltas falamh air aodann (neach)
a vacant expression (facial)
2 falamh gun èifeachd
null and void

falbh *gr*
go (away),
depart *v*
1 falbh aig an ath thaghadh
to stand down at the next election
2 falbh bho dhòigh-obrach
depart (*v*) from procedure
3 dh'fhalbh mo smuaintean leam tron òraid aige
my mind wandered during his speech

fallain *br*
healthy,
sound *adj*
1 deasbad fallain
healthy debate
2 suidheachadh ionmhais fallain
sound finances

fanaid *boir*
derision *n*
chaidh fanaid air an òraid
the speech was greeted with derision

fanaid *gr* **(air)**
deride *v*
rinn iad fanaid air òraid
they derided his speech

faochadh *fir*
relief *n*
1 faochadh cìse
tax relief
2 thoir *gr* **faochadh do**
relieve *v*

farpais *boir* **ceannardais**
leadership contest *n*

farsaing *br*
wide-ranging,
extensive,
far-reaching *adj*
1 deasbad farsaing
a wide-ranging debate
2 rannsachadh farsaing
an extensive search
3 bha buaidh fharsaing aig an aithisg
the report had far-reaching effects

far-theachdaireachd
off-message *adj*
bha an fheadhainn nach do lean ri beachd a' phàrtaidh air am meas far-theachdaireachd
those who did not follow the party line were considered to be off-message

fàs *fir* **aig neoni**
zero growth

fàs *fir* **ann an àireimh-shluaigh**
population growth *n*

fàs *fir* **nialasach**
zero growth *n*

fàs *fir* **sa cheud**
percentage growth *n*

fastadh *fir* **luchd-obrach**
staff recruitment *n*
Bòrd Fastaidh Luchd-obrach
Staff Recruitment Board

fastadh *fir* **òigridh**
youth employment *n*

fastaiche *fir*
employer *n*

fastaidh *gr*
employ *v* (staff)
luchd-obrach fhastadh
to employ workers

fàth *fir*
cause *n*
gun fàth gun adhbhar
gratuitous *adj* (uncalled for)

fathann *fir*
hearsay *n*
fianais fathainn
hearsay evidence

feabhas *fir* **luach**
best value *n*
Pròiseact Feabhas Luach
Best Value Project

Feachd *boir* **Dìon an Aonaidh Eòrpaich**
European Union Defence Force *n*

Feachd *boir* **Rìoghail an Adhair**
Royal Air Force *n* (RAF)

feadarail
federal *adj*
riaghaltas feadarail
federal government

feadaraileachd *boir*
federalism *n*

feallsanachd *boir*
philosophy *n*
1 deilbh *boir* **feallsanachd phoileataigich**
political theorising *n*
2 feallsanachd phoileataigeach
political theory *n*

fear-frithealaidh *fir*
waiter *n*

fear-ionaid *fir*
lieutenant *n* (associate)

fear-labhairt *fir*
spokesman *n*

fèicheanas *fir*
liability *n* (financial obligations, commitments)

fèin-fhastaichte *br*
self-employed *adj*

fèin-riaghladh *fir*
self-government,
devolution,
home rule *n*
fèin-riaghladh na h-Alba
Scottish devolution

fèin-ùghdarras *fir*
autonomy,
self-government *n*
1 fèin-ùghdarras ionadail
local autonomy
2 le fèin-ùghdarras
autonomous *adj*

feuch *gr*
strain *v*
bha siud gu leòr airson fhoighidinn fheuchainn
it was enough to strain his patience

feuchainn *br*
exploratory *adj*
còmhraidhean feuchainn
exploratory talks

feum *fir*
utility,
function,
use *n*
1 feum reachdail
statutory function
2 dèan *gr* **feum de**
resort (*v*) to

feumalachdan *boir iol* **co-ionannachd**
equality requirements *npl*

Feuman *fir iol* **Sònraichte Foghlaim**
Special Educational Needs *npl*

fiach *fir*
debt,
liability *n* (financial)
1 fiachan nàiseanta
national debt
2 tha mi nad fhiachaibh
I am in your debt
3 a bhith fo fhiachan
to be financially liable
4 tha e mar fhiachaibh òirnn gluasad gu faiceallach
it is incumbent upon us to act with discretion

fianais *boir*
demonstration,
witness,
evidence,
testimony *n*
1 bha a h-òraid mar fhianais air a comas
her speech was a demonstration of her ability
2 fianais-dhùbhlain
(protest) demonstration
3 dh'aithris e mar fhianais
he stated in evidence
4 fianais a dhèanamh do dh'ainm-sgrìobhte
to witness a signature

fianais *boir* **cho-dhearbhaidh**
corroborating evidence *n*

fianais *boir* **dheimhinnte**
conclusive evidence *n*

fianais *boir* **ghaoideach**
flawed evidence *n*

fianais *boir* **lochdach**
flawed evidence *n*

fianais-dhùbhlain *boir*
demonstration *n*

fiar-shanas *fir*
innuendo *n*
iomairt de dh'fhiar-shanais
a campaign of innuendo

figearan *fir iol* **ro-mheasta**
projected figures *npl*

fille-chlàr *fir*
flip chart *n*

fillte *br*
implicit,
implied *adj*
1 fillte a-staigh san aithris
implicit in the statement
2 cumhaichean fillte
implied terms

Fìobha an Ear Thuath
North East Fife (Constituency)

fìor *br*
true,
actual *adj*
1 cunntas fìor air na tachartasan
a true account of the events
2 fìor chosgais a' phròiseict
the true / actual cost of the project
3 chaidh na cosgaisean ainmeachadh aig fìor phrìsean
the costs were expressed in out-turn prices
4 gu fìor
in reality

fìorachas *fir*
realism *n*

fios *fir*
knowledge *n*
1 fios a chaidh a leigeil mu sgaoil
a leak
2 bi *gr* **fios aig**
know *v*

fios *fir* **air ais**
feedback *n*

fios *fir* **naidheachd**
press release *n*

fios *fir* **oifigeil**
communiqué *n*

fios *fir* **reachdail**
statutory notice *n*

fios *fir* **ro-làimh**
advance notice *n*

fios *fir* **tòiseachaidh** *fir*
commencement notice *n*

fios-freagairt *fir*
acknowledgement *n*
fios-freagairt do litir
acknowledgement of receipt of letter

fiosgail *br*
fiscal *adj*

fios-naidheachd *fir*
news release *n*

fiosrach *br*
well-informed *adj*

fiosrachadh *fir*
finding, intelligence,
information *n*
1 fiosrachadh mun fhìrinn
finding of fact
2 (lethbhreac) airson fiosrachaidh
(copy) for information
3 deasca fiosrachaidh
information desk
4 ìre clàradh fiosrachaidh
notification rate
5 thug iad dhuinn cothrom air an fhiosrachadh seo
they have made this intelligence available to us
6 cha d'fhuaras fiosrachadh bhon mhinistear an uair a chaidh a cheasnachadh gu mionaideach
the minister was not forthcoming when questioned in detail

Fiosrachadh *fir* **mu Àireamhan**
Statistical Enquiries *npl*

Fiosrachadh *fir* **mu Àireamhan Foghlaim**
Educational Statistical Enquiries *npl*

Fiosrachadh *fir* **mu Staitistig**
Statistical Enquiries *npl*

Fiosrachadh *fir* **mu Staitistig Foghlaim**
Educational Statistical Enquiries *npl*

fiosrachadh *fir* **slàinte**
health information *n*

fiosrachadh *fir* **stiùiridh**
management information *n*

fiosraichte *br*
informed *adj*
co-dhùnadh fiosraichte
an informed decision

fìreanachadh *fir*
justification *n*

fìreanaich *gr*
justify *v*

fìrinn *boir*
fact,
reality,
truth *n*
1 **air sgàth na fìrinne**
for the record
2 **gu fìrinneach**
in truth, in theory
3 **an fhìrinn**
a matter of fact
4 **an fhìrinn innse**
to tell the truth

fìrinneach *br*
factual *n*
nì fìrinneach
fact *n*

fo- *br*
secondary,
subsidiary,
subordinate *adj*

fo-reachdas
subordinate legislation

fo-cheann *fir*
sub-head *n*

Fo-cheannard *fir* **Catharra**
Permanent Under-Secretary *n*

fo-chomataidh *boir*
sub-committee *n*

fo-chunnradh *fir*
sub-contract *n*

fo-chunnraich *gr*
sub-contract *v*

fo-earrann *boir*
sub-section *n* (of an Act)

fo-fhastadh *fir*
secondment *n* (of staff)

fo-fhastaich *gr*
second *v* (staff)

fo-fho-earrann *boir*
sub-subsection *n*

foghlam *fir*
education *n*
foghlaim *fir gin*
educational *adj*

foghlam *fir* **adhartach**
further education *n* (FE)

foghlam *fir* **adhartach neo-àrdaichte**
non-advanced further education *n* (NAFE)

foghlam *fir* **àrd-ìre** *fir*
higher education *n* (HE)

foghlam *fir* **àrd-sgoile**
secondary education *n*

foghlam *fir* **slàinte**
health education *n*
Comhairle airson Foghlaim Shlàinte
Health Education Council

foghlamach *fir*
trainee *n*

fògradh *fir*
proscription *n*

fògradh *fir* **deireannach**
ultimatum *n*
fògradh deireannach a chur a-mach
to set an ultimatum

foighidinn *boir*
patience *n*
1 **chan eil an tuilleadh foighidinn againn**
our patience is exhausted
2 **(rud) a dh'fheuchas fhoighidinn**
a strain on his patience

foighidneach *br*
patient *adj*
gu foighidneach
patiently *adv*

foill *boir*
fraud *n*
1 **foill cìse**
tax fraud
2 **foill taghaidh**
electoral fraud

foill-bhaileit *boir*
ballot rigging *n*

foilleil *br*
fraudulent *adj*
claon-chunntas foilleil
fraudulent misrepresentation

foillseachadh *fir*
declaration,
launch,
publication,
revelation *n*
1 **foillseachadh com-pàirt**
declaration of interest
2 **foillseachadh manifesto**
launch of the manifesto
3 **am foillseachadh air an nì a thachair**
the revelation of what had happened

foillsich *gr*
declare,
publish *v*

foirm *fir / boir*
form *n* (document)
1 foirm cunnraidh
form of contract
2 foirm tairgse
form of tender

foirmealachd *boir*
formality *n*

foirmeil *br*
formal *adj*

foirmeilich *gr*
formalise *v*

foirm-iarrtais *fir*
application form *n*

foirmle *boir*
formula *n*
1 foirmle maoineachaidh
funding formula
2 foirmle Bharnett
Barnett formula

follais *boir*
publicity *n*
cuir *gr* **am follais**
publicise *v*

follaiseach *br*
evident,
overt,
transparent,
public,
high-profile *adj*
1 bha e follaiseach bhon aithisg
it was evident from the report
2 tha e follaiseach (ann fhèin)
it is self-evident

follaiseachd *boir*
publicity,
transparency *n*

fo-mhinistear *fir*
junior minister *n*

fòn *fir / boir*
telephone *n*

fòn / fònaig *gr*
telephone *v*

fòram *fir*
forum *n*
fòram airson deasbaid
a forum for debate

fòram *fir* **catharra**
civic forum *n*

Fòram *fir* **Nàiseanta na h-Òigridh**
National Youth Forum *n*

fòram *fir* **poileataigeach**
political forum *n*

for-chìs *boir*
surcharge *n*
1 for-chìs a leigeil (air)
to impose a surcharge
2 leig *gr* **for-chìs air**
surcharge *v*

fo-reachdas *fir*
secondary legislation *n*

for-ghnìomhach *br*
proactive *adj*
dòigh fhor-ghnìomhach
proactive approach

fòrladh *fir* **tinneis**
sick leave *n*

formula *boir*
formula *n*
1 formula maoineachaidh
funding formula
2 formula Bharnett
Barnett formula

Fo-rùnaire *fir* **Maireannach**
Permanent Under-Secretary *n*

Fo-rùnaire *fir* **na Stàite**
Under-Secretary (*n*) of State

Fo-rùnaire *fir* **Stàite na Pàrlamaid**
Parliamentary
Under-Secretary (*n*) of State

fosadh *fir*
recess,
truce *n*
1 dol gu fosadh
to go into recess
2 tha a' Phàrlamaid na fosadh
Parliament is in recess
3 fosadh a ghairm
to declare a truce

fosgail *gr*
open *v*
an deasbad fhosgladh
to open the debate

fosgailte *br*
open,
vulnerable *adj*
tha sinn fosgailte ri ar càineadh
we are vulnerable to criticism

fosgarra *br*
forthcoming *adj*

fosgarrachd *boir*
openness *n*

Fosgladh *fir* **na Pàrlamaid**
Opening (*n*) of Parliament
Fosgladh Stàite na Pàrlamaid
State Opening of Parliament

fo-thaghadh *fir*
by-election *n*

freagair *gr*
answer,
respond *v*
1 ceist a fhreagairt
to answer a question
2 (dòigh) a fhreagras air a' chùis a tha an làthair
expediency

freagairt *boir*
answer,
reply,
response,
rejoinder *n*
1 freagairt do cheist
an answer to a question
2 freagairt Pàrlamaid, freagairt bhon Phàrlamaid
Parliamentary reply

freagairt *boir* **sgrìobhte**
written answer / reply *n*

frèam *fir*
framework *n*
frèam moralta
moral framework

freasdal-lann *fir / boir*
surgery *n* (for constituents)
freasdal-lann a' BhPA
the surgery of an MSP

freumh *fir*
root,
source *n*

frionasach *br*
sensitive *adj* (contentious)

frithealadh *fir*
attendance,
turnout *n*
frithealadh aig coinneimh
attendance at a meeting

fritheil *gr*
attend,
service *v*
1 **coinneamh a fhrithealadh**
to attend a meeting
2 **frithealadh air cùis**
to attend to a matter
3 **roinn a fhrithealadh**
to service a department

frith-lagh *fir*
byelaw *n*

fuaim *fir / boir*
sound *n*

fuasgail *gr*
absolve,
solve,
resolve,
redeem *v* (convert to cash)
1 **còir fhuasglaidh**
right to redeem
2 **duilgheadas fhuasgladh**
to resolve a problem
3 **fuasgladh ceiste**
the solution to a problem

fuasgladh *fir*
solution *n*

fuiling *gr*
suffer,
sustain *v*
1 **call fhulang**
to suffer / sustain a defeat
2 **càineadh fhulang**
to suffer / sustain criticism
3 **dh'fhuiling e a thoradh mar a shoirbhich leis**
he is a victim of his own success

fulangas *fir* **do neoni**
zero tolerance *n*

furachail *br*
alert,
watchful,
vigilant *adj*
a bhith an còmhnaidh furachail
to remain vigilant at all times

furachas *fir*
vigilance *n*
furachas a chumail
to maintain vigilance

G

gabh *gr* **a-steach**
accommodate,
embody,
encompass,
include *v*
1 **feuchaidh mi ris a h-uile beachd a ghabhail a-steach**
I will try to accommodate all points of view
2 **tha seo a' gabhail a-steach grunn phrionnsabal**
this embodies a number of principles
3 **tha an fheallsanachd a' gabhail a-steach raon / farsaingeachd smuaintean**
the philosophy encompasses a range of concepts
4 **a ghabhas a-steach**
inclusive *adj*

gabh *gr* **brath air**
exploit *v*
brath a ghabhail air laige
to exploit a weakness

gabh *gr* **còmhnaidh an**
occupy *v*
(to move into a building)

gabh *gr* **os làimh**
assume,
undertake *v*
1 **dreuchd / uallach a ghabhail os làimh**
to assume office / responsibility
2 **gabhaidh mi os làimh an dleastanas sin**
I will undertake that task
3 **dùbhlan a ghabhail os làimh**
to take up a challenge

gabh *gr* **ri**
accept,
embrace,
adopt,
pass,
react,
approve *v*
1 **gabhail ri tairgse**
to accept an offer
2 **gabhail ri geàrr-chunntas coinneimh**
to adopt minutes of a meeting
3 **gabhail ri Achd**
to pass an Act
4 **gabhail ri iarrtas**
to accede to a request
5 **gabhail ri lagh**
to pass a law
6 **gabhail ris a' bhuidseat**
to pass the budget
7 **cùrsa ris a bheilear deònach gabhail**
an acceptable course of action
8 **giùlan ris nach tèid gabhail**
unacceptable behaviour

gabh *gr* **ris**
assume *v*
tha mi a' gabhail ris gur e sin a' chùis
I assume that to be the case

gabh *gr* **thairis (togalach)**
occupy *v* (to take over a building in protest)

gabhail *fir* **a-steach**
inclusion *adj*
gabhail-a-steach sòisealta
social inclusion

gabhail *fir* **os làimh**
assumption *n*
gabhail dreuchd os làimh
the assumption of office

gabhail *fir* **ri**
adoption *n* (approval)
gabhail ri geàrr-chunntasan comhairle
adoption of council minutes

gabhail *fir* **thairis**
takeover,
occupation *n* (of a building in protest)

gabhaltas *fir*
tenure *n*
1 **còir gabhaltais**
security of tenure
2 **gabhaltas cuairteach reachdail**
statutory periodic tenancy

gabhdaileis *boir*
shenanigans *npl*

gailearaidh *fir*
gallery *n*

gailearaidh *fir* **poblach**
public gallery *n* (gallery open to the public)

Gailearaidhean *fir iol* **Nàiseanta na h-Alba**
National Galleries (*npl*) of Scotland

gainnead *fir* **luchd-obrach**
staff shortage *n*

gairm *boir*
proclamation *n*

gairm *gr*
call,
convene,
summon *v*
1 **bhòt / taghadh a ghairm**
to call a vote / an election
2 **buidheann a ghairm**
to convene a group
3 **coinneamh a ghairm**
to convene a meeting
4 **cuideachadh a ghairm**
to summon support

gairm *boir* **an rolla**
roll call *n*

gairm *boir* **beatha**
vocation *n*

galar *fir* **ladhair is beòil, an galar** *fir* **roil(l)each, an galar** *fir* **ronnach**
foot and mouth disease *n*

Gallaibh, Cataibh agus Ros an Ear
Caithness, Sutherland and Easter Ross (Constituency)

Gall-Ghaidhealaibh agus Bràigh Nid
Galloway and Upper Nithsdale (Constituency)

gann *br*
scarce,
limited *adj*
chaidh àm ro ghann a shònrachadh airson an deasbaid
insufficient time was allocated for the debate

gaoid *boir*
flaw *n*

gaothaich *gr*
hype *v*
1 **air a ghaothadh**
hyped up *adj*
2 **suidheachadh a ghaothadh a-mach à rian**
to hype a situation out of all proportion

garbh *br*
rough *adj*
's e ceàird gharbh a tha ann am poileataics
politics is a rough business / trade

gealachadh (air mì-chliù) *fir*
whitewash *n*

gealaich *gr*
whitewash *v*

geall *fir*
bet,
wager,
pledge *n*
rach *gr* **an geall**
pledge *v*

geall *gr*
pledge,
promise,
undertake *v*
tha mi a' gealltainn an targaid sin a choileanadh
I undertake to meet that target

gealladh *fir*
promise,
undertaking,
pledge *n*
1 **gealladh a thoirt**
to give an undertaking
2 **Gealladh na Dreuchd**
Pledge of Office

gealltanach *br*
promising *adj*
chan eil an suidheachadh gealltanach
the situation is not promising

gealltanas *fir* **ionmhasail**
financial commitment *n*

gearain *gr*
complain *v*
gearan gu mionaideach mu nithean beag-seagh
to quibble over the details

gearan *fir*
complaint,
objection,
protest *n*
1 **Gearan!**
Objection!
2 **gearan a thogail**
to raise an objection
3 **chan eil gearan agam an aghaidh a' mholaidh sin**
I have no objection to the proposal
4 **dèan** *gr* **gearan**
complain *v*

gearan *fir* **beag-seagh**
quibble *n*
chaidh coimhead air a' ghearan aige mar nì beag-seagh
his objection was regarded as a quibble

gearanaiche *fir*
complainant,
plaintiff *n*

geàrd-faire *fir*
security guard *n*

gearradh *fir*
cut *n*
gearradh caiteachais
expenditure cut

gearradh *fir* **à pàipear-naidheachd**
press cutting *n*

gearradh *fir* **cìse**
tax cut *n*

gearradh *fir* **cosgais**
cost cutting *n*

gèarr-aithisg *boir*
summary report *n*

geàrr-bhreithneachail *br*
short-sighted *adj*

gèarr-chlàr *fir*
summary table *n*

geàrr-chunntas *fir*
summary,
abstract,
minute,
résumé *n*
1 **geàrr-chunntas air cunntasan**
abstract of accounts
2 **geàrr-chunntas coinneimh**
minute of a meeting
3 **thug i geàrr-chunntas air an aithisg**
she gave a résumé of the report
4 **geàrr-chunntas air an aithisg**
a summary of the report
5 **geàrr-chunntas gnìomhach**
an executive summary
6 **gabh** *gr* **geàrr-chunntas**
minute *v*
7 **geàrr-chunntas a thoirt air aithisg**
to summarise a report

geàrr-shuim *boir*
shortfall *n*

geàrr-thuairisgeul *fir*
profile *n*
dèan *gr* **geàrr-thuairisgeul air**
profile *v*

geàrr-ùine *boir*
short term *n*
sa gheàrr-ùine
in the short term

geàrr-ùineach *br*
short-term *adj*
1 **sealladh geàrr-ùineach**
the short-term view
2 **beachdachadh geàrr-ùineach**
short-term considerations

geàrr-ùineachas *fir*
short-termism *n*

gèill *gr*
concede,
defer *v*,
give (v) way
1 **a ghèilleadh (do)**
to concede defeat
2 **a ghèilleadh (do neach) ann an deasbad**
to give way in debate

gèilleadh *fir*
compliance *n*
gèilleadh do chùmhnant
compliance with a treaty

geur-bharganachadh *fir*
bargaining,
horse-trading *n*

geur-lean *br*
persecute *v*

geur-leanmhainn *fir*
persecution,
witch-hunt *n*

geur-leanmhainniche *fir*
persecutor *n*

gibht *boir*
gift *n* (talent)

gileatain *fir*
guillotine *n*
1 **gluasad airson gileatain**
guillotine motion
2 **bile a chur fo ghileatain**
to guillotine a bill

gin *boir*
gender *n* (sex)

gin *gr*
generate *v*

giollachd dàta *fir*
data processing *n*

giorrachadh *fir*
abbreviation,
synopsis *n*
giorrachadh de dh'aithisg
the synopsis of a report

giorrachaidh *br*
abbreviating,
curtailing *adj*
gluasad giorrachaidh
a curtailing motion

giorraich *gr*
curtail,
cut,
abridge *v*
1 beachdachadh a ghiorrachadh
to curtail discussion
2 deasbad a ghiorrachadh
to cut short a debate

giorraichte *br*
abridged *adj*

Girobanc *fir* **Nàiseanta**
National Girobank *n*

giùlain *gr*
conduct *v*
thu fhèin a ghiùlan le urram
to conduct oneself with dignity

giùlan *fir*
conduct,
behaviour *n*
1 giùlan mì-iomchaidh
conduct unbecoming,
improper conduct
2 droch ghiùlan
misbehaviour
3 giùlan ris nach tèid gabhail
unacceptable behaviour

giùlan *fir* **mì-dhligheach**
malfeasance *n*

glasadh *fir*
stalemate *n*

Glaschu An Ruadh Ghleann
Glasgow Rutherglen
(Constituency)

Glaschu Anniesland
Glasgow Anniesland
(Constituency)

Glaschu Baile a' Ghobhainn
Glasgow Govan (Constituency)

Glaschu Baile Sheadna
Glasgow Shettleston
(Constituency)

Glaschu Baillieston
Glasgow Baillieston
(Constituency)

Glaschu Ceilbhin
Glasgow Kelvin (Constituency)

Glaschu Coille Chart
Glasgow Cathcart (Constituency)

Glaschu Maryhill
Glasgow Maryhill (Constituency)

Glaschu Pollock
Glasgow Pollock (Constituency)

Glaschu Shettleston
Glasgow Shettleston
(Constituency)

glas-làmh *boir*
handcuffs *npl*

Gleann Iucha
Linlithgow (Constituency)

gleans *fir*
shine *n*
gleans a chur air an toradh
to tweak the results

glèidh *gr*
maintain (possession),
observe,
reserve,
enshrine,
keep *v*
1 riaghailtean a ghleidheadh
to observe the rules
2 breith a ghleidheadh
to reserve judg(e)ment
3 gleidheadh san lagh
to enshrine in law
4 riaghailtean a' ghleidheadh
to observe the rules

gleidheadh *fir*
maintenance,
observance *n*
gleidheadh còraichean a' chinne-daonna
the observance of human rights

glèidhte *br*
reserved *adj*
cumhachd glèidhte
reserved power

gleus *boir* **mhoralta**
moral tone *n*

glic *br*
wise *adj*
1 cha bhitheadh e glic dhut sin a dhèanamh
you would be ill-advised
to take that action
2 gu glic
wisely *adv*

gliocas *fir*
wisdom *n*

glòireis *boir*
rhetoric *n* (pejorative)

glòireiseach *br*
rhetorical *adj* (pejorative)

gluais *gr*
move,
swing,
relocate *v*
1 gluais *gr* **bhon mheadhan**
decentralise *v*
2 buill a' Chaibineit a ghluasad
to reshuffle the Cabinet
3 ghluais a' chompanaidh a' phrìomh oifis do dh'Alba
the company relocated its
head office to Scotland

gluais *gr*
(airgead)
vire *v*
gluaisidh sinn an t-suim riaraichte bho aon cheann gu ceann eile
we will vire the allocation from
one heading to another

gluais *gr* **thairis**
transfer *v*
cumhachdan a ghluasad thairis
to transfer powers

gluasad *fir*
motion (procedural),
reshuffle,
movement,
swing *n*
1 **gluasad cion-earbsa**
a motion of no confidence
2 **gluasad gus cunntas a thoirt air adhartas**
a motion to report progress
3 **gluasad buill a' Chaibineit (gu dreuchdan eile)**
Cabinet reshuffle
4 **gluasad de deich sa cheud**
a swing of ten per cent
5 **buaidh le fìor ghluasad (san luchd-bhòtaidh)**
a landslide victory

gluasad *fir* **a thaobh modha**
procedural motion *n*

gluasad *fir* **bhon mheadhan**
decentralisation *n*,
decentralising *adj*
poileasaidh gluasaid bhon mheadhan
a decentralising policy

gluasad *fir* **cronachaidh**
censure motion *n*
gluasad ag iarraidh air a' Phàrlamaid am Prìomh Mhinistear a chronachadh
a motion asking Parliament to censure the First Minister

gluasad *fir* **do dh'ionad ùr**
relocation *n*
poileasaidh gluasaid ionaid
a policy of relocation

gluasad *fir* **mochthrath**
early day motion *n* (EDM)

gnàth *br*
usual,
common,
habitual,
constant,
standing *adj*

gnàthach *br*
habitual *adj*

gnàthasan *fir iol* **cuibhreachail**
restrictive practices *npl*

Gnàth-cho-labhairt *boir* **air Mì-ghnàthachadh Dhrogaichean**
Standing Conference (*n*) on Drug Abuse

gnàth-chomataidh *boir*
standing committee *n*

Gnàth-chomataidh *boir* **Comhairleachaidh air Foghlam Creideimh**
Standing Advisory Council (*n*) on Religious Education (SACRE)

Gnàth-chomataidh *boir* **Comhairleachaidh air Màthrachas agus Banas-glùine**
Standing Maternity And Midwifery Advisory Committee *n*

Gnàth-chomataidh *boir* **Phrògram**
Standing Programme Committee *n*

gnàth-riaghailt *boir*
standing order *n*
Gnàth-riaghailtean a chur an dàrna taobh
to suspend Standing Orders

gnàths *fir*
usage *n*
gnàths falamh
a mere formality

gnàth-theagasg *fir* **poileataigeach**
political dogma *n*

gnàth-ùghdaraich *gr*
rubber-stamp *v*

gnè *boir*
gender *n* (sex / grammatical)
cùisean co-cheangailte ri gnè
gender issues

gnìomh *fir*
act,
function,
task *n*
1 **gnìomh neo-chùramach, gnìomh neo-chunntasach**
irresponsible act
2 **gnìomh a choileanadh**
to perform a function
3 **Prìomh Mhinistear an gnìomh**
acting First Minister
4 **bu chòir dhut gnìomh a dhèanamh a rèir d' fhacail**
you should practise what you preach

gnìomh *fir* **is crìoch**
task and finish *n*
1 **cunnradh gnìomh is crìoch**
task and finish contract
2 **còmhlan-obrach gnìomh is crìoch**
task and finish working group

Gnìomh *fir* **Measaidh Coitcheann**
Standard Assessment Task *n* (SAT)

gnìomh *fir* **poileataigeach**
political act *n*

gnìomh *fir* **smachdachaidh**
disciplinary action *n*

gnìomhach *br*
executive *adj*

gnìomhachadh *fir*
commission *n* (act of committing)
gnìomhachadh droch mhearachd
the commission of a grave error

gnìomhachail *br*
functional *adj*
ro-innleachd gnìomhachail
functional strategy

gnìomhachas *br*
industrial *adj*

gnìomhachasach *br*
industrial *adj*
1 dàimh ghnìomhachasach
industrial relations
2 comann-sòisealta gnìomhachasach
industrial society
3 bòrd-trèanaidh gnìomhachasach
industrial training board

gnìomhachd *boir* **phoileataigeach**
political action *n*
gnìomhachd phoileataigeach a dhèanamh
to take political action

gnìomhaiche *fir*
executive *n* (business)
gnìomhaiche gnothachais
a business executive

gnothach *fir*
business,
concern,
undertaking *n*
1 chan e ar gnothaich e
it is not our concern
2 's e gnothach cugallach a tha seo
this is a risky undertaking
3 a dh'aon ghnothach
with intent

Gnothach Sam Bith Eile
Any Other Business
Gnothach Iomchaidh Sam Bith Eile (GISBE)
Any Other Competent Business

gnothachas *fir*
business *n*

gnothaichean *fir iol* **airgid**
monetary affairs *npl*

goireas *fir*
convenience,
resource,
facility *n*
tha an crèche na ghoireas luachmhor san togalach ùr
the crèche is a valuable facility in the new building

goireasach *br*
convenient *adj*
an uair a bhitheas e goireasach dhut
at your convenience

goireasachadh *fir*
resourcing *n*

goireasan *fir iol* **craolaidh**
broadcasting facilities *npl*

goireasan *fir iol* **daonna**
human resources *npl*

goistidh *fir*
sponsor *n*
rach *gr* **mar ghoistidh**
sponsor *v*

goistidheachd *boir*
sponsorship *n* (financial support)

Gòrdan *fir*
Gordon (Constituency)

goth *fir*
gibe *n*
thoir *gr* **goth air**
gibe *v*

grad *br*
immediate,
swift,
summary *adj*
1 grad fhreagairt
an immediate response
2 grad chur à dreuchd
summary dismissal
3 grad chronachadh
a swift rebuke
4 grad-thaghadh
a snap election

grad-atharrachadh *fir* **poileasaidh**
switch (*n*) of policy

gràin-chinnidh *boir*
racism *n*
1 le gràin-chinnidh
racist adj
2 neach ri gràin-chinnidh
racist *n*

gràineil *br*
heinous *adj*
eucoir ghràineil
heinous crime

greadhnachas *fir*
pomp *n*
mòr ghreadhnachas
pomp and circumstance

greadhnas *fir*
trappings *npl*
1 greadhnas a thig an lùib dreuchd
trappings of office
2 greadhnas a thig an lùib cumhachd
trappings of power

grèim *fir*
grasp,
custody *n*
1 nar grèim
within our grasp
2 an grèim
in custody
3 grèim òigridh
youth custody
4 grèim a ghabhail air cothrom
to grasp an opportunity

Grianaig agus Inbhir Chluaidh
Greenock and Inverclyde (Constituency)

grinneas *fir*
elegance *n*
grinneas labhairt
elegance of expression

Griod *fir* **(Nàiseanta) an Dealain**
National Grid *n* (electricity)

gu *roi*
pending *prep*
gus an dèanar an tuilleadh feòraich / faighneachd
pending further enquiries

gu ruige seo
hitherto *adj*

gu tur *cgr*
totally,
implacably *adv*
1 tha an dà ghnothach gu tur an aghaidh a chèile
the two matters are totally opposed
2 tha mi gu tur an aghaidh a' bheachd sin
I am implacably opposed to that idea
3 gu tur ùr
revolutionary *adj* (radically new)

guerrilla *fir*
guerrilla *n*
1 cogadh guerrilla
guerrilla warfare
2 innleachdan guerrilla
guerrilla tactics

guidh *gr* **air**
plead *v* (to implore)

guim *fir*
conspiracy,
plot *n*
1 guim tostachd
conspiracy of silence
2 tha iad a' dèanamh guim nar n-aghaidh
they conspire against us

guineach *br*
vicious,
wounding *adj*
shaoil mi na thuirt e a bhith guineach, grànda
I found his remarks wounding and hurtful

gun *roi*
without *prep*

gun fhiosta *cgr*
inadvertently *adv*
chuir mi a' Phàrlamaid am mearachd gun fhiosta
I inadvertently misled Parliament

guth *fir*
voice *n*
1 le aon ghuth
with one consent
2 labhairt le aon ghuth
to speak with one voice
3 guth moralta
moral tone

guth-bhòtaidh *fir*
suffrage *n*

H

haidhp *boir*
hype *n*

Hamalton a Deas
Hamilton South (Constituency)

Hamalton a Tuath agus Bellshill
Hamilton North and Bellshill (Constituency)

I

iar- *br*
assistant *adj*

Iar-àrd-chonstabal *fir*
Assistant Chief Constable *n*

iar-chathraiche *fir*
vice-chair,
vice-chairman *n*

Iar-cheann-roinne *fir*
Assistant Principal *n*

iar-chumhachd-thiomnadh *br*
post-devolution *adj*

Iar-mhanachainn *boir*, **an Iar-mhanachainn**
Westminster *n*

iarr *gr*
demand,
seek *v*
1 tha mi ag iarraidh ath-chunntadh
I demand a recount
2 tha a' mhinistreachd ag iarraidh neach a shuidheachadh
the ministry seeks to appoint
3 iarr leisgeul a ghabhail
apologise *v*

iarrtas *fir*
request,
demand (economics),
application,
bid *n*
iarrtas a chur airson maoineachaidh
to (make a) bid for funding

iarrtas *fir* **airson tabhartais**
grant application *n*

iarrtas *fir* **dealbhaidh**
planning application *n*

iasad *fir*
loan *n*
1 ùghdarachadh iasaid
loan sanction
2 chaidh e air iasad gu roinn eile
he went on secondment to another department
3 cuir *gr* **air iasad**
second *v* (staff)

iasad *fir* **san earrainn phoblaich**
public sector borrowing *n*
riatanas iasaid san earrainn phoblaich
public sector borrowing requirement

imeachdan *boir iol*
proceedings *npl*
(transactions)
imeachdan laghail
legal proceedings

ìmpidh *boir*
persuasion *n*
representations *npl*
ìmpidh a chur air comataidh
to make representations to committee

inbhe *boir*
maturity,
rank (position),
status,
prestige *n*
1 **suidheachadh de dh'àrd inbhe**
a position of high status
2 **inbhe thèarainte airson na Gàidhlig**
secure status for Gaelic
3 **a sheallas inbhe**
prestigious *adj*

inbheach *br*
mature *adj*

inbhean *boir iol* **moralta**
moral standards *npl*

inbheil *br*
qualitative *adj*
breith inbheil
a qualitative judgment

Inbhir Àir
Ayr (Constituency)

Inbhir Nis an Ear, Inbhir Narann agus Loch Abar
Inverness East, Nairn and Lochaber (Constituency)

in-ghabhail *fir*
inclusion *adj*
in-ghabhail sòisealta
social inclusion

in-ghabhalach *br*
inclusive *adj*

in-ghabhalachd *boir*
inclusiveness,
inclusivity *n*

in-ghnèitheach *br*
inherent *adj*
1 **uachdranas in-ghnèitheach**
inherent jurisdiction
2 **dlighe-chomas in-ghnèitheach**
inherent jurisdiction

in-imrich *boir*
immigration *n*

in-imriche *fir*
immigrant *n*
1 **poileasaidh in-imriche**
immigration policy
2 **in-imriche mì-laghail**
illegal immigrant

inisg *boir*
insult *n*
inisgean a thilgeil air cach a chèile
to trade insults

in-mhalairt *boir*
import *n*

inneal *fir*
implement,
instrument *n*

inneal-innse *fir*
annunciator *n*

inneal-rabhaidh *fir* **teine**
fire alarm *n*

inneal-smàlaidh *fir*
fire extinguisher *n*

innis *gr*
declare,
recount (to narrate),
acquaint *v*
toradh an taghaidh innse
to declare the result of the election

innleachd *boir*
expedient,
plot,
resort,
conspiracy,
scheme,
wile,
tactic *n*
1 **innleachd gheàrr-ùine**
a temporary expedient
2 **an innleachd mu dheireadh (a tha aig neach)**
as a last resort
3 **innleachd airson aire a chlaonadh air falbh (bho rud)**
a diversionary tactic
4 **a bhith ri innleachdan**
scheming *n*
5 **dèan** *gr* **innleachd**
plot *v* (to conspire)
6 **bhòtadh le innleachd**
to vote tactically

innleachd *boir* **laghail**
legal machinery *n*

innleachd *boir* **modha**
procedural device *n*

innleachdach *br*
tactical *adj*
1 **tarraing air ais innleachdach**
a tactical retreat
2 **bhòt innleachdach**
a tactical vote
3 **bhòtadh innleachdach**
tactical voting

inntinn *boir*
intellect *n*
mind *n*
1 **dùbhlan don inntinn**
a challenge to the intellect
2 **le aon inntinn**
with one consent
3 **inntinn fhosgailte**
open mind
4 **le inntinn fhosgailte**
open-minded *adj*

inntleachd *boir*
intelligence *n* (intellect)
neach mòr inntleachd
a person of great intelligence

inntleachdach *fir*
intellectual *n*

inntleachdail *br*
intellectual *adj*
dùbhlan inntleachdail
an intellectual challenge

inntrigeadh *fir*
initiation *n*
1 **deas-ghnàthan inntrigidh**
initiation rites
2 **deas-ghnàth inntrigidh**
initiation ceremony

in-sgrìobhadh *fir*
inscription *n*

in-sgrùdadh *fir*
internal audit *n*

in-sgrùdaire *fir*
internal auditor *n*

in-shealbhachadh *fir*
investiture *n*

in-sheilbh *fir*
inward investment,
internal investment *n*

in-sheirbheis *br*
in-service *adj*
trèanadh in-sheirbheis
in-service training

institiud *boir*
institute *n*
institiud foghlaim àrd-ìre
institute of higher education

Institiud *boir* **Fòghlaim na h-Alba**
Educational Institute (*n*) of Scotland

Institiud *fir* **na Bànrighe airson Banaltramais Sgìreil**
Queen's Institute (*n*) of District Nursing

Institiud *fir* **Nàiseanta Rìoghail nam Bodhar**
Royal National Institute (*n*) for Deaf People (RNID)

Institiud *fir* **Nàiseanta Rìoghail nan Dall**
Royal National Institute (*n*) for the Blind (RNIB)

Institiud *fir* **nam Ban**
Women's Institute *n* (WI)

Institiud *fir* **Rìoghail nan Ailtirean Breatannach**
Royal Institute (*n*) of British Architects (RIBA)

Institiud *fir* **Rìoghail nan Suirbheirean Cairte**
Royal Institution (*n*) of Chartered Surveyors (RICS)

in-thaigh *br*
in-house *adj*
biùro coimpiutair in-thaigh
in-house computer bureau

ìocadh *fir*
remuneration *n*

iochdail *br*
lenient *adj*

ìochdaireil *br*
subsidiary *adj*

iochdalachd *boir*
leniency *n*

ìochdaran *fir*
subordinate *n*

iol-chalpa *br*
capital-intensive *adj*

ioma-chuspair *br*
multi-disciplinary *adj*

iomadach *br*
numerous *adj*
tha ro iomadach roghainn againn
we are faced with a plethora of options

ioma-dhiosaplaineach *br*
multi-disciplinary *adj*

iomagain *boir*
concern *n*
's e cùis iomagain a tha ann
it is a matter of some concern

ioma-ghnèitheach *br*
pluralist *adj*
comann-sòisealta ioma-ghnèitheach
a pluralist society

ioma-ghnèitheachd *boir*
pluralism *n*

iomairt *boir*
enterprise,
initiative,
campaign,
campaigning,
undertaking,
venture *n*
1 **an sàs anns an iomairt-taghaidh**
on the campaign trail
2 **thig sochairean mòra an lùib na h-iomairt ùire seo**
the new undertaking will bring great benefits
3 **dèan** *gr* **iomairt**
campaign *v*

iomairt *br*
campaigning *adj*
òraid iomairt
a campaigning speech

Iomairt *boir* **le Maoineachadh Prìobhaideach**
Private Funding Initiative *n* (PFI)

Iomairt *boir* **Leasachaidh Eaconamaich Nàiseanta**
National Economic Development Strategy *n*

Iomairt *boir* **na Gaidhealtachd is nan Eilean**
Highlands and Islands Enterprise *n* (HIE)

Iomairt *boir* **na h-Alba**
Scottish Enterprise

iomairt *boir* **phoblach**
public enterprise *n*

iomairt *boir* **phoileataigeach**
political campaign *n*

iomairt *boir* **taghaidh**
election campaign *n*,
hustings *npl*

iomairteach *br*
enterprising *adj*
an eaconamaidh iomairteach
the enterprise economy

Iomairtean *boir iol* **Beaga agus Meadhanach**
Small and Medium-Sized Enterprises *npl* (SMEs)

iomall *fir*
periphery,
sideline,
margin *n*
1 air iomall na cùise
on the sidelines
2 cuir *gr* **chun an iomaill**
marginalise *v*

iomallach *br*
peripheral,
remote *adj*

ioma-phàrtaidh *br*
multi-party *adj*
còmhraidhean ioma-phàrtaidh
multi-party talks

ioma-thaobhach *br*
multilateral *br*
còmhraidhean ioma-thaobhach
multilateral talks

iomchaidh *br*
proper,
expedient *adj*
ùghdarras iomchaidh
proper authority

iomchaidheachd *boir*
advisability,
expediency *n*

ìomhaigh *boir*
image,
profile *n*
1 ìomhaigh a chur an cèill
to project an image
2 feumaidh sinn ar n-ìomhaigh a thoirt am follais barrachd
we must raise our profile
3 ìomhaigh àrd a chumail
to maintain a high profile

iomlaid *boir*
exchange,
permutation *n*
1 dh'fheuch sinn gach iomlaid dòighe air a' chùis
we have tried every permutation
2 dèan *gr* **iomlaid dhreuchd**
reshuffle *v*

iomlaidich *gr*
interchange *v*

iomlaid-ionmhais *boir*
virement *n*

iomlan *br*
total,
aggregate *adj*
1 gnìomhachd eaconamach iomlan
aggregate economic activity
2 call gu h-iomlan
total loss
3 rianachd mathais iomlan
total quality management

iomlan *fir*
total,
aggregate *n*

iomlanachd *boir*
integrity *n* (wholeness)

iomradh *fir*
comment,
reference *n* (to a subject)
1 iomraidhean bho na Cùirtean Nàiseanta (san Aonadh Eòrpach)
references from National Courts
(in the European Union)
2 thug e iomradh air aithisg eile
he made a cross-reference to a further report

iomrall *fir* **ceartais**
miscarriage (*n*) of justice

ionad *fir*
place,
institution *n*
1 ionad foghlaim
an educational institution
2 an ionad (rud)
in lieu of

ionad *fir* **às-mhalairt cànain**
language export centre *n*

ionad *fir* **ath-ghnàthachaidh cosnaidh**
employment rehabilitation centre *n*

ionad *fir* **bheann**
mountain centre *n*

ionad *fir* **bhòtaidh**
polling station *n*

Ionad *fir* **Chiontach Òga**
Young Offenders' Institution *n*
ann an Ionad nan Ciontach Òga
in the Young Offenders' Institution

ionad *fir* **choimpiutar**
computer suite *n*

ionad *fir* **chur-seachad**
leisure centre *n*

ionad *fir* **comhairle taigheadais**
housing advice centre *n*

Ionad *fir* **de Shuim Shònraichte Shaidheansail (ISSS)**
Site (*n*) of Special Scientific Interest (SSSI)

Ionad *fir* **Eàrlais Sgoil Àraich**
Nursery Voucher Centre *n*

Ionad *fir* **Fiosrachaidh do Gnothachais Bheaga**
Small Firms Information Centre *n*

Ionad *fir* **Fiosrachaidh Turasachd**
Tourist Information Centre *n*

ionad *fir* **obrach**
labour exchange *n*

ionad *fir* **òigridh**
youth centre *n*

Ionad *fir* **Riarachaidh is Trèanaidh Bathar-tharraing nan Rathaidean / Ròidean**
Road Haulage Distribution and Training Centre *n*

Ionad *fir* **Sònraichte Glèidhteachais**
Special Area (*n*) of Conservation (SAC)

ionad *fir* **teicneolais fhiosrachaidh**
information technology centre *n*

ionad *fir* **trèanaidh**
training centre *n*

ionad *fir* **trèanaidh an riaghaltais**
government training centre *n*

ionadan *fir iol* **taice ionadail**
local support centres *npl*

ionad-fàilte *fir*
reception *n* (area)

ionad-obrach *fir*
job centre *n*
work station *n*

ionad-òigridh *fir*
youth centre

ionad-stòrais *fir* **ioma-chultarach**
multi-cultural resources centre *n*

ionannachd *boir*
identity *n*
1 ionannachd chorparra companaidh
a company's corporate identity
2 ionannachd nàisein
a nation's identity

ion-atharrachaidh *br*
provisional *adj* (with conditions)

ion-chasaideach *br*
indictable *adj*
eucoir ion-chasaideach
indictable offence

ion-chlàraichte *br*
registrable *adj*
com-pàirt ion-chlàraichte
registrable interest

ion-choirbte *br*
corruptible *adj*

ion-chrìochnachadh *br*
terminable *adj*

ion-èigneachail *br* **fon lagh**
legally enforceable *adj*
chan eil a' chùis ion-èigneachail fon lagh
the matter is not legally enforceable

ionmhas *fir*
finance *n*
Bile Ionmhais
Finance Bill

ionmhas *fir* **calpa**
capital finance *n*

ionmhas *fir* **poblach**
public finance *n*

ionmhas *fir* **riaghaltais ionadail**
local government finance *n*

ionmhas *fir* **ùghdarrais ionadail**
local authority finance(s) *n(pl)*

ionmhasachadh *fir*
financing *n*
ionmhasachadh fhiach
debt financing

ionmhasachadh *fir* **calpa**
capital financing *n*

ionmhasaich *gr*
finance *v*

ionmhasair *fir*
treasurer *n*

ion-mheasta *br*
commendable *adj*
tha e a' cur urram ion-mheasta ri dhreuchd
he brings commendable dignity to his role

ion-mholta *br*
commendable *adj*
tha e a' cur uaisleachd ion-mholta ri dhreuchd
he brings commendable dignity to his role

ionnsachadh *fir*
instruction *n*

ionnsaich *gr*
train *v*

ionnsaichte *br*
trained *adj*

ionnsaigh *fir / boir*
charge,
onslaught *n*
1 b' e an luchd-dùbhlain a bha air cùl an ionnsaigh
the opposition led the charge
2 thug iad ionnsaigh dìoghrasach air a' phoileasaidh
they unleashed a determined onslaught on the policy

ionnsaigheach *br*
enterprising *adj*

ionnstramaid *boir*
instrument *n* (legal document)
1 ionnstramaid reachdail
statutory instrument (SI)
2 ionnstramaidean agus artaigealan riaghaltais
instrument and articles of government

ion-obrachadh *fir*
viability *n*

ionracas *fir*
integrity (moral),
probity *n*

ion-roghnach *br*
eligible *adj*

ion-roghnachd *boir*
eligibility *n*

ion-tràchdte *br*
negotiable *adj*
ionnstramaid ion-tràchdte
negotiable instrument

ìos-mheud *fir*
minimum *n*
ìos-mheud reachdail
statutory minimum

ìre *boir*
grade,
rate,
stage (step),
tier,
degree *n*
1 **ìre bhunaiteach na cìse cosnaidh**
basic rate of income tax
2 **gu ìre mhòir**
materially *adv*

ìre *boir* **an rèidh**
interest rate *n*

ìre *boir* **chudthromach**
key stage *n* (education)

ìre *boir* **cìse**
tax rate *n*

ìre *boir* **co-chomhairleachaidh**
consultation stage *n*

ìre *boir* **comataidh**
committee stage *n*
tha a' chùis air ìre comataidh a ruighinn
the matter has reached committee stage

ìre *boir* **de mhathas**
standard *n*

ìre *boir* **sa cheud**
percentage,
percentage rate *n*

ìre *boir* **san taghadh**
poll rating *n*

is còir *gr*
ought *v* (auxiliary verb)
air a choileanadh mar bu chòir
properly carried out

is docha le *gr*
prefer *v*
is esan as docha leam
he is a favourite of mine

is roghnach le *gr*
prefer *v*
poileasaidh as roghnaiche le (neach, buidhinn)
a favourite policy

ìsleachadh *fir*
depression *n*
ìsleachadh calpa
capital depreciation

Làbaraich, na
Labour *n*

labhair *gr*
speak *v*
1 **labhairt air cuspair**
to speak to an item
2 **labhair e air a' ghluasad gu dùrachdach**
he spoke to the motion with conviction

labhairt *boir*
speaking,
say *n*
1 **labhairt phoblach**
public speaking
2 **cead labhairt a bhith aca**
to have their say

Labhraiche *fir*
Speaker *n*
Labhraiche Thaigh nan Cumantan
Speaker of the House of Commons

ladarnas *fir*
presumption *n*

lagaich *gr*
undermine *v*
lagachadh ùghdarras neach
to undermine someone's authority

lagh *fir*
law *n*
1 **ann an co-rèir ris an lagh**
in accordance with the law
2 **lagh is rian**
law and order
3 **lagh is mì-rian**
law and disorder
4 **a rèir an lagha**
according to the law
5 **gun ùmhlachd don lagh**
lawless *adj*
6 **dèan** *gr* **lagh de**
enact *v*

lagh *fir* **an Aonaidh Eòrpaich**
EU law *n*

lagh *fir* **bun-reachdail**
constitutional law *n*

lagh *fir* **catharra**
civil law *n*

lagh *fir* **coitcheann**
common law *n*

lagh *fir* **cosnaidh**
employment law *n*

lagh *fir* **cunnraidh**
contract law *n*,
law (*n*) of contract

lagh *fir* **eucorach**
criminal law *n*

lagh *fir* **na h-Alba**
Scottish law *n*

lagh *fir* **na h-Eòrpa**
European law *n*

lagh *fir* **sgrìobhte**
written law *n*

laghail *br*
judicial,
lawful,
legal *adj*
1 **bonn laghail airson prògraim**
the legal basis for a programme
2 **gu laghail**
legalised *adj*
3 **air a dhèanamh laghail**
legalised *adj*
4 **dèan** *gr* **laghail**
legalise *v*
5 **dèanamh** *fir* **laghail**
legalisation *n*
6 **nì** *fir* **laghail**
legality,
legal entity *n*

laghalachd *boir*
legality *n*

laghan *fir iol* **ceadachd**
licensing laws *npl*

laghan *fir iol* **drabastachd**
obscenity laws *npl*

lagh-chleachdach *br*
judicial *adj*

lagh-cùise *fir*
case law *n*

lagh-taghaidh *fir*
electoral law *n*

làidir *br*
robust *n*
dìon làidir
robust defence

laigh *gr*
lie *v*
tha e a' laighe gu trom air mo chogais
it weighs heavily on my conscience

laigse *boir*
weakness *n*
brath a ghabhail air laigse
to exploit a weakness

làimhseachadh *fir*
treatment,
processing,
handling *n*
1 **làimhseachadh co-ionann**
equal treatment
2 **làimhseachadh fiosrachaidh**
information handling

làimhsich *gr*
treat,
process,
handle *v*

làithean *fir iol* **suidhe**
sitting days *npl*
Tha Dimàirt agus Diciadain air an comharrachadh mar làithean suidhe
Tuesday and Wednesday are designated as sitting days

làitheil *br*
daily *adj*
rinn am Ministear aithisg làitheil air adhartas
the Minister gave a daily report on progress

làithreach *br*
circumstantial,
current *adj*
1 **fianais làithreach**
circumstantial evidence
2 **caiteachas làithreach**
current expenditure
3 **ìrean làithreach de chaitheamh airgid**
current levels of spending
4 **reachdas làithreach**
current legislation
5 **cleachdadh làithreach**
current practice

làmh *boir*
hand,
wing *n*
1 **làmh chlì a' phàrtaidh**
the left wing of the party
2 **làmh dheas a' phàrtaidh**
the right wing of the party
3 **le làmh air a bhroilleach**
with hand on heart

làmh *boir* **chlì**
left wing *n*
1 **(na) làimhe clì**
left-wing *adj*
2 **neach** *fir* **air an làimh chlì**
left-winger *n*

làmh *boir* **dheas**
right wing *n*
1 **(na) làimhe deise**
right-wing *adj*
2 **neach** *fir* **air an làimh dheis**
right-winger *n*

làmh-sgrìobhainn *boir*
manuscript *n*
an riochd làmh-sgrìobhainne
in manuscript form

làn- *br*
full,
complete,
wholehearted,
plenary *adj*
1 **làn-smachd**
overall control
2 **gun làn-smachd**
no overall control
3 **tha mo làn-thaic agad**
you have my wholehearted support
4 **ann an làn-choinneimh**
in plenary (session)

lànachd *boir*
fullness *n*

làn-chalpa *fir*
gross capital *n*

làn-choinneamh *boir*
plenary meeting *n*

làn-chòir *boir*
entitlement *n*
làn-chòir fon lagh
entitlement under the law

làn-chumhachd *fir*
plenary power *n*

làn-chumhachdach *br*
plenipotentiary *adj*

làn-chumhachdach *fir*
plenipotentiary *n*

làn-dlighe-chomas *fir*
plenary jurisdiction *n*

làn-fhollais *boir*
full view,
conspicuousness *n*
ann an làn-fhollais a' mhòr-shluaigh
in the glare of publicity

làn-fhollaiseach *br*
conspicuous,
glaring,
high-profile *adj*
1 **mearachd làn-fhollaiseach**
a glaring error
2 **ro-innleachd làn-fhollaiseach**
a high-profile strategy

làn-sheisean *fir*
plenary session *n*

làn-smachd *fir*
overall control *n*
gun làn-smachd (aig duine / taobh seach taobh)
no overall control

làn-thoradh *fir* **dùthchail**
gross domestic product *n* (GDP)

làn-thoradh *fir* **nàiseanta**
gross national product *n* (GNP)

làn-ùine *br*
full-time *adj*
1 **luchd-obrach làn-ùine**
full-time staff
2 **oileanaich ionann is làn-ùine**
full-time equivalent (FTE) students

làr *fir* **an t-Seòmair**
floor (*n*) of the House (Parliament)

làrach *boir*
site *n*
crìoch làraich
site boundary

làrach *boir* **lìn**
website *n*

làrach *boir* **togail**
pick-up area *n*

lasachadh *fir*
rebate,
easement *n*

lasachadh *fir* **cìse**
tax concession *n*

latha *fir* **bhòtaidh**
polling day *n*

latha *fir* **cinn ràithe**
quarter day *n*

latha *fir* **cunntais**
account day *n*

latha *fir* **taghaidh**
polling day *n*

làthair, an làthair *cgr*
present *adv*
gun ... an làthair
in the absence of

làthaireach *br*
present *adj*

leabhar *fir* **bliadhna**
year book *n*

Leabhar-àireamh *boir* **Ghnàthach Eadar-nàiseanta (LAGE)**
International Standard Book Number *n* (ISBN)

leabhar-clàraidh *fir* **(ainm) a-mach**
signing-out book *n*

leabhar-clàraidh *fir* **(ainm) a-steach**
signing-in book *n*

leabhar-iùil *fir*
guide *n* (publication)

leabharlann *fir*
library *n*

Leabharlann *fir* **Nàiseanta na h-Alba**
National Library (*n*) of Scotland

Leabharlann *fir* **nam Ball**
Members' Library *n*

leabhar-latha *fir*
diary *n*

leabhar-latha *fir* **an t-Seanaidh**
Assembly Journal *n* (Wales)

leabhar-latha *fir* **gnothaich**
business diary *n*
foillsichear cunntas mionaideach air obair na Pàrlamaid san leabhar-là ghnothaich
details of the work of Parliament are published in the business diary

leagh *gr*
liquidate *v*

leaghadh *fir*
liquidation *n*
1 **leaghadh companaidh**
the liquidation of a company
2 **leaghadh saor-thoileach**
voluntary liquidation

leamhaich *gr*
harass *v*

leam-leat *br*
non-committal *adj*
bha an fhreagairt leam-leat
the reply was non-committal

lean *gr*
follow,
pursue *v*
1 **a' chùis a leantainn**
to pursue the matter
2 **òrdugh / stiùireadh a leantainn**
to act on instructions
3 **lean** *gr* **san lagh**
prosecute *v*
4 **a' leantainn air**
in pursuance of
5 **a' leantainn air a' phuing òrduigh sin**
further to that point of order

lean *gr* **ort**
resume *v*
leantainn ort a' labhairt an dèidh briseadh a-steach
to resume speaking after an interruption

leanmhainn *br*
follow-up *adj*
coinneamh leanmhainn
a follow-up meeting

leas *fir*
interest *n*
1 **a chum leas a' phobaill**
in the public interest
2 **airson leas a' phobaill**
in the public interest

leas- *br*
depute,
deputy *adj*
1 **leas-stiùiriche**
depute / deputy director
2 **leas-chlàrc comataidh**
deputy committee clerk

leasachadh *fir*
development,
improvement,
injection,
remedy *n*
1 **plana leasachaidh**
development plan
2 **ro-innleachd leasachaidh**
development strategy
3 **leasachadh air na briathran**
an improvement in the wording
4 **leasachadh de chalpa**
an injection of capital
5 **chan fhaic mi gun gabh a' chùis a leasachadh gu furasta**
I can see no easy remedy for the problem
6 **tha sinn a' gluasad chun an suidheachadh a leasachadh**
we are taking steps to remedy the problem

leasachadh *fir* **air oideachadh luchd-obrach**
staff development *n*

leasachadh (ath-thogalach) *fir*
redevelopment *n*

leasachadh *fir* **bunaiteach**
institutional reform *n*

leasachadh *fir* **ìre**
upgrading *n*

leasachaidh *fir* **laghail**
lawful development *n*

leasachadh *fir* **millteach**
wrecking amendment *n*

leasachadh *fir* **poileasaidh**
policy development *n*

leasachadh *fir* **roinneil**
regional development *n*

leasachail *br*
supplementary *adj*

leasaich *gr*
amend,
develop,
improve,
remedy *v*
1 **feumar leasachadh a dhèanamh air an lagh**
it is necessary to amend the law
2 **briathran Bile a leasachadh**
to improve the wording of a Bill
3 **an suidheachadh a leasachadh**
to remedy the situation
4 **a ghabhas leasachadh**
remediable *adj*
5 **suidheachadh a ghabhas leasachadh**
a retrievable situation

leasaich *gr* **ìre**
upgrade *v*

leasaich *gr* **(le ath-thogail)**
redevelop *v*

Leas-àrd-chonstabal *fir*
Deputy Chief Constable *n*

Leas-cheann-roinne *fir*
Deputy / Vice Principal *n*

leas-chunnradh *fir*
protocol *n*
ainm a sgrìobhadh ri leas-chunnradh
to sign a protocol

Leas-chunnradh *fir* **air Sochairean is Saorsainnean**
Protocol (*n*) on Privileges and Immunities

leas-mhinistear *fir*
deputy minister *n*

Leas-mhinistear *fir* **a' Cheartais**
Deputy Minister (*n*) for Justice

Leas-mhinistear *fir* **a' Cheartais Shòisealta**
Deputy Minister (*n*) for Social Justice

Leas-mhinistear *fir* **an Fhoghlaim, na Roinn Eòrpa agus Chùisean Taoibh A-muigh**
Deputy Minister (*n*) for Education, Europe and External Affairs

Leas-mhinistear *fir* **an Ionmhais agus Riaghaltais Ionadail**
Deputy Minister (*n*) for Finance and Local Government

Leas-mhinistear *fir* **an Leasachaidh Dhùthchail**
Deputy Minister (*n*) for Rural Development

Leas-mhinistear na h-Àrainneachd, an Spòrs agus a' Chultair
Deputy Minister (*n*) for Environment, Sport and Culture

Leas-mhinistear *fir* **na h-Iomairt agus an Fhoghlaim Bheatha agus na Gàidhlig**
Deputy Minister (*n*) for Enterprise, Lifelong Learning and Gaelic

Leas-mhinistear *fir* **na Pàrlamaid**
Deputy Minister (*n*) for Parliament

Leas-mhinistear *fir* **na Slàinte agus Cùraim Choimhearsnachd**
Deputy Minister (*n*) for Health and Community Care

Leas-mhorair-ionaid *fir* **a' Chrùin**
Deputy Lord Lieutenant *n*

Leas-neach-tagraidh *fir*
Advocate-Depute *n*

Leas-oifigear *fir* **Riaghlaidh**
Deputy Presiding Officer *n*

Leas-phrìomh Mhinistear *fir*
Deputy First Minister *n*

Leas-phrìomh Mhinistear *fir* **agus Ministear a' Cheartais**
Deputy First Minister (*n*) and Minister for Justice

Lègion *fir* **Rìoghail Bhreatainn**
Royal British Legion *n*

leibideach *br*
unfortunate *adj*
nach bu leibideach an rud a thubhairt e / i!
that was an unfortunate remark!

leifteanant *fir*
lieutenant *n* (military)

leig *gr*
levy,
serve,
impose *v*
1 **cìs a leigeil**
to levy a tax
2 **sgrìobhainn-chùirte / sgrìobhainn a leigeil (air neach)**
to serve a writ / document
3 **cumha a leigeil**
to impose a condition
4 **leigeil cìse**
to impose a tax

leig *gr* **air adhart (gun bheachdachadh)**
rubber-stamp *v*

leig *gr* **a-mach air cùmhnant**
put (*v*) out to contract

leig *gr* **dheth**
stand (*v*) down

leig *gr* **dhìot**
abdicate *v*
an rìgh-chathair / an t-uallach a leigeil dhìot
to abdicate the throne / responsibility

leig *gr* **dhiot (do dhreuchd)**
retire *v* (from work)

leig *gr* **ris**
reveal,
expose,
register *v*
1 **d' fhaireachdainnean a leigeil ris**
to betray your feelings
2 **uireasbhaidh a leigeil ris**
to expose an inadequacy

leig *gr* **thairis**
concede *v*
cha leig i thairis a còraichean
she will not concede her rights

leigeil *boir*
imposition *n*

leigeil *fir* **dhìot**
abdication *n*

leigheis *gr*
redress *v*
tàmailteachadh a leigheas
to redress damaged pride

lèigh-lann *fir / boir*
surgery *n*
lèigh-lann dotair
a doctor's surgery

lèir-laghadh *fir*
amnesty *n*
lèir-laghadh a bhuileachadh
to grant an amnesty

lèirmheas *fir* **cuideachail**
constructive criticism *n*

lèir-shealbhachd *boir*
monopoly *n*

lèirsinn *boir*
vision *n*
is i an neach aig am bheil an fhìor lèirsinn sa phàrtaidh
she is the visionary of her party

lèirsinn *boir* **phoileataigeach**
political vision *n*

lèirsinne *boir gin*
visual *adj*
uidheam-cuideachaidh lèirsinne
visual aid

lèirsinneach *br*
visionary *adj*
duine lèirsinneach
a man of vision

leis a seo *cgr*
hereupon *adv*

leisgeul *fir*
apology *n*
(in minutes of meeting)

leòn *fir*
wound *n*

leòn *gr*
injure,
wound *v*
tha e ro chalma airson a leòn leis a leithid de bheumadh
he is too strong to be wounded by such criticism

leth choma *br*
half-hearted *adj*

leth-bhliadhnail *br*
biannual *adj*
sgrùdadh leth-bhliadhnail
biannual review

lethbhreac *br*
duplicate *adj*
le lethbhreac
in duplicate

lethbhreac *fir*
copy,
duplicate *n*
1 **dèan** *gr* **lethbhreac**
duplicate *v*
2 **le lethbhric**
in duplicate
3 **le trì lethbhric**
in triplicate
4 **mar lethbhreac**
duplicate *adj*

lethbhreac *fir* **airson fiosrachaidh**
copy (*n*) for information

lethbhreacadh *fir*
duplication *n*

lethbhreith *boir*
discrimination,
partiality *n*
1 **lethbhreith shòisealta**
social discrimination
2 **gun lethbhreith**
impartial *adj*,
impartially *adv*
3 **a bhith gun lethbhreith**
impartiality
4 **dèan** *gr* **lethbhreith**
discriminate *v*

lethbhreith *boir* **a thaobh gnè**
sex discrimination *n*
Achd Lethbhreith a thaobh Gnè
Sex Discrimination Act

lethbhreith *boir* **thaiceil**
positive discrimination *n*

lethbhreitheach *br*
discriminatory,
partisan *adj*

leth-dheireannach *br*
penultimate *adj*

leth-iomradh *fir*
innuendo *n*
iomairt de leth-iomradh
a campaign of innuendo

leth-lagh-chleachdach *br*
quasi-judicial *adj*

lethoireachail *br*
isolationist *adj*
poileasaidhean lethoireachail
isolationist policies

lethoireachas *fir*
isolationism

lethoireachd *boir*
isolation

lethoiriche *fir*
isolationist

leudachadh *fir*
expansion *n*
leudachadh air togalach
expansion of a building

leudaich *gr*
broaden,
elaborate *v*
1 **leudachadh air moladh**
to elaborate on a proposal
2 **tha an sgrìobhainn a' leudachadh ar tuigse**
the document contributes to our understanding

leughadh *fir*
reading (of Bill) *n*
1 **a' Chiad Leughadh**
First Reading
2 **an Dàrna Leughadh**
Second Reading
3 **an Treas Leughadh**
Third Reading

leum *fir* **cuota**
quota hopping *n*

libearalach *br*
liberal *adj* (philosophical and political)

Libearalach Deamocratach *br*
Liberal Democratic *adj*
am Pàrtaidh Libearalach Deamocratach
Liberal Democratic Party

Libearalach *fir* **Deamocratach**
Liberal Democrat *n*
na Libearalaich Dheamocratach
the Liberal Democrats

Libearalaich *fir iol* **Dheamocratach na h-Alba**
Scottish Liberal Democrats *npl*

lìbhrig *gr*
issue *v*
sumanadh a lìbhrigeadh
to issue a summons

linn *boir*
era *n*
aig toiseach linne ùire
the beginning of a new era

lìon *fir*
web *n*
1 **Lìon na Cruinne**
the World-Wide Web
2 **lìon** *fir* **tele-chonaltraidh an riaghaltais**
government telecommunications network

lìon *gr*
complete *v*
foirm a lìonadh
to complete a form

lìonra *fir*
network *n*
1 dèan *gr* **lìonra**
network *v*
2 dèanamh *fir* **lìonraidh**
networking *n*

lìonra *fir* **fiosrachaidh**
information network *n*

liosta *boir*
list,
schedule *n*
1 liosta sgrìobhainnean
schedule of documents
2 dèan *gr* **liosta de**
schedule *v* (to list)

liosta *boir* **a' phàrtaidh**
party list *n*

liosta *boir* **chatharra**
civil list *n*

liosta *boir* **thaghte**
short leet,
short list *n*
cur air liosta thaghte
to short-list (to place on a short list)

liosta *boir* **urraim**
honours list *n*

Liosta *boir* **Urraim Latha-breith na Bànrighe**
Queen's Birthday Honours List *n*

Liosta *boir* **Urraman na Bliadhna Ùire**
New Year's Honours List *n*

liostadh *fir*
enrolment *n* (enlisting)

liosta-feitheimh *boir*
waiting list *n*
1 a bhith air liosta-feitheimh
to be on a waiting list
2 liosta-feitheimh ospadail
a hospital waiting list
3 liostachan-feitheimh a lùghdachadh
to reduce waiting lists

liosta-sgrùdaidh *boir*
check-list *n*

litir *boir*
correspondence *n* (letters)

lobaidh *fir / boir*
lobby *n*
lobaidh cruinneachaidh
mass lobby

lobaidh *fir / boir* **(a') bhòtaidh**
voting lobby,
division lobby *n*

lobaidh *fir / boir* **luchd 'chan eadh'**
'no' lobby *n*

lobaidh *fir / boir* **luchd 'seadh'**
'aye' lobby,
'yes' lobby *n*

lochd *fir*
flaw *n*

lòdail *br*
unwieldy *adj*
tha an reachdas air fàs lòdail
the legislation has become unwieldy

Lodainn an Ear
East Lothian (Constituency)

log *gr* **air**
log (v) on

log *gr* **dheth**
log (v) off

loidhne *boir*
line *n*
loidhne a chur fo phàirt den teacsa
to underline a part of the text

loidhne *boir* **caiteachais bhuidseit**
budget expenditure line *n* (BEL)

loidhne *boir* **fiosrachaidh**
helpline *n*

Loidhne *boir* **Fiosrachaidh Gnothaich**
Business Enquiry Line *n*

loidhne *boir* **taice**
helpline *n*

lorg *gr*
trace *v*

lorg *boir* **fiosrachaidh**
information retrieval *n*

luach *fir*
value *n*
1 Luach an Airgid
Value for Money (VFM)
2 Cìs Luach-Leasaichte
Value Added Tax (VAT)
3 luach reatachail
rateable value
4 luachan san t-seann nòs
traditional values

luachadh *fir*
valuation *n*
Oifigeach Luachaidh
Valuation Officer

luachadh *fir* **coileanaidh**
performance evaluation *n*

luachan *fir iol* **moralta**
moral values *npl*

luachmhor *br*
valuable *adj*
(nì) luachmhor a chaidh a chur ris an deasbad
a valuable contribution to the debate

luasgadh *fir*
swing *n*

luath-sgrìobhadair *fir*
stenographer *n*

luchd *iol* **'chan eadh'**
'noes' *npl* (voting)
is ann aig an luchd 'chan eadh' a tha a' bhuaidh
the 'noes' have it

luchd *iol* **nam meadhanan**
press corps *n*

luchd *iol* **'seadh'**
'ayes' *npl* (voting)
is ann aig an luchd 'seadh' a tha a' bhuaidh
the 'ayes' have it

luchd-àicheidh *iol*
'noes' *npl* (voting)

luchd-aontachaidh *iol*
'ayes' *npl* (voting)
is ann aig an luchd-aontachaidh a tha a' bhuaidh
the 'ayes' have it

luchd-bhòtaidh *iol*
electorate *n*

luchd-casaid *iol*
prosecution *n*

luchd-clèireachd *iol*
clerical staff *n*

luchd-naidheachd *iol* **an t-sàibheir**
gutter press *n*

luchd-obrach *iol*
staff *n*

luchd-obrach *iol* **an dreuchd stiùiridh**
supervisory staff *n*

luchd-obrach *iol* **(gu h-iomlan)**
workforce *n*

luchd-obrach *iol* **oifis**
office staff *n*

luchd-obrach *iol* **riaghaltais ionadail**
local government staff *n*

luchd-obrach *iol* **sealach**
temporary staff *n*

luchd-obrach *iol* **taice**
support staff *n*

luchd-obrach *iol* **taiceil**
auxiliary staff *n*

luchd-sgrùdaidh *iol*
inspectorate *n*
Luchd-sgrùdaidh nan Làraichean Àrsaidh
Inspectorate of Ancient Monuments

Luchd-sgrùdaidh *iol* **na Bànrighe airson Sgoiltean**
Her Majesty's Inspectors (*npl*) of Schools (HMI)

Luchd-sgrùdaidh *iol* **nan Ionadan Niuclasach**
Nuclear Installations Inspectorate *n*

Luchd-sgrùdaidh *iol* **Sheirbheisean Sòisealta**
Social Services Inspectorate *n*

luchd-siubhail *iol*
travelling people *npl*

Luchd-stiùiridh *iol* **Ròidean / Rathaidean Nàiseanta**
National Roads Directorate *n*

lùghdachadh *fir*
decline,
downturn *n*
1 **lùghdachadh ann an àireimh-shluaigh**
population decline
2 **lùghdachadh cìse**
tax reduction

lùghdaich *gr*
minimise *v*
fìor lùghdachadh a dhèanamh air cumhachdan na Roinne
to minimise the powers of the Department

lùth *fir*
energy *n*
1 **lùth-èifeachdas**
energy efficiency
2 **caomhnadh lùtha**
energy conservation

lùthmhor *br*
energetic *adj*
gu lùthmhor
energetically *adv*

mac-samhail *fir*
model,
replica *n*
1 **dèan** *gr* **mac-samhail**
replicate *v*
2 **dèanamh** *fir* **mic-shamhail**
replication *n*

mag (air) *gr*
jeer *v*

magadh *fir*
jeering *n*

maighstir *fir* **lagha**
magistrate *n*

màileid *boir* **teasairginn**
rescue package *n*

maille *boir*
delay *n*
gun mhaille
immediately,
forthwith *adv*

mair *gr*
last *v*
thug am pàrtaidh dùbhlain ionnsaigh air an riaghaltas a mhair fada
the opposition made a prolonged attack on the government

maireannach *br*
permanent *adj*

mairsinneach *br*
long-lasting *adj*
bithidh buannachdan mairsinneach aig a' phoileasaidh
the policy will have long-lasting benefits

maitheanas *fir* **coitcheann**
amnesty *n*
maitheanas coitcheann a bhuileachadh
to grant an amnesty

Malairt *boir* **Eadar-nàiseanta na h-Alba**
Scottish Trade International *n*

malairtich *gr*
exchange,
interchange,
trade *v*

manadh *fir*
prophesy,
warn *n*
cuir *gr* **air mhanadh**
prophesy,
warn *v*

manaidsear *fir*
manager *n*
manaidsearan *fir iol*
management *n* (the personnel)

manaidsear *fir* **a' phàrtaidh**
party manager *n*

manaidsear *fir* **cunnraidh**
contract manager *n*

manaidsear *fir* **iomairt**
campaign manager *n*

manaidsear *fir* **pròiseict**
project manager *n*

manaidsear *fir* **sgiobachd**
personnel manager *n*

mandat *fir*
mandate *n*

manifesto *fir*
manifesto *n*
1 gealltanas manifesto
manifesto commitment
2 cur air bhog manifesto
launch of the manifesto

maoin *boir*
fund *n*
Maoin Bhonntaichte
Consolidated Fund

Maoin *boir* **Airgid Eadar-nàiseanta**
International Monetary Fund *n* (IMF)

Maoin *boir* **airson Chothroman Ùra**
New Opportunities Fund *n*

maoin *boir* **còmhraig**
fighting fund *n*

maoin *boir sg* **cothruim**
access funds *npl*

Maoin *boir* **Cuimhneachaidh Dhualchais Nàiseanta**
National Heritage Memorial Fund *n*

Maoin *boir* **Èiginneach Cloinne Eadar-nàiseanta nan Dùthchannan Aonaichte**
United Nations International Children's Emergency Fund *n* (UNICEF)

Maoin *boir* **Iasaid do Ghnothachais Bheaga**
Small Establishments Loan Fund *n*

Maoin *boir* **Iasad Nàiseanta**
National Loans Fund *n*

Maoin *boir* **Leasachaidh nan Roinnean Eòrpach**
European Regional Development Fund *n* (ERDF)

Maoin *boir* **Leasachaidh Roinneil**
Regional Development Fund *n* (EC)

Maoin *boir* **Sàbhalaidh na Cloinne**
Save the Children Fund *n*

Maoin *boir* **Shòisealta**
Social Fund *n*

Maoin *boir* **Shòisealta na h-Eòrpa**
European Social Fund *n* (ESF)

Maoin *boir* **Structarail an Aonaidh Eòrpaich**
European Union Structural Funds *npl*

maoin *boir* **tuiteamais**
contingency fund *n*

maoineachadh *fir*
funding *n* (grant)
1 maoineachadh bhon ùghdarras Ionadail
local authority funding
2 gun mhaoineachadh iomchaidh
underfunded *adj*

maoineachadh *fir* **a rèir foirmle**
formula funding *n*

maoineachadh *fir* **calpa**
capital funding *n*

maoineachadh *fir* **co-ionann**
matched funding *n*
thèid an sgeama ionmhasachadh le maoineachadh co-ionann
the scheme will be financed by matched funding

maoineachadh *fir* **fo ìre iomchaidh**
underfunding *n*

maoinean *boir iol* **poblach**
public funds *npl*

maoinich *gr*
fund *v*
maoinich fo ìre iomchaidh
underfund

Maor *fir* **Ceartais**
Justice (*n*) of the Peace (JP)

maothachadh *fir*
mitigation *n*
1 cùisean a nì maothachadh air an t-suidheachadh
mitigating circumstances
2 ro-innleachd a nì maothachadh air an t-suidheachadh
mitigating strategy

maothachaidh *fir*
mitigating *adj*

maothaich *gr*
mitigate *v*

mar sin *cgr*
subsequently *adv*

mar thoradh air *roi*
by virtue of
mar thoradh air earrainn 5 san sgrìobhainn
by virtue of paragraph 5 of the document

margadh *fir / boir*
market *n*
1 margadh thall thairis
overseas market
2 margadh cèin
foreign market

margadh *fir* **a-muigh**
external market *n*

margadh *fir* **às-mhalairt**
export market *n*

margadh *fir* **a-staigh**
internal market *n*

margadh *fir* **coitcheann**
common market *n*

margadh *fir* **fastachd**
labour market *n*

margadh *fir* **in-mhalairt**
import economy *n*

margadh *fir* **na dùthcha fhèin**
home market *n*

margadh *fir* **nan earrannan**
stock exchange *n*

margadh *fir* **singilte na h-Eòrpa**
single European market *n*

math *fir*
interest *n*
airson math a' phobaill
in the public interest

math *br*, **is math le**
like *v*
1 bu mhath leam gun tèid an gluasad a chur
I beg that the motion be put
2 bu mhath leam na leanas a chur air adhart
I beg to move the following

math *fir* **a' phobaill**
public good *n*
a chum math a' phobaill
for the public good

màthair *boir*
mother,
source *n*

Màthair *boir* **na Pàrlamaid**
Mother (*n*) of the House / Parliament

mathas *fir*
quality *n*
1 smachd air mathas
quality control
2 cur ri mathas na h-argamaid
to raise the quality of the argument

meadhan *fir*
medium,
centre *n*,
means *npl*
1 meadhan modha
procedural mechanism
2 air gluasad bhon mheadhan
decentralised *adj*
3 meadhain
central *adj*
4 na meadhanan iomchaidh
the proper channels

Meadhan Dhùn Èideann
Edinburgh Central (Constituency)

Meadhan Fìobha
Central Fife (Constituency)

Meadhan Lodainn
Midlothian (Constituency)

Meadhan Obar Dheathain
Aberdeen Central (Constituency)

meadhanach *br*
central,
intermediate *adj*

meadhanachadh *fir*
centralisation *n*

meadhanan *fir iol*
media,
press *n*
goireasan mheadhanan
media facilities

meadhan-ùine *boir*
medium term *n*
1 sa mheadhan-ùine
in the medium term
2 dealbhadh meadhan-ùine
medium-term planning

meall-bhòt *fir*
block vote *n*

meall-bhuidseat *fir*
block budget *n*

meallta *br*
misleading *adj*

mealltaireachd *boir*
prevarication,
deception *n*
bi *gr* **ri mealltaireachd**
prevaricate *v*

meall-thabhartas *fir*
block grant *n*

mean air mhean *cgr*
gradually *adv*,
piecemeal *adj*
1 toirt *boir* **a-steach mean air mhean**
phasing-in *n*
2 dol mun cuairt an duilgheadais mean air mhean
a piecemeal approach to the problem

meang-bhlàth *br*
half-hearted *adj*
oidhirp mheang-bhlàth
a half-hearted effort

meanmna *fir*
spirit *n*
òraid a thogas meanmna (aignidhean) dhaoine
an uplifting speech

mèar *fir*
mayor *n*

mearachd *boir*
error,
mistake,
inaccuracy *n*
1 **mearachd a dhèanamh**
to commit an error,
to make a mistake
2 **mearachd a thaobh prionnsabail**
an error of principle
3 **mearachd nach deach a dhèanamh a dheòin (neach)**
an unintentional error
4 **le mearachd**
misguidedly adv
5 **cha lorgamaid mearachd na argamaid**
we could not fault his logic
6 **bi** *gr* **am mearachd**
mistake *v*
7 **dèan** *gr* **mearachd**
mistake *v*

mearachdach *br*
inaccurate,
misguided *adj*

meas *fir*
respect *n*

meas *gr*
assess,
evaluate,
quantify,
reckon *v* (count)
1 **meud na taice a mheasadh**
to evaluate the strength of support
2 **neart neach-dùbhlain a mheasadh ro ìosal**
to underestimate an opponent

meas *gr* **fon luach**
underestimate *v*

meas *gr* **gun luach**
write (*v*) off
na meas gun luach fhathast mi
do not write me off yet

Measadair *fir*
Assessor *n*

measadh *fir*
assessment,
evaluation,
appraisal *n*
1 **measadh a dhèanamh air ar suidheachadh**
to take stock of our situation
2 **dèan** *gr* **measadh (air luach)**
appraise *v*
3 **dèan** *gr* **measadh (air stoc)**
stock-take *v*
4 **measadh bhon riaghlaiche**
regulatory appraisal

measadh *fir* **clàir**
programme evaluation *n*

measadh *fir* **coileanaidh**
performance appraisal *n*

Measadh *fir* **Cosg Coitcheann**
Standard Spending Assessment *n* (SSA)

measadh *fir* **eaconamach**
economic appraisal *n*

measadh *fir* **fon luach**
underestimate *n*

measadh *fir* **luchd-obrach**
staff appraisal,
staff assessment *n*

measadh *fir* **mionaideach**
stock-take *n*
measadh mionaideach a dhèanamh air Seirbheis na Slàinte
to conduct a stock-take of the Health Service

measadh *fir* **obrach**
job evaluation *n*

measadh *fir* **sgiobachd**
personnel appraisal *n*

measarrachd *boir* **a thaobh ionmhais**
financial restraint *n*

measgachadh *fir*
combination *n*
measgachadh de shuidheachaidhean
a combination of circumstances

measgaichte *br*
miscellaneous,
sundry *adj*
1 **nithean measgaichte**
sundry items
2 **cosgaisean measgaichte**
sundry expenses

measrachadh *fir*
estimate *n*
measrachadh air cosgais
an estimate of cost

measrachadh *fir* **cosgais**
costing *n*

measraich *gr*
estimate *v*

measraichte *br*
estimated *adj*
1 **àireamh mheasraichte**
an estimated number
2 **prìs mheasraichte**
an estimated price

meòmhraich *gr*
reflect *v*
meòmhrachadh air cuspair
to reflect on a matter

meòrachan *fir*
memorandum *n*

meur-chlàr *fir*
keyboard *n* (computer)

miann *fir / boir* **adhartais**
ambition *n*
àirde miann adhartais
the height of ambition

miannach *br*
desirous *adj*
1 bi miannach air mathas na beatha a chur am feabhas
aspire to improve the quality of life
2 mhiannach air adhartas
ambitious

mì-bheusachd *boir*
indecency,
impropriety *n*

mì-bhreithneachadh *fir*
misjudg(e)ment *n*

mì-bhreithnich *gr*
misjudge *v*

mì-chàilear *br*
distasteful *adj*
tha an cuspair mì-chàilear do Bhuill
the subject is distasteful to Members

mì-cheadaich *gr*
disallow *v*
chaidh an clàr atharrachadh gus na bhòtaichean aca a mhì-cheadachadh
the record was amended to disallow their votes

mì-cheart *br*
unjust *adj*

mì-chiataidh *boir*
disapprobation *n*
le mì-chiataidh
on suffrage

mì-chinnt *boir*
uncertainty *n*

mì-chleachdadh *fir*
malpractice *n*

mì-chliù *fir*
disrepute *n*
mì-chliù a tharraing air rud
bring something into disrepute

mì-chliùiteach *br*
defamatory,
disreputable *adj*
1 goth mì-chliùiteach
defamatory remark
2 dol a-mach mì-chliùiteach
disreputable behaviour / conduct

mì-chliùthachadh *fir*
defamation n

mì-chliùthaich *gr*
discredit,
defame *v*

mì-chneasta *br*
unholy *adj*

mì-choileanadh *fir*
misfeasance *n*

mì-chomhairleach *br*
ill-advised *adj*
gnìomh mì-chomhairleach
an ill-advised action

mì-chòrd *gr*
mismatch *v*

mì-chòrdadh *fir*
mismatch *n*
tha mì-chòrdadh eadar A agus B
there is a mismatch between A and B

mì-chothromach *br*
unfair *adj*

mì-chreideas *fir*
discredit *n*
gu a mhì-chreideis
to his discredit

mì-earbsa *boir*
misgivings *npl*

mì-fhortanach *br*
unfortunate *adj*
bha e ann an suidheachadh mì-fhortanach
he was in an unfortunate position

mì-fhreagarrach *br*
unsuitable,
unworthy *adj*

mì-ghiùlan *fir*
misconduct *n*
fìor mhì-ghiùlan
gross misconduct

mì-ghnàthachadh *fir*
abuse *n*
1 mì-ghnàthachadh air suidheachadh ùghdarrasach
abuse of a dominant position
2 mì-ghnàthachadh air ùghdarras
abuse of authority

mì-ghnàthaich *gr*
abuse *v*

mì-ghnìomh *fir*
misdemeanour *n*
mì-ghnìomh a dhèanamh
to commit a misdemeanour

mì-iomchaidh *br*
improper,
compromising *adj*
1 giùlan mì-iomchaidh
improper conduct
2 suidheachadh mì-iomchaidh
a compromising position

mì-iomchaidheachd *boir*
impropriety *n* (improper conduct)

mì-laghail *br*
illegal,
unlawful *adj*

mì-laghalachd *boir*
illegality *n*
lawlessness *n*

mileanta *br*
militant *adj*

mileantach *fir*
militant *n*

mì-leasaich *gr*
disadvantage *v*

mill *gr*
compromise *v*

millteach *br*
detrimental,
vicious *adj*
1 **millteach air ar leas san fhad-ùine**
detrimental to our long-term interests
2 **cearcall millteach**
vicious circle

mì-mhodh *boir*
misbehaviour *n*
bi *gr* **ri mì-mhodh**
misbehave *v*

mì-mhodhail *br*
discourteous *adj*
freagairt mhì-mhodhail
a discourteous reply

mìneachadh *fir*
definition,
explanation,
interpretation *n*
1 **tro mhìneachadh**
by definition
2 **a mhìneachadh air an lagh**
his interpretation of the law
3 **mar thoradh air a' mhìneachadh sin**
in the light of that explanation

mìneachail *br*
explanatory *adj*
nota mìneachaidh
an explanatory note

mìnich *gr*
interpret,
explain,
outline *v*,
set (*v*) out
mar a tha air a mhìneachadh anns na leanas
as detailed below

minigeachd *boir*
frequency *n*
minigeachd rèidio
radio frequency

Ministear *fir*
Minister *n*

Ministear *fir* **a' Cheartais Shòisealta**
Minister (*n*) for Social Justice

Ministear *fir* **a' Chrùin**
Minister (*n*) of the Crown

Ministear *fir* **an Àiteachais, an Iasgaich agus a' Bhidhe**
Minister (*n*) of Agriculture, Fisheries and Food (UK Government)

Ministear *fir* **an Fhoghlaim, na Roinn Eòrpa agus Chùisean Taoibh A-muigh**
Minister (*n*) for Education, Europe and External Affairs

Ministear *fir* **an Ionmhais agus Riaghaltais Ionadail**
Minister (*n*) for Finance and Local Government

Ministear *fir* **an Leasachaidh Dhùthchail**
Minister (*n*) for Rural Development

Ministear *fir* **gun Chùram Roinne**
Minister (*n*) without Portfolio

Ministear *fir* **na Còmhdhail**
Minister (*n*) for Transport

Ministear *fir* **na h-Àrainneachd, an Spòrs agus a' Chultair**
Minister (*n*) for Environment, Sport and Culture

Ministear *fir* **na h-Iomairt agus an Fhòghlaim Bheatha**
Minister (*n*) for Enterprise and Lifelong Learning

Ministear *fir* **na Pàrlamaid**
Minister (*n*) for Parliament

Ministear *fir* **na Slàinte is Cùraim Choimhearsnachd**
Minister (*n*) for Health and Community Care

Ministear *fir* **Stàite**
Minister (*n*) of State

ministreachd *boir*
ministry *n*

ministreil *br*
ministerial *adj*

miocrofon *fir*
microphone *n*

mì-oileanach
unedifying *adj*
sealladh mì-oileanach
an unedifying spectacle

mionaideach *br*
detailed,
elaborate *adj*
1 **dealbhadh mionaideach**
an elaborate design
2 **rannsachadh mionaideach air na thachair**
a detailed examination of the facts
3 **'s ann anns na nithean mionaideach a tha an deuchainn**
the devil is in the detail

mì-onair *boir*
dishonesty *n*

mì-onarach *br*
dishonest *adj*

mion-atharrachadh *fir*
modification *n*
òrdugh mion-atharrachaidh
modification order

mion-atharrachadh *fir* **reachdail**
statutory modification *n*

mion-atharraich *gr*
modify *v*

mion-bhuidheann *boir*
minority group *n*

mion-chànan *fir*
minority language,
lesser-used language *n*

mion-cheasnachadh *fir*
inquisition *n*

mion-cheasnaiche *fir*
inquisitor *n*

mion-chomharrachadh *fir*
specification *n*

mion-fhiosrachadh *fir*
brief,
briefing *n*
mion-fhiosrachadh a thoirt do neach-tagraidh
to brief a barrister

mionn *fir / boir*
oath *n*
1 **dol air mhionnan**
to swear an oath
2 **cunntas fo mhionnan**
a sworn statement
3 **a bhith air cur fo mhionnan**
to be sworn in

mionnaich *gr*
swear *v*
mionnachadh
to swear on oath / an oath

mionnan *fir iol / boir iol* **eithich**
perjury *n*
chan fhaod mi na mionnan eithich a thoirt
I must not perjure myself

mionn-sgrìobhainn *boir*
affidavit *n*

mion-sgrùdadh *fir*
analysis *n*
(mion-)sgrùdadh chosgaisean
analysis of costs

mion-sgrùdadh *fir* **cosgais**
cost analysis *n*
mion-sgrùdadh cosgais is buannachd
cost-benefit analysis

mion-sgrùdadh *fir* **dàta**
data analysis *n*

mion-sgrùdaire *fir* **poblach**
public analyst *n*

mìosachan *fir*
calendar *n*

mìr *fir*
fragment *n*
falbh *fir* **na mhìrean**
fragment,
fragmentation *n*

mìreanaich *gr*
fragment *v*

mì-reusanta *br*
unreasonable *adj*

mì-rian *boir*
disorder,
disruption *n*
giùlan a nì mì-rian
disruptive behaviour

mì-rianachd *boir*
maladministration *n*

mì-rianail *br*
disorderly *adj*
dol a-mach mì-rianail
disorderly conduct

mì-riochdachadh *fir*
misrepresentation *n*

mì-riochdaich *gr*
misrepresent *v*

mì-sgiobalta *br*
untidy *adj*
sgrìobhainn mhì-sgiobalta
an untidy document

mì-shàbhailte *br*
unsafe *adj*

mì-sheirbheis *boir*
disservice *n*
bu mhòr a' mhì-sheirbheis a thug e don choimhearsnachd
he has done a great disservice to the community

mì-shòisealta *br*
unsocial *adj*
giùlan mì-shòisealta
unsocial behaviour

misneachadh *fir*
reassurance *n*
1 **misneachadh a thoirt**
to give a reassurance
2 **thoir** *gr* **misneachadh do**
reassure *v*

misneachail *br*
confident,
reassuring *adj*

misneachd *boir*
morale *n*

misnich *gr*
encourage *v*
tha an naidheachd gar misneachadh gu mòr
the news encourages us greatly

mì-theagaisg *gr*
misinstruct *v*

mithich *boir*
proper time *n*
dùnadh ron mhithich air an deasbad
premature closure of the debate

mì-thlachdmhor
unedifying *adj*
mì-thlachdmhor
an unedifying spectacle

mì-thràthail *br*
inopportune,
ill-timed *adj*
1 **àm mì-thràthail**
an inopportune moment
2 **bha an eadar-theachd mì-thràthail**
the intervention was ill-timed

mì-thuig *gr*
misjudge,
misconstrue *v*
1 **tha thu air fonn an t-sluaigh a mhì-thuigsinn**
you have misjudged the mood of the people
2 **mhì-thuig thu na thubhairt mi**
you misconstrue what I said

mì-thuigse *boir*
misjudg(e)ment,
misapprehension *n*
1 **'s e droch mhì-thuigse air a' chùis a bha anns a' cho-dhùnadh**
the decision was a serious misjudg(e)ment
2 **mì-thuigse a bhith aig neach (air cùis)**
to labour under a misapprehension

Mòd *fir* **Nàiseanta Rìoghail**
Royal National Mod *n*

modail *fir*
model *n*

modarat *br*
moderate *br*

modaratach *fir*
moderate *n*

modh *fir / boir*
procedure,
process,
channel *n*
1 **modh dhligheach an lagha**
the due process of law
2 **na modhan àbhaisteach**
the usual channels
3 **modhan conaltraidh**
channels of communication
4 **modhan rianachd**
channels of procedure
5 **bha na modhan gun a bhith riaghailteach**
there were irregularities in the procedures
6 **a bhuineas do mhodh**
procedural *adj*
7 **modha**
procedural *adj*

modh *boir* **cainnte**
form *n* (of words)

modh *boir* **casaideachaidh**
impeachment procedure *n*

modh *boir* **co-chomhairleachaidh**
consultation procedure *n*

modh *boir* **dealbhaidh**
planning procedure,
planning process *n*

modh *boir* **dheamocratach**
democratic process *n*

modh *boir* **gearain**
complaints procedure *n*

modh *boir* **gheàrr ùineach**
short-termism *n*

modh *boir* **phoileataigeach**
political process *n*

modh *boir* **sgrùdaidh**
monitoring procedure *n*

modh *boir* **smachdachaidh**
disciplinary procedure *n*

modh *boir* **taghaidh**
selection procedure *n*

modhail *br*
courteous *adj*
1 **freagairt mhodhail**
a courteous reply
2 **airson a bhith modhail**
as a matter of courtesy

modhalachd *boir*
courtesy *n*

modhan *boir iol* **coinneimh**
meeting procedures *npl*

modhan *boir iol* **laghail**
legal proceedings *n*

modhan-obrach *boir iol*
machinery *n*
modhan-obrach riaghaltais
the machinery of government

modh-labhairt *fir*
expression *n* (verbal)

modh-obrachaidh *boir*
process *n*
a' mhodh-obrachaidh phoileataigeach
the political process

Moireabh
Moray (Constituency)

moit *boir*
pride *n*

moiteil *br*
proud *adj*
1 **a bhith moiteil às na choilean sinn**
to be proud of our achievements
2 **a bhith moiteil às ar n-obair**
to take pride in our work
3 **nithean a chaidh a choileanadh às am faodar a bhith moiteil**
a proud record

mol *gr*
commend,
recommend,
suggest,
advocate,
counsel,
propose *v*
1 **tha e a' moladh an t-siostaim ùir gu làidir**
he is a keen advocate of the new system
2 **tha e a' moladh faicill**
he counsels caution
3 **atharrachadh a mholadh**
to propose an amendment
4 **reachdas a tha air a mholadh**
proposed legislation

moladh *fir*
recommendation,
suggestion,
proposal,
tribute *n*
1 **tha mi airson a mholadh**
I pay tribute to him
2 **dèanamh a rèir mholaidhean**
to act on recommendations

monarc *fir*
monarch *n*
monarc bun-reachdail
constitutional monarch

monarcach *fir*
monarchist *n*

monarcachd *boir*
monarchy *n*
monarcachd bhun-reachdail
constitutional monarchy

monopolaidh *fir le boir*
monopoly *n*

mòr *br*
big *adj*
(an nì) as motha
maximum *n*

mòraich *gr*
dignify *v*

morair *fir*
lord,
peer *n*
1 **Am Morair Dòmhnallach**
(The) Lord MacDonald
2 **morair fad beatha**
life peer
3 **morair na rìoghachd**
peer of the realm

Morair *fir* **an Ath-thagraidh**
Lord (*n*) of Appeal

Morair *fir* **Dearg**
Law Lord *n*

morair *fir* **oighre**
hereditary peer *n*

morair *fir* **suidhichte**
appointed peer

Morair *fir* **Tagraidh**
Lord Advocate *n*

Morair *fir* **Tagraidh na h-Alba**
Lord Advocate (*n*) of Scotland

moraireachd *boir*
peerage *n*
1 **chaidh moraireachd a thoirt dha**
he was given a peerage
2 **chaidh a h-àrdachadh don mhoraireachd**
she was elevated to the peerage

Morairean *fir iol*
Lords *n*
ann an Taigh nam Morairean
in the (House of) Lords

Morair-ionaid *fir* **a' Chrùin**
Lord Lieutenant *n*

mòralachd *boir*
dignity *n*
mòralachd na Pàrlamaid
the dignity of the Parliament

moralta *br*
moral *adj*

moraltachd *boir*
morality *n*
moraltachd phoblach
public morality

mòr-bhrathadh *fir*
high treason *n*

mòr-bhuidheann *boir*
majority group *n*

mòr-chànan *fir*
majority language *n*

mòr-choimpiutar *fir*
mainframe computer *n*

mòr-chuid *boir*
majority *n*
1 **tha a' mhòr-chuid leinn**
we are in the majority
2 **tha sinne sa mhòr-chuid**
we are in the majority
3 **a' mhòr-chuid shàmhach**
the silent majority
4 **barail na mòr-chuid**
the weight of opinion
5 **a' mhòr-chuid chumanta**
rank and file *n*
6 **bhon mhòr-chuid chumanta**
rank and file *adj*

mòr-chuid *boir* **iomlan**
absolute majority,
overall majority *n*

mòr-chuid *boir* **ion-dhèante**
workable majority *n*

mòr-chuid *boir* **le aonta**
qualified majority *n*
bhòtadh mòr-chodach le aonta
qualified majority voting

mòr-chuid *boir* **leis an gabh obrachadh**
working majority *n*

mòr-chuid *boir* **shimplidh**
simple majority *n*

mòr-mhiann *fir*
aspiration *n* (desire to achieve a goal)

mòr-phàrtaidh *fir*
majority party *n*

mòr-shiubhal *fir*
procession *n*
mòr-shiubhal an Labhraiche
Speaker's procession

mòr-shluagh *fir*
public *n*
1 **air beulaibh a' mhòr-shluaigh**
in public
2 **cuir air beulaibh a' mhòr-shluaigh**
to publicise

mòr-thraoidhtearachd *boir*
high treason *n*

mòr-thuigseach *br*
highly intelligent *adj*
neach mòr-thuigseach
a person of great intelligence

mothachadh *fir*
awareness *n*
1 **mothachadh a dhùsgadh**
to raise awareness
2 **mothachadh a chruthachadh**
to raise awareness

mothachail *br*
responsive,
aware,
alert *adj*
1 **riaghaltas mothachail**
responsive government
2 **(daoine) a dhèanamh mothachail air fìrinn na cùise**
to raise awareness of the facts
3 **tha mi mothachail air an t-suidheachadh**
I am sensitive to the situation
4 **tha sinn mothachail air an t-suidheachadh**
we are aware of the situation
5 **tha mi mothachail air a' chunnart**
I am alert to the danger

mu dheireadh *cgr*
ultimate *adj*
1 **an cathraiche mu dheireadh**
immediate past chairman
2 **an ìre mu dheireadh san dol air adhart**
the ultimate stage in the process
3 **an ìre mu dheireadh sa chùis ach aon**
the penultimate stage in the process
4 **chaidh an sàbhaladh aig a' mhionaid mu dheireadh**
they were rescued at the eleventh hour

mu làr *cgr*
lapsed *adj*
rach *gr* **mu làr**
lapse *v*

mu sgaoil *cgr*
at large *adv*
1 **leig e an sgrìobhainn mu sgaoil chun nam meadhanan**
he leaked the document to the press
2 **a' Phàrlamaid a chur mu sgaoil**
to dissolve Parliament

mu thimcheall *roi le gin*
concerning *prep*
sgrìobh i mu thimcheall na ceiste seo
she wrote concerning this problem

mùch *gr*
stifle *v*
deasbad a mhùchadh
to stifle debate

mùchadh *fir*
suppression *n*

munaiseapail *br*
municipal *adj*

mur *nr*
unless *conj*
thèid e na lagh mur cuir sinn stad air
it will become law unless we can prevent it

mur-bhiodh
quibble *n*
barrantas gun mur-bhiodh
a no-quibble guarantee

naidheachdas *fir*
journalism *n*

nàimhdeas *fir*
hostility *n*
chaidh nàimhdeas a nochdadh dha
hostility was shown towards him

nàire *boir*
embarrassment *n*
adhbhar nàire
a cause of embarrassment

nàisean *fir*
nation *n*
a chum leas an nàisein
in the national interest

nàiseanachas *fir*
nationhood *n*

nàiseanta *br*
national *adj*
1 **dualchas nàiseanta**
national heritage
2 **teachd-a-steach nàiseanta**
national income
3 **tèarainteachd nàiseanta**
national security

nàiseantach *br*
nationalist *adj*

nàiseantach *fir*
nationalist *n*

nàiseantachail *br*
nationalistic *adj*

nàiseantachas *fir*
nationalism *n*

nàiseantachd *boir*
nationality *n*

nàrach *br*
embarrassing *adj*
suidheachadh nàrach
an embarrassing situation

nàraich *gr*
embarrass *v*
lùigeadh iad am ministear a nàrachadh
they wish to embarrass the minister

NATO *fir*
NATO *n*

neach *fir*
individual *n*

neach-agallaimh *fir*
interviewee *n*

Neach-aithisg *fir* **Oifigeil**
Official Reporter *n*

neach-aithris *fir*
commentator *n*

neach-amhairc *fir*
observer *n*

neach-bacaidh *fir*
obstructionist *n*

neach-bhòtaidh *fir*
voter *n*

neach-bhòtaidh *fir* **neo-cheangailte**
floating voter *n*

Neach-casaid *fir* **a' Chrùin**
Procurator (*n*) Fiscal
Seirbheis Luchd-casaid a' Chrùin
Procurator Fiscal Service

neach-cathrach *fir* **comataidh**
committee chair / chairman / chairperson *n*

neach-ceasnachaidh *fir*
inquisitor

Neach-clàraidh *fir* **air Breith, Pòsadh is Bàs**
Registrar (*n*) of Births, Marriages and Deaths

Neach-clàraidh *fir* **air Cosgaisean Ionadail Fearainn**
Registrar (*n*) of Local Land Charges

neach-coiteachaidh *fir*
lobbyist *n*

neach-comhairleachaidh *fir*
adviser *n*
neach-comhairleachaidh poileasaidh
policy adviser

neach-còmhnaidh *fir*
resident *n*

neach-cuideachaidh *fir*
aide,
assistant,
facilitator *n*
neach-cuideachaidh pearsanta
personal assistant (PA)

neach-cunntaidh *fir*
teller *n*
neach-cunntaidh aig taghadh
teller at an election

neach-dàimh *fir*
relative *n* (family)

neach-deachdaidh *fir*
dictator *n*
b' e neach-deachdaidh na litreach
he was the dictator of the letter

neach-deasachaidh *fir* **poileataigeach**
political editor *n*

neach-dìona *fir*
defendant *n*

neach-dùbhlain *fir*
opponent *n*

neach-eadraiginn *fir*
arbitrator *n*

neach-freagairt *fir*
respondent *n*
neach-freagairt fòn
telephonist

neach-gairm *fir*
convener *n*
neach-gairm nàiseanta a' phàrtaidh
national convener of the party

neach-grèisidh (naidheachdan) *fir*
spin doctor *n*

neach-innleachd *fir*
tactician *n*
sàr neach-innleachd
a master tactician

neach-iomairt *fir*
campaigner *n*

neach-ionaid *fir*
agent,
lieutenant (associate),
proxy,
substitute *n*
1 **neach-ionaid dìleas**
a trusty lieutenant
2 **bhòta neach-ionaid**
proxy vote
3 **neach-ionaid pàrlamaideach**
parliamentary agent
4 **bhòtadh tro neach-ionaid**
to vote by proxy

neach-iùil *fir*
guide *n* (person)

neach-labhairt *fir*
speaker,
spokesperson *n*
neach-labhairt dùbhlain
shadow spokesperson

neach-lagha *fir*
lawyer,
solicitor *n*

Neach-lagha *fir* **Oifigeil**
Official Solicitor *n*

Neach-lagha *fir* **Riaghaltas na h-Alba**
Solicitor (*n*) to the Scottish Executive

neach-luachaidh *fir* **sgìreil**
district valuer *n*

neach-molaidh *fir*
proposer *n*
neach-molaidh a' ghluasaid
the proposer of the motion

neach-naidheachd *fir*
journalist *n*

neach-naidheachd *fir* **an lobaidh**
lobby correspondent *n*

neach-naidheachd *fir* **poileataigeach**
political correspondent *n*

neach-obrach *fir*
employee,
worker *n*

neach-pàighidh *fir* **cìse**
taxpayer *n*

neach-poileataics *fir*
politician *n*

neach-rèiteachaidh *fir*
arbiter *n*

neach-sgrùdaidh *fir*
inspector *n*
Àrd-neach-sgrùdaidh nan Sgoiltean (don Bhànrigh)
Her Majesty's Chief Inspector of Schools

neach-sgrùdaidh chunntasan *fir*
auditor n
aithisg neach-sgrùdaidh nan cunntasan
auditor's report

neach-tadhail *fir*
stranger,
visitor n
suaicheantas / bileag neach-tadhail
visitor's badge / label

neach-taghaidh *fir*
elector n

neach-taghaidh *fir* **roinne-pàrlamaid**
constituent n

neach-tagraidh *fir*
barrister,
advocate,
counsel n

Neach-tagraidh an Rìgh *fir*
King's Counsel n (KC)

Neach-tagraidh *fir* **na Bànrighe**
Queen's Counsel n (QC)

neach-taice *fir*
supporter,
seconder n (of motion)

Neach-teagaisg *fir* **le Ùr Theisteanas**
Newly Qualified Teacher *n* (NQT)

neach-teiche *fir*
defector *n*

neach-teòiridh *fir*
theoretician *n*
b' e neach-teòiridh a' phàrtaidh
he was the theoretician of the party

neach-tionnsgain *fir*
entrepreneur *n*

neach-togail-fianais *fir*
protester,
demonstrator *n*

neach-truaillidh *fir*
corruptor *n*

neach-trusaidh *fir* **nam fiach**
receiver *n* (bankruptcy)
Neach-trusaidh Oifigeil nam Fiach
the Official Receiver

neart *fir*
power (physical strength),
force *n*
1 achd ann an làn neart is èifeachd
an act in full force and effect
2 neart bhòtaidh
voting strength

neartaich *gr*
strengthen *v*
dleastanas luchd-riaghlaidh-sgoile a neartachadh
to strengthen the role of school governors

neo-aireach *br*
inadvertent *adj*
facal neo-aireach
an inadvertent remark

neo-airidh *br*
unworthy,
unfit *adj*
tha e neo-airidh air dreuchd phoblaich
he is unfit to hold public office

neo-bharganachaidh *br*
non-negotiable *adj*

neo-bhòtaidh
non-voting *adj*
ann an dreuchd neo-bhòtaidh
in a non-voting capacity

neo-bhrìgheachas *fir*
invalidity *n*

neo-bhrìgheil
invalid *adj*
deasbaireachd neo-bhrìgheil
an invalid argument

neo-bhrìoghmhor *br*
null *adj*

neo-bhrìoghmhorachd *boir*
nullity *n*

neo-bhuailteach *br*
exempt *adj*
neo-bhuailteach do chìs
exempt from tax

neo-bhuaireanta *br*
non-confrontational *adj*

neo-cheadaichte *br*
ineligible *adj*
neo-cheadaichte bhòtadh
ineligible to vote

neo-cheangaltach *br*
non-committal *adj*
bha an fhreagairt neo-cheangaltach
the reply was non-committal

neo-chinnteach *br*
inconclusive *adj*
bha an deasbad neo-chinnteach
the debate was inconclusive

neo-chiontach *br*
innocent *adj*
neo-chiontach de dh'eucoir
innocent of a crime

neo-chiontachd *boir*
innocence *n*
do neo-chiontachd a nochdadh
to declare your innocence

neo-chlaonachd *boir*
impartiality *n*

neo-chlèir *boir*
laity *n*

neo-choileanadh *fir* **(dligheach)**
nonfeasance *n*

neo-choileanta *br*
insufficient *adj*
adhbhar neo-choileanta
insufficient ground

neo-choireach *br*
innocent *adj*
claon-iomradh neo-choireach
innocent misrepresentation

neo-chomasach *br*
incompetent
1 tha e neo-chomasach dhomh a thighinn gu co-dhùnadh
I am incompetent to decide
2 tha am Ministear gu tur neo-chomasach
the Minister is totally incompetent

neo-chomasachd *boir*
incompetence *n*

neo-chrìochnach *br*
unlimited *adj*
dligheachas neo-chrìochnach
unlimited jurisdiction

neo-chruinneas *fir*
inaccuracy *n*

neo-chunbhalach *br*
inconsistent *adj*

neo-chunbhalachd *boir*
inconsistency *n*

neo-dhìreach *br*
indirect *adj*

neo-dhlighealachd *boir*
illegitimacy *n*

neo-dhligheil *br*
illegitimate *adj*

neodrail *br* **a thaobh teachd-a-steach**
revenue-neutral *adj*

neo-èifeachdas *fir*
inefficiency *n*

neo-eisimeileach *br*
independent,
autonomous
(independent in action),
free-standing,
objective *adj*
1 còrdadh neo-eisimeileach
a free-standing agreement
2 measadh neo-eisimeileach
an objective assessment
3 a' bruidhinn gu neo-eisimeileach
objectively speaking
4 lagh neo-eisimeileach
sovereign law

neo-eisimeileach *fir*
independent *n*

neo-eisimeileachd *boir*
independence,
objectivity,
non-alignment *n*

neo-eòlaiche
layman *n*

neo-fhèinealachd *boir*
selflessness *n*

neo-fhèineil *br*
selfless *adj*
dìlseachd neo-fhèineil do dhleastanas
selfless devotion to duty

neo-fhìor *br*
untruthful *adj*
nì *fir* **neo-fhìor**
untruth *n*

neo-fhoirmealachd *boir*
informality *n*

neo-fhoirmeil *br*
informal *adj*
còmhradh neo-fhoirmeil
informal discussion

neo-fhollaiseach *br*
unobtrusive *adj*

neo-ghèilleadh *fir*
non-compliance *n*
neo-ghèilleadh do na riaghailtean
non-compliance with the rules

neo-ghlic *br*
unwise,
ill-advised *adj*

neo-iomchaidh *br*
inappropriate *adj*
1 dòigh-ghiùlain neo-iomchaidh
inappropriate behaviour
2 bhiodh e neo-iomchaidh dhomhsa a bhith sa chathair airson a' chuspair seo
it would be inappropriate for me to preside over this item

neo-ionannas *fir*
inequity *n*
feumar dèiligeadh ris an neo-ionannas seo
this inequity must be addressed

neo-ionnsaichte
provincial *adj*

neo-ion-tràchda *br*
non-negotiable *adj*

neo-laghail *br*
non-legal *adj*

neo-làthaireach *br*
absent *adj*

neo-làthaireach *fir*
absentee *n*

neo-làthaireachas *fir*
absenteeism *n*

neo-làthaireachd *boir*
absence *n*

neo-leasaichte *br*
inchoate *adj*

neo-mhinistreil *br*
non-ministerial *adj*

neoni *fir*
nothing,
zero *n*
1 cuir air neoni
to quash (a conviction)
2 bun-ìre neoni
zero base-rate

neonitheach *br*
null *adj*

neonitheachd *boir*
nullity *n*

neo-oifigeil *br*
unofficial *adj*
cainnt neo-oifigeil
unofficial language

neo-phàirteach *br*
neutral *br*

neo-phàirteachd *boir*
neutrality *n*
neo-phàirteachd phoileataigeach
political neutrality

neo-phàrlamaideach *br*
unparliamentary *adj*
1 cainnt neo-phàrlamaideach
unparliamentary language
2 giùlan neo-phàrlamaideach
unparliamentary conduct

neo-phoileataigeach *br*
apolitical,
non-political *adj*

neo-phra(g)taigeach *br*
impractical,
unrealistic *adj*
poileasaidh neo-phra(g)taigteach
an unrealistic policy

neo-reachdail *br*
non-statutory *adj*
comataidh neo-reachdail
a non-statutory committee

neo-riaghailteach *br*
arbitrary,
irregular *adj*
1 co-dhùnadh neo-riaghailteach
arbitrary decision
2 ceist a mheas neo-riaghailteach
to rule a question out of order

neo-riaghailteachd *boir*
irregularity *n*
bha neo-riaghailteachdan sna modhan
there were irregularities in the procedures

neo-riaghlaichte *br*
unregulated *adj*

neo-riatanach *br*
unnecessary *adj*

neo-riochdaichte *br*
unrepresented *adj*

neo-sgaoileadh *fir*
non-disclosure *n*
aonta neo-sgaoilidh
non-disclosure agreement

neo-sheasmhach *br*
unstable *adj*

neo-shoilleir *br*
vague *adj*

neo-shoilleireachd *boir*
vagueness *n*

neo-thaghte *br*
unelected *adj*

neo-thaobhach *br*
non-aligned *adj*

neo-thaobhachas *fir*
non-alignment *n*

neo-tharbhach *br*
abortive,
unproductive *adj*
1 obair-pàipeir neo-tharbhach
abortive paperwork
2 beachdachadh neo-tharbhach
an unproductive discussion

neo-thruacanta *br*
implacable *adj*
neach-dùbhlain neo-thruacanta
an implacable opponent

neo-thruaillidh *br*
incorruptible *adj*

nì *fir*
thing,
factor *n*
1 nì (a tha) air thoiseach
priority
2 chan fhaigh a' chùis seo mòr àite air thoiseach air nithean eile
this matter will receive little priority
3 nì a lìonas beàrn
stop-gap
4 nithean ceudna a choimeas (ri chèile)
to compare like with like
5 nithean ceudna am malairt a chèile
like for like

nialas *fir*
zero *n*
bun-ìre nialasach
zero base-rate

nì-ionaid *fir*
substitute *n* (object)

nimheil *br*
virulent *adj*
deasbad nimheil
a virulent debate

nochd *gr*
show *v*
1 **bha an òraid a' nochdadh mar a bha e a' faireachdainn**
the speech was indicative of his attitude
2 **na nochd aig an taghadh**
the turnout at the election

nodhachadh *fir*
modernisation *n*

norm *fir*
norm *n*

nòsan agus ro-eisimpleirean *fir iol*
forms and precedents *npl*

nota-chinn *boir*
headnote *n* (to a law report)

notaichean *boir iol* **brath-ullachaidh**
briefing notes *npl*

nuadhasach *br*
innovatory *adj*

nuadhasair *fir*
innovator *n*

nurs *boir*
nurse *n*
nurs ainmichte
named nurse

Nurs *boir* **Chloinne Tinne Chlàraichte**
Registered Sick Children's Nurse *n*

Nurs *boir* **Choitcheann Chlàraichte**
Registered General Nurse *n* (RGN)

Nurs *boir* **Inntinneil Chlàraichte**
Registered Mental Nurse *n*

Nurs *boir* **Stàit-chlàraichte**
State Enrolled Nurse *n* (SEN)

obair *boir*
job,
work,
operation,
vacancy *n*
1 **obair a tha air càrnadh**
a backlog of work
2 **tòiseachadh air obair**
to come into operation
3 **obair a tha ga leantainn**
work in progress
4 **obair ionmholta a rinneadh**
an outstanding record of achievement
5 **ag obair air a cheann / a ceann / an ceann fhèin**
self-employed adj

obair *boir* **co-chomhairleachaidh**
consultation exercise *n*

obair *boir* **èiginn**
emergency work *n*

obair *boir* **phoileis**
policing *n*

obair *boir* **rùnaireachd**
secretarial work *n*

obair *boir* **shealach**
temporary work *n*

obair *boir* **shòisealta**
social work *n*
Luchd-sgrùdaidh Seirbheisean Obrach Shòisealta
Social Work Services Inspectorate

obair *boir* **taobh a-muigh uairean àbhaisteach**
overtime *n*

obair *boir* **tèarainteachd**
security operation *n*

obair-chlèireachd *boir*
clerical work *n*

obair-cùise *boir*
casework *n*

obair-òigridh *boir*
youth work

Obar Dheathain a Deas
Aberdeen South (Constituency)

Obar Dheathain a Tuath
Aberdeen North (Constituency)

obrachadh *fir*
working,
workings *npl*
1 **obrachadh an t-siostaim Chomataidh**
the working of the Committee system
2 **obrachadh an riaghaltais**
the workings of government
3 **obrachaidh**
operational *adj*

obrachadh *fir* **dàta**
data processing *n*

obrachadh *fir* **fiosrachaidh**
information processing *n*

obrachadh *fir* **sùbailte**
flexible working *n*

obraich *gr*
act,
function,
operate,
work *v*
1 **obraich an aghaidh**
militate against
2 **tha teagamh agam gun gabh am plana obrachadh**
I have doubts about the viability of the plan
3 **ag obrachadh**
operational *adj*
4 **moladh a ghabhas obrachadh**
viable proposition

obraichean *boir* **calpa**
capital works *npl*
prògram obraichean calpa
capital works programme

Ochaill
Ochil (Constituency)

oibriche *fir* **fòn**
telephone operator *n*

oibriche-òigridh *fir*
youth worker

oideachadh *fir*
instruction *n*
oideachadh foghlamach
educational instruction

oideachas *fir* **cànain**
language tuition *n*

oidhirp *boir*
bid,
effort *n*
1 **oidhirp air saorsa**
a bid for freedom
2 **oidhirp leth choma**
a half-hearted effort

oidich *gr*
instruct *v*

oifig *boir*
office,
occupation *n*
ball den chomataidh do bhrìgh oifige
ex-officio member of the committee

oifigear *fir*
officer *n*
1 **prìomh oifigear**
senior officer
2 **àrd-oifigear**
senior officer
3 **oifigear-gnìomha**
executive officer
4 **oifigear clèireachd**
clerical officer

oifigear *fir* **ainmeachaidh**
nominating officer *n*

oifigear *fir* **an ionmhais**
finance officer *n*

oifigear *fir* **an taghaidh**
presiding officer *n*
(at polling station)

oifigear *fir* **ceangail**
liaison officer *n*

oifigear *fir* **clàraidh an taghaidh**
electoral registration officer *n*

oifigear *fir* **clàraidh nan taghaidhean**
electoral registration officer *n*

oifigear *fir* **dàimh phoblaich**
public relations officer *n* (PRO)

oifigear *fir* **faire**
security officer *n*

oifigear *fir* **fastadh òigridh**
youth employment officer *n*

oifigear *fir* **fiosrachaidh**
information officer *n*

oifigear *fir* **lagha**
law officer *n*

oifigear *fir* **meidigeach sgoiltean**
school medical officer *n*

Oifigear *fir* **na Luirge**
Mace Bearer *n*

oifigear *fir* **nam meadhanan**
press officer *n*

oifigear *fir* **poileis**
police officer *n*

oifigear *fir* **pròiseict stiùbhardachd**
stewardship project officer *n*

oifigear *fir* **riaghaltais ionadail**
local government officer *n*

oifigear *fir* **sgiobachd**
personnel officer *n*

oifigear *fir* **sgrùdaidh**
monitoring officer *n*

oifigear *fir* **slàinte a' phobaill**
public health officer *n*

oifigear *fir* **slàinte meidigeach**
medical officer (*n*) of health

oifigear *fir* **taghaidh**
returning officer *n* (in elections)
oifigear an taghaidh
the returning officer

oifigear *fir* **tèarainteachd**
security officer *n*

oifigear *fir* **trèanaidh**
training officer *n*

Oifigear-ceangail *fir* **airson Smachd Sgrùdaidh**
Survey Control Liaison Officer *n* (SCLO)

oifigear-gnìomha *fir*
executive officer *n*

oifigear-leasa *fir* **foghlaim**
educational welfare officer *n*

Oifigear-riaghlaidh *fir*
Presiding Officer *n* (Parliament)

oifigear-taghaidh *fir*
electoral officer *n*

oifigeil *br*
official *adj*

oifis *boir*
office *n* (place)

oifis *fir* **a' bhòtaidh**
vote office *n*

Oifis *boir* **a' Bhùird**
Table Office *n*

Oifis *boir* **a' Chaibineit**
Cabinet Office *n*

Oifis *boir* **a' Chrùin**
Crown Office *n*

oifis *boir* **a' phuist**
post office *n* (building)
Oifis a' Phuist
Post Office (CONSIGNIA) (organisation)

Oifis *boir* **airson Chunntasan agus Rannsachaidhean Sluaigh**
Office (*n*) of Population Censuses And Surveys (OPCS)

Oifis *boir* **airson Teàrainteachd Shòisealta**
Social Security Office *n*

Oifis *boir* **an Iasgaich**
Fishery Office *n*

Oifis *boir* **an Staitistig Nàiseanta**
Office (*n*) of National Statistics (ONS)

Oifis *boir* **an t-Seàirdeint aig Airm**
Serjeant at Arms's Office *n* (Westminster)

oifis *boir* **chìs**
fees office *n*

oifis *boir* **chìs ionadail**
local taxation office *n*

oifis *boir* **chìsean**
tax office *n*

Oifis *boir* **Clàraidh Ceadachd Telebhisein**
Television Licence Records Office *n*

Oifis *boir* **Clàraidh Eucoir na h-Alba**
Scottish Criminal Record Office

Oifis *boir* **Clàraidh na h-Alba**
Scottish Records Office *n*

Oifis *boir* **Clàrc an t-Siorraidh**
Sheriff Clerk's Office

Oifis *boir* **Clàrc an t-Siorraim**
Sheriff Clerk's Office

Oifis *boir* **Clèireach na Cùirte**
Sheriff Clerk's Office *n*

Oifis *boir* **Cùmhnadh Cumhachd na h-Alba**
Scottish Energy Efficiency Office *n*

Oifis *boir* **Èireann a Tuath**
Northern Ireland Office *n*

oifis *boir* **fiosrachaidh ceadachd telebhisein**
television licence enquiries office *n*

oifis *boir* **foghlaim**
education office *n*

Oifis *boir* **Foillseachaidh na Bànrighe**
Her Majesty's Stationery Office *n* (HMSO)

oifis *boir* **ionadail**
local office *n*

oifis *boir* **ionadail ceadachaidh charbad**
local vehicle licensing office *n* (LVLO)

Oifis *boir* **Marsantachd na Mara**
Mercantile Marine Office *n*

Oifis *fir* **na Cìse Nàiseanta**
Inland Revenue *n*

Oifis *boir* **na Comhairle Dìomhair**
Privy Council Office

Oifis *boir* **na Cuimrigh**
Wales Office *n*

Oifis *boir* **na Dùthcha**
Home Office *n*

Oifis *boir* **na h-Alba**
Scotland Office *n*

oifis *boir* **na roinne pàrlamaid**
constituency office *n*

Oifis *boir* **na Sìde**
Meteorological Office *n*

Oifis *boir* **Nàiseanta an Sgrùdaidh**
National Audit Office *n*

oifis *boir* **nam meadhanan**
press office *n*

Oifis *boir* **nam Pàitinn**
Patent Office *n*

Oifis *boir* **nan Cìsean**
Inland Revenue *n*
Oifis Luachaidh nan Cìsean
Inland Revenue Value Office

oifis *fir* **nan clàr**
record office *n*

Oifis *boir* **nan Clàr airson Alba**
Scottish Records Office *n*

Oifis *boir* **nan Clàr Poblach**
Public Records Office *n*

Oifis *boir* **nan Dùthchannan Cèin**
Foreign Office *n*

Oifis *boir* **nan Dùthchannan Cèin agus a' Cho-fhlaitheis**
Foreign and Commonwealth Office *n*

Oifis *boir* **nan Uighean agus nan Eun-taighe**
Eggs and Poultry Office *n*

oifis *boir* **pàipearachd**
stationery office *n*

oifis *boir* **phrìobhaideach**
private office *n*

Oifis *boir* **Prìomh Neach-sgrùdaidh na Bànrighe airson Sgoiltean**
Office (*n*) of her Majesty's Chief Inspector for Schools (OHMCI)

Oifis *boir* **Probhaidh**
Probation Office *n*

Oifis *boir* **Riaghlaiche na Rèile**
Office (*n*) of the Rail Regulator

oifis *boir* **seòrsachaidh**
sorting office *n*

Oifis *boir* **Slàinte Ainmhidhean**
Animal Health Office *n*

oifis *boir* **tèarainteachd**
security office *n*

Oifis *boir* **Tuathanais-ghàrraidh agus Margaideachd**
Horticultural and Marketing Office *n*

oighreachd *boir*
estate (land, property),
inheritance *n*
bàillidh oighreachd
estate factor

oilbheum *fir*
offence *n*
ghabh e oilbheum bhon aithris ud
he was offended by that statement

Oilthigh *fir* **airson Gnìomhachais**
University (*n*) for Industry (UfI)

Oilthigh *fir* **Fosgailte**
Open University *n*

Oilthigh *fir* **na Gaidhealtachd is nan Eilean**
University (*n*) of the Highlands and Islands (UHI)

oir *boir*
edge,
margin *n*
1 air an oir
at the margin
2 air na h-oirean
at the margins
3 cùis a chur gus an oir
to sideline an issue

ombudsman *fir*
ombudsman *n*

Ombudsman *fir* **na h-Eòrpa**
European Ombudsman *n*

Ombudsman *fir* **Seirbheisean Laghail na h-Alba**
Scottish Legal Services Ombudsman *n*

onair *boir*
honesty *n*

onarach *br*
honest *adj*

òraid *boir*
speech,
oration,
address *n*
1 a' chiad òraid
maiden speech
2 òraid a dhèanamh
to make a speech
3 òraid a dhèanamh aig a' choinneimh
to address the meeting
4 òraid don chùirt
an address to the court

òrdachail *br*
prescriptive *adj*

òrdaich *gr*
order,
mandate,
dictate,
prescribe *v*
1 ath-chunntas òrdachadh
to order a recount
2 cumhaichean òrdachadh
to dictate terms

òrdaichte *br*
ordered,
mandated *adj*

òrdugh *fir*
order,
injunction,
instruction,
command,
decree,
edict,
prescription *n*
1 òrdugh poblach
public order
2 puing òrduigh
point of order
3 coinneamh a thoirt gu òrdugh
to call a meeting to order
4 a thighinn gu òrdugh
to come to order
5 Òrdugh!
Order!
6 òrdugh a thoirt
to issue an instruction
7 òrdugh bacaidh
inhibitory injunction
8 òrdugh airson bathair
an order for goods
9 ann an òrdugh
in order (acceptable,
in correct place)
10 cuir an òrdugh
arrange in order
11 feumaidh sinn ar n-amasan a chur an òrdugh tàbhachd
we have to prioritise our aims

òrdugh *fir* **aireachais**
supervision order *n*

Òrdugh *fir* **an Latha**
Order (*n*) of the Day

Òrdugh *fir* **ann an Comhairle (a' Chrùin)**
Order (*n*) in Council

òrdugh *fir* **atharrachaidh**
amendment order,
variation order *n*

òrdugh *fir* **cuir-às do cheum poblach**
public path extinguishment order *n*

òrdugh *fir* **cùirte**
court order *n*

òrdugh *fir* **deireannach**
final order *n*

òrdugh *fir* **eadar-amail**
interim order *n*

òrdugh *fir* **gnothaich**
order (*n*) of business

òrdugh *fir* **leagail slumaichean**
slum clearance order *n*

òrdugh *fir* **seilbhe**
order (*n*) for possession

òrdugh *fir* **stiùiridh**
supervision order *n*

òrdugh-cùirte *fir*
injunction *n*
òrdugh-cùirte a dheònachadh
to grant an injunction

òrdugh-èiginn *fir*
emergency order *n*

os cionn *roi le gin*
above *prep*
1 **leas (a tha) os cionn a h-uile nì**
overriding interest
2 **tha seo cudthromach os cionn gach nì eile**
this is of paramount importance

ospadal *fir* **oilthigh**
university hospital *n*

os-riaghail *gr*
overrule *v*
neach-labhairt os-riaghladh
to overrule a speaker

os-riaghladh *fir*
overruling *n*

ostail *boir*
hostel *n*
tabhartas easbhaidhe ostail
hostel deficit grant

òst-chraoladair *fir*
host broadcaster *n*

òtrach *fir*
refuse dump *n*

paidhir *fir / boir*
pair *n* (Parliament)
1 **dèan** *gr* **paidhir**
to pair (Parliament)
2 **dèanamh** *fir* **paidhir**
pairing (*n*) (Parliament)

paidhreadh *fir*
pairing *n* (Parliament)

pàidsear *fir*
(message) pager *n*

pàigh *gr*
pay,
disburse *v*
1 **pàigh air ais**
refund *v*
2 **neach** *fir* **dom pàighear**
payee *n*
3 **pàigh mar a choisinnear**
pay as you earn (PAYE)
4 **ri phàigheadh (do)**
payable *adj*

pàigheadh *fir*
pay,
payment,
disbursement,
paying *n*
1 **barganachadh a thaobh pàighidh**
pay bargaining
2 **cunntas pàighidh**
disbursements account
3 **còmhraidhean a thaobh pàighidh**
pay negotiation
4 **fiachan gun phàigheadh**
outstanding debts

pàigheadh *fir* **co-ionann**
equal pay *n*

pàigheadh *fir* **dheth**
redundancy *n* (payment)

pàigheadh *fir sg* **fhiachan**
debt payments *npl*

pàigheadh *fir* **ro-làimh**
advance payment *n*

pàigheadh *fir* **tinneis**
sick pay *n*

pàighe-mhaighstir *fir*
paymaster *n*
Àrd-phàighe-mhaighstir
Paymaster General

pàipear *fir*
paper *n*
pàipear *fir* **bhòtaidh**
ballot paper

pàipear *fir* **co-chomhairleachaidh**
consultation paper *n*

Pàipear *fir* **Geal**
White Paper *n*

pàipear *fir* **òrduigh**
order paper *n*

pàipear *fir* **uaine**
green paper *n*

pàipearachd *boir*
stationery *n*

pàipear-àithne *fir*
command paper *n*

pàipearan-naidheachd *fir iol*
press *n*
1 **na pàipearan-naidheachd**
the press
2 **pàipearan-naidheachd a' ghuiteir**
the gutter press

pàipear-bhòtaidh *fir*
ballot-paper *n*

pàipear-obrach *fir*
working paper *n*

pàipear-taice *fir*
schedule (appendix)
supporting paper *n*
pàipear-taice do dh'Achd
schedule to an Act

pàirc *boir* **chàraichean**
car park *n*

pàirt *fir*
part,
proportion *n*
pàirt a ghabhail ann an deasbad
to participate in a debate

pàirt *fir* **susbainteach**
operative part *n*
pàirt susbainteach de sgrìobhainn ghnìomhais
the operative part of a deed

pàirteasan *fir*
partisan *n*

pàirteasanas *fir*
partisanship *n*

pàirtiche *fir*
partner *n*
a bhith mar phàirtiche co-ionann sa phròiseact
to be an equal partner in the project

pàirt-phàigheadh *fir*
part payment *n*

Pàislig a Deas
Paisley South (Constituency)

Pàislig a Tuath
Paisley North (Constituency)

panacea *fir*
panacea *n*
chan eil an Achd na panacea air gach duilgheadas a tha againn
the Act is not a panacea to solve all our problems

pannal *fir* **measaidh a' mhàil**
rent assessment panel *n*

paraimeadar *fir*
parameter *n*

paraiste *boir*
parish *n*
clàrc paraiste
parish clerk

Pàrlamaid *boir*
Parliament *n*

pàrlamaid *boir* **gun mhòr-chuid**
hung parliament *n*

Pàrlamaid *boir* **na h-Alba**
Scottish Parliament *n*

Pàrlamaid *boir* **na h-Eòrpa**
(the) European Parliament *n*

pàrlamaideach *br*
parliamentary *adj*

pàrlamaideach *fir*
parliamentarian *n*

parol *br*
parol *adj*

pàrtaidh *fir*
party *n*

pàrtaidh *fir* **dùbhlanach**
opposition party *n*

Pàrtaidh *fir* **Làbarach**
Labour Party *n*
neach-taice a' Phàrtaidh Làbaraich
Labour (Party) supporter

pàrtaidh *fir* **nàiseanta**
national party *n*

Pàrtaidh *fir* **Nàiseanta na h-Alba**
Scottish National Party *n* (SNP)

pàrtaidh *fir* **poileataigeach**
political party *n*

pàrtaidh *fir* **sa bheag-chuid**
minority party *n*
deasbad pàrtaidh sa bheag-chuid
minority party debate

Pàrtaidh *fir* **Sòisealach na h-Alba**
Scottish Socialist Party *n*

Pàrtaidh *fir* **Uaine**
Green Party *n*

Pàrtaidh *fir* **Uaine na h-Alba**
Scottish Green Party *n*

pas *fir*
pass *n*
pas tèarainteachd
security pass

pàtran *fir*
pattern *n*
mar as àbhaist leanaidh na còmhraidhean pàtran suidhichte
the discussions usually follow a set pattern

pàtranachd *boir*
patronage *n*

Peairt
Perth (Constituency)

peanas *fir*
penalty,
punishment *n*
1 siostam peanais
penal system
2 cuir *gr* **peanas air**
to penalise

peanasach *br*
penal,
punitive *adj*
1 damaistean peanasach
penal / punitive damages
2 ceuman peanasach
punitive measures

peanasaich *gr*
punish,
penalise *v*

pearsa *fir*
person *n*
gach pearsa
per capita

pearsa *fir* **laghail**
legal personality *n*

pearsanta *br*
personal,
individual,
subjective *adj*
1 gnothach pearsanta
a personal matter
2 saorsa phearsanta
individual liberty
3 sealladh pearsanta
a personal / subjective view

peinnsean *fir*
pension *n*
1 sgeama peinnsein
pension scheme
2 dìon peinnsein
pension protection
3 duine a chur a-mach air peinnsean
to pension someone off

peinnseanachadh *fir*
pensioning,
superannuation *n*
1 Sgeama Peinnseanachaidh Seirbheis na Slàinte
NHS Superannuation Scheme
2 Sgeama Peinnseanachaidh Luchd-teagaisg
Teachers' Superannuation Scheme

Peinnseanan *fir iol* **Poblach na h-Alba**
Scottish Public Pensions *npl*

peinnsean-stàite *fir*
state pension *n*

pìob-giùlain *boir*
service duct *n*

pìob-loidhne *boir*
pipeline *n*

piobrachadh *fir*
heckling *n*

piobraich *gr*
heckle *v*

pìolat *fir*
pilot *n*
dèan *gr* **pìolat air**
pilot *v* (a scheme)

pìos *fir* **talmhainn**
plot *n* (of land)

piseach *fir*
prosperity,
success,
return *n* (gain, profit)
piseach air airgead
financial return

plana *fir*
plan *n*
1 plana leasachaidh
development plan
2 plana de thogalach
plan of a building

plana *fir* **baile**
town plan *n*

plana *fir* **ionadail**
local plan *n*

plana *fir* **roinneil**
regional plan *n*

plana *fir* **structarail**
structure plan *n*

plana *fir* **tuiteamais**
contingency plan *n*

plana-gnìomha *fir*
action plan *n*

plana-leasachaidh *fir* **dùthchail**
rural development plan *n*

poball *fir*
public *n*,
citizens *npl*
biùro comhairleachaidh a' phoballl
citizens' advice bureau

poblach *br*
public *adj*
gu poblach
in public

poblachd *boir*
republic *n*

poblachdach *br*
republican *adj*

poblachdach *fir*
republican *n*

poblachdas *fir*
republicanism *n*

poca *fir* **analach**
breathalyser *n*

pòideam *fir*
podium *n*

poileas *fir*
police,
policeman *n*
1 obair phoileis
policing
2 poileas sa choimhearsnachd
community policing

poileasaidh *fir*
policy *n*
dèanamh *fir* **poileasaidh**
policy-making *n*

poileasaidh *fir* **adhartach**
progressive policy *n*

poileasaidh *fir* **air dùthchannan cèin**
foreign policy *n*

poileasaidh *fir* **(aontaichte) a' phàrtaidh**
party line *n*
gèilleadh do phoileasaidh (aontaichte) a' phàrtaidh
to toe the party line

poileasaidh *fir* **cànain**
language policy *n*

Poileasaidh *fir* **Coitcheann an Àiteachais (PCA)**
Common Agricultural Policy *n* (CAP)

Poileasaidh *fir* **Coitcheann an Iasgaich**
Common Fisheries Policy *n*

poileasaidh *fir* **cosnaidh**
employment policy *n*

poileasaidh *fir* **dealbhaidh**
planning policy *n*

poileasaidh *fir* **dìonachais**
protectionism *n*

poileasaidh *fir* **fiosgail**
fiscal policy *n*

poileasaidh *fir* **ionmhasail**
financial policy *n*

poileasaidh *fir* **poblach**
public policy *n*
an aghaidh poileasaidh phoblaich
contrary to public policy

poileasaidh *fir* **riaghaltais**
government policy *n*

poileasaidh *fir* **roinneil**
regional policy *n*

poileasaidh *fir* **sgiobachd**
manpower policy *n*

poileasaidh *fir* **slàinte is sàbhailteachd**
health and safety policy *n*

poileasaidh *fir* **trèanaidh**
training policy *n*

poileataics *boir*
politics *n*
1 cluich poileataics
playing politics
2 poileataics a' ghuiteir / na sitig / an t-sàibheir
gutter politics

poileataics *boir* **co-bhoinn**
coalition politics *n*

poileataics *boir* **pàrtaidh**
party politics *n*

poileataigeach *br*
political *adj*
1 dèan *gr* **poileataigeach**
politicise *v*
2 dèanamh *fir* **poileataigeach**
politicisation *n*
3 dol a-mach (suarach) poileataigeach
political behaviour, politicking *n*

post *fir*
post *n*
1 air a' chiad phost eile
by return of post
2 san ath phost
by return of post

post-dealain *fir*
e-mail, electronic mail *n*

pragmatach *br*
pragmatic *adj*
modh phragmatach
a pragmatic approach

pragmatachas *fir*
pragmatism *n*

pragmataiche *fir*
pragmatist *n*

pra(g)taigeach *br*
practical, realistic *adj*
1 gnothach pra(g)taigeach
a practical proposition
2 nithean pra(g)taigeach
practical considerations
3 a' bruidhinn gu pra(g)taigeach
practically speaking

pribhleid *boir*
privilege *n*
1 mì-ghnàthachadh air pribhleid
an abuse of privilege
2 fo phribhleid ro chur an làimh
privileged from arrest

pribhleid *boir* **phàrlamaideach**
parliamentary privilege *n*

pribhleid *boir* **shònraichte**
prerogative *n*

prìobhaideach *br*
private *adj*

prìomh *br*
head, senior, key, keynote, leading, primary *adj* (basic)
1 prìomh reachdas
primary legislation
2 prìomh òraid
keynote speech
3 prìomh neach-labhairt
keynote speaker
4 prìomh chùis
leading case
5 prìomh ghabhail
head lease

prìomh aonad *fir* **na Cìse Luach-Leasaichte**
VAT central unit *n*

Prìomh Ard-sheansalair *fir* **Bhreatainn**
Lord High Chancellor (*n*) of Great Britain

prìomh àros *fir*
headquarters *npl*

prìomh bhall *fir*
lead member *n*
siostam prìomh bhuill
lead member system

prìomh chlàrc *fir*
chief clerk *n*

Prìomh Chomhairle *boir* **na Rìoghachd Aonaichte airson Nursaidh, Banais-Ghlùine agus Tadhail Slàinte**
United Kingdom Central Council (*n*) for Nursing, Midwifery and Health Visiting

Prìomh Chomhairleach *fir* **air Dealbhadh Goireis**
Principal Resource Planning Adviser *n*

prìomh chomharra *fir* **seirbheis**
key service indicator *n*

prìomh chùis *boir*
keynote *n*

prìomh chùram *fir* **slàinte**
primary health care *n*

prìomh chuspair *fir*
key issue *n*

prìomh einnseanair *fir*
principal engineer *n*
prìomh einnseanair structaran
principal structural engineer

Prìomh Ionad *fir* **Fiosrachaidh**
Central Enquiry Point *n*

Prìomh Mhinistear *fir*
First Minister *n*
Ceistean don Phrìomh Mhinistear
First Minister's Questions

Prìomh Mhorair *fir* **a' Cheartais**
Lord Chief Justice *n*

Prìomh Mhorair *fir* **an Ionmhais**
First Lord (*n*) of the Treasury

Prìomh Neach-sgrùdaidh *fir* **nan Làraichean Àrsaidh**
Principal Inspector (*n*) of Ancient Monuments

Prìomh Oifigear *fir* **Meidigeach nan Sgoiltean**
Principal School Medical Officer *n*

prìomh oifis *boir*
headquarters *n /pl,*
head office *n*
Prìomh Oifis
Central Office

Prìomh Oifisean *fir* **(Foghlam Fad-beatha)**
Headquarters *(n/pl)* (Lifelong Learning)

prìomh phrògram *fir* **bailteil**
main urban programme *n*

prìomh roinn *boir*
key sector *n*

prìomh roinn-taghaidh chugallach *boir*
key marginal (constituency) *n*

prìomh rùnaire *fir*
chief secretary *n*

Prìomh Sgeama *fir* **Peinnsein na Seirbheis Chatharra**
Principal Civil Service Pension Scheme *n*

prìomh shubsadaidh *fir* **taigheadais**
main housing subsidy *n*

Prìomhaire *fir*
Prime Minister *n*
1 a bhuineas don phrìomhaire
prime-ministerial
2 gnìomh a rinneadh leis a' phrìomhaire
a prime-ministerial action

prionnsa *fir*
prince *n*

prionnsabal *fir*
principle *n*
trustair gun phrionnsabal
an unprincipled rogue

prionnsabalta *br*
principled *adj*
co-dhùnadh prionnsabalta
a principled decision

prionnsachd *boir*
principality *n*

prìosanach *fir* **poileataigeach**
political prisoner *n*

pro forma *fir*
proforma *n*

Pròbhaist *fir*
Provost *n*

Pròbhaist-mharasgal *fir*
Provost-Marshal *n*

procadair *fir*
proctor,
procurator *n*
1 Procadair na Bànrighe
Queen's Proctor
2 Procadair an Rìgh
King's Proctor

procsaidh *fir*
proxy *n*
bhòtadh tro phrocsaidh
to vote by proxy

prògram *fir*
programme,
program *n* (computer)

Prògram *fir* **an Luchd-theagaisg Chlàraichte**
Registered Teacher Programme *n* (RTP)

Prògram *fir* **Ath-thòiseachaidh**
Restart Programme *n*

prògram *fir* **caiteachais**
expenditure programme *n*
prògram caiteachais an riaghaltais
the government's expenditure programme

prògram *fir* **calpa**
capital programme *n*

Prògram *fir* **Chothroman Òigridh**
Youth Opportunities Programme *n* (YOP)

prògram *fir* **cosg**
spending programme *n*

prògram *fir* **cruthachaidh-obrach**
job creation programme *n*

prògram *fir* **inntrigidh**
induction programme *n*

prògram *fir* **luchd-teagaisg le ceum**
graduate teacher programme *n*

Prògram *fir* **Sònraichte a thaobh Obair Shealach**
Special Temporary Employment Programme *n* (STEP)

Prògram *fir* **Taice Trèanaidh**
Training Support Programme *n* (TSP)

prògram *fir* **togail calpa**
capital building programme *n*

proifeiseanta *br*
professional *adj*
neach-poileataics proifeiseanta
a professional politician

pròis *boir*
pride *n*
1 **pròis nàiseanta**
national pride
2 **cùis a bhuineas do phròis san rìoghachd**
a matter of national pride

pròiseact *fir*
project *n*

pròiseact *fir* **co-iomairte**
joint venture project *n*

Pròiseact *fir* **nan Ealan**
Gaelic Arts Development Agency *n*

Pròiseact *fir* **Ro-innleachd Corporra Seirbheis Nàiseanta na Slàinte**
National Health Service Corporate Strategy Project *n*

proiseactar *fir* **os-cinn**
overhead projector *n*

pròiseas *fir*
process *n*

pròiseas *fir* **dealbhaidh**
planning process *n*

pròiseas *fir* **deamocratach**
democratic process *n*

pròiseas *fir* **poileataigeach**
political process *n*

propaganda *fir*
propaganda *n*

prothaid *boir*
profit *n*
1 **prothaid ro-chìse**
pre-tax profit
2 **dèan** *gr* **prothaid (à)**
profit *v*

protocal *fir*
protocol *n*
cumail ri protocal
to observe protocol

puing *boir*
point *n*
prìomh phuing na h-argamaid
the main thrust of the argument

puing *boir* **chudthromach**
highlight *n*
a' phuing a bu chudthromaich den òraid
the highlight of the speech

puing *boir* **fiosrachaidh**
point (*n*) of information

puing *boir* **òrduigh**
point (*n*) of order

rabhadh *fir*
warning *n*
1 **rabhadh a thoirt**
to issue a warning
2 **rabhadh a thoirt an aghaidh cuid de dhòighean air adhart**
to warn against certain courses of action
3 **rabhadh mu thèarainteachd**
security alert

rabhadh *fir* **(cunnairt)**
alert *n*

rabhadh *fir* **deireannach**
ultimatum *n*
rabhadh deireannach a chur a-mach
to set an ultimatum

rach *gr* **am miosad**
decline *v*

rach *gr* **an geall**
pledge *v*

rach *gr* **an sàs**
tackle *v*

rach *gr* **an urras**
guarantee *v*

rach *gr* **an urras do**
assure *v*
thèid mi an urras dhuibh gur ann mar seo a tha a' chùis
I assure you that this is the case

rach *gr* **às àicheadh**
deny *v*

rach *gr* **san eadraiginn**
intervene *v*

rach *gr* **tro**
permeate *v*
tha am beachd sin a' dol tro gach pàirt den chomann-shòisealta
that view permeates all parts of society

radaigeach *br*
radical *adj*
1 prògram radaigeach
radical agenda
2 neach *fir* **radaigeach**
radical *n*

radaigeachd *boir*
radicalism *n*

radon *fir*
radon *n*
ceàrnaidhean fo bhuaidh radoin
radon-affected areas

ràith *boir*
season *n,*
quarter *(n)* of a year
gach ràith
quarterly *adj*

rang *boir*
rank,
grade *n*

rangachd *boir*
hierarchy *n*

rangaich *gr*
rank,
grade *v*

rannsachadh *fir*
enquiry,
inquiry,
examination,
hearing,
inspection,
intelligence (covert research),
study (work),
research *n*
1 rannsachadh san fhollais
inquiry in public
2 tha an rannsachadh againn air an cuid phlanaichean a lorg a-mach
our intelligence has uncovered their plans
3 goireasan rannsachaidh
research facilities
4 leabharlann rannsachaidh
research library

rannsachadh *fir* **dealbhaidh**
planning inquiry *n*

rannsachadh *fir* **dearbhaidh**
pilot study *n*

rannsachadh *fir* **ionadail**
local inquiry *n*

rannsachadh *fir* **laghail**
judicial inquiry *n*

rannsachadh *fir* **poblach**
examination in public (EIP),
public inquiry,
public hearing *n*
1 Rannsachadh Poblach Ionadail
Public Local Inquiry
2 cumaidh a' chomataidh rannsachaidhean poblach mun cuirear a-steach a h-aithisg
the committee will hold public hearings before submitting its report

rannsachadh *fir* **tron phost**
postal survey *n*

rannsaich *gr*
examine,
inspect,
research,
search,
study *v*

rannsaiche *fir*
researcher *n*

raon *fir*
ambit,
scope (of an Act),
zone *n*
1 taobh a-staigh raon na h-achd
within the ambit of the act
2 Raon an Euro
the Euro Zone

raon *fir* **leasachaidh**
development zone *n*

raon *fir* **malairt**
trading estate *n*

raon *fir* **poblach**
public area *n*

raon *fir* **poileasaidh**
policy area *n*

raon-ama *fir*
timescale *n*
dh'ullaich mi raon-ama fa chomhair an deasbaid
I have drawn up a timescale for the debate

raon-ùghdarrais *fir*
remit *n* (a brief)

ràsanach *br*
tedious *adj*
1 ath-aithris ràsanach
tedious repetition
2 labhraiche ràsanach
a tedious speaker
3 cuspair ràsanach
a tedious matter
4 labhair e gu ràsanach fad leth-uair a thìde
he spoke tediously for half an hour

ràth *fir*
raft *n*
1 ràth de reachdas
a raft of legislation
2 an ràth de dh'atharrachaidhean air fad
the whole raft of amendments

rathad *fir*
road *n*
Còd an Rathaid
Highway Code

rathad *fir* **dol às**
escape route *n*

rathad *fir* **sheirbheisean**
service road *n*

rathad-ceangail *fir*
link road

rathad-mòr *fir*
main road,
trunk road,
highway *n*

rathail *br*
auspicious *adj*
aig an àm rathail seo
on this auspicious occasion

rè *boir*
lifetime *n*
rè na Pàrlamaid
during the lifetime of Parliament,
for the duration of Parliament

rè tamaill *cgr*
temporarily *adv*

reachd *fir*
statute *n*
1 ann an leabhar nan reachd
on the statute book
2 reachd nan crìoch (ama)
statute of limitations
3 dh'fheumadh a' chomataidh a rèir reachd
the committee was required by statute

reachd *fir* **reataichean**
rate precept *n*

reachdachadh *fir*
law-making *n*
reachdachadh dà-sheòmarach
bicameral legislature

reachdadair *fir*
law-maker,
legislator *n*

reachdadaireachd *boir*
legislature,
legislative body *n*

reachdaich *gr*
legislate *v*

reachdail *br*
legislative,
statutory *adj*
lagh reachdail
statute law

reachdas *fir*
legislation *n*
1 ri sgrìobhadh ann an reachdas
to be passed into legislation
2 tha an reachdas stèidhichte
the legislation is in place

reachdas *fir* **dìon cosnaidh**
employment protection legislation *n*

reachdas *fir* **èiginn**
emergency legislation *n*

reaprografaig *fir sg*
reprographics *npl*

reat *fir*
rate *n*
na reataichean
the rates

reat *fir* **uisge**
water rate *n*

reata *fir* **leasachail**
supplementary rate *n*

reatadh *fir* **aig neoni**
zero rating *n*

reatadh *fir* **nialasach**
zero rating *n*

reataichean *fir iol* **gnothachais**
non-domestic rates *npl*

referendum *fir*
referendum *n*
referendum tron phost
postal referendum

rèile *boir* **bheann**
mountain railway *n*

rèim *boir*
regime *n* (system)

rèite *boir*
understanding,
accommodation,
settlement *n*
1 tighinn gu rèite
to come to an accommodation
2 thàinig sinn gu rèite
we have reached a settlement
3 rèite eadar-amail
interim settlement

rèiteach *fir*
agreement,
settlement *n*
cuspairean gun rèiteach
outstanding issues

rèiteachadh *fir*
conciliation,
reconciliation,
settlement *n*
rèiteachadh deasbaid
settlement of a dispute

rèitich *gr*
conciliate,
reconcile,
settle *v*
1 deasbad / argamaid a rèiteachadh
to settle a dispute / an argument
2 cùis a rèiteach
to settle the issue

Rèitire *fir* **Oifigeil**
Official Referee *n*

rèabhlaid *boir*
revolution *n* (political)

rèabhlaideach *br*
revolutionary *adj* (political)

rèabhlaideach *fir*
revolutionary *n* (political)

reubaltach *fir*
rebel *n*

reusanaich *gr*
reason,
argue *v*
1 reusanachadh le cuideigin
to reason with someone
2 reusanachadh le cuideigin
to reason with someone

reusanta *br*
rational,
reasonable *adj*
1 beachdachadh reusanta
rational discussion
2 brath reusanta
reasonable notice

ri *roi*
to *prep*
a bhith ri phàigheadh
to be liable for payment

ri teachd *cgr*
forthcoming *adj*
an tachartas a tha ri teachd
the forthcoming event

riadh *fir*
interest *n* (finance)
1 riadh air airgead
interest on money
2 riadh ionmhais
financial interest

riaghail *gr*
govern *v*

riaghailt *boir*
rule,
regulation,
directive *n*
1 riaghailtean agus riaghlaidhean
rules and regulations
2 Riaghailt bhon Choimisean Eòrpach
Directive by the European Commission
3 cus riaghailtean
red tape

riaghailt *boir* **dealbhaidh**
planning regulation *n*
(rule(s) governing planning)

riaghailt *boir* **deich uairean**
ten o'clock rule *n*

riaghailt *boir* **mhoralta**
moral code *n*

riaghailt *boir* **nan deich mionaid**
ten-minute rule *n*

riaghailt *boir* **obrach**
code (*n*) of practice

riaghailt *boir* **teine**
fire regulation *n*

Riaghailt *boir* **Ùine Obrach**
Working Time Directive *n*
(European Commission)

riaghailteach *br*
regular *adj*

riaghailtean *boir iol* **agus òrdughan** *fir iol* **reachdail**
statutory rules and orders *npl*

riaghailtean *boir iol* **dealbhaidh baile is dùthcha**
town and country planning regulations *npl*

riaghailtean *boir iol* **deasbaid**
rules (*npl*) of debate

Riaghailtean *boir iol* **Giùlain Mhinistreil**
Ministerial Code of Conduct

riaghailtean *boir iol* **ionmhasail**
financial regulations *npl*

Riaghailtean *boir iol* **Ministreil**
Ministerial Code *n*

riaghailtean *boir iol* **na dòighe-obrach**
rules (*npl*) of procedure

Riaghailtean *boir iol* **Peinnseanachaidh Luchd-teagaisg**
Teachers' Superannuation Regulations *npl*

riaghailtean *boir iol* **sònraichte sgudail**
special waste regulations *npl*

riaghailtean *boir iol* **togail**
building regulations *npl*

riaghaltas *fir*
government *n*

riaghaltas *fir* **co-bhoinn**
coalition government *n*

Riaghaltas *fir* **Èireann a Tuath**
Northern Ireland Executive *n*

riaghaltas *fir* **fosgailte**
open government *n*

riaghaltas *fir* **ionadail**
local government *n*

Riaghaltas *fir* **na h-Alba**
Scottish Executive *n*

riaghaltas *fir* **roinneil**
regional government *n*

riaghladh *fir*
regime (government),
regulation,
ruling *n*

riaghladh *fir* **dealbhaidh**
planning regulation *n*
(control of planning matters)

riaghladh *fir* **leis a' mhòr-chuid** *fir*
majority rule *n*

riaghladh *fir* **tro chaibineat**
cabinet government *n*

riaghlaich *gr*
rule,
regulate *v*
neach a riaghladh às òrdugh
to rule someone out of order

riaghlaiche *fir*
regulator *n*
1 **Riaghlaiche na Rèile**
the Rail Regulator
2 **measadh bhon riaghlaiche**
regulatory appraisal

riaghladh *fir*
regulation *n*

riaghlaidh *fir gin*
regulatory *adj*
buidheann riaghlaidh
regulatory body

rian *fir*
organisation *n*
(systematic arrangement)
1 **rian poblach**
public order
2 **cuir** *gr* **rian air**
organise *v*
3 **cuir** *gr* **rian ùr air**
reorganise *v*

rianachail *br*
administrative *adj*

rianachd *boir*
administration *n*
an Rianachd
the Administration

Rianachd *boir* **Chùirtean na h-Alba**
Scottish Courts Administration *n*

rianachd *boir* **coileanaidh**
performance management *n*

rianachd *boir* **fiosrachaidh**
information management *n*

rianachd *boir* **ghoireas dhaonna**
human resource
management *n* (HRM)

rianachd *boir* **ghoireasan**
resource management *n*

rianachd *boir* **ionmhasail**
financial management *n*
Iomairt airson Rianachd Ionmhasail
Financial Management
Initiative *n* (FMI)

rianachd *boir* **phoblach**
public administration *n*

rianachd *boir* **stòrais**
resource management *n*

rianachd-cheartais *boir*
justiciary *n*

Rianadair *fir* **Sgrùdaidh**
Controller (*n*) of Audit

rianaich *gr*
administer *v*

rianaire *fir*
administrator *n*

rianan *fir iol* **obrach**
working arrangements *npl*

riarachadh *fir*
allocation,
disposal,
distribution *n*
1 **riarachadh stòrasan**
allocation of resources
2 **riarachadh ann an gnothachas**
a disposal in business
3 **riarachadh cumhachd**
distribution of powers

riaraich *gr*
distribute,
allocate *v*
chaidh an t-airgead a riarachadh gu cothromach
the money was allocated
equitably

riasladh *fir*
mangling *n*
fhuair am Ministear a riasladh san deasbad
the Minister had a rough
ride in the debate

riatanach *br*
critical,
essential,
integral *adj*
1 **taobh riatanach na ceiste**
a critical aspect of the problem
2 **earrann riatanach**
an integral part

riatanas *fir*
necessity *n*
requirement *n*

riatanas *fir* **iasaid**
borrowing requirement *n*

riatanas *fir* **reachdail**
statutory requirement *n*

Rinn Friù an Iar
West Renfrewshire
(Constituency)

riochd *fir*
form,
role *n*

riochdachadh *fir*
representation *n*
1 **riochdachadh co-roinneil**
proportional representation
2 **barrachd riochdachaidh**
increased representation
3 **co-chothrom riochdachaidh**
parity of representation
4 **buidheann gun riochdachadh iomchaidh**
an under-represented group
5 **chan eil riochdachadh iomchaidh aig ar pàrtaidh air comataidhean**
our party is under-represented
on committees
6 **a bhith gun riochdachadh iomchaidh**
under-representation

riochdachail *br*
representative *adj*
1 deamocrasaidh riochdachail
representative democracy
2 poileataics riochdachail
representative politics

riochdaich *gr*
represent *v*
roinn-taghaidh a riochdachadh
to represent a constituency

riochdair *fir* **maireannach**
permanent representative *n*

riochdaire *fir*
delegate,
representative *n*
riochdaire den t-sluagh
a representative of the people

riochdaire *fir* **dioplòmasach**
diplomat *n*

rìoghachd *boir*
kingdom,
realm *n*
An Rìoghachd Aonaichte
United Kingdom (UK)

ro-aire *boir*
circumspection *n*

ro-aithnich *gr*
foresee *v*

ro-aithris *boir*
forecast,
forecasting *n*

ro-aithris *gr*
forecast *v*

ro-bheachd *fir*
presumption *n*

ro-bhreith *boir*
prejudging *n*
thoir *gr* **ro-bhreith air**
prejudge *v*

ro-bhriathrach *br*
verbose *adj*

ro-bhriathrachas *fir*
verbosity *n*

ro-chaisg *gr*
pre-empt *v*

ro-chasgach *br*
pre-emptive *adj*
ionnsaigh ro-chasgach
pre-emptive strike

ro-choinneamh *boir*
pre-meeting *n*

ro-chudthromach *br*
vital *adj*
bhòt ro-chudthromach
a vital vote

ro-chùmhnant *fir*
pre-condition *n*

ro-fhiosrachadh *fir*
preliminaries *npl*

roghainn *boir*
choice,
selection,
option *n*
chan eil roghainn eile ann
there is no alternative

roghnach *br*
preferable *adj*
mar as roghnach leis a' chomataidh
at the committee's discretion

roimhe *cgr*
preceding *adj*,
formerly *adv*
1 a bha ann roimhe
former *adj*
2 fear / tè a bha roimhe na m(h)èar / p(h)ròbhaist
former mayor / provost

roinn *boir*
region,
department,
division *n*
1 roinn taobh a-staigh buidhne
department within an establishment
2 roinn air cumhachd
division of powers

roinn *gr*
divide,
share,
distribute,
ration *v*

Roinn *boir* **a' Chultair, nam Meadhanan agus an Spòrs**
Department (*n*) for Culture, Media and Sport

Roinn *boir* **Actuaraidh an Riaghaltais**
Government Actuary's Department *n*

Roinn *boir* **an Àrd-sheansalair**
Lord Chancellor's Department

Roinn *boir* **an Fhoghlaim agus a' Chosnaidh**
Department (*n*) for Education and Employment

roinn *boir* **an ionmhais**
finance department *n*
Roinn an Ionmhais
the Exchequer,
the Treasury

Roinn *boir* **an Leasachaidh Eadar-nàiseanta**
Department (*n*) for International Development

roinn *boir* **an teaghlaich**
family division *n*

Roinn *boir* **Beinge na Bànrighe**
Queen's Bench Division *n*

Roinn *boir* **Ceartais**
Justice Department *n*

Roinn *boir* **Ceartais (Riaghaltas) na h-Alba**
Scottish Executive Justice Department *n* (SEJD)

roinn *boir* **cosnaidh**
employment department *n*

Roinn *boir* **Chùisean Dùthchail**
Rural Affairs Department *n*

Roinn *boir* **Chùisean Dùthchail (Riaghaltas) na h-Alba**
Scottish Executive Rural Affairs Department *n* (SERAD)

roinn *boir* **di-leasaichte**
undeveloped region *n*

roinn *boir* **fearainn-thogalach**
estates department *n*

roinn *boir* **fiosrachaidh**
information division *n*

Roinn *boir* **Foghlaim**
Education Department *n*

Roinn *boir* **Foghlaim (Riaghaltas) na h-Alba**
Scottish Executive Education Department *n* (SEED)

roinn *boir* **inbhean malairt**
trading standards department *n*

Roinn *boir* **Iomairt agus Foghlaim Bheatha (Riaghaltas) na h-Alba**
Scottish Executive Enterprise and Lifelong Learning Department *n* (SEELLD)

Roinn *boir* **Iomairt agus Ionnsachaidh Fhad-bheatha**
Enterprise and Lifelong Learning Department *n*

Roinn *boir* **Ionmhais (Riaghaltas) na h-Alba**
Scottish Executive Finance *n* (SEF)

Roinn *boir* **Leasachaidh**
Development Department *n*

Roinn *boir* **Leasachaidh (Riaghaltas) na h-Alba**
Scottish Executive Development Department *n* (SEDD)

Roinn *boir* **na h-Àrainneachd, na Còmhdhalach agus nan Roinnean**
Department (*n*) for the Environment, Transport and the Regions

Roinn *boir* **na Malairt agus a' Ghnìomhachais**
Department (*n*) of Trade and Industry

Roinn *boir* **na Slàinte**
Department (*n*) of Health

Roinn *boir* **na Tèarainteachd Shòisealta**
Department (*n*) of Social Security

roinn *boir* **obrach**
work sharing *n*

Roinn *boir* **Oifigearan an Lagha**
Law Officers' Department *n*

Roinn *boir* **Oifisean an Àiteachais**
Agricultural Offices Division *n*

roinn *boir* **riaghaltais**
government department *n*

roinn *boir* **sgiobachd**
personnel department *n*

roinn *boir* **shaor-thoileach**
voluntary sector *n*

Roinn *boir* **Sheirbheisean Corporra (Riaghaltas) na h-Alba**
Scottish Executive Corporate Services Department *n* (SECS)

roinn *boir* **sheirbheisean cosnaidh**
employment service division *n*

Roinn *boir* **Sheirbheisean Teicnigeach**
Technical Services Department *n*

roinn *boir* **slàinte**
health department *n*

Roinn *boir* **Slàinte (Riaghaltas) na h-Alba**
Scottish Executive Health Department *n* (SEHD)

roinn *boir* **slàinte teaghlaich**
family health division *n*

roinn-cheartais *boir*
judicature,
judiciary *n*
(administration of justice)

roinnean *boir iol* **cosg**
spending departments *npl*

roinneil *br*
departmental,
regional *adj*
1 **comataidh roinneil**
departmental committee
2 **dòighean-obrach roinneil**
departmental procedures
3 **taic roinneil**
regional aid

roinn-ghnìomha *boir*
executive *n* (body)
An Roinn-Ghnìomha agus an Roinn-Cheartais
The Executive and the Judiciary

Roinn-ghnìomha *boir* **airson Còmhdhail Luchd-Shiubhail**
Passenger Transport Executive *n*

Roinn-Ghnìomha *boir* **Slàinte is Sàbhailteachd**
Health and Safety Executive *n*

ro-innis *gr*
predict *v*

ro-innleachd *boir*
strategy *n*

ro-innleachd *boir* **chunnartach**
high-risk strategy *n*

ro-innleachd *boir* **eaconamach eadar-dhealaichte**
alternative economic strategy *n*

Ro-innleachd *boir* **nan Taighean-croite Falamh**
Empty Croft Houses Initiative *n*

ro-innleachd *boir* **roinneil**
regional strategy *n*

ro-innleachdail *br*
strategic *adj*
1 buidheann ro-innleachdail
strategic body
2 plana ro-innleachdail
strategic plan
3 dealbhadh ro-innleachdail
strategic planning

roinn-phàrlamaid *boir* **(ann am Pàrlamaid na h-Alba / Westminster)**
constituency *n* (in the Scottish / Westminster Parliament)

roinn-phàrlamaid *boir* **bhàn**
vacant seat *n*

roinn-phàrlamaid *boir* **Eòrpach**
European parliamentary constituency *n* (EPC)

roinn-phàrlamaid *boir* **theann**
marginal constituency *n*

ro-innse *boir*
prediction *n*
ro-innse a dhèanamh
to make a prediction

ro-innseach *br*
predictable *adj*

roinn-taghaidh *boir*
electoral division *n*

roinn-taghaidh *boir* **Eòrpach**
euro-constituency *n*

roinn-taghaidh *boir* **pàrlamaid**
parliamentary constituency *n*

roinn-taghaidh *boir* **theann**
marginal seat *n*

ro-làimh *cgr*
beforehand *adv*
cho fad 's a dh'aithnichear ro-làimh
in the foreseeable future

ro-mheasadh *fir*
projection *n*
1 ro-mheasadh air àireimh-shluaigh
population projection
2 ro-mheasadh ionmhais
financial projection

ro-oifigealachd *boir*
red tape *n*

ro-òrdachail *br*
over-prescriptive *adj*

ro-phlanadh *fir*
forward planning *n*

ro-ràdh *fir*
introduction,
preamble *n*
1 an ro-ràdh do sgrìobhainn
the introduction to a document
2 mar ro-ràdh don deasbad
as a preamble to the debate
3 ro-ràdh do dh'Achd
preamble to an Act

ro-rannsachadh *fir*
preliminary hearing *n*

ro-riaghladh *fir*
preliminary ruling *n*

Ros, An t-Eilean Sgitheanach agus Inbhir Nis an Iar
Ross, Skye and Inverness West (Constituency)

Rosbrog agus Siorrachd Bearuig
Roxburgh and Berwickshire (Constituency)

ro-shamhla *fir*
prototype *n*
ro-shamhla air reachdas sam àm ri teachd
a prototype for future legislation

ro-shampall *fir*
precedent *n*
1 mar ro-shampall
as a precedent
2 ro-shampall a stèidheachadh
to set a precedent
3 le ro-shampall
precedented *adj*
4 gun ro-shampall
unprecedented *adj* (in law)

ro-thionnsgnadh *fir* **air àireimh-shluaigh**
population projection *n*

ruig *gr*
come *v*
còrdadh a ruighinn
to come to an accommodation

ruigsinneachd *boir*
accessibility *n*

ruith-airgid *boir*
currency *n*

rum *fir*
room,
space *n*
cleachdadh ruim
space utilisation

rum *fir* **coinneimh**
meeting room *n*

Rum *fir* **Teatha nam Ball**
Members' Tea Room *n*

rumail *br*
spacious *adj*
àite-obrach rumail
spacious accommodation

rùn *fir*
intent,
intention,
mission,
resolution *n*
1 le rùn
with intent
2 gabhail ri rùn
to pass a resolution
3 (rinneadh) am moladh le deagh rùn
the proposal was well-intentioned
4 tha deagh rùn aige ach tha e gun dòigh
he is well-meaning but inept
5 bha rùn daingeann aige gus a' chùis adhartachadh
he was intent upon promoting the cause
6 ann an deagh rùn
in good faith

rùn *fir* **comataidh**
committee resolution *n*

rùn *fir* **suidhichte**
resolve *n*
tha sinn a' moladh cho suidhichte 's a tha i na rùn
we admire her resolve

rùnachas *fir*
secretariat *n*

rùnaich *gr*
intend,
resolve *v*
rùnachadh a mholadh
to resolve to recommend

rùnaire *fir*
secretary *n* (managerial)

Rùnaire *fir* **a' Chaibineit**
Cabinet Secretary *n*

rùnaire *fir* **an ionmhais**
financial secretary *n*

rùnaire *fir* **gnothaich**
business secretary *n*

Rùnaire *fir* **Maireannach**
Permanent Secretary *n*

Rùnaire *fir* **na Dùthcha**
Home Secretary *n*

rùnaire *fir* **naidheachd**
press secretary *n*

Rùnaire *fir* **nan Dùthchannan Cèin**
Foreign Secretary *n*

Rùnaire *fir* **Pàrlamaid**
Parliamentary Secretary *n*

Rùnaire *fir* **Pàrlamaid Prìobhaideach**
Parliamentary Private Secretary *n* (PPS)

rùnaire *fir* **prìobhaideach**
private secretary *n*

Rùnaire *fir* **Stàite**
Secretary (*n*) of State

Rùnaire *fir* **(Stàite) a' Chultair, nam Meadhanan agus an Spòrs**
Secretary (*n*) Of State for Culture, Media and Sport (UK Government)

Rùnaire *fir* **(Stàite) a' Ghnìomhachais is na Malairt**
Secretary (*n*) of State for Trade and Industry (UK Government)

Rùnaire *fir* **(Stàite) an Dìon**
Secretary (*n*) of State for Defence (UK Government)

Rùnaire *fir* **(Stàite) an Fhoghlaim is a' Chosnaidh**
Secretary (*n*) of State for Education and Employment (UK Government)

Rùnaire *fir* **(Stàite) an Leasachaidh Eadar-nàiseanta**
Secretary (*n*) of State for International Development (UK Government)

Rùnaire *fir* **(Stàite) Èireann a Tuath**
Secretary (*n*) of State for Northern Ireland (UK Government)

Rùnaire *fir* **(Stàite) na Cuimrigh**
Secretary (*n*) of State for Wales (UK Government)

Rùnaire *fir* **(Stàite) na Dùthcha**
Secretary (*n*) of State for the Home Department (UK Government)

Rùnaire *fir* **(Stàite) na h-Alba**
Secretary (*n*) of State for Scotland (UK Government)

Rùnaire *fir* **(Stàite) na h-Àrainneachd, na Còmhdhail agus nan Roinnean**
Secretary (*n*) of State for Environment, Transport and the Regions (UK Government)

Rùnaire *fir* **(Stàite) na Slàinte**
Secretary (*n*) of State for Health (UK Government)

Rùnaire *fir* **(Stàite) na Tèarainteachd Shòisealta**
Secretary (*n*) of State for Social Security (UK Government)

Rùnaire *fir* **(Stàite) nan Dùthchannan Cèin**
Secretary (*n*) of State for Foreign and Commonwealth Affairs (UK Government)

Rùnaireachd *boir* **an Riaghaltais**
Executive Secretariat *n*

rùnaireachd *boir* **comataidh**
committee secretariat *n*

rùn-dìomhair *fir* **oifigeil**
official secret *n*
Achd nan Rùintean-dìomhair Oifigeil
Official Secrets Act

rùn-dìomhair *fir* **stàite**
state secret *n*

sabaid *boir*
conflict *n*
hostilities *npl*

sabaid *gr*
conflict *v*

sàbhailteachd *boir*
safety *n*
1 uidheam sàbhailteachd
safety equipment
2 poileasaidh sàbhailteachd
safety policy
3 ullachaidhean sàbhailteachd
safety provisions
4 sàbhailteachd teine
fire safety

sàbhaladh *fir*
saving *n*
sàbhaladh (gu ìre cho mòr 's a tha comasach) a dhèanamh air an t-suidheachadh
to salvage the situation

Sac-Olainn, an *fir*
the Woolsack *n*

saidheans *fir* **poileataigeach**
political science *n*

Saighdearan-mara *fir iol* **Rìoghail**
Royal Marines *npl*

sàmhach *br*
silent *adj*
a' mhòr-chuid shàmhach
the silent majority

sàmhchair *fir*
silence *n*

samhlach *br*
model,
representative *adj*
earrann shamhlach
a representative sample

samhladh *fir*
model *n*

sampall *fir*
sample *n*
sgrùdadh a rèir sampaill
sample survey

saobh *gr*
deviate *v*
1 saobhadh bho fheallsanachd a' phàrtaidh
to deviate from the party line
2 saobhadh bhon chuspair air a bheilear a' beachdachadh
to deviate from the point under discussion

saobhadh *fir*
deviation *n*

saobh-chreideamh *fir*
heresy *n*

saobh-sgrìobhadair *fir*
libeller *n*

saor *br*
exempt,
free,
immune *adj*
1 saor bho chìs
exempt from tax,
tax free
2 bhòtadh saor
a free vote
3 saor bho chàineadh
immune from criticism
4 saor bho chìsean (cusbainn)
duty-free

saor *gr*
free,
absolve,
exempt *v*
1 saor bho chuing
emancipate *v*
2 air saoradh (bho chuing)
emancipated *adj*

saoradh *fir*
exemption *n*
saoradh o chìs
exemption from tax

saoranach *fir*
citizen *n*
saoranach de Bhall-stàit den Aonadh Eòrpach
citizen of a Member-State of the European Union

saoranachd *boir*
citizenship *n*

saor-chainnt *boir*
free speech *n*

saor-làithean *fir iol* **fada**
long vacation *n*

saor-làithean *fir iol* **pàighte**
paid holidays *npl*

saor-latha *fir*
holiday *n*
1 còir air saor-làithean
holiday entitlement
2 saor-latha air pàigheadh
holiday with pay
3 saor-latha poblach
public holiday

saor-mhargadh *fir*
free market *n*

saorsa *boir*
freedom,
liberty *n*
saorsa bho chuing
emancipation

saorsa *boir* **beachd**
freedom (*n*) of opinion

saorsa *boir* **bho chìs**
tax exemption *n*

saorsa *boir* **cainnte**
freedom (*n*) of speech

saorsa *boir* **chatharra**
civil liberty *n*

saorsa *boir* **fiosrachaidh**
freedom (*n*) of information
Achd Saorsa an Fhiosrachaidh
Freedom of Information Act

saorsa *boir* **labhairt**
freedom (*n*) of expression

saorsa *boir* **nam meadhanan**
freedom (*n*) of the press / media

saorsa *boir* **taghaidh**
freedom (*n*) of choice

saorsa *boir* **tionail**
freedom (*n*) of assembly

saorsainn *boir*
liberty *n*

saor-thìodhlac *fir*
gratuity *n*

saor-thoileach *fir*
volunteer *n*
chaidh a' chompanaidh a leaghadh gu saor-thoileach
the company went into voluntary liquidation

saothair *boir*
labour *n*

saothraich *gr*
labour *v*

saothraichte *br*
elaborate *adj*
dealbhadh saothraichte
an elaborate design

sàrachadh *fir*
harassment *n*
sàrachadh gnèitheasach / feiseil
sexual harassment

sàraich *gr*
harass *v*

sàr-bharrantas *fir*
copper-bottomed guarantee *n*

sàsachadh *fir*
redress *n* (legal)
gun sàsachadh a bhith aig neach fon lagh
to have no redress in law

Sasainn *boir*
England *n*

seacadh *fir*
recession *n*
seacadh anns an eaconamaidh
a recession in the economy

seachain *gr*
abstain,
obviate *v*
1 **bhòtadh a sheachnadh**
to abstain from voting
2 **sheachain i bhòtadh**
she abstained (from voting)
3 **cunnart a sheachnadh**
to obviate a danger
4 **sheachain còignear bhòtadh**
there were five abstentions

seachdain *boir* **obrach**
working week *n*

seachdaineach *br*
weekly *adj*
cunntas seachdaineach air adhartas (as ùr)
a weekly update on progress

seachnadh *fir* **cìse**
tax avoidance *n*
seachnadh cìse mì-laghail
tax evasion

seachran,
air seachran *cgr*
astray *adv*
dol air seachran bho òraid ullaichte
to wander from a prepared speech

seach-thìm *boir*
overtime *n*
pàigheadh airson seach-thìme
overtime payment

seagh *fir*
sense,
implication *n*

seaghach *br*
practical *adj*

seaiplin *fir*
chaplain *n*

Seàirdeant *fir* **aig Airm**
Serjeant at Arms *n*
(Westminster)

Seàirdeant *fir* **aig Lagh**
Serjeant-at-Law *n*

sealach *br*
provisional,
temporary *adj*
air stèidh shealaich
on a temporary basis

sealbh *boir*
inheritance

sealbhadair *fir*
incumbent *n*
tha meas mòr aig daoine air an t-sealbhadair a tha ann an-ceartuair
the present incumbent is well regarded

sealbhadair *fir* **dachaigh**
home owner *n*

sealbhadair *fir* **taighe**
house owner *n*

sealbhaich *gr*
(mar oighreachd)
inherit *v*

seall *gr*
demonstrate *v*
sealltainn mar bu chòir an obair a choileanadh
to demonstrate how to carry out the task

sealladh *fir*
view,
vision *n*
1 **sealladh air na tha ri teachd**
a vision of the future
2 **sealladh as miosa**
worst-case scenario
3 **òraid sa bheil sealladh (air na dh'fhaodadh teachd)**
a visionary speech

sealltainn *fir* **air ais**
retrospect *n*
le bhith sealltainn air ais
in retrospect

Sealtainn
Shetland (Constituency)

sean *br*
old,
senior *adj*
ball as sine
senior member

seana-chàirdeas *fir*
cronyism *n*

seana-charaid *fir*
crony *n*

seanadair *fir*
senator *n*

seanadh *fir*
senate,
assembly *n*

Seanadh *fir* **Èireann a Tuath**
Northern Ireland Assembly *n*

Seanadh *fir* **Mòr-roinn Lunnainn**
Greater London Assembly *n*

Seanadh *fir* **Nàiseanta na Cuimrigh**
National Assembly (*n*) for Wales

seanadh *fir* **roinneil**
regional assembly *n*

seanair-stàite *fir*
elder statesman *n*

seanmhair-stàite *boir*
elder stateswoman *n*

seann-nòsach *br*
traditional *adj*

seansalair *fir*
chancellor *n*
1 **An Seansalair**
Chancellor of the Exchequer
2 **Àrd-sheansalair nam Morairean**
Lord Chancellor

seargach *br*
deflationary *adj*

seargadh *fir*
deflation *n* (currency)
seargadh anns an eaconamaidh
deflation in the economy

searmon *boir*
sermon *n*
dèan *gr* **searmon (de)**
pontificate *v*

seas *gr*
stand,
contest *v*
1 **seasamh airson do chòraichean**
to stand up for one's rights
2 **seas airson roinn-taghaidh**
to contest a seat
3 **seas airson taghaidh**
to contest an election,
to stand for election
4 **tha am pàrtaidh againn a' seasamh airson deamocrasaidh**
our party stands for democracy

seas *gr* **ri sgrùdadh**
stand (*v*) up to examination

seasamh *fir*
stance,
stand,
standpoint,
position *n*
1 **tha daoine eòlach air an t-seasamh againn a thaobh còraichean a' chinne-daonna**
our stance on human rights is well known
2 **seasamh a dhèanamh air sgàth prionnsabail**
to take a stand on a matter of principle
3 **seasamh poileataigeach a leigeil ort**
to adopt a political posture
4 **seasamh airson barganachaidh**
negotiating position

seasamh *fir* **anns na cunntasan bheachd**
poll rating *n*

seasamh *fir* **barganachaidh**
negotiating position *n*

seasmhach *br*
sustainable *adj*
leasachadh seasmhach
sustainable development

seasmhachd *boir*
stability,
sustainability *n*
seasmhachd phoileataigeach
political stability

seat *boir*
seat *n* (in Parliament)
seat shàbhailte
a safe seat

seat(a) *fir*
set *n*
seata riaghailtean
a set of rules

sèid *gr*
hype *v*
1 **suidheachadh a shèideadh a-mach à rian**
to hype a situation out of all proportion
2 **air a shèideadh**
hyped up *adj*

seilbh *boir*
property,
stock,
possession *n*
1 seilbh (airgid / calpa)
investment
2 seilbh dachaigh bheag-chosgais
low-cost home ownership
3 gabh *gr* **seilbh air**
appropriate (to take over ownership)
4 cuir *gr* **(airgead / calpa) an seilbh**
invest *v*

seiminear *fir*
seminar *n*

seinn *gr*
sound *v*
Seinn an clag!
Sound the bell!

seirbheis *boir*
ceremony,
service *n*
1 seirbheis a sholar
to provide a service
2 Seirbheis Chatharra na Dùthcha
Home Civil Service
3 lìbhrigeadh seirbheis
service delivery
4 solar seirbheis
service provision

Seirbheis *boir* **Barrantachaidh an Oilthigh Fhosgailte**
Open University Validation Service *n*

seirbheis *boir* **bidhe sgoiltean**
school meals service *n*

Seirbheis *boir* **Casaid a' Chrùin**
Crown Prosecution Service *n*

Seirbheis *boir* **Charbadan-eiridinn na h-Alba**
Scottish Ambulance Service *n*

seirbheis *boir* **chatharra**
civil service *n*
An t-Seirbheis Chatharra
The Civil Service

seirbheis *boir* **chatharra na dùthcha**
home civil service *n*

Seirbheis *boir* **Chùirtean na h-Alba**
Scottish Court Service *n*

seirbheis *boir* **comhairleachaidh cosnaidh**
employment advisory service *n*

Seirbheis *boir* **Comhairleachaidh Cosnaidh airson Dàimh Chinnidh**
Race Relations Employment Advisory Service *n*

seirbheis *boir* **comhairleachaidh dhreuchd ionadail**
local careers advisory service *n*

seirbheis *boir* **consail**
consular service *n*

seirbheis *boir* **cuimhneachaidh**
memorial service *n*

Seirbheis *boir* **Dìon an Iasgaich**
Fisheries Protection Service *n*

seirbheis *boir* **fastadh òigridh**
youth employment service *n*

Seirbheis *boir* **Faire Mhuireil a' Chabhlaich Rìoghail**
Royal Navy Maritime Surveillance Service *n*

seirbheis *boir* **fearainn**
land service *n*

seirbheis *boir* **fiosrachaidh**
information service *n*

Seirbheis *boir* **Fiosrachaidh a' Phoball**
Public Information Service *n*

Seirbheis *boir* **Fiosrachaidh is Brath-ullachaidh nam Ball**
Members' Information and Briefing Service *n*

Seirbheis *boir* **Iomlaid Fala Nàiseanta**
National Blood Transfusion Service *n*

seirbheis *boir* **laghail**
legal service *n*

seirbheis *boir* **lìbhrigidh chlàraichte**
recorded delivery service *n*

seirbheis *boir* **na cusbainn**
customs service *n*

Seirbheis *boir* **Nàiseanta na Slàinte**
National Health Service *n* (NHS)

seirbheis *boir* **òigridh**
youth service

Seirbheis *boir* **Phrìosain na h-Alba**
Scottish Prison Service *n*

Seirbheis *boir* **Shaor-Thoileach Rìoghail nam Ban**
Women's Royal Voluntary Service *n* (WRVS)

seirbheis *boir* **slàinte sgoiltean**
school health service *n*

seirbheis *boir* **stiùiridh obrach**
occupational guidance service *n*

seirbheiseach *fir*
servant *n*

seirbheiseach *fir* **catharra**
civil servant *n*

seirbheiseach *fir* **poblach**
public servant *n*

seirbheisean *boir iol* **àrainneachd ionadail**
local environment services *npl*

seirbheisean *boir iol* **goireis poblach**
public utilities *npl*

seirbheisean *boir iol* **nan dotairean-teaghlaich**
family practitioner services *n*

seirbheisean *boir iol* **poblach**
public services *npl*

seirbheisean *boir iol* **reachdail**
statutory services *npl*

seirbheisean *boir iol* **slàinte**
health services *npl*
poileasaidh seirbheisean slàinte
health services policy

seirbheisean *boir iol* **sòisealta**
social services *npl*

seirbheisean *boir iol* **tèarainteachd**
security services *npl*

Seirbheisich *iol* **a' Chrùin**
Crown Servants *npl*

seisean *fir*
session *n*
tha a' Phàrlamaid ann an seisean
Parliament is in session

seiseanail *br*
sessional *adj*

sèithear-cuibhle *fir*
wheelchair *n*
cothrom sèitheir-chuibhle
wheelchair access

seòl *fir*
prescription,
vehicle *n*
rinn e feum de na thachair mar sheòl air e fhèin adhartachadh
he used the occasion as a vehicle for his own advancement

seòl *fir* **bacaidh** *fir*
deterrent *n*
an seòl bhacadh deireannach
the ultimate deterrent

seòl *fir* **casgach**
preventive measures *npl*

seòl *fir* **dàlach**
delaying tactic *n*

seòl *fir* **obrach**
working measures *npl*

seòl *fir* **sealach**
temporary expedient,
temporary measure *n*

seòmar *fir*
chamber *n*
gnothach an t-seòmair
chamber business

seòmar *fir* **choimpiutar**
computer room *n*

seòmar *fir* **comataidh**
committee room *n*

seòmar *fir* **comhairle**
council chamber *n*

seòmar *fir* **deasbaid**
debating chamber *n*

seòmar *fir* **làn-choinneimh**
plenary chamber *n*

seòmar *fir* **malairt**
chamber (*n*) of commerce

seòmar *fir* **uachdrach**
upper house *n*

seòmar-rannsachaidh *fir*
study *n* (room)

seòrsaich *gr*
classify *v*

seula *fir*
seal *n*
1 fo sheula
under seal
2 An Seula Mòr
The Great Seal

seulaich *gr*
seal *v*
sgrìobhainn a sheulachadh
to seal a document

sgairt *boir*
vigour *n*
lean i a h-argamaid le sgairt
she pursued her argument with vigour

sgairteil *br*
energetic,
vigorous,
vociferous *adj*
1 gu sgairteil
vigorously *adv*
2 dìon sgairteil air poileasaidh
an energetic defence of policy
3 dìon sgairteil air a' chùis
a vigorous defence of the case
4 cur an aghaidh (gu) sgairteil
vociferous opposition
5 fhuair am moladh taic a bha sgairteil
the proposal received vociferous support

sgalartaich *boir* **ri chèile**
megaphone diplomacy *n*

sgaoil *gr*
adjourn,
disseminate,
distribute,
dissolve,
betray *v*
1 rùn-dìomhair a sgaoileadh
to betray a confidence
2 Pàrlamaid a sgaoileadh
to dissolve Parliament

sgaoileadh *fir*
adjournment,
disclosure,
dissemination,
dissolution,
liquidation *n*
1 **deasbad sgaoilidh**
adjournment debate
2 **sgaoileadh na Pàrlamaid / an Taighe**
adjournment of Parliament / the House
3 **sgaoileadh companaidh (le call-creideis)**
the liquidation of a company
4 **fiosrachadh a sgaoileadh**
disclosure of information
5 **sgaoileadh na Pàrlamaid**
dissolution of Parliament
6 **sgaoileadh fiosrachaidh**
information dissemination

sgarachdainn *fir*
watershed *n*

sgaradh *fir* **chumhachdan**
separation (*n*) of powers

sgeama *fir*
scheme *n*

sgeama *fir* **ainmeachaidh ionadail**
local designation scheme *n*

Sgeama *fir* **airson Coilltean Tuathanais**
Farm Woodland Scheme *n*

sgeama *fir* **cànain**
language scheme *n*

Sgeama *fir* **Chothroman Trèanaidh**
Training Opportunities Scheme *n*

sgeama *fir* **dearbhaidh**
pilot scheme *n*

sgeama *fir* **gluasad cosnaidh**
employment transfer scheme *n*

sgeama *fir* **leasachaidh airson thuathanas is tuathanais-ghàrraidh**
farm and horticulture development scheme *n* (FHDS)

Sgeama *fir* **Leasachaidh Baile-croitearachd**
Crofting Township Development Scheme *n*

sgeama *fir* **pìolatach**
pilot scheme *n*

sgeama *fir* **saoradh-obrach**
job release scheme *n*

sgeama *fir* **sireadh-obrach**
job search scheme *n*

sgeama *fir* **so-ghluasaid nàiseanta**
national mobility scheme *n*

Sgeama *fir* **Tabhartais Chalpa do Thuathanasan**
Farm Capital Grant Scheme *n* (FCGS)

Sgeama *fir* **Tabhartais Iol-ghnèitheachaidh do Thuathanasan**
Farm Diversification Grant Scheme *n* (FDGS)

Sgeama *fir* **Tabhartais nan Coilltean**
Woodland Grant Scheme *n*

Sgeama *fir* **Tabhartasan agus Iasadan Thaighean airson Chroitearan is eile**
Crofters etc Building Grants and Loans Scheme *n* (CBGLS)

Sgeama *fir* **Tabhartasan Àiteachais nan Siorrachdan Croitearachd**
Crofting Counties Agricultural Grants Scheme *n* (CCAGS)

Sgeama *fir* **Taice Sònraichte na h-Àrainneachd**
Special Environmental Assistance Scheme *n*

Sgeama *fir* **Tàillibh Bliadhnail Chaorach**
Sheep Annual Premium Scheme *n* (SAPS)

Sgeama *fir* **Tàillibh Chrodh-bainne**
Suckler Cow Premium Scheme *n* (SCPS)

Sgeama *fir* **Tàillibh do Choilltean Tuathanais**
Farm Woodland Premium Scheme *n*

sgeama *fir* **tarraing gu làraich (shònraichte)**
location incentive scheme *n*

sgeama *fir* **teas-ghleidhidh dhachaighean**
homes insulation scheme *n*

sgeama *fir* **thabhartas thuathanas is glèidhteachais**
farm and conservation grants scheme *n*

sgeama *fir* **tòiseachaidh-obrach do dhaoine ciorramach**
job introduction scheme (*n*) for disabled persons

Sgeama *fir* **Treànadh Òigridh**
Youth Training Scheme *n* (YTS)

Sgeama-inntrigidh *fir* **Croitearachd**
Croft Entrant Scheme *n*

sgiath *boir*
wing *n*
fo sgèith na Pàrlamaid
under the auspices of Parliament

sgil *fir*
skill *n*
pròiseact leasachaidh sgilean
skills upgrade project

sgileil *br*
skilful *adj*
sgileil san deasbad
skilful in debate

sgioba *boir* **stiùiridh**
management team *n*

sgiobachd *boir*
manpower,
personnel *n*

sgioblachadh *fir*
tidying-up *n*
obair sgioblachaidh
a tidying-up exercise

sgioblaich *gr*
tidy,
streamline (rationalise,
speed up) *v*
briathran Bile a sgioblachadh
to tidy up the wording of a Bill

sgìre *boir*
district,
parish *n*

sgìre *boir* **bhòtaidh**
polling district *n*

sgìre *boir* **dhùthchail**
rural district *n*

sgìre *boir* **fhìor fho-leasaichte**
severely disadvantaged area
(SDA)

sgìre *boir* **fho-leasaichte**
less favoured area (LFA),
disadvantaged area *n* (DA)

sgìre *boir* **shlàinte**
health district *n*

Sgìre *fir* **Sho-mhillidh a thaobh Niotrait**
Nitrate Vulnerable Zone *n*

sgìre *boir* **siubhal-gu-obair**
travel-to-work area *n*

sgìre *boir* **thaghaidh**
electoral district *n*

sgìre-àireamhachd *boir*
enumeration district *n*

sgìre-easbaig *boir*
diocese *n*

sgìre-sgoile *boir*
school catchment area *n*

sgoil *boir*
school *n*
1 sgoil stàite
state school
2 sgoil shaor-thoileach
voluntary school
3 sgoil le ceansal saor-thoileach
voluntary controlled school
4 sgoil le taic shaor-thoilich
voluntary aided school
5 sgoil phrìobhaideach
private school

sgoil *boir* **ealaine**
school (*n*) of art

Sgoil *boir* **Trèanaidh Seirbheis Smàlaidh na h-Alba**
Scottish Fire Service Training School *n*

sgrìobh *gr*
write *v*
sgrìobh ainm ri
sign

sgrìobh air *gr*
inscribe *v*

sgrìobh *gr* **gu fallsa**
forge *v*
ainm a sgrìobhadh gu fallsa
to forge a signature

sgrìobhadh *fir*
writing,
inscription *n*
cuir *gr* **an sgrìobhadh**
document *v*

sgrìobhaiche *fir* **òraid**
speechwriter *n*

sgrìobhainn *boir*
document *n*
sgrìobhainn fo sheula
document under seal

sgrìobhainn *boir* **a chaidh a leigeil mu sgaoil**
leaked document *n*

sgrìobhainn *boir* **co-chomhairleachaidh**
consultation document,
consultative document *n*

sgrìobhainn-chùirte *boir*
writ *n*

sgrìobhainn-chùirte *boir* **habeas corpus**
writ (*n*) of habeas corpus

sgrìobhainn-chùirte *boir* **thùsail**
original writ *n*

sgrìobhainn *boir* **thaom-(chlò-)bhuailte**
tumbled document *n*

sgrìobhainnean (a bhuineas do chuspair) *boir iol*
documentation *n*

sgrìobhte *br*
documentary *adj*
fianais sgrìobhte
documentary evidence

sgrion *fir* **TF**
IT screen *n*

sgrion-suathaidh *fir*
touch screen *n*
bha sgrion-suathaidh air a' mhonator
the monitor was equipped with a touch screen

sgrìon-suathaidh *br*
touch-screen *adj*
teicneolas an sgrion-suathaidh
touch-screen technology

sgrùd *gr*
analyse,
examine,
inspect,
study,
investigate,
monitor,
scrutinise,
survey,
vet *v*
1 **adhartas a sgrùdadh**
to monitor progress
2 **sgrùdadh airson tèarainteachd**
to vet for security

sgrùdadh *fir*
analysis,
examination,
inspection,
study,
investigation,
audit,
scrutiny,
survey *n*
1 **sgrùdadh chosgaisean**
analysis of costs
2 **Oifis Nàiseanta an Sgrùdaidh**
National Audit Office
3 **tha an sgoil buailteach a bhith air a sgrùdadh aig àm sam bith**
the school is liable to inspection at any time
4 **comataidh sgrùdaidh**
scrutiny committee
5 **bha e fo lom sgrùdadh a' phobaill**
he found himself in the spotlight of public scrutiny
6 **dèan** *gr* **sgrùdadh air**
audit *v*

Sgrùdadh *fir* **air Caiteachas Poblach**
Public Expenditure Survey *n* (PES)

sgrùdadh *fir* **air cosg**
spending review *n*
faodaidh leasachadh a thighinn an lùib sgrùdaidh air cosg airgid
a spending review may produce improvements

sgrùdadh *fir* **bheachd**
survey (*n*) of opinion

sgrùdadh *fir* **caiteachais theaghlaich**
family expenditure survey *n*

sgrùdadh *fir* **coitcheann**
general review *n*

sgrùdadh *fir* **cosgais**
cost analysis *n*
sgrùdadh cosgais is buannachd
cost-benefit analysis

sgrùdadh *fir* **dàta**
data analysis *n*

sgrùdadh *fir* **iomlan**
full scrutiny *n*

sgrùdadh *fir* **ion-dhèantachd**
feasibility study *n*

sgrùdadh *fir* **laghail**
judicial investigation *n*

sgrùdadh *fir* **le pàrlamaid**
parliamentary scrutiny *n*

sgrùdadh *fir* **neo-eisimeileach**
independent review *n*

sgrùdadh *fir* **obrach**
job analysis *n*

sgrùdadh *fir* **poblach**
examination in public *n* (EIP)

sgrùdadh *fir* **poileasaidh**
policy analysis *n*

sgrùdadh *fir* **reachdail**
legislative scrutiny *n*

sgrùdadh *fir* **sgìreil**
district audit *n*

sgrùdadh *fir* **sgrìobhainnean**
inspection (*n*) of documents

sgrùdadh *fir* **sònraichte**
special review *n*

Sgrùdadh *fir* **Sònraichte air Coimhearsnachd**
Special Community Review *n*

Sgrùdaidhean *fir iol* **Gnothachais Thuathanas**
Farm Business Surveys *npl* (FBS)

sgrùdail *br*
investigative,
investigatory *adj*

sgrùdair *fir*
scrutineer *n*

sguab *gr* **romhad**
overwhelm *v*
gach neach / nì a tha nad aghaidh a sguabadh romhad
to overwhelm all opposition

Sguad *fir* **Eucoir na h-Alba**
Scottish Crime Squad *n*

sgudal *fir*
refuse,
rubbish *n*
1 **togail sgudail**
refuse collection
2 **glanadh sgudail**
refuse disposal

sguir *gr*
cease,
stop *v*
sguir a' Phàrlamaid an t-seachdain seo chaidh
the House rose last week

sguir *gr* **(bho)**
cease *v* (to)

sguir *gr* **(de dh'obair)**
adjourn *v*
sguir a' Phàrlamaid (de dh'obair) aig dà uair
Parliament adjourned at two o'clock

Sia Conntaidhean *fir iol*, **na**
the Six Counties *npl* (Northern Ireland)

sìc-eòlaiche *fir* **foghlaim**
educational psychologist *n* (EP)

sìmplich *gr*
simplify *v*
an argamaid a shìmpleachadh
to simplify the argument

sìmplidh *br*
simple,
elementary *adj*
1 **dreachd ro shìmplidh a chur air an t-suidheachadh**
to oversimplify the situation
2 **dòigh ro shìmplidh air dèiligeadh ri duilgheadas**
a simplistic approach to a problem
3 **dèan** *gr* **ro shìmplidh**
oversimplify *v*

sìn *gr* **a-mach**
prolong,
extend v
1 **deasbad a shìneadh a-mach**
to prolong a debate
2 **ceann-ama a shìneadh a-mach**
to extend a time limit

sìneadas *fir*
subsidiarity *n*

sìneadh *fir* **a-mach**
prolongation *n*
tha gluasad dùnaidh a' cur stad air an deasbad a bhith air a shìneadh a-mach gun adhbhar
a closure motion prevents the unnecessary prolongation of a debate

sìolaidh *gr* **às**
peter (*v*) out
shìolaidh an deasbad às an dèidh grunnan de dh'uairean a thìde
the debate petered out after some hours

sionopsas *fir*
synopsis *n*
sionopsas de dh'aithisg
the synopsis of a report

sìor-
perpetual *adj*

sìor-chàin *gr*
carp *v*

sìor-iarr *gr*
importune *v*
taic a shìor-iarraidh bho cho-obraiche
to importune a colleague for support

siorrachd *boir*
county *n*

Siorrachd Obar Dheathain an Iar agus Cinn Chàrdainn
West Aberdeenshire and Kincardine (Constituency)

siorraidh *fir*
sheriff *n*

siorram *fir*
sheriff *n*

siorramachd *boir*
sheriffdom *n*

siostam *fir*
system *n*
siostam riaghlaidh
the system of government

Siostam *fir* **Airgid na h-Eòrpa**
European Monetary System *n* (EMS)

siostam *fir* **bhall a bharrachd**
additional member system *n* (AMS)

siostam *fir* **bhòtaidh**
voting system *n*

siostam *fir* **dealbhaidh**
planning system *n*

siostam *fir* **fiosrachaidh ionmhasail**
financial information system *n*

siostam *fir* **fiosrachaidh stiùiridh**
management information system *n*

siostam *fir* **fuaim**
sound system *n*

siostam *fir* **lèir-dàta**
viewdata system *n*

siostam *fir* **mòr-chodach shìmplidh**
simple majority system *n*

siostam *fir* **phàrtaidhean**
party system *n*

siostam *fir* **poileataigeach**
political system *n*

siostam *fir* **riaghaltais le ceann-suidhe**
presidential system *n*

Siostam *fir* **Rianachd agus Smachd Amalaichte**
Integrated Administration and Control System *n*

siostam *fir* **riochdachaidh co-roinneil**
proportional representation *n* (PR)

siostam *fir* **taghaidh**
electoral system *n*

siostam *fir* **urraim**
honours system *n*

siostam-rangachaidh *fir*
hierarchy *n*

sir *gr*
search *v*
beachd a shireadh
to canvass opinion

sireadh-taice *fir*
canvassing *n*

siubhal *fir*
travel *n*
1 **barrantas siubhail**
travel warrant
2 **cosgaisean siubhail**
travel expenses

slaic *boir*
blow *n*
slaicean an deasbaid
the cut and thrust of debate

slàinte *boir*
health *n*
slàinte is sàbhailteachd san àite-obrach
health and safety at work

slat-tomhais *boir*
criterion *n*
criteria *pl*

slighe *boir*
direction,
track *n*
tha sinn a' gluasad air an t-slighe cheart
we are moving in the right direction

slighe *boir* **luath**
fast track *n*
1 **san t-slighe luath**
fast-track *adj*
2 **reachdas san t-slighe luath**
fast-track legislation
3 **dòigh-obrach san t-slighe luath**
fast-track procedure
4 **an t-slighe luath gu àrdachadh**
the fast track for promotion

slighe *boir* **teichidh (bho theine)**
fire escape

sloc-tuislidh *fir*
pitfall *n*

sluagh *fir*
people,
population *n*

sluaigh-bhòt *boir*
plebiscite *n*

sluaigh-bhreith *boir*
plebiscite *n*

slump *fir / boir*
slump *n* (economic)

smachd *fir*
control,
discipline *n*
suidheachaidhean air nach eil smachd againn
circumstances beyond our control

smachd *fir* **air togail**
building control *n*
Roinn Smachd air Togail
Building Control Division

smachd *fir* **cosgais**
cost control *n*

smachd *fir* **dealbhaidh**
planning control *n*

smachd *fir* **ionmhasail**
financial control *n*

smachd *fir* **leasachaidh**
development control *n*

smachd *fir* **poileataigeach**
political control *n*

smachd *fir* **togail**
building control *n*
Roinn Smachd Togail
Building Control Division

smachd-bhannan *fir iol* **poileataigeach**
political sanctions *npl*

smachdachadh *fir*
disciplinary action *n*

smachd-bhann *fir*
sanction *n*
smachd-bhannan eaconamach a chur an gnìomh
to impose economic sanctions

smaoineachadh *fir* **poileataigeach**
political thinking *n*

smuain *boir*
thought *n*
1 **smuain phoileataigeach**
political thought
2 **beachdachadh air nithean nach gabhadh roimhe an smuaineachadh**
to think the unthinkable

snas *fir*
elegance *n*

snasail *br*
elegant *adj*
briathran snasail
an elegant turn of phrase

socair *br*
soft *adj*
tighinn sìos gu socair
a soft landing

sochair *boir*
benefit,
privilege *n*
1 **sochair-leasachaidh**
supplementary benefit
2 **sochair gus cosnadh**
welfare to work
3 **fo shochair ro chur an làimh**
privileged from arrest

sochair *boir* **chloinne**
child benefit *n*

sochair *boir* **cion-cosnaidh**
unemployment benefit *n*

sochair *boir* **cise**
tax benefit *n*

sochair *boir* **phàrlamaideach**
parliamentary privilege *n*

sochair *boir* **shòisealta**
welfare *n*

sochair *boir* **tinneis**
sickness benefit *n*

sochair-leasachaidh *boir*
supplementary benefit *n*

sochair-leasachaidh *boir* **teachd-a-steach teaghlaich**
family income supplement *n* (FIS)

so-dhìonaidh *br*
justifiable

soighne *fir*
sign *n*

soilleir *br*
clear *adj*

soilleireachadh *fir*
clarification,
clearness,
explanation *n*
1 **soilleireachadh a shireadh air cuspair**
to seek clarification on a subject
2 **còmhradh a bheir soilleireachadh**
an illuminating discussion
3 **dèan** *gr* **soilleireachadh (do)**
enlighten *v*
4 **a fhuair soilleireachadh**
enlightened *adj*
5 **freagairt a nì soilleireachadh**
an enlightening reply

soilleireachaidh *br*
illuminating *adj*

soilleireachd *boir*
clarity *n*

soilleirich *br*
illuminate *v*

soilleirich *gr*
clarify,
enlighten *v*
1 **cùis a shoilleireachadh**
to clarify an issue
2 **mar a tha air a shoillearachadh anns na leanas**
as detailed below

soirbhich *gr* **le**
succeed *v*
shoirbhich leis a' bhòta
the vote is carried

sòisealach *br*
socialist *adj*

sòisealach *fir*
socialist *n*

sòisealachd *boir*
socialism,
social work *n*
Luchd-sgrùdaidh Seirbheisean Sòisealachd
Social Work Services Inspectorate

sòisealtas *fir*
society *n*
àite an duine fa leth ann an sòisealtas
the individual's place in society

sòiseo-eaconamach *br*
socio-economic *adj*

solais *fir iol* **thèarainteachd**
security lighting *n*

solar *fir*
supply *n*
1 **a rèir solair**
supply-driven
2 **tionnsgnadh a tha a rèir an t-solair**
a supply-driven initiative

solar *fir* **deireadh-latha**
sunset provision *n*

solar *fir* **poblach**
public procurement *n*

solarachadh *fir* **foghlaim**
educational provision *n*

solas *fir*
light *n*

so-leòntachd *boir*
vulnerability *n*

so-leònte *br*
vulnerable *adj*
gus daoine a tha lag, so-leònte, a dhìon
to protect the weak and vulnerable

so-mhaoin *boir*
assets *npl*
1 **so-mhaoin agus do-mhaoin**
assets and liabilities
2 **so-mhaoin shuidhichte**
fixed assets
3 **reothadh so-mhaoine**
freezing of assets

sòn *fir*
zone *n*
1 **sòn iomairt**
enterprise zone
2 **Sòn an Euro**
the Euro Zone

sòn *gr*
zone *v*

sònadh *fir* **(sgìrean sgoile)**
zoning *n* (school catchment areas)

sònrachadh *fir*
assignment,
specification,
stipulation *n*
sònrachadh dhleastanas
assignment of duties

sònraich *gr*
assign,
specify,
stipulate *v*
1 **dleastanasan a shònrachadh**
to assign duties
2 **cumhachan àraidh a shònrachadh**
to specify certain conditions
3 **fo na cumhachan a chaidh a shònrachadh sa chunnradh**
as stipulated in the contract
4 **cumhachan a shònrachadh**
to stipulate conditions

sònraichte *br*
specific,
specified,
remarkable *adj*
1 **eisimpleir sònraichte**
a specific example
2 **euchd sònraichte**
a remarkable feat

so-ruigsinn *br*
accessible *adj*

spàirn *boir*
struggle *n*
1 **is fada bho tha e air a bhith ri spàirn**
he has long been an agitator
2 **a bhith ri spàirn airson atharrachaidh**
to agitate for change

spàrr *gr*
force *v*
bhòt a sparradh (orra)
to force a division / vote

sparradh *fir*
imposition *n*
sparradh cìse
the imposition of a tax

spèisealachd *fir*
specialism *n*

spèisealaiche *fir*
specialist *n*

spèisealta *br*
specialist *adj*

spiorad *fir* **a' phobaill**
public spirit *n*

spioradail *br*
spiritual *adj*
Na Morairean Spioradail
the Lords Spiritual

sponsair *fir*
sponsor *n*
rach *gr* **mar sponsair**
sponsor *v*

sponsaireachd *boir*
sponsorship *n*
(financial support)

spòrsalba *fir*
sportscotland *n*

Srath Cheilbhin agus Cille Phàdraig Ùr
Strathkelvin and Bearsden (Constituency)

Srath Thuaidh, Eadaraig agus Srath Labhdair
Tweeddale, Ettrick and Lauderdale (Constituency)

sreath *fir*
range,
tier *n*
1 **sreath de dh'fheumalachdan**
a range of functions
2 **dol thairis air sreath de chuspairean**
to range over a variety of issues

sreath *fir* **choimpiutair**
computer suite *n*

sreath *fir* **chomataidh**
committee cycle *n*

srianadh *fir* **dealbhaidh**
planning restraint *n*

Sruighlea
Stirling (Constituency)

sruth *fir*
flow *n*
stream *n*
1 **ann am meadhan sruth cainnte**
in full flow of speech
2 **sruth an teachd-a-steach**
revenue stream
3 **bi** *gr* **ri sruth gun bhrìgh**
waffle *v*

sruth *gr* **bho**
emanate *v*

sruth *fir* **gun bhrìgh**
waffle *n*
1 **ri sruth gun bhrìgh**
waffling *n*
2 **cha robh san òraid ud ach sruth gun bhrìgh**
that speech was pure waffle

sruth-chlàr *fir*
flow chart *n*

sruth-chlàr *gr*
flow-chart *v*

stad *fir*
interruption,
stop *n*
1 **uair stad (deasbaid)**
the moment of interruption (of a debate)
2 **na stad**
in abeyance
3 **cuir** *gr* **stad air**
prorogue *v*,
prorogation *n*
4 **stad a chur air neach-labhairt**
to interrupt a speaker

staid *boir*
state (condition)

staid *boir* **èiginneach**
state (*n*) of emergency

staing *boir*
impasse *n*
staing a rèiteach
to resolve an impasse

stairsneach *boir*
threshold *n*
stairsneach cìse
tax threshold

stàit *boir*
state *n* (nation)
1 **stàit shochairean**
welfare state
2 **cuir** *gr* **ann an seilbh na stàite**
nationalise *v*
3 **duine gun stàite**
stateless person

stàitire *fir*
statesman *n*

stàitireil *br*
statesmanlike *adj*

staitistig *fir*
statistic *n*
staitistig a thaobh àireimh-shluaigh
population statistics

staitistigeil *br*
statistical *adj*

stampa *boir* **rubair**
rubber stamp *n*

status quo *fir*
status quo *n*

stèidh *boir*
basis *n*
1 **air stèidh cho-ionainn**
on equal terms
2 **stèidh airson leasachaidh san àm ri teachd**
a springboard for future development

stèidheachadh *fir*
establishment,
setting (*n*) up,
institution *n*
1 **stèidheachadh comataidh**
the setting up of a committee
2 **stèidheachadh na fìrinne**
finding of fact
3 **stèidheachadh stiùireadh soilleir**
the institution of clear guidelines

stèidhich *gr*
establish *v*,
set (*v*) up

stèisean *fir*
station *n*
1 **stèisean obrach**
work station
2 **stèisean dearbhaidh charbad-bathair**
goods vehicle testing station

Stèisean *fir* **Oifigeil airson Dearbhadh Sìl is Froise**
Official Seed Testing Station *n* (OSTS)

stiùbhard *fir*
steward *n*

stiùir *boir*
lead *n*
1 **einnseanair stiùireadair**
superintendent engineer
2 **stiùir a thoirt**
to give a lead

stiùir *gr*
conduct,
direct,
guide,
manage,
supervise,
lead *v*
1 **a' chùis a stiùireadh**
to conduct the affair
2 **an gnothach a stiùireadh**
to conduct the business
3 **pàrtaidh a stiùireadh**
to lead a party

stiùireachas *fir*
executive *n* (body)

stiùireadair *fir*
superintendent *n*
einnseanair stiùireadair
superintendent engineer

stiùireadh *fir*
direction,
guidance,
guideline,
management (the process),
oversight,
supervision *n*
1 **thug e stiùireadh soilleir air na bha ri dhèanamh**
he gave clear directions on what to do
2 **nota stiùiridh**
guidance note
3 **rud a dhèanamh an taobh a-staigh stiùiridh fharsainn shònraichte**
to act within certain broad guidelines
4 **stiùireadh deamocratach**
democratic oversight
5 **droch stiùireadh**
mismanagement
6 **thoir** *gr* **stiùireadh do**
guide *v*

stiùireadh *fir* **cunnraidh**
contract management *n*

stiùireadh *fir* **oifis**
office management *n*

stiùireadh *fir* **sgiobachd**
personnel management *n*

stiùiriche *fir*
director *n*

stiùiriche *fir* **còmhlain**
group director *n*

stiùiriche *fir* **fo-roinne**
head (*n*) of division

stiùiriche *fir* **iomairt**
campaign manager *n*

Stiùiriche *fir* **nan Casaidean Poblach**
Director (*n*) of Public Prosecutions

stiùirichean *fir iol*
management *n* (the personnel)

stiùiriche-roinne *fir*
head (*n*) of department

stiùirichte *br*
managed *adj*
eaconamaidh stiùirichte
a managed economy

stòras *fir*
resource(s) *n(pl)*
cur *fir* **stòrais ri**
resourcing *n*

stòras *fir* **de luchd-obrach** *fir*
manpower resources *npl*

stòras *fir* **ionmhasail**
financial resources *npl*

stòras *fir* **lagha**
body (*n*) of law

stòr-dàta *fir*
database *n*
rianachd stòr-dàta
database management

Strasbourg *fir*
Strasbourg *n*

strèan *fir*
strain *n*

strì *boir*
conflict,
contest,
contention *n*
1 strì eadar com-pàirtean
a conflict of interest
2 an strì an aghaidh
to contend with

strì *gr*
contest *v*
tha iad a' strì an aghaidh a chòir labhairt
they contest his right to speak

structair *fir*
structure *n*
1 structair comataidh
committee structure
2 structair deamocratach
democratic structure
3 le structair
structured *adj*

structarail *br*
structural *adj*
1 cion-cosnaidh structarail
structural unemployment
2 einnseanair structarail
structural engineer

stuama *br*
responsible (behaviour),
conservative,
dignified *adj*
1 tuairmse stuama
a conservative estimate
2 giùlan stuama
dignified conduct

stuth-truaillidh *fir*
pollutant *n*

suaicheanta *br*
flagship *adj*
poileasaidh suaicheanta
a flagship policy

suaicheantas *fir*
flagship *n*
's i a' Phàrlamaid suaicheantas an deamocrasaidh an Alba
the Parliament is the flagship of democracy in Scotland

suarach *br*
cheap,
petty,
unworthy *adj*
1 facal suarach
a cheap jibe
2 facal suarach
a petty comment
3 bu shuarach na faclan sin do stàitire
that remark was unworthy of a statesman

sùbailte *br*
flexible *adj*

sùbailteachd *boir*
flexibility *n*

subhailc *boir*
virtue *n*

subsadaidh *fir*
subsidy *n*
1 subsadaidh obrach sealach
temporary employment subsidy
2 thoir *gr* **subsadaidh do**
subsidise *v*

Subsadaidh *fir* **Fastaidh do Ghnothachais Bheaga**
Small Firms Employment Subsidy *n*

suidhe *fir*
sitting *n*
1 amannan suidhe na Cùirte
sitting of the Court
2 suidhe anmoch
late-night sitting
3 suidhe fad-oidhche
all-night sitting
4 amannan suidhe Pàrlamaid na h-Alba
sittings of the Scottish Parliament

suidheachadh *fir*
circumstance,
situation *n*
1 suidheachaidhean thar ar smachd
circumstances beyond our control
2 san t-suidheachadh a tha ann
in the circumstances
3 a bhith cothromach air an t-suidheachadh
to rise to the occasion
4 aithisg air suidheachadh
situation report
5 an suidheachadh a tha ann an-dràsta a ghleidheadh
to preserve the status quo
6 thuig e gun robh e ann an suidheachadh a bha croiseil
he found himself in an awkward predicament

suidheachadh-bàn *fir* **sealach**
casual vacancy *n*

suidheachadh-èiginn *fir*
emergency *n*

suidheachail *br*
circumstantial *adj*
fianais shuidheachail
circumstantial evidence

suidhich *gr*
allocate,
fix,
set *v*,
set (*v*) up
1 ùghdarrasan a shuidheachadh
to allocate powers
2 am buidseat a shuidheachadh
to fix the budget
3 àm / uair a shuidheachadh
to set a time
4 comataidh a shuidheachadh
to set up a committee
5 sòn / raon a shuidheachadh
to zone

Suidhich an Alba
Locate in Scotland

suidhich *gr* **raon / sòn**
zone *v*

suidhichidhean *fir iol* **obrach**
working conditions *npl*

suidhichte *br*
set,
standard *adj*
1 riaghailtean suidhichte
set rules
2 adhbhar suidhichte
a set purpose
3 innleachdan (a tha) suidhichte gu math
well-laid plans

suids-chlàr *fir*
switchboard *n*

sùil *boir*
eye *n*
1 cum *gr* **sùil air**
supervise,
monitor *v*
2 tha mi a' cumail sùil air a' chuspair sin
I am keeping that subject under observation

sùil-fhianais *boir*
eye-witness *n*

sùil-fhianaise *boir gin*
eye-witness *adj*
cunntas sùil-fhianaise
an eye-witness account

suim *boir*
sum *n*
1 suim tuiteamais
contingency sum
2 suim nach deach a chaitheamh
sum underspent
3 suimeannan (airgid) ceann na bliadhna
end of year moneys / monies

suim *gr*
add,
aggregate *v*

suirbhidh *fir*
survey *n*
suirbhidh tron phost
postal survey

suirbhidh *fir* **caiteachais theaghlaich**
family expenditure survey *n*

Suirbhidh *fir* **Òrdanais**
Ordnance Survey *n* (OS)
a rèir mapa an t-Suirbhidh Òrdanais
according to the Ordnance Survey map

sumain *gr*
summons *v*
a shumanadh gus nochdadh sa chùirt
to summons to appear in court

sumanadh *fir*
summons *n*
1 sumanadh gus a thighinn gu cùirt
a summons to appear in court
2 thoir *gr* **sumanadh (do)**
cite *v* (to summon to appear before a court of law)

sùrdail *br*
energetic *adj*
gu sùrdail
energetically *adv*

susbaint *boir*
content *n*

T

tàbhachd *boir*
profit,
benefit,
advantage *n*
tàbhachd cho-ionann
equal validity

tàbhachdach *br*
beneficial,
advantageous,
material,
valid *adj*
1 tàbhachdach don argamaid
material to the argument
2 beachd tàbhachdach
a valid argument

tabhainn *gr*
offer,
tender *v*
1 comhairle a thabhann
to tender advice
2 tabhann do dhreuchd a leigeil dhìot
to tender one's resignation

tabhartas *fir*
grant,
contribution,
subsidy *n*
1 **Tabhartas Eòrpach**
European Grant
2 **Tabhartasan Sònraichte**
Specific Grants
3 **tabhartasan Àrachais Nàiseanta**
National Insurance (NI) contributions
4 **thoir** *gr* **tabhartas do**
subsidise *v*
5 **tabhartas-cuideachaidh a thoirt do chomann**
to grant aid an association

tabhartas *fir* **airson iomairt roinneil**
regional enterprise grant *n*

tabhartas *fir* **calpa**
capital grant *n*
sgeama thabhartasan calpa
capital grants scheme

tabhartas *fir* **gus cuideachadh**
grant (*n*) in aid

Tabhartas *fir* **Leasachaidh Còmhdhail**
Transport Supplementary Grant *n* (TSG)

tabhartas *fir* **leasachaidh ghnìomhachasaich**
industrial development grant *n*

tabhartas *fir* **leasachaidh roinneil**
regional development grant *n*

Tabhartas *fir* **Nuadhais airson Còmhdhail Dhùthchail**
Rural Transport Innovation Grant *n* (RTIG)

tabhartas *fir* **taice do theachd-a-steach**
revenue support grant *n*

tabhartas-cuideachaidh *fir*
grant aid *n*

tachair *gr*
happen *v*

tachartas *fir*
occurrence,
occasion *n*
1 **'s e tachartas bitheanta a bha seo**
this was a regular occurrence
2 **tachartas catharra**
civic occasion

tacsa *fir*
support *n*

taga *fir* **eileagtronaigeach**
electronic tag *n*

tagadh *fir* **eileagtronaigeach**
electronic tagging *n*

tagair *gr*
advocate,
appeal,
claim,
plead (a case),
protest,
submit *v*
1 **cha thagrainn a leithid sin a cheum**
I would not advocate such measures
2 **tagradh an aghaidh co-dhùnaidh**
to appeal against a decision
3 **tagradh nach eil neach ciontach**
to protest one's innocence

tagh *gr*
choose,
elect,
select *v*
1 **BP a thaghadh don Phàrlamaid**
to return an MP to Parliament
2 **air a t(h)aghadh gun tagraiche eile na (h-)aghaidh**
elected unopposed

taghadh *fir*
election,
poll *n*
1 **taghadh pàrlamaid**
parliamentary election
2 **seasamh san taghadh / sna taghaidhean**
to stand for election
3 **dol chun an taghaidh**
to go to the polls
4 **ri iomairt** *boir* **taghaidh**
electioneering (*n*)
5 **taghaidh** *fir gin*
electoral *adj*

taghadh *fir* **coitcheann**
general election *n*

taghadh *fir* **comhairle ionadail**
local council election *n*

taghadh *fir* **dìreach**
direct election *n*

taghadh *fir* **ionadail**
local election *n*

taghadh *fir* **luchd-obrach**
staff selection *n*

taghadh *fir* **Pàrlamaid**
general election,
parliamentary election *n*
1 **taghadh fir Pàrlamaid na h-Alba**
Scottish Parliamentary Election
2 **Taghadh Pàrlamaid Westminster**
Westminster General Election

taghadh *fir* **riaghaltais ionadail**
local government election *n*

taghte *br*
elected *adj*
1 **mèar taghte**
elected mayor
2 **ball taghte**
elected member

tagrachas *fir*
candidature *n*

tagradaireachd *boir*
advocacy *n* (function of advocate)

tagradh *fir*
advocacy (of a cause),
claim,
plea,
submission *n* (recommendation)
1 **tagradh airson sochair**
to submit a claim for benefit
2 **tagradh airson iochdalachd**
a plea for leniency

tagraiche *fir*
candidate,
claimant,
nominee *n*
1 **tagraiche roinne-taghaidh**
constituency candidate
2 **liosta thagraichean**
candidate list
3 **tagraiche liosta**
list candidate
4 **neach** *fir* **a tha gu bhith na thagraiche don phàrlamaid**
prospective parliamentary candidate

taic *boir*
support *n*
1 **taic fhollaiseach**
an expression of support
2 **a' toirt taic don argamaid**
in support of their argument
3 **cuir** *gr* **taic ri**
second *v* (a motion)
4 **fìor làn thaic**
overwhelming support
5 **faodaidh tu a bhith cinnteach às mo thaic**
you can count on my support
6 **feumaidh sinn taic ionmhais airson a' phròiseict**
we need financial support for the project
7 **thoir** *gr* **taic do**
support *v*

taic *boir* **fòn**
helpline *n*

taic *boir* **laghail**
legal aid *n*

Taic *boir* **le Cur an Seilbh**
Investment Assistance *n*

taic *boir* **teachd-a-steach**
income support

taiceil *br*
supportive *adj*

taic-reataichean *boir*
rate support *n*
tabhartas airson taic-reataichean
rate support grant

taigh *fir* **bàn**
void *n* (unoccupied council dwelling)

Taigh *fir* **nam Morairean**
House (*n*) of Lords

Taigh *fir* **nan Clàr**
Register House *n*

Taigh *fir* **nan Cumantan**
House (*n*) of Commons

Taigh-cùinnidh *fir* **Rìoghail**
Royal Mint *n*

taigh-cusbainn *fir*
custom house *n*

taigheadas *fir*
housing *n*

taighean *fir iol* **ann an ioma-sheilbh**
houses (*npl*) in multiple occupation (HMOs)

Taighean *fir iol* **na Pàrlamaid**
Houses (*npl*) of Parliament

taighean *fir iol* **sa bheil grunnd a' còmhnaidh**
houses (*npl*) in multiple occupation (HMOs)

Taighean-tasgaidh *fir iol* **Nàiseanta na h-Alba**
National Museums (*npl*) of Scotland

Taigh-tasgaidh *fir* **agus Gailearaidh** *fir* **Nàiseanta**
National Museum and Gallery *n*

Tàilleabh *fir* **Cosnaidh Roinneil**
Regional Employment Premium *n* (REP)

tàir *boir*
contempt,
insult,
reproach *n*
1 **tàir air a' Phàrlamaid**
contempt of Parliament
2 **tàir air a' chùirt**
contempt of court
3 **tha sin na thàir air ar tuigse**
it is an insult to our intelligence
4 **dèan** *gr* **tàir air**
disparage,
insult *v*

tàireil *br*
insulting,
critical,
disparaging *adj*
1 **facal tàireil**
an insulting remark
2 **tha e glè thàireil dar n-obair**
he is very critical of our work
3 **facal tàireil**
disparaging remark

tairg *gr*
offer,
tender,
volunteer *v*
1 **tairgsinn airson cunnraidh**
to tender for a contract
2 **tha mi a' tairgse gam dheòin fhèin an obair a dhèanamh**
I volunteer for the task
3 **neach ris a bheilear a' tairgse**
offeree *n*

tairgse *boir*
offer,
tender,
proposition *n*
1 **tairgse a ghabhail**
to accept a tender
2 **tairgse a thoirt (do)**
to award a tender
3 **a chur a-mach gu tairgse**
to put out to tender
4 **cuireadh a thoirt tairgsean a chur a-steach, tairgsean a shireadh**
to invite tenders

tairgse *boir* **dà ìre**
two-stage tender *n*

tairgse *boir* **fharpaiseach**
competitive tender *n*

tairgseachadh *fir* **farpaiseach**
competitive tendering *n*

tairgseachadh *fir* **farpaiseach èigneachail**
compulsory competitive tendering *n*

tairgsiche *fir*
offeror *n*

taisbeanach *br*
indicative *adj*

taisbeanadh *fir* **le com-pàirteachadh poblach**
public participation exhibition *n*

taisg *gr*
deposit *v*
hoard *v*

tàlant *fir*
talent *n*
tàlant airson a bhith a' deasbad
a talent for debate

tàlantach *br*
talented *adj*
òraidiche tàlantach
a talented orator

talla *fir / boir* **baile**
town hall *n*

talla *fir / boir* **cathair-bhaile**
city hall *n*

tàmailt *boir*
embarrassment *n*
adhbhar tàmailt
a cause of embarrassment

tàmailteach *br*
embarrassing *adj*
suidheachadh tàmailteach
an embarrassing situation

tàmailtich *gr*
embarrass *v*
lùigeadh iad am ministear a thàmailteachadh
they wish to embarrass the minister

taobh *fir*
side,
standpoint *n*
1 **buill air an aon taobh den t-seòmar**
members on the same side of the chamber
2 **buill air taobh eile an t-seòmair**
members on the other side of the chamber
3 **gabh** *gr* **taobh**
align *v* (to agree on policy, etc.)
4 **air taobh (neach / buidhne)**
aligned with (a person / group)

taobh a-staigh *roi le gin*
within *prep*
taobh a-staigh an lagha
within the law

taobh *gr* **ri**
side,
favour,
espouse *v*
1 **taobhadh ri adhbhar**
to espouse a cause
2 **taobhadh ris an luchd-dùbhlain**
to side with the opposition
3 **taobhadh ri neach**
to take sides with a person
4 **tha an riaghaltas a' taobhadh ris a' phoileasaidh seo**
this policy finds favour with the government

Taobh Tatha a Tuath
North Tayside (Constituency)

taobhadh *fir*
siding,
espousal *n*
taobhadh ri adhbhar
the espousal of a cause

taom-chlò-bhualadh *fir*
tumble-printing *n*

taraif *boir*
tariff *n*

tar-choimhearsnail *br*
cross-community *adj*
tha taic thar-choimhearsnail aig a' mholadh
the proposal enjoys cross-community support

tar-chosg *gr*
overspend *v*

tar-chrìochail *br*
cross-border *adj*
iomairt thar-chrìochail
a cross-border initiative

tar-chur *fir*
referral *n*
1 **pàtran tar-chuir**
referral pattern
2 **siostam tar-chuir**
referral system
3 **tar-chur facsimile**
facsimile transmission

targaid *boir*
target *n*
targaid coileanaidh
performance target

tar-iomradh *fir*
cross-reference *n*
tar-iomradh a dhèanamh eadar sgrìobhainn is aithisgean eile
to cross-reference a document to other reports

tarraing *boir*
going (*n*) off
dèan *gr* **tarraing**
log (*v*) off

tarraing *boir* **air ais**
retreat *n*

tarraing *gr* **air ais**
retreat,
withdraw *v*
1 **faclan a tharraing air ais**
to withdraw a remark
2 **dh'iarrainn cead an gluasad a tharraing air ais**
I beg leave to withdraw the motion

tarraing *boir* **a-mach**
opt-out *n*
clàsa tarraing a-mach
opt-out clause

tarraing *gr* **a-mach**
opt (*v*) out
tarraing a-mach à
to opt out of

tarraing *gr* **amharas (air)**
compromise *v*
1 **amharas a tharraing ort fhèin**
to compromise oneself
2 **bidh seo a' tarraing amharas air a c(h)reideas**
this will compromise his / her credibility

tarraing-shùla *boir*
visual impact *n*

tar-sgaoileadh *fir*
waiver *n*

tar-sgrìobh *gr*
transcribe *v*

tar-sgrìobhadh *fir*
transcript *n*

tar-thorachadh *fir*
cross-fertilisation *n*

tar-thoraich *gr*
cross-fertilise *v*

tasgadh *fir* **tuiteamais**
contingency reserve *n*

tasglann *fir*
archive *n*
cuir *gr* **an tasglann**
archive *v*

tasglannaiche *fir*
archivist *n*

Tasglannan *fir iol* **Nàiseanta na h-Alba**
National Archives (*npl*) of Scotland

tàthag *boir*
gibe *n*
tàthag shuarach
a cheap gibe

tathaich *gr*
frequent *v*
coinneamhan a thathaich
to frequent meetings

teachdaire *fir*
messenger *n*
seirbheis teachdaire
messenger service

teachdaireachd *boir*
message *n*
1 **an teachdaireachd a chur tarsainn**
to get the message over / across
2 **inneal teachdaireachd**
message pager

teachd-an-tìr *fir*
subsistence *n*
cuibhreann teachd-an-tìr
subsistence allowance

teachd-a-steach *fir*
income,
revenue *n*
receipts *npl* (monetary),
1 **buil air teachd-a-steach**
revenue consequences
2 **caiteachas air teachd-a-steach**
revenue expenditure
3 **maoineachadh do theachd-a-steach**
revenue funding
4 **gun bhuaidh air teachd-a-steach**
revenue-neutral
5 **a thogas teachd-a-steach**
revenue-generating *adj*

teachd-a-steach *fir* **calpa**
capital receipts *npl*

teachd-a-steach *fir* **cìs-bhuailteach**
taxable income *n*

Teachd-a-steach *fir* **Lom Tuathanais**
Net Farm Income *n* (NFI)

teacsa *boir*
text *n*
teacsa a' Chunnraidh
text of the Treaty

teagaisg *gr*
teach,
instruct *v*

teagamh *fir*
doubt,
reservation *n*
1 **gun teagamh (reusanta)**
beyond (reasonable) doubt
2 **gun teagamh**
without reservation,
undoubtedly *adv*
3 **cuir** *gr* **teagamh**
doubt *v*
4 **teagamh a chur a bheil**
to question whether / if

teagamhan *fir iol*
misgivings *npl*

teagasg *fir*
teaching,
instruction *n*

Teampall *fir* **Meadhain**
Middle Temple *n*

teanantachd *boir*
tenancy *n*
1 **teanantachd theirm-shuidhichte**
fixed-term tenancy
2 **teanantachd chuairteach reachdail**
statutory periodic tenancy

teann *br*
stringent *adj*
mìneachadh teann air na riaghailtean
a stringent interpretation of the rules

teanntachd *fir*
stringency *n*
bha teanntachd nan riaghailtean a' cur bacaidh air saorsa neach
the stringency of the rules inhibited discretion

teàrainteachd *boir*
security *n*
1 **tèarainteachd shòisealta**
social security
2 **tèarainteachd na stàite**
state security

tearbadh *fir*
division *n* (for a vote in parliament)

tèarmann *fir* **cìse**
tax haven *n*

tèarmann *fir* **nàdair**
nature reserve *n*

Tèarmann *fir* **Nàdair Nàiseanta**
National Nature Reserve *n* (NNR)

teas *fir*
heat,
warmth *n*
bha deagh thomhas de theas anns an deasbad
the debate generated a fair head of steam

tè-fhrithealaidh *boir*
waitress *n*

teich *gr*
retreat *v*

teicneolas *fir* **fiosrachaidh**
information technology *n* (IT)

teicneolas *fir* **fiosrachaidh agus conaltraidh**
information and communications technology *n* (ICT)

teirm *boir*
term *n*
1 **san teirm làithreach**
in the current term
2 **teirm dhreuchd**
term of office
3 **teirm theicnigeach**
a technical term
4 **teirm laghail**
a legal term

teist *boir*
reputation,
record *n*
teist bharraichte a thaobh na rinneadh
an outstanding record of achievement

teisteanaich *gr*
qualify *v*
chan eil mi air mo theisteanachadh ann an lagh airson sin a fhreagairt
I am not legally competent to answer

teisteanaichte *br*
qualified *adj*

teisteanas *fir*
evidence,
qualification,
certificate,
reference,
testimonial,
tribute *n*
1 **teisteanas nach eil a rèir...**
conflicting evidence
2 **riaghailtean an teisteanais**
the rules of evidence
3 **tàbhachd / tromlach an teisteanais**
the weight of evidence
4 **gun teisteanas(an)**
unqualified *adj* (without qualifications)
5 **pribhleid / sochair a thoradh air teisteanas**
qualified privilege
6 **teisteanas a thoirt a-mach mar neach-tagraidh**
to qualify as a barrister / an advocate

Teisteanas *fir* **Albannach airson Ceannais-sgoile**
Scottish Qualification (*n*) For Headship (SQH)

Teisteanas *fir* **Dreuchdail Albannach**
Scottish Vocational Qualification *n* (SVQ)

Teisteanas *fir* **Nàiseanta Àrd-ìre**
Higher National Certificate (HNC)

Teisteanas *fir* **Proifeasanta Nàiseanta airson Ceannais-sgoile**
National Professional Qualification (*n*) for Headship (NPQH)

teisteanas *fir* **teine**
fire certificate *n*

teisteas *fir*
testimony *n*

tè-labhairt *boir*
spokeswoman *n*

teleacs *fir*
telex *n*
cuir *gr* **fios air teleacs**
telex *v*

tele-cho-labhairt *boir*
teleconferencing *n*

tele-chonaltradh *fir*
telecommunication(s) *n(pl)*

tele-theacsa *fir*
teletext *n*

teòiridh *boir*
theory *n*
1 **teòiridh-eaconamais**
the theory of economics
2 **a rèir teòiridh**
in theory
3 **teòiridh phoileataigeach**
political theory

teòiridheach *br*
theoretical *adj*
seòl teòiridheach
a theoretical approach

teòmachd *boir*
skilfulness *n*

teth *br*
hot,
heated *adj*
1 **argamaid theth**
heated argument
2 **deasbad teth**
heated debate
3 **còmhradh teth**
heated discussion

thig *gr*
come *v*
1 **ri thighinn**
pending *adj*
2 **thàinig deagh chuid chun na coinneimh**
there was a good turnout for the meeting

thig *gr* **air**
undergo *v*
cruth-atharrachadh a thighinn air (neach, nì)
to undergo a transformation

thig *gr* **bho**
emanate *v*
tighinn a-mach bhon t-Seanadh
to emanate from the Assembly

thig *gr* **bho thùs**
originate *v*

thig *gr* **gu ceann**
lapse *v*
thig dreuchd a' chathraiche shealaich gu ceann aig deireadh na coinneimh
the temporary chairmanship will lapse at the end of the meeting

thoir *gr*
give,
take *v*
1 **buaidh a thoirt**
to exert influence
2 **achmhasan a thoirt do**
to take to task
3 **gnothaichean a thoirt air adhart**
to take matters forward
4 **thug e argamaid**
he ventured an argument
5 **tha mi a' toirt an fhiosrachaidh (gu deònach)**
I volunteer the information

thoir *gr* **a thaobh**
persuade *v*
1 **òraid a bheir neach a thaobh**
a persuasive speech
2 **tha an argamaid air mo thoirt a thaobh**
I am persuaded by the argument
3 **(neach, buidheann) a thoirt a thaobh**
to find favour (with a person, group)

thoir *gr* **aghaidh air** *gr*
launch *v*
aghaidh a thoirt air iomairt
to launch the initiative

thoir *gr* **air**
provoke *v* (to engender)
toirt air (neach) freagairt
to provoke a response

thoir *gr* **am follais**
establish *v*
toirt am follais
to make public

thoir *gr* **a-steach**
introduce *v*
1 **atharrachadh a thoirt a-steach**
to introduce an amendment
2 **thoir a-steach mean air mhean**
phase in

thoir *gr* **breith**
judge *v*

thoir *gr* **buaidh air**
influence,
impact *v*
buaidh a thoirt air an t-suidheachadh
to impact on the situation

thoir *gr* **do**
furnish,
present *v*
aithisg a thoirt do (neach, bhuidhinn)
to furnish / present a report

thoir *gr* **fainear do**
note *v*
tha mi a' toirt fainear dur gearan
I note your objection

thoir *gr* **fios do**
inform *v*
fios a thoirt do bhuill comataidh mu choinneamh
to inform committee members about a meeting

thoir *gr* **gu buil**
effect,
implement,
produce,
promulgate (to set out),
execute *v* (carry out)
1 atharrachadh a thoirt gu buil
to effect a change
2 (rud) a thoirt gu buil
to give effect (to something)
3 poileasaidh a thoirt gu buil
to implement a policy
4 Gnàth-riaghailt a thoirt gu buil
to promulgate a Standing Order

thoir *gr* **gu crìoch**
end *v*,
wind (*v*) up
1 an deasbad a thoirt gu crìoch
to wind up a debate
2 a ghabhas a thoirt gu crìoch
terminable

thoir *gr* **iomradh (air)**
refer,
remark *v*
1 iomradh a thoirt air cuspair
to refer to a matter
2 iomradh a thoirt air an t-suidheachadh
to remark on the situation

thoir *gr* **suas (do dhreuchd)**
resign *v*

thoir *gr* **sùil air**
check *v*
look (*v*) at
1 sùil a thoirt air dreachd gheàrr-chunntasan
to check draft minutes
2 bu chòir dhuinn sùil eile a thoirt air a' chùis gu lèir
we should revisit the whole issue

thoir *gr* **sùil fhiadhaich**
glare *v*
sùil fhiadhaich a thoirt air neach-dùbhlain
to glare at an opponent

ticead *boir*
ticket *n*
1 a bhith air do thaghadh air ticead "seadh"
to be elected on a "yes" ticket
2 a bhith air do thaghadh air ticead "chan eadh"
to be elected on a "no" ticket

tighearnas *fir*
estate *n*
an ceathramh tighearnas (na meadhanan)
fourth estate (the press / media)

tilg *gr*
throw,
reproach *v*,
cast (*v*) off

till *gr*
return,
revert,
remit *v* (to refer back)
1 tillidh a' chùis do Chomataidh nan Gnàth-riaghailtean
the issue will revert to the Standing Orders Committee
2 am moladh a thilleadh gu comataidh airson ath-bheachdachaidh
to remit the recommendation to a committee for reconsideration

tilleadh *fir*
return *n* (go back)

tinne *boir*
link *n* (in chain)

tinneas *fir* **bheasaiciular nam muc**
swine vesicular disease *n*

tinneas-inntinn *fir*
insanity *n*
air bhun tinneis-inntinn
on the grounds of insanity

tiodhlac *fir*
present,
gift *n*
tìodhlac poileataigeach
political donation

tiomnadh *fir* **chumhachdan (pàrlamaid)**
devolution *n*
tiomnadh chumhachdan do dh'Alba
Scottish devolution

tiomnadh *fir* **ùghdarrais**
delegation *n*
tiomnadh ùghdarrais
delegation of authority

tiomnaich *gr* **cumhachd**
devolve *v*
cumhachdan a thiomnadh don Phàrlamaid
to devolve powers to Parliament

tional *fir*
assembly *n*
1 tional laghail
lawful assembly
2 tional neo-laghail
unlawful assembly

tionndadh *fir*
version *n*

tionndadh *fir* **a-mach**
turnout *n*

tionnsgail *gr*
innovate *v*

tionnsgnadh *fir*
initiative *n*
's e tionnsgnadh misneachail a tha seo
this is an ambitious initiative

tiotal *fir*
designation,
title *n*

tìr *boir* **an euro**
euroland *n*

tobair *boir*
source *n*

Tobair na Màthar agus Wishaw
Motherwell and Wishaw (Constituency)

tog *gr*
build,
construct,
lift,
produce (to put forward in Parliament / in court),
raise,
recruit *v*
1 ospadal a thogail
to build a hospital
2 drochaid a thogail
to construct a bridge
3 dì-cheadachadh a thogail
to lift a disqualification
4 cuspair a thogail
to raise an issue
5 tog casaid an aghaidh (gu foirmeil / an sgrìobhadh)
indict *v*
6 neach *fir* **air ùr thogail**
recruit *n*

tog *gr* **ceàrr**
misconstrue *v*
thog thu ceàrr na thubhairt mi
you misconstrue what I said

tog *gr* **coire**
carp *v*
coire a (shìor-)thogail mun duilgheadas
to carp about the problem

tog *gr* **fianais**
protest,
demonstrate *v*
1 fianais a thogail an aghaidh mì-cheartais
to protest against an injustice
2 fianais a thogail an aghaidh poileasaidh
to demonstrate against a policy

tog *gr* **inntinn**
uplift *v*
bha a h-eisimpleir na thogail inntinn dhaibh
they were uplifted by her example

tog *gr* **meanmna**
uplift *v*

togail *boir* **luchd-obrach**
staff recruitment *n*

togail *boir* **teachd-a-steach**
revenue-generation *n*

togair *gr*
please,
wish *v*

togalach *fir*
building *n*,
premises,
structure *npl*
1 togalach agus talamh
property
2 ann an togalach an t-Seanaidh
on Assembly premises
3 togalach poblach
public building

toil *boir* **phoileataigeach**
political will *n*

toinisg *boir*
wit *n*
chan eil de thoinisg aige gus bàrr a thoirt san deasbad
he does not have the wit to excel in debate

toinisgeil *br*
intelligent,
sensible *adj*
1 òraid thoinisgeil
an intelligent speech
2 boireannach toinisgeil
an intelligent woman

toirmeasg *fir*
ban,
proscription,
hindrance *n*
1 toirmeasg an deasbaid
the obstruction of the debate
2 dèan *gr* **toirmeasg air**
obstruct *v*

toirmeasgach *br*
exclusive,
forbidding *adj*
1 cluba toirmeasgach
an exclusive club
2 poileasaidh toirmeasgach
an exclusive policy

toirmisg *gr*
ban,
forbid,
prohibit,
proscribe *v*

toirmisgte *br*
banned,
forbidden,
prohibited,
proscribed *adj*

toirt *boir* **fainear**
note *n*
toirt fainear do na suidhichidhean gu cùramach
to take careful note of the circumstances

toirt *boir* **suas (dreuchd)**
resignation *n*
1 cùis (a bheir air neach a) dhreuchd a thoirt suas
a resignation matter
2 òraid aig àm a bheir neach suas a dhreuchd
resignation speech

tòiseachadh *fir*
beginning *n*

tòiseachaidh *fir gin*
introductory *adj*
1 aithris tòiseachaidh
introductory statement
2 briathran tòiseachaidh
introductory remarks

tòisich *gr*
begin,
initiate *v*
tòiseachadh air argamaid
to enter into an argument

tòisich *gr* **a-rithist**
resume *v*
tòisichidh a' choinneimh a-rithist an ceann ...
the meeting will resume in ...

toll *gr* **fo**
undermine *v*
tolladh fo ùghdarras neach
to undermine someone's authority

tomhais *gr*
measure,
survey,
weigh,
gauge *v*
1 **beachd a thomhas**
to sound out opinion
2 **tomhas cho làidir is a tha daoine san àite a' faireachdainnean**
to gauge the strength of local opinion

tomhas *fir* **ama**
timing *n*

tomhasan *fir iol* **cosgais taigheadais**
housing cost yardsticks *npl*

toradh *fir*
outcome,
output,
repercussion,
result *n*,
findings,
returns *npl*
1 **toradh an taghaidh**
election result
2 **toradh bho rannsachadh**
the findings of an enquiry
3 **toradh ceisteachain**
questionnaire returns
4 **mar thoradh air earrann 7 san sgrìobhainn**
by virtue of paragraph 7 of the document

Tòraidh *fir*
Tory *n*
Conservative *n*
1 **Tòraidh gu c(h)ùl**
a true blue Conservative
2 **Fìor Thòraidh**
a true blue Conservative

Tòraidheach *br*
Tory / Conservative *adj*
am Pàrtaidh Tòraidheach
the Tory / Conservative Party

tosgaire *fir*
ambassador *n*

tràchdas *fir*
treatise *n*

traidisean
tradition *n*

traidiseanta *br*
traditional *adj*
neach *fir* **traidiseanta**
traditionalist *n*

tràilleil *br*
servile *adj*

trannsa *boir le fir*
lobby *n*
trannsa cruinneachaidh
mass lobby

traoghadh *fir*
drain *n*
traoghadh den mhaoin
a drain on resources

traoidhtearachd *boir*
treason *n*

trast-rathad *fir* **seabra**
zebra crossing *n*

trèanadh *fir*
training *n*

trèanadh *fir* **airson cosnaidh**
employment training *n*
sgeama trèanaidh airson cosnaidh
employment training scheme

trèanadh *fir* **inntrigidh**
induction training *n*

trèanadh *fir* **luchd-obrach**
staff training *n*
Aonad Trèanaidh Luchd-obrach
Staff Training Unit

trèanaig *gr*
train *v*
1 **air a thrèanadh**
trained *adj*
2 **neach** *fir* **a tha ga thrèanadh**
trainee *n*

treas *br*
third *adj*
1 **Treas Leughadh**
Third Reading (of a Bill)
2 **treas pàrtaidh**
third party

treaspas *fir*
trespass *n* (on land)

trèibhdhireach *br*
honest,
sincere *adj*

trèibhdhireas *fir*
honesty,
sincerity *n*

trèig *gr*
defect *v*
tha dithis bhall air trèigsinn gu partaidh eile
two members have defected to another party

trèigsinneach *fir*
defector *n*

treòraich *gr*
conduct *v*
an deasbad a threòrachadh
to conduct the discussion

treòraiche *fir*
usher *n*

tribiunal *fir*
tribunal *n*

Tribiunal *fir* **airson Ath-thagraidhean Meidigeach**
Medical Appeals Tribunal *n*

Tribiunal *fir* **Fearainn**
Lands Tribunal *n*

Tribiunal-tagraidh *fir* **Cosnaidh**
Employment Appeal Tribunal *n*

tricead *fir*
frequency,
incidence *n*

trìd-shoilleir *br*
transparent *adj*

trìd-shoilleireachd *boir*
transparency *n*

trom *br*
heavy,
weighty,
onerous *adj*
dleastanas trom
an onerous duty

truagh *br*
straitened *adj*
ann an suidheachadh (a tha air fàs) truagh
in straitened circumstances

truaill *gr*
pollute,
corrupt *v*
nach gabh truailleadh
incorruptible

truaillidh *br*
corruptible *adj*

truaillidheachd *boir*
pollution,
corruption *n*

truaillte *br*
corrupt *adj*
cleachdaidhean truaillte
corrupt practices

truas *fir*
sympathy *n*
tha truas agam ris an t-suidheachadh anns a bheil thu
I am sympathetic to your position

truasail *br*
sympathetic *adj*

truimead *fir*
weight *n*

trus *gr*
gather *v*
na h-argamaidean a thrusadh
to marshal the arguments

tuaileas *fir*
slander *n*
tuaileas grànda
a scurrilous comment

tuaileasach *br*
defamatory,
slanderous,
scurrilous *adj*

tuaiream,
air thuaiream
random *adj*
taghadh air thuaiream
random selection

tuaireamach
random *adj*
taghadh tuaireamach
random selection

tuairisgeul *fir*
information,
intelligence *n*
1 **tuairisgeul obrach**
job description
2 **thug iad dhuinn cothrom air an tuairisgeul seo**
they have made this intelligence available to us

tuairmse *boir*
estimate *n*
1 **tuairmse air cosgais**
an estimate of cost
2 **tuairmse a thoirt air àireimh**
to estimate a number

tuairmse *boir* **air àireimh-shluaigh**
population estimate *n*

tuairmsean *boir iol* **leasachail**
supplementary estimates *npl*

tuairmsean *boir iol* **solair**
supply estimates *npl*

tuarastal *fir*
salary,
wage *n*
1 **còmhradh (còmhraidhean) a thaobh tuarastail**
salary negotiation(s)
2 **làn-tuarastal (a thaobh dreuchd)**
emoluments

tuath *boir*
country people *npl*
a bhuineas don tuath
provincial *adj*

tuig *gr*
understand,
comprehend,
construe *v*
1 **call nach gabh a thuigsinn**
an unaccountable defeat
2 **cha do thuig thu fonn an t-sluaigh**
you have misjudged the mood of the people
3 **mar a thathar a' tuigsinn**
implication,
by implication

tuigse *boir*
reason,
judg(e)ment,
intelligence,
intellect *n*
beachdaichidh mi air a' chùis seo le tuigse (don t-suidheachadh)
I will give this matter sympathetic consideration

tuigseach *br*
sympathetic *adj*

tuilleadas *fir*
additionality *n*

tuilleadh *fir*
addition *n*
tha an riaghaltas air an tuilleadh maoine a chur ris an tairgse
the government has made additional funding available

tuilleadh is a' chòir
too much
bha tuilleadh is a' chòir buaidh aige air a cho-oibrichean
he exerted an undue influence on his colleagues

tuit *gr*
fall *v*
tuiteam sàmhach
to lapse into silence

tuiteamas *fir*
contingency *n*

tùr *boir*
intelligence (intellect)

tùrail *br*
intelligent *adj*
boireannach tùrail
an intelligent woman

turas *fir*
occasion *n*
thuirt i seo iomadh turas
she said this on numerous occasions

turas *fir* **malairt**
trade mission *n*

turchairt *boir*
chance,
happening *n*
cìs turchairte
windfall tax

tùs *fir*
beginning,
origin *n*
rach *gr* **air thùs**
pioneer *v*

tùs-abairt *boir*
premise *n*

tùsaire *fir*
innovator,
pioneer *n*

tùs-rannsachadh *fir*
pilot study *n*

tùs-thrèanadh *fir* **thidsear**
initial teacher training *n* (ITT)

uachdarail *br*
sovereign *adj*
lagh uachdarail
sovereign law

uachdranachd *boir*
presidency *n*

uachdranas *fir*
sovereignty,
jurisdiction *n*
1 **uachdranas pàrlamaid**
parliamentary sovereignty
2 **fo uachdranas (laghail)**
under the jurisdiction of

Uainich,
na h-Uainich
the Greens *npl*

uair is uair
repeatedly *adv*
tha mi air aithris uair is uair
I have repeatedly stated

uairean *boir iol* **fo cheadachd**
licensing hours *npl*

uairean *boir iol* **fosglaidh**
opening hours *npl*

uairean *boir iol* **obrach**
hours (*npl*) of work,
working hours *npl*
taobh a-muigh nan uairean obrach àbhaisteach
unsocial hours

uairean *boir iol* **oifis**
office hours *npl*

uairean *boir iol* **sùbailte**
flexible hours *npl,*
flexitime *n*

uallach *fir*
obligation,
responsibility (duty, assigned task),
strain,
burden *n*
1 **uallach reachdail**
statutory responsibility
2 **uallach coitcheann**
collective responsibility
3 **a bhith fo uallach**
to be under strain
4 **cuir** *gr* **cus uallaich air**
overburden *v*
5 **mar uallach**
obligatory *adj*

uallaich *fir iol* **iomlan**
overall responsibilities *npl*

uabhasach *br*
outrageous *adj*
1 **facal uabhasach**
an outrageous remark
2 **bha dol a-mach uabhasach aca**
they behaved outrageously
3 **gu h-uabhasach**
outrageously *adv*

uàrd *fir*
ward *n* (electoral)
1 **uàrd sgìreil**
district ward
2 **uàrd-taghaldh**
electoral ward

uas-mheud *fir*
maximum *n*
uas-mheud reachdail
statutory maximum

uchd-mhacaich *gr*
adopt *v* (a child)

ùghdarachadh *fir*
empowerment *n*

ùghdaraich *gr*
sanction (to approve),
authorise *v*

ùghdaraichte *br*
empowered *adj*

ùghdarras *fir*
authority,
discretion,
mandate *n*
1 **ùghdarras a ghabhail**
to take power
2 **ùghdarras gnìomh a ghabhail**
discretion to act
3 **ùghdarras a dhleasadh**
to secure a mandate
4 **tha ùghdarras againn rud a dhèanamh**
we are empowered to act
5 **'s ann aig a' phàrtaidh leis a' mhòr-chuid a tha an t-ùghdarras**
the majority party is in power
6 **cur fo ùghdarras na comataidh**
to put / place at the disposal of the committee
7 **ùghdarras (airson nì) a thoirt do (neach)**
to delegate authority
8 **thoir** *gr* **ùghdarras math (airson)**
justify *v*
9 **cumhachd fo ùghdarras**
discretionary power
10 **tabhartas / cosg fo ùghdarras**
discretionary award / spending

ùghdarras *fir* **aibhne**
river authority *n*

ùghdarras *fir* **air a thiomnadh**
delegated authority *n*

ùghdarras *fir* **aonadach**
unitary authority *n*

Ùghdarras *fir* **Craolaidh Neo-eisimeileach**
Independent Broadcasting Authority *n* (IBA)

ùghdarras *fir* **deamocratach**
democratic mandate *n*

Ùghdarras *fir* **Eadar-nàiseanta a' Chumhachd Atomaich**
International Atomic Energy Authority *n*

ùghdarras *fir* **foghlaim ionadail**
local education authority *n* (LEA)

Ùghdarras *fir* **Gnìomhachais an Èisg-mhara**
Sea Fish Industry Authority *n*

ùghdarras *fir* **gus gnìomhachadh** *fir*
power (*n*) to act

ùghdarras *fir* **ionadail**
local authority *n*

ùghdarras *fir* **laghail**
legal authority *n*

ùghdarras *fir* **math**
justification

Ùghdarras *fir* **Nàiseanta nan Aibhnichean**
National Rivers Authority *n* (NRA)

Ùghdarras *fir* **nan Croitearan**
Crofters Commission *n*

ùghdarras *fir* **neach-ionaid**
proxy *n*

ùghdarras *fir* **reachdail**
statutory authority *n*

ùghdarras *fir* **roinneil**
regional authority *n*

Ùghdarras *fir* **Roinneil Slàinte**
Regional Health Authority *n*

Ùghdarras *fir* **Sheirbheisean Slàinte Teaghlaich**
Family Health Services Authority *n* (FHSA)

Ùghdarras *fir* **Slàinte a' Phobaill**
Public Health Authority *n*

Ùghdarras *fir* **Slàinte nam Port**
Port Health Authority *n*

Ùghdarras *fir* **Teisteanasan na h-Alba**
Scottish Qualifications Authority *n* (SQA)

Ùghdarras *fir* **Theisteanas agus Curaicealaim**
Qualifications and Curriculum Authority *n* (QCA)

Ùghdarras *fir* **Theisteanas Curaicealaim agus Measaidh**
Qualifications, Curriculum and Assessment Authority *n*

Ùghdarras *fir* **Trèanaidh Seirbheis Nàiseanta na Slàinte**
National Health Service Training Authority *n*

ùghdarras *fir* **uisge**
water authority *n*

ùghdarrasan *fir iol*
powers *npl*
na h-ùghdarrasan a tha ann
the powers that be

ùghdarrasan *fir iol* **poblach**
public authorities *npl*

ùghdarras-èiginn *fir*
emergency powers *npl*

ùidh *boir*
interest *n*
neach *fir* **le ùidh sa chùis**
interested party

uidheam *boir*
mechanism *n*

uidheam *boir* **gluasadach**
portable equipment *n*

uidheam *boir* **oifis**
office equipment *n*

uidheam *boir* **modha**
procedural mechanism *n*

uidheam *boir* **so-ghiùlan**
portable equipment *n*

ùidheil *br*
interesting *adj*

uile-choitcheann *br*
universal *adj*
fìrinn uile-choitcheann
a universal truth

uile-sgaoilte *br*
pervasive *adj*
bha am beachd uile-sgaoilte
the view was all-pervading

uime sin *cgr*
thereupon *adv*

ùine *boir*
time,
period *n*
1 **ùine fhada**
long term
2 **anns an ùine-fhada**
in the long term
3 **cha robh an còrr ùine ann don Bhile**
the Bill ran out of time

ùineach *br*
periodical *adj*
aithisg ùineach
periodical report

ùine-fhada *boir*
long time *n*
anns an ùine-fhada
long-term *adj*

ùine-fhada *br*
long-term *adj*

uireasbhach *br*
inadequate *adj*

uireasbhaidh *boir*
defect,
inadequacy *n*
1 **uireasbhaidh nan riaghailtean**
the inadequacy of the rules
2 **mothachadh air uireasbhaidh phearsanta**
a sense of personal inadequacy

Uisge *fir* **na h-Alba**
Scottish Water *n*

Ulaidh *fir*
Ulster *n*

ullachadh *fir*
provision *n*
ullachadh a thaobh ionmhais
financial provisions

ullachaidhean *fir iol* **sònraichte**
special provisions *npl*

ullaich *gr*
construct,
set,
train *v*
1 **aithisg ullachadh**
to construct a report
2 **àite ullachadh**
to set a place

ullaich *gr* **clàr-ama**
timetable *v*

ullaich *gr* **liosta thaghte**
short-list *v*
(to draw up a short list)

ullaichte *br*
trained *adj*

umhail *br*
obedient *adj*
1 **bi** *gr* **umhail do**
obey *v*
2 **tha mi ag aontachadh, ma bhithear umhail do chuid de chùmhnantan**
I agree, subject to certain conditions

ùmhlachd *boir*
obedience *n*
le ùmhlachd do
subject to

ùr *br*
new *adj*
cathraiche ùr
incoming chairman

ùrachadh
renewal,
modernisation *n*

ùr-ghnàthach *br*
innovative *adj*
1 **modh ùr-ghnàthach**
an innovative approach
2 **poileasaidh ùr-ghnàthach**
an innovative policy

ùr-ghnàthachadh *fir*
innovation *n*

ùr-ghnàthaich *gr*
innovate *v*

ùr-labhairt *boir*
oratory,
rhetoric *n*

ùr-labhairteach *br*
rhetorical *adj*

ùrlar *fir*
floor,
gallery *n*
1 **ùrlar a' phobaill**
public gallery (seating for the public)
2 **ùrlar luchd nam meadhanan**
press gallery
3 **Ùrlar an Luchd-tadhail**
Strangers' Gallery (Westminster)

ùrnaigh *boir*
prayer *n*

urram *fir*
respect,
honour *n*
1 thu fhèin a ghiùlan le urram
to acquit yourself with honour
2 urram a bhuileachadh
to confer an honour
3 urram le seasamh agus bualadh bhasan
standing ovation
4 fhuair an neach-labhairt urram le daoine a bhith a' seasamh agus a' bualadh bhasan
the speaker received a standing ovation
5 urram a chur air neach airson na h-obrach a rinn e / i
to honour someone for his / her work
6 urram a thoirt do thoil an t-sluaigh
to honour the wishes of the people

urramach *br*
honourable *adj*
1 fìor urramach
right honourable
2 am ball (fìor) urramach
the (right) honourable member

urras *fir*
trust *n*
a chumail an urras
to hold in trust

Urras *fir* **Ath-leasachaidh nam Prìosan**
Prison Reform Trust *n*

Urras *fir* **Fiadh-bheatha na h-Alba**
Scottish Wildlife Trust *n*

Urras *fir* **Nàiseanta airson Litearrais**
National Literacy Trust *n* (NLT)

Urras *fir* **NHS Prìomh Chùram na Gaidhealtachd**
Highland Primary Care NHS Trust *n*

urrasachd *boir*
trusteeship *n*

urrasair *fir*
sponsor,
trustee *n*

ùr-thaghte *br*
elect *adj*
cathraiche ùr-thaghte
chairman-elect

FACLAIR NA PÀRLAMAID

ENGLISH - GAELIC

A

abbreviation *n*
giorrachadh *fir*
giorrachaidh *gin*
giorrachaidhean *iol*

abdicate *v*
dìobair *gr*
dìobradh *agr,*
leig (*gr*) dhìot
leigeil (*agr*) dhìot
1 to abdicate responsibility
dleastanas a dhìobradh
2 to abdicate the throne / responsibility
an rìgh-chathair / an t-uallach a leigeil dhìot

abdication *n*
leigeil (*fir*) dhìot
leigeil dhìot *gin*

Aberdeen Central (Constituency)
Meadhan (*fir*) Obar Dheathain
Mheadhan Obar Dheathain *gin*

Aberdeen North (Constituency)
Obar Dheathain (*fir*) a Tuath
Obar Dheathain a Tuath *gin*

Aberdeen South (Constituency)
Obar Dheathain (*fir*) a Deas
Obar Dheathain a Deas *gin*

abeyance, in abeyance *n*
na stad *cgr*

abolish *v*
cuir (*gr*) às do
cur (*agr*) às do

abolition *n*
cur (*fir*) às do
cuir às do *gin*

abortive *adj*
neo-tharbhach *br*
abortive paperwork
obair-pàipeir neo-tharbhach

abridge *v*
giorraich *gr*
giorrachadh *agr,*
co-ghiorraich *gr*
co-ghiorrachadh *agr*

abridged *adj*
giorraichte *br,*
co-ghiorraichte *br*

absence *n*
neo-làthaireachd *boir*
neo-làthaireachd *gin*
in the absence of
gun ... an làthair

absent *adj*
neo-làthaireach *br*

absent vote *n*
bhòt (*boir*) neo-làthaireach
bhòt neo-làthairich *gin*
bhòtaichean neo-làthaireach *iol*

absent voting *n*
bhòtadh (*fir*) neo-làthaireach
bhòtaidh neo-làthairich *gin*

absentee *n*
neo-làthaireach *fir*
neo-làthairich *gin*
neo-làthairich *iol*

absenteeism *n*
neo-làthaireachas *fir*
neo-làthaireachais *gin*

absolute majority *n*
mòr-chuid (*boir*) iomlan
mòr-chodach iomlain *gin*
mòr-chodaichean iomlan *iol*

absolve *v*
saor *gr*
saoradh *agr,*
fuasgail *gr*
fuasgladh *agr*

abstain *v*
seachain *gr*
seachnadh *agr*
to abstain from voting
bhòtadh a sheachnadh

abstention *n*
(from voting)
seachnadh *fir* (bhòtaidh)
seachnaidh *gin*
there were five abstentions
sheachain còignear bhòtadh

abstract *n*
geàrr-chunntas *fir*
geàrr-chunntais *gin*
geàrr-chunntasan *iol*
abstract of accounts
geàrr-chunntas air cunntasan

abuse *n*
mì-ghnàthachadh *fir*
mì-ghnàthachaidh *gin*
mì-ghnàthachaidhean *iol,*
droch dhìol *fir*
droch dhìol *gin*
1 abuse of a dominant position
mì-ghnàthachadh air suidheachadh ùghdarrasach
2 abuse of authority
mì-ghnàthachadh air ùghdarras
3 child abuse
droch dhìol air cloinn

abuse *v*
mì-ghnàthaich *gr*
mì-ghnàthachadh *agr*

abuse *v* **verbally**
dèan (*gr*) ana-cainnt ri
dèanamh (*agr*) ana-cainnt ri

accede *v*
gabh (*gr*) ri
gabhail (*agr*) ri
to accede to a request
gabhail ri iarrtas

accept *v*
gabh (*gr*) ri
gabhail (*agr*) ri
to accept an offer
gabhail ri tairgse

acceptable *adj*
ris an tèid gabhail
an acceptable course of action
cùrsa ris a bheilear deònach gabhail

access *n*
cothrom *fir*
cothruim *gin*

access *n* **(to)**
cothrom *fir* (air)
cothruim *gin* (air)
access to information
cothrom air fiosrachadh

access *v*
faigh (*gr*) cothrom air
faighinn (*agr*) cothruim air

access funds *npl*
maoin (*boir sg*) cothruim
maoine cothruim *gin*

access group *n*
buidheann (*boir*) cothruim
buidhne cothruim *gin*
buidhnean cothruim *iol*

accessibility *n*
ruigsinneachd *boir*
ruigsinneachd *gin*
accessibility to the public
cothrom ruigheachd don mhòr-shluagh

accessible *adj*
so-ruigsinn *br*

acclamation *n*
caithream *fir*
caithreim *gin*

accommodate *v*
gabh (*gr*) a-steach
gabhail (*agr*) a-steach
I will try to accommodate all points of view
feuchaidh mi ris a h-uile beachd a ghabhail a-steach

accommodate *v* **(to house)**
thoir (*gr*) àite-fuirich do
toirt (*agr*) àite-fuirich do

accommodation *n* **(building)**
àite-fuirich *fir*
àit-fhuirich *gin*
àiteachan-fuirich *iol*

accommodation *n* **(understanding)**
rèite *boir*
rèite *gin*
to come to an accommodation
tighinn gu rèite

accompanying *adj*
an cois *roi le gin*
accompanying papers
pàipearan an cois (rud)

accord *n*
co-chòrdadh *fir*
co-chòrdaidh *gin*
co-chòrdaidhean *iol*

accord *v*
co-chòrd *gr*
co-chòrdadh *agr*

accordance, in accordance with
ann an co-rèir ri

according to *prep*
a rèir *roi*
according to law
a rèir an lagha

account *n*
cunntas *fir*
cunntais *gin*
cunntasan *iol,*
dìoladh *fir*
dìolaidh *gin*
1 public accounts
cunntasan poblach
2 to hold to account
toirt gu dìoladh

account day *n*
latha (*fir*) cunntais
latha chunntais *gin*
làithean cunntais *iol*

account rendered *n*
cunntas (*fir*) a chuireadh (gu neach)
cunntais a chuireadh *gin*
cunntasan a chuireadh *iol*

accountability *n*
cunntachalachd *boir*
cunntachalachd *gin*
public accountability
cunntachalachd don mhòr-shluagh

accountable *adj*
cunntachail *br*
accountable government
riaghaltas cunntachail

accountancy *n*
cunntasachd *boir*
cunntasachd *gin*

accountant *n*
cunntasair *fir*
cunntasair *gin*
cunntasairean *iol*

accounting *n*
cunntadh *fir*
cunntaidh *gin,*
cunntasachd *boir*
cunntasachd *gin*
1 accounting year
bliadhna cunntaidh
2 accounting arrangements
rian cunntasachd
3 accounting officer
oifigear cunntasachd

accredit *v*
barrantaich *gr*
barrantachadh *agr*

accreditation *n*
barrantachadh *fir*
barrantachaidh *gin*

accredited *adj*
barrantaichte *br*

accuse *v*
cuir (*gr*) às leth
cur (*agr*) às leth,
fàg (*gr*) air
fàgail (*agr*) air
she was accused of this
chaidh seo fhàgail oirre

acknowledge *v*
aithnich *gr*
aithneachadh *agr*
to acknowledge receipt (of letter)
aithneachadh gun d'fhuaras litir

acknowledged *adj* **(as)**
aithnichte *br* (mar)
an acknowledged expert
eòlaiche aithnichte

acknowledgement *n*
fios-freagairt *fir*
fios-fhreagairt *gin*
fiosan-freagairt *iol*
acknowledgement of receipt (of letter)
fios-freagairt (do litir)

acquaint *v*
innis *gr*
innse *agr,*
cuir (*gr*) an aithne
cur (*agr*) an aithne
we wish to acquaint Parliament with our concerns
bu mhiann leinn ar cuid chùraman innse don Phàrlamaid

acronym *n*
acranaim *fir*
acranaim *gin*
acranaimean *iol*

act *n*
gnìomh *fir*
gnìomha *gin*
gnìomhan / gnìomharan *iol*
irresponsible act
gnìomh neo-chùramach, gnìomh neo-chunntasach

Act *n*
Achd *boir*
Achd *gin*
Achdan *iol*
1 Education Act
Achd an Fhoghlaim
2 Act of Parliament
Achd Pàrlamaid
3 Act of Union
Achd an Aonaidh

act *v*
dèan *gr*
dèanamh *agr,*
obraich *gr*
obrachadh *agr*
to act on recommendations
dèanamh a rèir mholaidhean

acting *adj*
an gnìomh
acting First Minister
Prìomh Mhinistear an gnìomh

action *n*
cùis-lagha *boir*
cùise-lagha *gin*
cuisean-lagha *iol*
to bring an action
(neach) a thoirt gu lagh

action group *n*
buidheann-ghnìomha *boir*
buidhne-gnìomha *gin*
buidhnean-gnìomha *iol*

action plan *n*
plana-gnìomha *fir*
plana-ghnìomha *gin*
planaichean-gnìomha *iol*

actual cost *n*
fìor chosgais *boir*
fìor chosgaise *gin*
fìor chosgaisean *iol*

ad hoc *n*
ad hoc *boir*
ad hoc *gin*
ad hoc *iol*
ad hoc committee
comataidh ad hoc

add *v*
cuir (*gr*) ri
cur (*agr*) ri
I have nothing to add to my statement
chan eil an còrr agam ri chur ris na thubhairt mi

additional *adj*
an tuilleadh *cgr*
the government has made additional funding available
tha an riaghaltas air an tuilleadh maoine a chur ris an tairgse

Additional Member System *n* **(AMS)**
Dòigh (*boir*) Bhòtaidh Ball a Bharrachd
Dòigh Bhòtaidh Ball a Bharrachd *gin*

additionality *n*
tuilleadas *fir*
tuilleadais *gin,*

address *n*
òraid *boir*
òraide *gin*
òraidean *iol*
an address to the court
òraid don chùirt

address *v*
dèan (*gr*) òraid ri
dèanamh (*agr*) òraid ri,
cuir (*gr*) aghaidh air
cur (*agr*) aghaidh air
1 to address the meeting
òraid a dhèanamh aig a' choinneimh
2 to address a matter
aghaidh a chur air nì

adjourn *v*
cuir (*gr*) an dàil
cur (*agr*) an dàil
sgaoil *gr*
sgaoileadh *agr,*
sguir (*gr*) (de dh'obair)
sgur (*agr*) (de dh'obair)
1 the meeting has been adjourned until next week
tha a' choinneamh air a cur an dàil chun na h-ath-sheachdain
2 Parliament adjourned at two o'clock
sgaoil a' Phàrlamaid aig dà uair,
sguir a' Phàrlamaid (de dh'obair) aig dà uair

adjournment *n*
cur (*fir*) an dàil
cuir an dàil *gin*
sgaoileadh *fir*
sgaoilidh *gin*
1 adjournment debate
deasbad sgaoilidh
2 adjournment of the House
sgaoileadh an Taighe
3 adjournment of a debate
cur deasbaid an dàil

administer *v*
rianaich *gr*
rianachd *agr,*
cuir (*gr*) an gnìomh
cur (*agr*) an gnìomh
to administer justice
ceartas a chur an gnìomh

administration *n*
rianachd *boir*
rianachd *gin*
cur (*fir*) an gnìomh
cuir an gnìomh *gin*
1 the Administration
an Rianachd
2 administration of justice
cur an gnìomh a' cheartais

administrative *adj*
rianachail *br*

administrator *n*
rianaire *fir*
rianaire *gin*
rianairean *iol*

admissible *adj*
ceadaichte *br*
admissible evidence
fianais cheadaichte

adopt *v*
(to approve)
gabh (*gr*) ri
gabhail (*agr*) ri
to adopt minutes of a meeting
gabhail ri geàrr-chunntas coinneimh

adopt *v*
(a child)
uchd-mhacaich *gr*
uchd-mhacachd *agr*

adoption *n*
gabhail (*fir*) ri
gabhail ri *gin*
adoption of council minutes
gabhail ri geàrr-chunntasan comhairle

advance *v*
cuir (*gr*) air adhart
cur (*agr*) air adhart
to advance an argument
argamaid a chur air adhart

advance notice *n*
fios (*fir*) ro-làimh
fiosa ro-làimh *gin*
fiosan ro-làimh *iol*

advance payment *n*
pàigheadh (*fir*) ro-làimh
pàighidh ro-làimh *gin*
pàighidhean ro-làimh *iol*

adversarial *adj*
còmhragail *br*
adversarial politics
poileataics chòmhragail

adversary *n*
co-chòmhragaiche *fir*
co-chòmhragaiche *gin*
co-chòmhragaichean *iol*

advice *n*
comhairle *boir*
comhairle *gin*

advisability *n*
iomchaidheachd *boir*
iomchaidheachd *gin*

advise *v*
comhairlich *gr* (do)
comhairleachadh *agr* (do)

advisedly *adv*
an dèidh beachdachadh
I use this term advisedly
tha mi a' cleachdadh a' bhriathair seo an dèidh beachdachadh

adviser *n*
comhairleach *fir*
comhairlich *gin,*
comhairlich *iol,*
neach-comhairleachaidh *fir*
neach-comhairleachaidh *gin*
luchd-comhairleachaidh *iol*
policy adviser
comhairleach poileasaidh, neach-comhairleachaidh poileasaidh

advisory body *n*
buidheann (*boir*) comhairleachaidh
buidhne comhairleachaidh *gin*
buidhnean comhairleachaidh *iol*

advisory committee *n*
comataidh (*boir*) comhairleachaidh
comataidh comhairleachaidh *gin*
comataidhean comhairleachaidh *iol*

advocacy *n*
(function of advocate)
tagradaireachd *boir*
tagradaireachd *gin*

advocacy *n*
(of a cause)
tagradh *fir*
tagraidh *gin*

advocate *n*
neach-tagraidh *fir*
neach-thagraidh *gin*
luchd-tagraidh *iol*
he is a keen advocate of the new system
tha e a' moladh an t-siostaim ùir gu làidir

advocate *v*
mol *gr*
moladh *agr,*
tagair *gr*
tagradh *agr*
I would not advocate such measures
cha thagrainn a leithid sin a cheum

Advocate Depute *n*
Advocates Depute *pl*
Leas-neach-tagraidh *fir*
Leas-neach-thagraidh *gin*
Leas-luchd-tagraidh *iol*

Advocate General *n*
Advocates General *pl*
Àrd-neach-tagraidh *fir*
Àrd-neach-thagraidh *gin*
Àrd-luchd-tagraidh *iol*

affidavit *n*
mionn-sgrìobhainn *boir*
mionn-sgrìobhainne *gin*
mionn-sgrìobhainnean *iol*

affiliate *v*
cleamhnaich *gr*
cleamhnachadh *agr*,
ceangail *gr*
ceangal *agr*
to affiliate to
a cheangal ri

affiliation *n*
cleamhnachadh *fir*
cleamhnachaidh *gin*
cleamhnachaidhean *iol*,
ceangal *fir*
ceangail *gin*
ceanglaichean *iol*

agency *n*
(abstract)
dèanadachd *boir*
dèanadachd gin

agency *n*
(an organisation, a body)
buidheann(-ghnìomha) *boir*
buidhne(-gnìomha) *gin*
buidhnean(-gnìomha) *iol*

agency agreement *n*
(in commerce)
aonta (*fir*) cead-reice
aonta chead-reice *gin*

agenda *n*
clàr-gnothaich *fir*
clàir-ghnothaich *gin*
clàran-gnothaich *iol*
1 agenda item
nì sa chlàr-ghnothaich
2 hidden agenda
cuilbheart,
rùn falaichte

agent *n*
(in election)
àidseant *fir*
àidseint *gin*
àidseantan *iol*

agent *n*
(representative)
neach-ionaid *fir*
neach-ionaid *gin*
luchd-ionaid *iol*

aggravate *v*
dèan (*gr*) nas miosa
dèanamh (*agr*) nas miosa
to aggravate a problem
duilgheadas a dhèanamh nas miosa

aggregate *adj*
iomlan *br*
aggregate economic activity
gnìomhachd eaconamach iomlan

aggregate *n*
iomlan *fir*
iomlain *gin*
iomlain *iol*

aggregate *v*
suim *gr*
suimeadh *agr*
cuir (*gr*) còmhla
cur (*agr*) còmhla
to aggregate the amounts contained in the budget
na suimean a tha anns a' bhuidseat a chur còmhla

agitate *vi*
bi (*gr*) ri spàirn
to agitate for change
a bhith ri spàirn airson atharrachaidh

agitator *n*
neach (*fir*) a tha ri spàirn
daoine a tha ri spàirn *iol*
he has long been an agitator
is fada bho tha e air a bhith ri spàirn

agreed *adj*
aontaichte *br*
1 agreed opinion
beachd aontaichte
2 the agreed party line
beachd aontaichte a' phàirtidh

agreement *n*
còrdadh *fir*
còrdaidh gin
còrdaidhean *iol*,
aonta *fir*
aonta *gin*
aontaidhean *iol*
1 agreement in writing
aonta an sgrìobhadh
2 legal agreement
aonta laghail

Agricultural Offices Division *n*
Roinn (*boir*) Oifisean an Àiteachais
Roinn Oifisean an Àiteachais *gin*

aid *n*
cuideachadh *fir*
cuideachaidh *gin*
aids to a better understanding of the matter
uidheaman cuideachaidh gus tuigse nas fheàrr fhaighinn air a' chùis

aid *v*
cuidich *gr*
cuideachadh *agr*

aide *n*
neach-cuideachaidh *fir*
neach-chuideachaidh *gin*
luchd-cuideachaidh *iol*

aide-memoire *n*
aides-memoire *pl*
cobhair-sgrìobhainn *boir*
cobhair-sgrìobhainne *gin*
cobhair-sgrìobhainnean *iol*

aim *n*
amas *fir*
amais *gin*
amasan *iol*
aims and objectives
cuimsean is amasan

air *v*
(to make known openly)
cuir (*gr*) an cèill
cur (*agr*) an cèill

Airdrie and Shotts (Constituency)
Àrd Ruigh agus Shotts
Àrd Ruigh agus Shotts *gin*

alert *adj*
(aware of)
mothachail *br* (de / air)
I am alert to the danger
tha mi mothachail air a' chunnart

alert *adj*
(watchful)
furachail *br*

alert *n*
rabhadh *fir* (cunnairt)
rabhaidh *gin* (chunnairt)
rabhaidhean *iol* (cunnairt)
security alert
rabhadh mu thèarainteachd

alienate *v*
cuir *gr* (neach) an aghaidh (neach eile)
cur *agr* (neach) an aghaidh (neach eile)
she has alienated the parties to the agreement
tha i air buidhnean an aonta a chur an aghaidh a chèile

alienation *n*
(causing hostility)
cùlachadh *fir*
cùlachaidh *gin*

align *v*
(to come into agreement on policy, etc.)
gabh (*gr*) taobh
gabhail (*agr*) taoibh
aligned with (a person / group)
air taobh (neach / buidhne)

alignment *n*
(alliance or agreement with party or cause)
co-thaobhadh *fir*
co-thaobhaidh *gin*

allege *v*
fàg (*gr*) air
fàgail (*agr*) air
the alleged fraud
an fhoill a chaidh fhàgail air (neach)

alliance *n*
caidreachas *fir*
caidreachais *gin*

all-night sitting *n*
suidhe (*fir*) fad-oidhche
suidhe fhad-oidhche *gin*
suidhean *iol* fad-oidhche,
suidhe fad-oidhcheannan *iol*

allocate *v*
riaraich *gr*
riarachadh *agr*,
suidhich *gr*
suidheachadh *agr*
1 the money was allocated equitably
chaidh an t-airgead a riarachadh gu cothromach
2 to allocate powers
ùghdarrasan a shuidheachadh

allocation *n*
riarachadh *fir*
riarachaidh *gin*
allocation of resources
riarachadh stòrasan

allowable expense *n*
cosgais (*boir*) cheadaichte
cosgais cheadaichte *gin*
cosgaisean ceadaichte *iol*

allowance *n*
(tax)
cuibhreann *fir*
cuibhrinn *gin*
cuibhreannan *iol*
1 tax allowance
cuibhreann saor bho chìs
2 capitation allowance
cuibhreann cheann

ally *n*
caidreabhach *fir*
caidreabhaich *gin*
caidreabhaich *iol*

ally *v*
(oneself)
ceangail *gr*
to ally yourself to a group
thu fhèin a cheangal ri buidhinn

alteration *n*
atharrachadh *fir*
atharrachaidh *gin*
atharrachaidhean *iol*
alteration of motion
atharrachadh gluasaid

alternative *adj*
eadar-roghnach *br*,
eadar-dhealaichte *br*
alternative schemes
sgeamaichean eadar-roghnach,
sgeamaichean eadar-dhealaichte

alternative *n*
roghainn *boir* (eile)
roghainn *gin* (eile)
roghainnean *iol* (eile)
there is no alternative
chan eil roghainn eile ann

alternative economic strategy *n*
ro-innleachd (*boir*) eaconamach eadar-dhealaichte
ro-innleachd eaconamaich eadar-dhealaichte *gin*
ro-innleachdan eaconamach eadar-dhealaichte *iol*

alternative vote *n*
(AV)
bhòt (*boir*) roghnach
bhòt roghnaich *gin*
bhòtaichean roghnach *iol*
alternative vote system
siostam nan bhòt roghnach

amalgamate *v*
amalaich *gr*
amalachadh *agr*,
rach (*gr*) an lùib a chèile
dol (*agr*) an lùib a chèile

ambassador *n*
tosgaire *fir*
tosgaire gin
tosgairean *iol*

ambit *n*
raon *fir*
raoin *gin*
raointean *iol*
within the ambit of the act
taobh a-staigh raon na h-achd

ambition *n*
miann (*fir / boir*) adhartais
miann adhartais *gin*
the height of ambition
àirde miann adhartais

ambitious *adj*
miannach air adhartas *br*

amend *v*
leasaich *gr*
leasachadh *agr*,
atharraich *gr*
atharrachadh *agr*
it is necessary to amend the law
feumar leasachadh a dhèanamh air an lagh,
feumar an lagh atharrachadh

amended *adj*
atharraichte *br*
the Bill as amended
am Bile mar a chaidh atharrachadh

amendment *n*
atharrachadh *fir*
atharrachaidh *gin*
atharrachaidhean *iol*
1 amendment of a proposal
atharrachadh air moladh
2 amendment of a motion
atharrachadh air gluasad
3 amendment of a report
atharrachadh air aithisg

amendment order *n*
òrdugh (*fir*) atharrachaidh
òrduigh atharrachaidh *gin*
òrduighean atharrachaidhean *iol*

amnesty *n*
lèir-laghadh *fir*
lèir-laghaidh *gin*
lèir-laghaidhean *iol*,
maitheanas (fir) coitcheann
maitheanais choitchinn *gin*
maitheanasan coitcheann *iol*
to grant an amnesty
lèir-laghadh a bhuileachadh,
maitheanas coitcheann a bhuileachadh

analyse *v*
sgrùd *gr*
sgrùdadh *agr*

analysis *n*
mion-sgrùdadh *fir*,
mion-sgrùdaidh *gin*
mion-sgrùdaidhean *iol*,
anailis *boir*
anailise *gin*
anailisean *iol*
analysis of costs
sgrùdadh chosgaisean,
anailis chosgaisean

ancillary *adj*
faice *br*
1 ancillary powers
ùghdarrasan faice
2 ancillary relief
faochadh faice

Angus (Constituency)
Aonghas *fir*
Aonghais *gin*

Animal Health Office *n*
Oifis (*boir*) Slàinte Ainmhidhean
Oifis Slàinte Ainmhidhean *gin*

animated *adj*
beothail *br*
an animated exchange of views
iomlaid bheachdan (a tha) beothail

animation *n*
beothalachd *boir*
she spoke with animation
labhair i le beothalachd

announce *v*
ainmich *gr*
ainmeachadh *agr*
to announce an election
taghadh ainmeachadh

announcement *n*
rud (*fir*) air ainmeachadh
rud air ainmeachadh *gin*
rudan air an ainmeachadh *iol*

annual *adj*
bliadhnail *br*
on an annual basis
a h-uile bliadhna

annual accounts *npl*
cunntasan (*fir iol*) bliadhnail
chunntasan bliadhnail *gin*

annual budget *n*
buidseat (*fir*) bliadhnail
buidseit bhliadhnail *gin*
buidseatan bliadhnail *iol*
annual budget cycle
cuairt-bhuidseit na bliadhna

annual general meeting *n*
coinneamh (*boir*) choitcheann bhliadhnail
coinneimh choitchinn bhliadhnail *gin*
coinneamhan coitcheann bliadhnail *iol*

annual report *n*
aithisg (*boir*) bhliadhnail
aithisge bliadhnail *gin*
aithisgean bliadhnail *iol*

annul *v*
cuir (*gr*) às do
cur (*agr*) às do

annunciator *n*
inneal-innse *fir*
inneil-innse *gin*
innealan-innse *iol*

answer *n*
freagairt *boir*
freagairte *gin*
freagairtean *iol*
an answer to a question
freagairt do cheist

answer *v*
freagair *gr*
freagairt *agr*
to answer a question
ceist a fhreagairt

Any Other Business
Gnothach Sam Bith Eile
Any Other Competent Business
Gnothach Iomchaidh Sam Bith Eile (GISBE)

apolitical *adj*
neo-phoileataigeach *br*

apologise *v*
iarr (*gr*) leisgeul a ghabhail
iarraidh (*agr*) leisgeul a ghabhail

apology *n*
(in minutes of meeting)
leisgeul *fir*
leisgeil *gin*
leisgeulan *iol*

appeal *n*
ath-thagradh *fir*
ath-thagraidh *gin*
ath-thagraidhean *iol*
appeals procedure
modh ath-thagraidh

appeal *v*
tagair *gr*
tagradh *agr*
to appeal against a decision
tagradh an aghaidh co-dhùnaidh

appeal court *n*
cùirt (boir) nan ath-thagraidhean
cùirt nan ath-thagraidhean gin
cùirtean nan ath-thagraidhean *iol*

appeal judge *n*
britheamh (*fir*) ath-thagraidhean
britheamh ath-thagraidhean *gin*
britheamhan ath-thagraidhean *iol*

appellant *n*
ath-thagraiche *fir*
ath-thagraiche *gin*
ath-thagraichean *iol*

application *n*
cur (*fir*) an gnìomh
cuir an gnìomh *gin*
the application of the law
cur an gnìomh an lagha

application form *n*
foirm-iarrtais *fir*
foirm-iarrtais *gin*
foirmean-iarrtais *iol,*
clàr-iarrtais *fir*
clàir-iarrtais *gin*
clàran-iarrtais *iol*

apply *v*
cuir (*gr*) an gnìomh
cur (*agr*) an gnìomh,
cuir *gr* (tagradh)
cur *agr* (tagraidh),
buin (*gr*) (ri)
buntainn (*agr*) (ri)
1 to apply the act / law
an achd / an lagh a chur an gnìomh
2 to apply for
cuir (tagradh) airson
3 the ruling applies to this item of business
buinidh a' bhreith ris an nì seo sa chlàr-ghnothaich

appoint *v*
cuir (*gr*) an dreuchd
cur (*agr*) an dreuchd

appointee *n*
neach (*fir*) (a chaidh a chur) an dreuchd
neach (a chaidh a chur) an dreuchd *gin*
daoine (a chaidh a chur) an dreuchd *iol*

appointment *n*
(meeting)
coinneamh *boir*
coinneimh *gin*
coinneamhan *iol*

appointment *n*
(to a job)
cur (*fir*) an dreuchd
cuir an dreuchd *gin*

appraisal *n*
measadh *fir* (luach)
measaidh *gin* (luach)
regulatory appraisal
measadh bhon riaghlaiche

appraise *v*
dèan (*gr*) measadh (air luach)
dèanamh (*agr*) measaidh (air luach)

appropriate *v*
(funds)
cuir (*gr*) air leth
cur (*agr*) air leth

appropriate *v*
(to take over ownership)
gabh (*gr*) seilbh air
gabhail (*agr*) seilbhe air

appropriation *n*
(the act of setting apart)
cur (*fir*) air leth
cuir air leth *gin*

approval *n*
(agreement)
aonta *fir*
aontaidh *gin*
aontaidhean *iol*

approval *n*
(permission)
ceadachadh *fir*,
ceadachaidh *gin*,
cead *fir*
cead *gin*

approve *v*
ceadaich *gr*
ceadachadh *agr*
to approve measures
ceuman a cheadachadh

arbiter *n*
neach-rèiteachaidh *fir*
neach-rèiteachaidh *gin*
luchd-rèiteachaidh *iol*
she will be the final arbiter
is i a bheir a' bhreith-rèite dheireannach

arbitrary *adj*
neo-riaghailteach *br*
arbitrary decision
co-dhùnadh neo-riaghailteach

arbitrate *v*
thoir (*gr*) breith-rèite
toirt (*agr*) breith-rèite

arbitration *n*
eadar-bhreith *boir*
eadar-bhreith *gin*
breith-rèite *boir*
breith-rèite gin
breithean-rèite *iol*

arbitration court *n*
cùirt (*boir*) eadraiginn
cùirt eadraiginn *gin*
cùirtean eadraiginn *iol*

arbitrator *n*
neach-eadraiginn *fir*
neach-eadraiginn *gin*
luchd-eadraiginn *iol*

archive *n*
tasglann *fir*
tasglainn *gin*
tasglannan *iol*

archive *v*
cuir (*gr*) an tasglann
cur (*agr*) an tasglann

archivist *n*
tasglannaiche *fir*
tasglannaiche *gin*
tasglannaichean *iol*

argument *n*
argamaid *boir*
argamaid *gin*
argamaidean *iol*

argumentative *adj*
aimhreiteach *br*

Argyll and Bute (Constituency)
Earra-Ghaidheal agus Bòid
Earra-Ghaidheal agus Bhòid *gin*

article *n*
alt *fir*
uilt *gin*
uilt *gin*
1 newspaper article
alt sa phàipear-naidheachd
2 Article in a Treaty
Alt ann an Cunnradh

articles *npl* **of association**
artaigilean (*fir iol*) companaidh
articles and instruments
artaigilean is ionnsramaidean

Arts Council *n*
Comhairle (*boir*) nan Ealain
Comhairle nan Ealain *gin*

ascertain *v*
faigh (*gr*) a-mach
faighinn (*agr*) a-mach,
dèan (*gr*) cinnteach
dèanamh (*agr*) cinnteach
to ascertain the facts
fìrinn na cùise fhaighinn a-mach

aspiration *n*
(desire to achieve a goal)
mòr-mhiann *fir*
mòr-mhianna *gin*
mòr-mhiannan *iol*

aspire *v*
bi (*gr*) miannach (air rud)
aspire to improve the quality of life
bi miannach air mathas na beatha a chur am feabhas

assemble *v*
cruinnich *gr*
cruinneachadh *agr*
1 to assemble information
fiosrachadh a chruinneachadh
2 to assemble for a meeting
cruinneachadh airson coinneimh

assembly *n*
tional *fir*
tionail *gin*
tionalan *iol,*
co-chruinneachadh *fir*
co-chruinneachaidh *gin*
co-chruinneachaidhean *iol*
1 lawful assembly
tional laghail
2 unlawful assembly
tional neo-laghail

Assembly *n*
Seanadh *fir*
Seanaidh *gin*
Seanaidhean *iol*
National Assembly for Wales
Seanadh Nàiseanta na Cuimrigh

Assembly Journal *n*
Leabhar-latha (*fir*) an t-Seanaidh
Leabhar-latha an t-Seanaidh *gin*

Assembly Member *n* **(AM)**
Ball (*fir*) Seanaidh
Buill Sheanaidh *gin*
Buill Sheanaidh *iol*

assent *n*
aonta *fir*
aontaidh *gin*
aontaidhean *iol*
1 Royal Assent
Aonta Rìoghail
2 assent under hand
aonta fo làimh
3 assent under seal
aonta fo sheula

assent *v*
thoir (*gr*) aonta do
toirt (*agr*) aonta do

assess *v*
meas *gr*
measadh *agr*

assessment *n*
measadh *fir*
measaidh *gin*
measaidhean *iol*

Assessor *n*
Measadair *fir*
Measadair gin
Measadairean *iol*

assets *npl*
so-mhaoin *boir*
so-mhaoine *gin*
freezing of assets
reothadh so-mhaoine

assign *v*
sònraich *gr*
sònrachadh *agr*
to assign duties
dleastanasan a shònrachadh

assignment *n*
sònrachadh *fir*
sònrachaidh *gin,*
dleastanas-sònraichte *fir*
dleastanais-shònraichte *gin*
dleastanasan-sònraichte *iol*
1 assignment of duties
sònrachadh dhleastanas
2 she is working on an assignment
tha i ag obair air dleastanas-sònraichte

assist *v*
cuidich (*gr*) le
cuideachadh (*agr*) le

assistant *adj*
cuideachaidh *fir gin*,

assistant *n*
neach-cuideachaidh *fir*
neach-chuideachaidh *gin*
luchd-cuideachaidh *iol*

Assistant Principal *n*
Iar-Cheann-Roinne *fir*
Iar-Chinn-Roinne *gin*
Iar-Chinn-Roinne *iol*

assisted area *n*
ceàrn (*fir / boir*) le cuideachadh
ceàrnaidh le cuideachadh *gin*
ceàrnaidhean le cuideachadh *iol*
assisted area status
inbhe ceàrnaidh le cuideachadh

assume *v*
gabh (*gr*) os làimh
gabhail (*agr*) os làimh,
gabh (*gr*) ris
gabhail (*agr*) ris,
bi (*gr*) den bheachd
1 to assume office / responsibility
dreuchd / uallach a ghabhail os làimh
2 I assume that to be the case
tha mi a' gabhail ris gur e sin a' chùis,
tha mi den bheachd gur e sin a' chùis

assumption *n*
gabhail (*fir*) os làimh
gabhail os làimh *gin*,
barail *boir*
baraile *gin*
barailean *iol*
1 the assumption of office
gabhail dreuchd os làimh
2 a reasonable assumption
barail reusanta

assurance *n*
(against risk)
àrachas *fir*
àrachais *gin*

assurance *n*
(guarantee)
barrantas *fir*
barrantais *gin*
barrantasan *iol*
he gave an assurance
thug e barrantas

assure *v*
rach (*gr*) an urras do
dol (*agr*) an urras do
I assure you that this is the case
thèid mi an urras dhuibh gur ann mar seo a tha a' chùis

assured *adj*,
to be assured
a bhith cinnteach *br*
you may rest assured
faodaidh tu a bhith cinnteach

attend *v*
fritheil *gr*
frithealadh *agr*
to attend a meeting
coinneamh a fhrithealadh

attend *v* **to**
fritheil (*gr*) air
frithealadh (*agr*) air
to attend to a matter
frithealadh air cùis

attendance *n*
frithealadh *fir*
frithealaidh *gin*
frithealaidhean *iol*
attendance at a meeting
frithealadh aig coinneimh

attendance allowance *n*
(for caring)
cuibhreann (*fir*) frithealaidh
cuibhrinn fhrithealaidh *gin*
cuibhreannan frithealaidh *iol*

attendance allowance *n*
(for attending meetings)
cuibhreann (*fir*) frithealaidh
cuibhrinn fhrithealaidh *gin*
cuibhreannan frithealaidh *iol*

attest *v*
(a signature)
dearbh *gr*
dearbhadh *agr*

Attorney-General *n*
Àrd-neach-tagraidh *fir*
Àrd-neach-thagraidh *gin*

audio-typist *n*
clò-sgrìobhaiche (*fir*) claistinn
clò-sgrìobhaiche chlaistinn *gin*
clò-sgrìobhaichean claistinn *iol*

audit *n*
sgrùdadh *fir*
sgrùdaidh *gin*
sgrùdaidhean *iol*
National Audit Office
Oifis Nàiseanta an Sgrùdaidh

audit *v*
dèan (*gr*) sgrùdadh air
dèanamh (*agr*) sgrùdaidh air
audited accounts
cunntasan sgrùdaichte

Audit Committee *n*
Comataidh (boir) Sgrùdaidh
Comataidh Sgrùdaidh gin

auditor *n*
neach-sgrùdaidh chunntasan *fir*
neach-sgrùdaidh chunntasan *gin*
luchd-sgrùdaidh chunntasan *iol*
auditor's report
aithisg neach-sgrùdaidh nan cunntasan

Auditor General *n*
Àrd-neach-sgrùdaidh *fir*
Àrd-neach-sgrùdaidh *gin*

auspices *npl*
fo sgèith *roi le gin*
under the auspices of Parliament
fo sgèith na Pàrlamaid

auspicious *adj*
rathail *br*
on this auspicious occasion
aig an àm rathail seo

authorise *v*
ùghdaraich *gr*
ùghdarachadh *agr*

authority *n*
ùghdarras *fir*
ùghdarrais *gin*
ùghdarrasan *iol*

autonomous *adj*
(independent in action)
neo-eisimeileach *br*

autonomous *adj*
(self-governing)
le fèin-ùghdarras

autonomy *n*
(self-government)
fèin-ùghdarras *fir*
fèin-ùghdarrais *gin*

auxiliary staff *n*
luchd-obrach (*iol*) taiceil
luchd-obrach thaiceil *gin*

aware *adj*
mothachail (*br*) air
we are aware of the situation
tha sinn mothachail air an t-suidheachadh

awareness *n*
mothachadh *fir*
mothachaidh *gin*
to raise awareness of the facts
(daoine) a dhèanamh mothachail air fìrinn na cùise

'aye' lobby *n*
lobaidh (*fir / boir*) luchd 'seadh'
lobaidh luchd 'seadh' *gin*

'ayes' *npl*
(voting in Parliament)
luchd-aontachaidh *iol*,
luchd-aontachaidh *gin*,
luchd (*iol*) 'seadh'
luchd 'seadh' *gin*
the 'ayes' have it
is ann aig an luchd-aontachaidh a tha a' bhuaidh,
is ann aig an luchd 'seadh' a tha a' bhuaidh

Ayr
(Constituency)
Inbhir Àir *fir*
Inbhir Àir *gin*

back bench *n*
being-chùil *boir*
beinge-cùil *gin*
beingean-cùil *iol*

back-bench *adj*
beinge-cùil *gin*
back-bench member
ball air na beingean-cùil

back-bencher *n*
cùl-bheingear *fir*
cùl-bheingeir *gin*
cùl-bheingearan *iol*

background information *n*
bun-fiosrachaidh *fir*
bun-fhiosrachaidh *gin*

backlog *n*
càrn-obrach *fir*
cùirn-obrach *gin*
cùirn-obrach *iol*
a backlog of work
obair a tha air càrnadh

balance *n*
co-chothrom *fir*
co-chothruim *gin*
on balance
air chothrom,
le gach uile nì a mheas

balance *n*
(equilibrium)
co-chothrom *fir*
co-chothruim *gin*
1 balance of opinion
co-chothrom bheachd
2 balance of power
co-chothrom a' chumhachd
3 balance of representation
co-chothrom an riochdachaidh

balance *n*
(of money)
còrr *fir*
corra *gin*
corran *iol,*
cothromachadh *fir*
cothromachaidh *gin*
financial / working balance(s)
còrr (corran) ionmhasail / obrachaidh

balance *v*
cothromaich *gr*
cothromachadh *agr*
1 to balance an argument
argamaid a chothromachadh
2 to balance the budget
am buidseat a chothromachadh

balance *n* **of payments**
cothromachadh (*fir*) malairt
cothromachaidh mhalairt *gin*

balance *n* **of power**
co-chothrom (*fir*) cumhachd
co-chothrom cumhachd *gin*

balance sheet
(financial statement)
cunntas *(fir)* cothromachaidh
cunntais chothromachaidh *gin*
cunntasan cothromachaidh *iol*

balance sheet *n*
(list of figures)
clàr *(fir)* corra
clàir chorra *gin*
clàran corra *iol*

balanced *adj*
cothromach *br*
a balanced debate
deasbad cothromach

ballot *n*
baileat *fir*
baileit *gin*
baileatan *iol*
1 to hold a ballot
baileat a chumail
2 secret ballot
baileat dìomhair
3 ballot by show of hands
baileat tro thogail làmhan

ballot *v*
dèan (*gr*) baileat de
dèanamh (*agr*) baileit de

ballot-box *n*
bogsa-baileit *fir*
bogsa-bhaileit *gin*
bogsaichean-baileit *iol,*
bucas-baileit *fir*
bucais-bhaileit *gin*
bucais-bhaileit *iol*

ballot-paper *n*
pàipear-bhòtaidh *fir*
pàipeir-bhòtaidh *gin*
pàipearan-bhòtaidh *iol*

ballot rigging *n*
foill-bhaileit *boir*
foille-baileit *gin*

ban *n*
toirmeasg *fir*
toirmisg *gin*
toirmisg *iol*

ban *v*
toirmisg *gr*
toirmeasg *agr*

Banff and Buchan
(Constituency)
Banbh is Buchan
Banbh is Buchan *gin*

Bar *n* **of the House**
Bàr (*fir*) an t-Seòmair
Bàr an t-Seòmair *gin*

barrister *n*
neach-tagraidh *fir*
neach-thagraidh gin
luchd-tagraidh *iol*

base budget *n*
bun-bhuidseat *fir*
bun-bhuidseit *gin*
bun-bhuidseatan *iol*

beg *v*
bi (*gr*) baigearachd,
bu mhath le *gr*
1 I beg that the motion be put
bu mhath leam gun tèid an gluasad a chur
2 I beg to move the following
bu mhath leam na leanas a chur air adhart
3 that statement begs the question
tha am beachd sin ri dheasbad fhathast

behalf,
on behalf of
às leth *roi le gin*

bench *n*
being *boir*
beinge *gin*
beingean *iol*

benefit *n*
sochair *boir*
sochaire *gin*
sochairean *iol*
supplementary benefit
sochair-leasachaidh

best value *n*
feabhas *(fir)* luach
feabhas luach *gin*
Best Value Project
Pròiseact Feabhas Luach

betray *v*
brath *gr*
brath *agr,*
leig (*gr*) ris
leigeil (*agr*) ris,
sgaoil *gr,*
sgaoileadh *agr*
1 to betray a colleague
co-obraiche a bhrath
2 to betray your feelings
d' fhaireachdainnean a leigeil ris
3 to betray a confidence
rùn-dìomhair a sgaoileadh

betrayal *n*
brathadh *fir*
brathaidh *gin*
brathaidhean *iol*
an act of betrayal
gnìomh brathaidh

biannual *adj*
leth-bhliadhnail *br*
biannual review
sgrùdadh leth-bhliadhnail

bicameral legislature *n*
reachdachadh *(fir)* dà-sheòmarach
reachdachaidh (*gin*) dhà-sheòmaraich

bid *n*
iarrtas *fir*
iarrtais *gin*
iarrtasan *iol,*
oidhirp *boir*
oidhirpe *gin*
oidhirpean *iol*
1 to make a bid for funding
iarrtas a chur airson maoineachaidh
2 a bid for freedom
oidhirp air saorsa

bid *v*
cuir (*gr*) iarrtas
cur (*agr*) iarrtais
1 to bid for funding
iarrtas a chur airson maoineachaidh
2 to bid welcome
cuir fàilte air
3 I bid you welcome
tha mi a' cur fàilte ort / oirbh

bilateral *adj*
dà-thaobhach *br*
1 bilateral agreement
còrdadh dà-thaobhach
2 bilateral understanding
rèiteachadh dà-thaobhach

bilingual *adj*
dà-chànanach *br*
bilingual policy
poileasaidh dà-chànanach

bilingualism *n*
dà-chànanas *fir*
dà-chànanais *gin*

bill *n*
(Parliamentary)
bile *fir*
bile *gin*
bilean *iol*
private (member's) bill
bile prìobhaideach

bill *n* **of rights**
bile *(fir)* chòraichean
bile chòraichean *gin*

bind *v*
ceangail *gr*
ceangal *agr*

binding *adj*
ceangaltach *br*
1 a binding agreement
aonta ceangaltach
2 a binding decision
co-dhùnadh ceangaltach

bipartisan *adj*
dà-phàirtidh *br,*
on dà-phàirtidh *br*
1 bipartisan approach
dòigh-obrach dhà-phàirtidh
2 bipartisan support
taic on dà phàirtidh

blatant *adj*
dalma *br*
a blatant attack
ionnsaigh dhalma

block *v*
caisg *gr*
casgadh *agr*
to block a vote
bhòt a chasgadh

block budget *n*
meall-bhuidseat *fir*
meall-bhuidseit *gin*
meall-bhuidseatan *iol*

block grant *n*
meall-thabhartas *fir*
meall-thabhartais *gin*
meall-thabhartasan *iol*

block vote *n*
meall-bhòt *fir*
meall-bhòt *gin*
meall-bhòtaichean *iol*

blocking *n*
casgadh *fir*
casgaidh *gin*
blocking of Bills
casgadh Bhilean

body *n*
(organisation)
buidheann *fir / boir*
buidhne / buidhinn *gin*
buidhnean *iol*

body *n* **of law**
cruinneachadh *(fir)* lagha
cruinneachadh lagha
cruinneachaidhean lagha,
stòras *(fir)* lagha
stòras lagha *gin*
stòrasan lagha *iol*

bone *n* **of contention**
cùis (*boir*) spàirne
cùis spàirne *gin*
cùisean spàirne *iol*

border *n*
crìoch *boir*
crìche *gin*
crìochan *iol*

borough *n*
baile (roinne-taghaidh) *fir*
baile (roinne-taghaidh) *gin*
bailtean (roinne-taghaidh) *iol*

borough council *n*
comhairle (*boir*) baile
comhairle baile *gin*
comhairlean baile *iol*

borrowing requirement *n*
riatanas *(fir)* iasaid
riatanais iasaid *gin*
riatanasan iasaid *iol*

bottom-up *adj*
bhon bhonn suas
a bottom-up approach
dòigh-obrach bhon bhonn suas

boundary *n*
crìoch *boir*
crìche *gin*
crìochan *iol*
boundary change
atharrachadh chrìoch

Bovine Spongiform Encephalopathy *n* **(BSE)**
Comataidh (*boir*)
Comhairleachaidh air
Spongiform Encephalopathaidh
Comataidh Comhairleachaidh
air Spongiform
Encephalopathaidh *gin*

boycott *v*
dèan (*gr*) boycott air
dèanamh (*agr*) boycott air

brainstorming *n*
dian-bheachdachadh *fir*
dìan-bheachdachaidh *gin*

breach *n*
briseadh *fir*
brisidh *gin*
brisidhean *iol*
1 breach of the law
briseadh an lagha
2 breach of the peace
briseadh na sìthe
3 breach of civil liberties
briseadh air saorsainnean
catharra

break *v*
bris *gr*
briseadh *agr,*
rach (*gr*) air ais air
dol (*agr*) air ais air
1 he broke the silence
bhris e an t-sàmhchair
2 he has broken his word
tha e air a dhol air ais air fhacal

breathalyser *n*
poca (*fir*) analach
poca analach *gin*
they breathalysed him
chur iad am poca air

brief *n*
mion-fhiosrachadh *fir*
mion-fhiosrachaidh *gin*

brief *v*
thoir (*gr*) mion-fhiosrachadh do
toirt (*agr*) mion-fhiosrachaidh do,
leig (*gr*) brath gu
leigeil (*agr*) bratha gu
1 to brief a barrister
mion-fhiosrachadh a thoirt
do neach-tagraidh
2 to brief the media
brath a leigeil gu na
meadhanan

briefing *n*
brath-ullachaidh *fir*
brath-ullachaidh *gin*
brathan-ullachaidh *iol*

briefing meeting *n*
coinneamh (*boir*) brath-
ullachaidh
coinneimh brath-ullachaidh *gin*
coinneamhan brath-ullachaidh *iol*

briefing notes *npl*
notaichean (*boir iol*)
brath-ullachaidh
notaichean brath-ullachaidh *gin*

bring *v* **forward**
thoir (*gr*) air adhart
thoirt (*agr*) air adhart
to bring forward a motion
gluasad a thoirt air adhart

broadcast *n*
craoladh *fir*
craolaidh *gin*
craolaidhean *iol*

broadcast *v*
craoil *gr*
craoladh *agr*

broadcaster *n*
craoladair *fir*
craoladair gin
craoladairean *iol*

broadcasting facilities *npl*
goireasan (*fir iol*) craolaidh
ghoireasan craolaidh *gin*

Brussels *n*
am Bruiseal *fir*
a' Bhruiseil *gin*
he was talking in Brussels
bha e a' bruidhinn anns a' Bhruiseal

budget *n*
buidseat *fir*
buidseit *gin*
buidseatan *iol*
1 The Budget
Am Buidseat
2 budget deficit
easbhaidh sa bhuidseat
3 budget policy
poileasaidh a thaobh a' bhuidseit
4 budget speech
òraid a' bhuidseit

budget *v*
comharraich (*gr*) ionmhas
comharrachadh (*agr*) ionmhais
to budget for growth
ionmhas a chomharrachadh mu choinneimh fàis

budget expenditure line *n* **(BEL)**
loidhne (*boir*) caiteachais bhuidseit
loidhne caiteachais bhuidseit *gin*
loidhneachan caiteachais bhuidseit *iol*

budgetary *adj*
a bhuineas don bhuidseat
budgetary control
smachd air a' bhuidseat

build *v*
tog *gr*
togail *agr*
to build a hospital
ospadal a thogail

building control *n*
smachd (*fir*) togail,
smachd togail *gin,*
smachd (*fir*) air togail
smachd air togail *gin*
Building Control Division
Roinn Smachd Togail,
Roinn Smachd air Togail

building regulations *npl*
riaghailtean (*boir iol*) togail
riaghailtean togail *gin*

building warrant *n*
barrantas *(fir)* togail
barrantais thogail *gin*
barrantasan togail *iol*

bureaucracy *n*
bureaucracies *pl*
biurocrasaidh *fir*
biurocrasaidh *gin*
biurocrasaidhean *iol*

bureaucrat *n*
biùrocrat *fir*
biùrocrait
biùrocratan *iol*

bureaucratic *adj*
biurocratach *br*
1 bureaucratic control
smachd biurocratach
2 bureaucratic jargon / language
cainnt bhiurocratach,
briathrachas biurocratach

business *n*
gnothach *fir*
gnothaich *gin*,
gnothachas *fir*
gnothachais *gin*
gnothachasan *iol*
Any Other Business
Gnothach Sam Bith Eile

business committee *n*
comataidh (*boir*) gnothaich
comataidh gnothaich *gin*
comataidhean gnothaich *iol*

business diary *n*
leabhar-latha *(fir)* gnothaich
leabhair-latha ghnothaich *gin*
details of the work of Parliament are published in the business diary
foillsichear cunntas mionaideach air obair na Pàrlamaid san leabhar-là ghnothaich

Business Enquiry Line *n*
Loidhne (*boir*) Fiosrachaidh Gnothaich
Loidhne Fiosrachaidh Gnothaich *gin*

business secretary *n*
rùnaire *(fir)* gnothaich
rùnaire ghnothaich *gin*
rùnairean gnothaich *iol*

byelaw *n*
frith-lagh *fir*
frith-lagha *gin*
frith-laghan *iol*

by-election *n*
fo-thaghadh *fir*
fo-thaghaidh *gin*
fo-thaghaidhean *iol*

Cabinet *n*
Caibineat *fir*
Caibineit *gin*
Caibineatan *iol*

Cabinet committee *n*
comataidh (*boir*) Caibineit
comataidh Caibineit *gin*
comataidhean Caibineit *iol*

cabinet government *n*
riaghladh (*fir*) tro chaibineat
riaghlaidh tro chaibineat *gin*

Cabinet meeting *n*
coinneamh (*boir*) Caibineit
coinneimh Caibineit *gin*
coinneamhan Caibineit *iol*

Cabinet Office *n*
Oifis (*boir*) a' Chaibineit
Oifis a' Chaibineit *gin*

Cabinet Secretary *n*
Rùnaire (*fir*) a' Chaibineit
Rùnaire a' Chaibineit *gin*
Rùnairean a' Chaibineit(*iol*)

Caithness, Sutherland and Easter Ross (Constituency)
Gallaibh, Cataibh agus Ros an Ear
Gallaibh, Cataibh agus Rois an Ear *gin*

calendar *n*
mìosachan *fir*
mìosachain *gin*
mìosachain *iol*

call *v*
gairm *gr*
gairm *agr,*
co-dhùin *gr*
co-dhùnadh *agr*
1 the vote is too close to call
tha a' bhòt ro fhaisg airson co-dhùnadh ma deidhinn
2 to call a vote / an election
bhòt / taghadh a ghairm

camera, in camera
ann an dìomhaireachd
the proceedings were held in camera
chaidh an gnothach a chumail ann an dìomhaireachd

campaign *n*
iomairt *boir*
iomairt *gin*
iomairtean *iol*
on the campaign trail
an sàs anns an iomairt-taghaidh

campaign *v*
dèan (*gr*) iomairt
dèanamh (*agr*) iomairt

campaign manager *n*
manaidsear (*fir*) iomairt
manaidseir iomairt *gin*
manaidsearan iomairt *iol*

campaigner *n*
neach-iomairt *fir*
neach-iomairt *gin*
luchd-iomairt *iol*

campaigning *adj*
iomairt *br*
a campaigning speech
òraid iomairt

campaigning *n*
iomairt *boir*

cancel *v*
cuir (*gr*) às do
cur (*agr*) às do,
cuir (*gr*) dheth
cur (*agr*) dheth
1 to cancel a nomination
cuir às do thagradh
2 to cancel a meeting
coinneamh a chur dheth

candidate *n*
tagraiche *fir*
tagraiche *gin*
tagraichean *iol*
1 constituency candidate
tagraiche roinne-taghaidh
2 candidate list
liosta thagraichean
3 list candidate
tagraiche liosta

candidature *n*
tagrachas *fir*
tagrachais *gin*

canvass *v*
sir *gr* (taic)
sireadh *agr* (taice)
to canvass opinion
beachd a shireadh

canvassing *n*
sireadh-taice *fir*
siridh-thaice *gin*

cap *n*
cuibhreachadh *fir*
cuibhreachaidh *gin*
a cap on expenditure
cuibhreachadh air caiteachas

cap *v*
cuibhrich *gr*
cuibhreachadh *agr*
1 to cap the budget
am buidseat a chuibhreachadh
2 the grant was capped at last year's level
chaidh an tabhartas a chuibhreachadh aig ìre na bliadhna an-uiridh

capacity *n*
comas *fir*
comais *gin*
comasan *iol,*
dreuchd *boir*
dreuchd *gin*
in his capacity as a member
na dhreuchd mar bhall

capital *n*
buannachd *boir*
buannachd *gin,*
calpa *fir*
calpa *gin*
to make political capital out of
buannachd poileataigeach a dhèanamh à

capital accounting *n*
cunntasachd (*boir*) calpa
cunntasachd calpa *gin*

capital budget *n*
buidseat (*fir*) calpa
buidseit chalpa *gin*
buidseatan calpa *iol*

capital building programme *n*
prògram (*fir*) togail calpa
prògraim thogail calpa *gin*
prògraman togail calpa *iol*

capital cost *n*
cosgais (*boir*) calpa
cosgais calpa *gin*
cosgaisean calpa *iol*

capital depreciation *n*
ìsleachadh (*fir*) calpa
ìsleachaidh chalpa *gin*

capital expenditure *n*
caiteachas (*fir*) calpa
caiteachais chalpa *gin*
capital expenditure progress report
aithisg-adhartais air caiteachas calpa

capital finance *n*
ionmhas (*fir*) calpa
ionmhais chalpa *gin*

capital financing *n*
ionmhasachadh (*fir*) calpa
ionmhasachaidh chalpa *gin*

capital funding *n*
maoineachadh (*fir*) calpa
maoineachaidh chalpa *gin*

capital gain *n*
buannachd (*boir*) calpa
buannachd calpa *gin*
capital gains tax
cìs buannachd calpa

capital grant *n*
tabhartas (*fir*) calpa
tabhartais chalpa *gin*
tabhartasan calpa *iol*
capital grants scheme
sgeama (*boir*) thabhartasan calpa

capital-intensive *adj*
calpa-iarratach *br*,
iol-chalpa *br*

capital programme *n*
prògram (*fir*) calpa
prògraim chalpa *gin*
prògraman calpa *iol*

capital receipts *npl*
teachd-a-steach (*fir*) calpa
teachd-a-steach chalpa *gin*

capital spending *n*
caitheamh (*fir*) calpa
caitheimh chalpa *gin*

capital works *npl*
obraichean (*boir iol*) calpa
obraichean calpa *gin*
capital works programme
prògram obraichean calpa

capitation *n* **(tax)**
cunntas (*fir*) cheann
cunntais cheann *gin*
capitation allowance
cuibhreann cheann

capping *n*
cuibhreachadh *fir*
cuibhreachaidh *gin*
Council Tax capping
cuibhreachadh Cìse Comhairle

car park *n*
pàirc (*boir*) chàraichean
pàirce chàraichean *gin*
pàircean-chàraichean *iol*

career *n*
dreuchd *boir*
dreuchd *gin*
dreuchdan *iol*

carp *v*
sìor-chàin *gr*
sìor-chàineadh *agr*,
tog (*gr*) coire
togail (*agr*) coire
to carp about the problem
coire a (shìor-)thogail mun duilgheadas

Carrick, Cumnock and Doon Valley (Constituency)
Carraig, Cumnag agus Srath Dhùin
Carraig, Cumnag agus Shrath Dhùin *gin*

carried forward *adj* **(finance)**
air a thoirt air adhart

carry *v*
dearbh *gr*
dearbhadh *agr*,
soirbhich le *gr*
soirbheachadh le *agr*
the vote is carried
tha a' bhòt air a dearbhadh,
shoirbhich leis a' bhòt

carry *v* **out**
coilean *gr*
coileanadh *agr*
carry out functions
dleastanasan a choileanadh

carry *v* **over (finance)**
thoir (*gr*) air adhart
toirt (*agr*) air adhart

case *n*
cùis *boir*
cùise *gin*
cùisean *iol*

case law *n*
lagh-cùise *fir*
lagha-chùise *gin*

casework *n*
obair-cùise *boir*
obrach-cùise *gin*

cash *n*
airgead-làimhe *fir*
airgid-làimhe *gin*

cast *v*
cuir *gr*
cur *agr*
to cast a vote
bhòt a chur

castigate *v*
cronaich *gr*
cronachadh *agr*

castigation *n*
cronachadh *fir*
cronachaidh *gin*

casting vote *n*
bhòt (*boir*) sheulachaidh
bhòt sheulachaidh *gin*
bhòtaichean seulachaidh *iol*
casting vote of the chair(man)
bhòt sheulachaidh a' chathraiche

casual vacancy *n*
suidheachadh-bàn (*fir*) sealach,
suidheachaidh-bhàin shealaich *gin*,
suidheachaidhean-bàna sealach *iol*

catchment area *n* **(school)**
sgìre-sgoile *boir*
sgìre-sgoile *gin*
sgìrean-sgoile *iol*

categorical *adj*
deimhinne *br*
a categorical denial
àicheadh deimhinne

categorically *adv*
gu cinnteach *cgr*,
gu deimhinne *cgr*
to deny categorically
(dol às) àicheadh gu cinnteach,
(dol às) àicheadh gu deimhinne

caucus *n*
caucuses *pl*
càcas / caucus *fir*
càcais / caucus *gin*
càcasan / caucuses *iol,*
party caucus
càcas sa phàrtaidh,
caucus sa phàrtaidh

cause *n*
adhbhar *fir*
adhbhair *gin*
adhbharan *iol*
1 to argue for a cause
tagradh airson adhbhair
2 the cause of the problem
adhbhar an duilgheadais

caution *n*
faiceall *boir*
faicill *gin*
to proceed with caution
imeachd le faiceall

caution *v*
earalaich *gr*
earalachadh *agr*
to caution a suspect
neach-amharais earalachadh

cease *v* **(to)**
sguir *gr* (bho)
sgur *agr* (bho)

censure *n*
cronachadh *fir*
cronachaidh *gin*
cronachaidhean *iol*

censure *v*
cronaich *gr*
cronachadh *agr*

censure debate *n*
deasbad (*fir*) cronachaidh
deasbaid chronachaidh *gin*
deasbadan cronachaidh *iol*

censure motion *n*
gluasad (*fir*) cronachaidh
gluasaid chronachaidh *gin*
gluasadan cronachaidh *iol*
a motion asking Parliament to censure the First Minister
gluasad ag iarraidh air a' Phàrlamaid am Prìomh Mhinistear a chronachadh

census *n*
censuses *pl*
cunntas *fir*
cunntais *gin*
cunntasan *iol*
1 census data
dàta cunntais
2 census of population
cunntas sluaigh

central *adj*
meadhain *br*,
meadhanach *br*

Central Enquiry Point *n*
Prìomh Ionad (*fir*) Fiosrachaidh
Prìomh Ionaid Fhiosrachaidh *gin*

Central Fife (Constituency)
Meadhan (*fir*) Fìobha
Mheadhan Fìobha *gin*

central government *n*
àrd-riaghaltas *fir*
àrd-riaghaltais *gin*
àrd-riaghaltasan *iol*

Central Office *n*
Àrd-oifis *boir*

centralisation *n*
meadhanachadh *fir*
meadhanachaidh *gin*

ceremonial *adj*
deas-ghnàthach *br*

ceremonial *n*
deas-ghnàth *fir*
deas-ghnàth *gin*
deas-ghnàthan *iol*

ceremony *n*
seirbheis *boir*
seirbheise *gin*
seirbheisean *iol*

certify *v*
(accuracy of document / fact)
dearbh *gr*
dearbhadh *agr*

certify *v*
(testify)
dearbh *gr*
dearbhadh *agr*

chair *n*
cathair *boir*
cathrach *gin*
cathraichean *iol*
she was asked to take the chair
chaidh iarraidh oirre a' chathair a ghabhail

chair *v*
gabh (*gr*) cathair
gabhail (*agr*) cathair
to chair a meeting
cathair a ghabhail
(aig coinneimh)

chair / chairman / chairperson *n*
chairs / chairmen / chairpersons *pl*
cathraiche *fir*
cathraiche *gin*
cathraichean *iol*
chair of a committee
cathraiche comataidh

chairmanship *n*
dreuchd (*boir*) cathraiche
dreuchd cathraiche *gin*
dreuchdan cathraiche *iol*

challenge *n*
dùbhlan *fir*
dùbhlain *gin*
dùbhlain *iol*
1 a challenge to the authority of Parliament
dùbhlan do dh'ùghdarras na Pàrlamaid
2 the problem poses a challenge
tha a' chùis na dùbhlan

challenge *v*
cuir (*gr*) an aghaidh
cur (*agr*) an aghaidh
1 to challenge a decision
cur an aghaidh co-dhùnaidh
2 to challenge a division
cur an aghaidh bhòtaidh
(sa Phàrlamaid)

chamber *n*
seòmar *fir*
seòmair *gin*
seòmraichean *iol*
chamber business
gnothach an t-seòmair

chamber *n* **of commerce**
seòmar (*fir*) malairt
seòmair mhalairt *gin*

chancellor *n*
seansalair *fir*
seansalair *gin*
seansalairean *iol*
1 Chancellor of the Exchequer
An Seansalair
2 Lord Chancellor
Àrd-sheansalair nam Morairean

change *n*
atharrachadh *fir*
atharrachaidh *gin*
atharrachaidhean *iol*
a change of policy
atharrachadh poileasaidh

change *v*
atharraich *gr*
atharrachadh *agr*
to change course
cùrsa atharrachadh

channel *n*
modh *fir / boir*
modha *gin*
modhan *iol*
1 the usual channels
na modhan àbhaisteach
2 channels of communication
modhan conaltraidh
3 channels of procedure
modhan rianachd

chaplain *n*
seaiplin *fir*
seaiplin *gin*
seaiplinean *iol*

charge *n*
casaid *boir*
casaide *gin*
casaidean *iol,*
cìs *boir*
cìse *gin*
cìsean *iol*
1 a charge of dishonesty
casaid eas-onair
2 a charge for services
cìs sheirbheis

charge *n*
ionnsaigh *fir / boir*
ionnsaigh *gin*
ionnsaighean *iol*
the opposition led the charge
b' e an luchd-dùbhlain a bha air cùl an ionnsaigh

charge *v*
cuir (*gr*) air
cur (*agr*) air,
cuir (*gr*) às leth
cur (*agr*) às leth,
cuir (*gr*) ri *gr*
cur (*agr*) ri
1 to charge a Minister with a duty
uallach a chur air ministear
2 to charge with an offence
casaid a chur às leth
3 to charge an account
cuir ri cunntas

charge capping *n*
cuibhreachadh (*fir*) cìse
cuibhreachaidh chìse *gin*

cheap *adj*
suarach *br*
a cheap jibe
facal suarach

check *v*
thoir (*gr*) sùil air
toirt (*gr*) sùil air
to check draft minutes
sùil a thoirt air dreachd gheàrr-chunntasan

check-list *n*
liosta-sgrùdaidh *boir*
liosta-sgrùdaidh *gin*
liostaichean-sgrùdaidh *iol*

checks and balances *npl*
casg (*fir sg*) agus cothrom *fir sg*
caisg is cothruim *gin*

chief clerk *n*
prìomh chlàrc *fir*
prìomh chlàrc gin
prìomh chlàrcan *iol*

chief executive *n*
àrd-oifigear *fir* (gnìomha)
àrd-oifigeir *gin* (ghnìomha)
àrd-oifigearan *iol* (gnìomha)

chief *n* **of staff**
àrd-cheannard *fir*
àrd-cheannaird gin
àrd-cheannardan *iol*

chief secretary *n*
prìomh rùnaire *fir*
prìomh rùnaire gin
prìomh rùnairean *iol*

Chief Whip *n*
Àrd-chuip *boir*
Àrd-chuipe *gin*
Àrd-chuipean *iol*

child benefit *n*
sochair (*boir*) chloinne
sochair chloinne *gin*

child care *n*
cùram-chloinne *fir*
cùraim-chloinne *gin*
a child-care issue
cùis chùraim-chloinne

circular *adj*
cearclach *br,*
cruinn *br*
a circular argument
argamaid chearclach

circular *n*
(letter)
cuairtlitir *boir*
cuairtlitreach *gin*
cuairtlitrichean *iol*
housing circular
cuairtlitir taigheadais

circulate *v*
cuairtich *gr*
cuairteachadh *agr*
to circulate papers for a meeting
pàipearan a chuairteachadh airson coinneimh

circumspect *adj*
aireach *br*
I remain circumspect about the proposal
tha mi fhathast aireach mun mholadh

circumspection *n*
aire *boir*
aire *gin,*
ro-aire *boir*
ro-aire *gin*
I approach the proposal with circumspection
tha mi a' dèiligeadh ris a' mholadh le (ro-)aire

circumstance *n*
suidheachadh *fir*
suidheachaidh *gin*
suidheachaidhean *iol*
1 circumstances beyond our control
suidheachaidhean thar ar smachd
2 in the circumstances
san t-suidheachadh a tha ann
3 pomp and circumstance
mòr ghreadhnachas

circumstantial *adj*
làithreach *br*,
suidheachail *br*
circumstantial evidence
fianais làithreach,
fianais shuidheachail

cite *v*
(as evidence)
ainmich *gr*
ainmeachadh *agr*

cite *v*
(to summon to appear before a court of law)
thoir (*gr*) sumanadh (do)
toirt (*agr*) sumanaidh (do)

citizen *n*
saoranach *fir*
saoranaich *gin*
citizen of a Member State of the European Union
saoranach de Bhall-stàit
den Aonadh Eòrpach

citizens *npl*
poball *fir*
pobaill *gin*
citizens' advice bureau
biùro comhairleachaidh
a' phobaill

citizenship *n*
saoranachd *boir*
saoranachd *gin*

city *n*
(large town)
baile (fir) mòr
baile mhòir *gin*
bailtean mòra *iol*

city *n*
(with city status)
cathair-bhaile *boir*
cathair-bhaile *gin*,
cathair-bhailtean *iol*
cathair *boir*
cathrach gin
cathraichean *iol*
1 city centre
meadhan na cathrach
2 City of Inverness
Cathair Inbhir Nis

city council *n*
comhairle (*boir*) cathair-bhaile
comhairle cathair-bhaile *gin*
comhairlean
chathair-bhailtean *iol*

city hall *n*
talla (*fir / boir*) cathair-bhaile
talla cathair-bhaile *gin*
tallachan cathair-bhaile *iol*,
tallachan chathair-bhailtean *iol*

civic *adj*
catharra *br*

civic duty *n*
dleastanas (*fir*) catharra
dleastanais chatharra *gin*
dleastanasan catharra *iol*

civic forum *n*
fòram (*fir*) catharra
fòraim chatharra *gin*

civic occasion *n*
tachartas (*fir*) catharra
tachartais chatharra *gin*
tachartasan catharra *iol*

civic trust *n*
urras (*fir*) catharra
urrais chatharra *gin*
urrasan catharra *iol*

civil *adj*
catharra *br*

civil action *n*
cùis-lagha (*boir*) chatharra
cùise-lagha catharra *gin*
cùisean-lagha catharra *iol*

civil case *n*
cùis-lagha (*boir*) chatharra
cùise-lagha catharra *gin*
cùisean-lagha catharra *iol*

civil court *n*
cùirt (*boir*) chatharra
cùirte catharra *gin*
cùirtean catharra *iol*

civil disobedience *n*
eas-ùmhlachd (*boir*) chatharra
eas-ùmhlachd chatharra *gin*

civil law *n*
lagh (*fir*) catharra
lagha chatharra *gin*

civil liberty *n*
saorsa (*boir*) chatharra
saorsa chatharra *gin*

civil list *n*
liosta (*boir*) chatharra
liosta chatharra *gin*

civil rights *npl*
còraichean (*boir iol*) catharra
chòraichean catharra *gin*

civil servant *n*
seirbheiseach (*fir*) catharra
seirbheisich chatharra *gin*
seirbheisich chatharra *iol*

civil service *n*
seirbheis (*boir*) chatharra
seirbheis chatharra *gin*
The Civil Service
An t-Seirbheis Chatharra

Civil Service Code *n*
Còd (*fir*) Obrach na Seirbheis Chatharra
Còd Obrach na Seirbheis Chatharra *gin*

claim *n*
còir *boir*
còire / còrach *gin*
còraichean *iol,*
tagradh *fir*
tagraidh *gin*
tagraidhean *iol*
1 to lay claim to wisdom
còir a thagairt air gliocas
2 to submit a claim for benefit
a tagradh airson sochair

claim *v*
tagair *gr*
tagradh *agr*

claim form *n*
bileag-thagraidh *boir*
bileig-thagraidh *gin*
bileagan-tagraidh *iol*

claimant *n*
tagraiche *fir*
tagraiche *gin*
tagraichean *iol*

clarification *n*
soilleireachadh *fir*
soilleireachaidh *gin*
soilleireachaidhean *iol*
to seek clarification on a subject
soilleireachadh a shireadh air cuspair

clarify *v*
soilleirich *gr*
soilleireachadh *agr*
to clarify an issue
cùis a shoilleireachadh

clash *n*
connsachadh *fir*
connsachaidh *gin*
a clash with the opposition
connsachadh leis an luchd-dhùbhlain

clash *v*
connsaich *gr*
connsachadh *agr*
to clash with the opposition
connsachadh leis an luchd-dhùbhlain

classified *v*
dìomhair *br*
classified information
fiosrachadh dìomhair

classify *v*
seòrsaich *gr*
seòrsachadh *agr*

clause *n*
clàs *fir*
clàsa *gin*
clàsan *iol*

clear *adj*
soilleir *br*

clerical staff *n*
luchd-clèireachd *iol*
luchd-chlèireachd *gin*

clerical work *n*
obair-chlèireachd *boir*
obrach-chlèireachd *gin*

Clerk *n* **of the House of Commons**
Clàrc (*fir*) Thaigh nan Cumantan
Clàrc Thaigh nan Cumantan *gin*

Clerk *n* **of the House of Lords**
Clàrc (*fir*) Thaigh nam Morairean
Clàrc Thaigh nan Morairean *gin*

Clerk *n* **of the Parliament**
Clàrc (*fir*) na Pàrlamaid
Clàrc na Pàrlamaid *gin*

Clerk *n* **to the Presiding Officer**
Clàrc (*fir*) an Oifigeir-riaghlaidh
Clàrc an Oifigeir-riaghlaidh *gin*

close *n*
crìoch *boir*
crìche *gin*
crìochan *iol*
to bring proceedings to a close
cùisean a thoirt gu crìoch

close *v*
crìochnaich *gr*
crìochnachadh *agr,*
dùin *gr*
dùnadh *agr*
1 to close the debate
an deasbad a chrìochnachadh
2 to close the vote
a' bhòt a dhùnadh

closing date *n*
ceann-là (*fir*) dùnaidh
ceann-là dhùnaidh *gin*
cinn-là dhùnaidh *iol*

closure *n*
dùnadh *fir*
dùnaidh *gin*
dùnaidhean *iol*
a closure debate
deasbad dùnaidh

Clydebank and Milngavie (Constituency)
Bruaich Chluaidh agus Muileann Dhaibhidh
Bruaich Chluaidh agus Mhuileann Dhaibhidh *gin*

Clydesdale (Constituency)
Dail Chluaidh
Dail Chluaidh *gin*

coalition *n*
co-bhanntachd *boir*
co-bhanntachd *gin*
co-bhanntachdan *iol*
to form a coalition
co-bhanntachd a stèidheachadh

coalition government *n*
riaghaltas (*fir*) co-bhoinn
riaghaltais cho-bhoinn *gin*
riaghaltasan co-bhoinn *iol*

coalition politics *n*
poileataics (*boir*) co-bhoinn
poileataics co-bhoinn *gin*

Coatbridge and Chryston (Constituency)
Coatbridge agus Chryston
Coatbridge agus Chryston *gin*

code *n* **of conduct**
còd (*fir*) giùlain
còd ghiùlain *gin*
còdan giùlain *iol*

code *n* **of practice**
còd (*fir*) obrachaidh
còd obrachaidh *gin*
còdan obrachaidh *iol,*
riaghailt (*boir*) obrach
riaghailt obrach *gin*
riaghailtean obrach *iol*

codification *n* **(of laws etc)**
còdachadh *fir*
còdachaidh *gin*

collaborate *v*
co-obraich *gr*
co-obrachadh *agr*

collaboration *n*
co-obrachadh *fir*
co-obrachaidh *gin*
co-obrachaidhean *iol*

collective responsibility *n*
uallach (*fir*) coitcheann
uallaich choitchinn *gin*
uallaich choitcheann *iol*,
co-uallach *fir*
co-uallaich *gin*
co-uallaich *iol*

combination *n*
measgachadh *fir*
measgachaidh *gin*
measgachaidhean *iol*
a combination of circumstances
measgachadh de shuidheachaidhean

combine *v*
co-cheangail *gr*
co-cheangal *agr*,
rach (*gr*) còmhla
dol (*agr*) còmhla
to combine forces
a dhol còmhla ri chèile

come *v*
ruig *gr*
ruighinn *agr*,
thig *gr*
tighinn *agr*
1 to come to an accommodation
còrdadh a ruighinn
2 to come into effect
(rud a bhith) ga chur an gnìomh
3 the act comes into effect / force
tha an achd ga cur an gnìomh

command *v*
àithn *gr*
àithne *agr*,
dleas *gr*
dleasadh *agr*
to command respect
urram a dhleasadh

command paper *n*
pàipear-àithne *fir*
pàipeir-àithne *gin*
pàipearan-àithne *iol*

commemorate *v*
cuimhnich *gr*
cuimhneachadh *agr*

commemoration *adj*
cuimhneachaidh *fir gin*
commemoration service
seirbheis cuimhneachaidh

commemoration *n*
cuimhneachan *fir*
cuimhneachain *gin*
cuimhneachain *iol*

commemorative *adj*
cuimhneachaidh *fir gin*
commemorative stamps
stampaichean cuimhneachaidh

commencement notice *n*
fios tòiseachaidh *fir*
fiosa thòiseachaidh *gin*
fiosan tòiseachaidh *iol*

commend *v*
mol *gr*
moladh *agr*

commendable *adj*
ion-mheasta *br*,
ion-mholta *br*
he brings commendable dignity to his role
tha e a' cur urram ion-mheasta ri dhreuchd,
tha e a' cur uaisleachd ion-mholta ri dhreuchd

comment *n*
iomradh *fir*
iomraidh *gin*
iomraidhean *iol*

comment *v*
aithris *gr*
aithris *agr*

commentary *n*
aithris *boir*
aithrise *gin*
aithrisean *iol*

commentator *n*
neach-aithris *fir*
neach-aithris *gin*
luchd-aithris *iol*

commission *n*
coimisean *fir*
coimisein *gin*
coimiseanan *iol*
1 the European Commission
An Coimisean Eòrpach
2 the commission considered the evidence
bheachdaich an coimisean air an teisteanas

commission *n*
(act of committing)
gnìomhachadh *fir*
gnìomhachaidh *gin*
the commission of a grave error
gnìomhachadh droch mhearachd

Commission *n* **for Racial Equality**
Coimisean (*fir*) airson Co-ionannachd Cinnidh
Coimisein airson Co-ionannachd Cinnidh *gin*

commission *n* **of enquiry**
coimisean (*fir*) rannsachaidh
coimisein rannsachaidh *gin*
coimiseanan rannsachaidh *iol*

commission *v*
barrantaich *gr*
barrantachadh *agr*

Commissioner *n*
Coimiseanair *fir*
Coimiseanair *gin*
Coimiseanairean *iol*

commit *v*
(oneself)
cuir (*gr*) romhad
cur (*agr*) romhad

commitment *n*
dealas *fir*
dealais *gin*
a commitment to justice
dealas airson ceartais

committee *n*
comataidh *boir*
comataidh *gin*
comataidhean *iol*

committee *n* **of enquiry**
comataidh rannsachaidh *boir*
comataidh rannsachaidh *gin*
comataidhean rannsachaidh *iol*

committee *n* **of selection**
comataidh taghaidh *boir*
comataidh taghaidh *gin*
comataidhean taghaidh *iol*

Committee *n* **of the Regions (COR)**
Comataidh (*boir*) nan Roinnean
Comataidh nan Roinnean *gin*

Committee *n* **of the Whole House**
Comataidh (*boir*) an Taighe
Comataidh an Taighe *gin*

Committee *n* **on Standards in Public Life**
Comataidh (*boir*) Inbhean ann am Beatha Phoblaich
Comataidh Inbhean ann am Beatha Phoblaich *gin*

committee chair / chairman / chairperson *n*
cathraiche (*fir*) comataidh
cathraiche chomataidh *gin*
cathraichean comataidh *iol*

committee clerk *n*
clàrc-comataidh *fir*
clàrc-comataidh *gin*
clàrcan-comataidh *iol*

committee cycle *n*
sreath (*fir*) chomataidh
sreath chomataidh *gin*
sreathan chomataidh *iol*

committee meeting *n*
coinneamh (*boir*) comataidh
coinneamh comataidh *gin*
coinneamhan comataidh *iol*, coinneamhan chomataidhean *iol*

committee report *n*
aithisg (*boir*) comataidh
aithisg comataidh *gin*
aithisgean comataidh *iol*

committee resolution *n*
rùn (*fir*) comataidh
rùin chomataidh *gin*
rùintean chomataidh *iol*

committee room *n*
seòmar (*fir*) comataidh
seòmair chomataidh *gin*
seòmraichean comataidh *iol*

committee secretariat *n*
rùnaireachd (*boir*) comataidh
rùnaireachd comataidh *gin*
rùnaireachdan comataidh *iol*

committee stage *n*
ìre (*boir*) comataidh
ìre comataidh *gin*
ìrean comataidh *iol*
the matter has reached committee stage
tha a' chùis air ìre comataidh a ruighinn

committee structure *n*
structair (*fir*) comataidh
structair chomataidh *gin*
structairean comataidh *iol*

Common Agricultural Policy *n* **(CAP)**
Poileasaidh (*fir*) Coitcheann an Àiteachais (PCA)
Poileasaidh Coitcheann an Àiteachais *gin*

Common Fisheries Policy *n*
Poileasaidh (*fir*) Coitcheann an Iasgaich
Poileasaidh Coitcheann an Iasgaich *gin*

common law *n*
lagh (*fir*) coitcheann
lagha choitchinn *gin*

common market *n*
margadh (*fir / boir*) coitcheann
margaidh choitchinn *gin*
margaidhean coitcheann *iol*

common services agency *n*
Buidheann (*boir*) nan Seirbheisean Coitcheann
Buidheann nan Seirbheisean Coitcheann *gin*

commonwealth *n*
co-fhlaitheas *fir*
co-fhlaitheis *gin*
co-fhlaitheasan *iol*
the Commonwealth
an Co-fhlaitheas

communicate *v*
dèan (*gr*) conaltradh
dèanamh (*agr*) conaltraidh

communication *n*
conaltradh *fir*
conaltraidh *gin*
conaltraidhean *iol*

communiqué *n*
fios (*fir*) oifigeil
fios oifigeil *gin*
fiosan oifigeil *iol*

community *n*
coimhearsnachd *boir*
coimhearsnachd *gin*
coimhearsnachdan *iol*

Community Revitalisation *n*
Ath-bheothachadh (*fir*) Coimhearsnachd
Ath-bheothachadh Coimhearsnachd *gin*

compact *n* **(agreement)**
còrdadh *fir*
còrdaidh *gin*
còrdaidhean *iol*

company *n*
companaidh *fir / boir*
companaidh *gin*
companaidhean *iol*

compare *v*
dèan (*gr*) coimeas
dèanamh (*agr*) coimeis
1 to compare notes
cunntasan a choimeas ri chèile
2 compared with the estimate
an coimeas ris a' mheasrachadh / ris an tuairmse

comparison *n*
coimeas *fir*
coimeis *gin*
coimeasan *iol*
to make a comparison
coimeas a dhèanamh

compensate *v*
dìol *gr*
dìoladh *agr*

compensation *n*
dìoladh *fir*
dìolaidh *gin*
dìolaidhean *iol*

competence *n*
comas *fir*
comais *gin*
it is beyond my competence
tha e thar mo chomais

competent *adj*
comasach *br,*
teisteanaichte *br*
I am not legally competent to answer
chan eil mi air mo theisteanachadh ann an lagh airson sin a fhreagairt

competitive tender *n*
tairgse (*boir*) fharpaiseach
tairgse farpaisich *gin*
tairgsean farpaiseach *iol*

competitive tendering *n*
tairgseachadh (*fir*) farpaiseach
tairgseachaidh fharpaisich *gin*

complain *v*
dèan (*gr*) gearan
dèanamh (*agr*) gearain

complainant *n*
gearanaiche *fir*
gearanaiche *gin*
gearanaichean *iol*

complaint *n*
gearan *fir*
gearain *gin*
gearanan *iol*

complaints procedure *n*
modh (*fir / boir*) gearain
modha ghearain *gin*
modhan gearain *iol*

complete *v*
crìochnaich *gr*
crìochnachadh *agr,*
lìon *gr*
lìonadh *agr*
1 to complete a project
pròiseact a chrìochnachadh
2 to complete a form
foirm a lìonadh

compliance *n*
gèilleadh *fir*
gèillidh *gin*
gèillidhean *iol*
compliance with a treaty
gèilleadh do chunnradh

comply *v,*
comply with
cùm (*gr*) ri
cumail (*agr*) ri

compromise *n*
co-rèiteachadh *fir*
co-rèiteachaidh *gin*
co-rèiteachaidhean *iol*
1 compromise solution
fuasgladh co-rèiteachaidh
2 to reach a compromise
còrdadh a ruighinn

compromise *v*
co-rèitich *gr*
co-rèiteachadh *agr,*
mill *gr*
milleadh *agr,*
tarraing (*gr*) amharas air
tarraing (*agr*) amharais air
1 this will compromise his / her credibility
bidh seo a' tarraing amharas air a c(h)reideas
2 to compromise oneself
amharas a tharraing ort fhèin

compromising *adj*
mì-iomchaidh *br*
a compromising position
suidheachadh mì-iomchaidh

compulsory *adj*
èigneachail *br*

compulsory competitive tendering *n*
tairgseachadh (*fir*) farpaiseach èigneachail
tairgseachaidh fharpaisich èigneachail *gin*

compulsory purchase *n*
ceannachd (*boir*) èigneachail
ceannachd èigneachail *gin*
compulsory purchase order (CPO)
òrdugh ceannachd èigneachail

computer *n*
coimpiutar *fir*
coimpiutair *gin*
coimpiutaran *iol*

computer room *n*
seòmar (*fir*) choimpiutar
seòmair choimpiutar *gin*
seòmraichean choimpiutar *iol*

computer suite *n*
ionad (*fir*) choimpiutar
ionaid choimpiutar *gin*
ionadan choimpiutar *iol*

computerisation *n*
coimpiutarachadh *fir*
coimpiutarachaidh *gin*

concede *v*
aidich *gr*
aideachadh *agr,*
gèill *gr*
gèilleadh *agr,*
leig (*gr*) thairis
leigeil (*agr*) thairis
1 I concede that it was a hasty decision
tha mi ag aideachadh gur e co-dhùnadh obann a bha ann
2 to concede defeat
a ghèilleadh (do)
3 she will not concede her rights
cha leig i thairis a còraichean

concept *n*
bun-bheachd *fir*
bun-bheachd *gin*
bun-bheachdan *iol*

concern *n*
gnothach *fir*
gnothaich *gin*
gnothaichean *iol,*
iomagain *boir*
iomagain *gin*
iomagainean *iol*
1 it is not our concern
chan e ar gnothaich e
2 it is a matter of some concern
'S e cùis iomagain a tha ann

concerning *prep*
mu thimcheall *roi le gin*
she wrote concerning this problem
sgrìobh i mu thimcheall na ceiste seo

concession *n*
cead *fir*
cead *gin*
ceadan *iol*

conciliate *v*
rèitich *gr*
rèiteachadh *agr*

conciliation *n*
rèiteachadh *fir*
rèiteachaidh *gin*
rèiteachaidhean *iol*

conclude *v*
co-dhùin *gr*
co-dhùnadh *agr,*
crìochnaich *gr*
crìochnachadh *agr*
1 I conclude that the policy is unjust
tha mi a' co-dhùnadh gu bheil am poileasaidh neo-chothromach
2 we now conclude our business
tha sinn a-nis a' crìochnachadh ar gnothaich,
tha sinn a-nis a' toirt ar gnothaich gu crìch

conclusion *n*
co-dhùnadh *fir*
co-dhùnaidh *gin*
co-dhùnaidhean *iol*
crìoch *boir*
crìche *gin*
crìochan *iol*
1 to reach a conclusion
co-dhùnadh a ruighinn
2 the conclusion of business
crìoch a' ghnothaich

conclusive evidence *n*
fianais (*boir*) dheimhinnte
fianais dheimhinnte *gin*

Concordat *n*
Concordait *boir*
Concordait *gin*
Concordaitean *iol*

concur *v*
aontaich *gr*
aontachadh *agr*

concurrent *adj*
co-cheumnach *br*

concurring judgment *n*
breith (*boir*) cho-aontachail
breith cho-aontachail *gin*
breithean co-aontachail *iol*

condemn *v*
dìt *gr*
dìteadh *agr*

condemnation *n*
dìteadh *fir*
dìtidh *gin*
dìtidhean *iol*

condition *n*
cumha *boir*
cumha *gin*
cumhaichean *iol,*
cùmhnant *fir*
cùmhnaint *gin*
cùmhnantan *iol*
1 terms and conditions
na cumhaichean (air fad)
2 conditions of contract
cumhaichean cunnraidh
3 conditions of employment
cùmhnantan obrach
4 conditions of service
cùmhnantan seirbheis

conditional *adj*
cumhach *br*
conditional order
òrdugh cumhach

conditions *npl* **of service**
cùmhnantan (*fir iol*) seirbheis
chùmhnantan seirbheis *gin*

conduct *n*
giùlan *fir*
giùlain *gin*
conduct unbecoming, improper conduct
giùlan mì-iomchaidh

conduct *v*
giùlain *gr*
giùlan *agr,*
stiùir *gr*
stiùireadh *agr,*
treòraich *gr*
treòrachadh *agr*
1 to conduct oneself with dignity
thu fhèin a ghiùlan le urram
2 to conduct the affair
a' chùis a stiùireadh
3 to conduct the business
an gnothach a stiùireadh
4 to conduct the discussion
an deasbad a threòrachadh

confer *v*
bi (*gr*) còmhradh,
builich *gr*
buileachadh *agr,*
cuir (*gr*) comhairle ri
cur (*agr*) comhairle ri
1 we wish to confer in private
tha sinn airson còmhradh ann an dìomhaireachd
2 to confer an honour
urram a bhuileachadh

conference *n*
co-labhairt *boir*
co-labhairt *gin*
co-labhairtean *iol*
conference room
seòmar co-labhairt

confess *v*
aidich *gr*
aideachadh *agr*

confession *n*
aideachadh *fir*
aideachaidh *gin*
aideachaidhean *iol*

confidence *n*
earbsa *boir*
earbsa *gin*
1 vote of no confidence
bhòt chion earbsa
2 that party does not enjoy the confidence of Parliament
chan eil earbsa aig a' Phàrlamaid às a' Phàrtaidh

confident *adj*
misneachail *br*

confidential *adj*
dìomhair *br*

confidentiality *n*
dìomhaireachd *boir*

conflict *n*
còmhstri *boir*
còmhstri *gin*
còmhstrithean *iol,*
strì *boir*
strì *gin*
strìthean *iol*
a conflict of interest
strì eadar com-pàirtean

conflict *v*
sabaid *gr*
sabaid *agr*

conflicting evidence *n*
teisteanas (*fir*) nach eil a rèir...
teisteanais nach eil a rèir... *gin*

conform *v*,
conform with / to
dèan (*gr*) a rèir
dèanamh (*agr*) a rèir

confront *v*
cuir (*gr*) aghaidh air
cur (*agr*) aghaidh air

confrontation *n*
cur (*fir*) aghaidh (air)

confrontational *adj*
connspaideach *br*

conjecture *n*
barail *boir*
baraile *gin*
barailean *iol*
that is mere conjecture
chan eil an sin ach barail thuairmseach

connection *n*
ceangal *fir*
ceangail *gin*
ceanglaichean *iol*
co-bhann *boir*
co-bhoinn *gin*
in connection with
an co-bhoinn ri

consecutive *adj*
co-leanailteach *br*
three consecutive days
trì làithean co-leanailteach

consensual *adj*
co-aontachail *br*

consensus *n*
co-aontachd *boir*
co-aontachd *gin*
co-aontachdan *iol*
1 consensus of opinion
co-aontachd bheachd
2 consensus politics
poileataics cho-aontachail
3 consensus view
beachd co-aontachail

consent *n*
aonta *fir*
aontaidh *gin*
aontaidhean *iol*
with one consent
le aon ghuth,
le aon inntinn

consent *v*
aontaich *gr*
aontachadh *agr*
1 I consent to your request
tha mi ag aontachadh ris an iarrtas agad
2 they consented to discuss the issue
dh'aontaich iad a' chùis a dheasbad

consequence *n*
buil *boir*
buile *gin*
in consequence of
's e a' bhuil,
mar bhuil air

conservative *adj*
stuama *br*
a conservative estimate
tuairmse stuama

conservative *adj*
(philosophy)
caomhnach *br*

Conservative *n*
Tòraidh *fir*
Tòraidh *gin*
Tòraidhean *iol*
1 a true blue Conservative
Tòraidh gu c(h)ùl,
Fìor Thòraidh
2 the Conservative Party
am Pàrtaidh Tòraidheach

consideration *n*
beachdachadh *fir*
beachdachaidh *gin*
beachdachaidhean *iol*

consist *v*
bi (*gr*) ann
the proposal consists of three clauses
tha trì clàsan sa mholadh

consistent *adj*
co-chòrdail *br*
that is consistent with our policy
tha sin co-chòrdail ri ar poileasaidh

consolidate *v*
daingnich *gr*
daingneachadh *agr*
we are now consolidating our position
tha sinn a nis a' daingneachadh ar suidheachaidh

conspiracy *n*
co-fheall *boir*
co-fheall *gin*
co-fheallaidhean *iol,*
cuilbheart *fir / boir*
cuilbheirt *gin*
cuilbheartan *iol*
guim *fir*
guim *gin*
guimean *iol*

1 conspiracy to pervert the course of justice
co-fheall gus fiaradh a chur air cùrsa ceartais
2 conspiracy theory
teòraidh cho-fheall
3 conspiracy of silence
cuilbheirt tostachd, guim tostachd

conspire *v*
dèan (*gr*) guim
dèanamh (*agr*) guim,
dean (*gr*) cuilbheart
dèanamh (*agr*) cuilbheart
they conspire against us
tha iad a' dèanamh guim nar n-aghaidh

constituency *n*
roinn-phàrlamaid *boir*
roinne-pàrlamaid *gin*
roinnean-pàrlamaid *iol*

constituency committee *n*
comataidh (*boir*) roinne-pàrlamaid
comataidh roinne-pàrlamaid *gin*
comataidhean roinne-pàrlamaid *iol*

constituency member *n*
ball (*fir*) roinne-pàrlamaid
buill roinne-pàrlamaid *gin*
buill roinne-pàrlamaid *iol*

constituency office *n*
oifis (*boir*) na roinne-pàrlamaid
oifis na roinne-pàrlamaid *gin*
oifisean nan roinnean-pàrlamaid *iol*

constituent *n*
neach-taghaidh (*fir*) roinne-pàrlamaid
neach-thaghaidh roinne-pàrlamaid *gin*
luchd-taghaidh roinne-pàrlamaid *iol*

constitution *n*
bun-reachd *fir*
bun-reachd *gin*
the British Constitution
Bun-reachd Bhreatainn

constitutional *adj*
bun-reachdail *br*

constitutional law *n*
lagh (*fir*) bun-reachdail
lagha bhun-reachdail *gin*

constitutional monarch *n*
monarc (*fir*) bun-reachdail
monairc bhun-reachdail *gin*
monarcan bun-reachdail *iol*

constitutional monarchy *n*
monarcachd (*boir*) bhun-reachdail
monarcachd bun-reachdail *gin*

constitutional reform *n*
ath-leasachadh (*fir*) bun-reachdail
ath-leasachaidh bhun-reachdail *gin*
ath-leasachaidhean bun-reachdail *iol*

construct *v*
tog *gr*
togail *agr,*
ullaich *gr*
ullachadh *agr*
1 to construct a bridge
drochaid a thogail
2 to construct a report
aithisg ullachadh

constructive criticism *n*
lèirmheas (*fir*) cuideachail
lèirmheas chuideachail *gin*

constructive dialogue *n*
conaltradh (*fir*) cuideachail
conaltraidh chuideachail *gin*
conaltraidhean cuideachail *iol*

constructive opposition *n*
dùbhlan (*fir*) cuideachail
dùbhlain chuideachail *gin*

construe *v*
tuig *gr*
tuigsinn *agr*

consul *n*
consal *fir*
consail *gin*
consalan *iol*
Consul General
Àrd-chonsal

consular service *n*
seirbheis (*boir*) consail
seirbheis consail *gin*

consulate *n*
consalachd *boir*
consalachd *gin*
consalachdan *iol*

consult *v*
cuir (*gr*) comhairle ri
cur (*agr*) comhairle ri
to consult on a subject
comhairle a chur ri (neach / buidhinn) air cuspair

consultation *n*
co-chomhairle *boir*
co-chomhairle *gin*
co-chomhairlean *iol*
in consultation with
an co-chomhairle ri

consultation document *n*
sgrìobhainn (*boir*) co-chomhairleachaidh
sgrìobhainn co-chomhairleachaidh *gin*
sgrìobhainnean co-chomhairleachaidh *iol*

consultation exercise *n*
obair (*boir*) co-chomhairleachaidh
obrach co-chomhairleachaidh *gin*
obraichean co-chomhairleachaidh *iol*

consultation paper *n*
pàipear (*fir*) co-chomhairleachaidh
pàipeir cho-chomhairleachaidh *gin*
pàipearan co-chomhairleachaidh *iol*

consultation procedure *n*
modh (*fir*) co-chomhairleachaidh
modha cho-chomhairleachaidh *gin*
modhan co-chomhairleachaidh *iol*

consultation process *n*
cùrsa (*fir*) co-chomhairleachaidh
cùrsa cho-chomhairleachaidh *gin*
cùrsaichean
co-chomhairleachaidh *iol*

consultation stage *n*
ìre (*boir*) co-chomhairleachaidh
ìre co-chomhairleachaidh *gin*
ìrean co-chomhairleachaidh *iol*

consultative *adj*
co-chomhairleachaidh *br*

consultative committee *n*
comataidh (*boir*)
co-chomhairleachaidh
comataidh
co-chomhairleachaidh *gin*
comataidhean
co-chomhairleachaidh *iol*

consultative document *n*
sgrìobhainn (*boir*)
co-chomhairleachaidh
sgrìobhainn
co-chomhairleachaidh *gin*
sgrìobhainnean
co-chomhairleachaidh *iol*

Consultative Steering Group *n* **on the Scottish Parliament**
Buidheann-stiùiridh (*boir*)
Comhairleachaidh air
Pàrlamaid na h-Alba
Buidhne-stiùiridh
Comhairleachaidh air
Pàrlamaid na h-Alba *gin*

consumer council *n*
comhairle (*fir*)
luchd-chleachdaidh
comhairle
luchd-chleachdaidh *gin*
comhairlean
luchd-chleachdaidh *iol*

consumer protection *n*
dìon (*fir*) luchd-chleachdaidh
dìon luchd-chleachdaidh *gin*

contempt *n*
tàir *boir*
tàire *gin*
1 contempt of court
tàir air a' chùirt
2 contempt of Parliament
tàir air a' Phàrlamaid

contempt *n* **of court**
tàir (*boir*) air a' chùirt
tàire air a' chùirt *gin*

contempt *n* **of Parliament**
tàir (*boir*) air a' Phàrlamaid
tàire air a' Phàrlamaid *gin*

contend *v* **(with)**
dèan (*gr*) strì (an aghaidh)
dèanamh (*agr*) strì (an aghaidh)

content *n*
susbaint *boir*
susbaint *gin*

contention *n*
argamaid *boir*
argamaide *gin*
argamaidean *iol*
my contention is that the policy is unworkable
's e m' argamaid nach gabh am poileasaidh a chur an gnìomh

contentious *adj*
connspaideach *br*

contest *n*
strì *boir*
strì *gin*
strìthean *iol*

contest *v*
seas *gr* (airson)
seasamh *agr* (airson),
dèan (*gr*) strì
dèanamh (*agr*) strì
1 to contest a seat
seas airson roinn-taghaidh
2 to contest an election
seas airson taghaidh
3 they contest his right to speak
tha iad a' strì an aghaidh a chòir labhairt

contingency *n*
tuiteamas *fir*
tuiteamais *gin*
tuiteamasan *iol*

contingency fund *n*
maoin (*boir*) tuiteamais
maoine tuiteamais *gin*
maoinean tuiteamais

contingency plan *n*
plana (*fir*) tuiteamais
plana thuiteamais *gin*
planaichean tuiteamais *iol*

contingency reserve *n*
tasgadh (*fir*) tuiteamais
tasgaidh thuiteamais *gin*

contingency sum *n*
suim (*boir*) tuiteamais
suime tuiteamais *gin*
suimean tuiteamais *iol*

contract *n*
(agreement)
cunnradh *fir*
cunnraidh *gin*
cunnraidhean *iol*

contract *v*
dèan (*gr*) cunnradh
dèanamh (*agr*) cunnraidh
1 to contract to undertake a project
cunnradh a dhèanamh airson pròiseict
2 to contract out of a scheme
cunnradh a dhèanamh a thighinn a-mach à sgeama

contract *n* **of employment**
cunnradh (*fir*) obrach
cunnraidh obrach *gin*
cunnraidhean obrach *iol*

contract law *n*
lagh (*fir*) cunnraidh
lagha chunnraidh *gin*
laghan cunnraidh *iol*

contract management *n*
stiùireadh (*fir*) cunnraidh
stiùiridh chunnraidh *gin*

contract manager *n*
manaidsear (*fir*) cunnraidh
manaidseir chunnraidh *gin*
manaidsearan cunnraidh *iol*

contractor *n*
cunnradair *fir*
cunnradair *gin*
cunnradairean *iol*

contractual *adj*
cunnradail *br*
contractual obligation
dleastanas cunnradail

contradict *v*
cuir (*gr*) an aghaidh
cur (*agr*) an aghaidh

contradiction *n*
contrarrachd *fir boir*
contrarrachd *gin*
contrarrachdan *iol*

contrary *adj*
contrarra *br*
contrary observations
beachdan contrarra

contrary to
an aghaidh *roi le gin*
contrary to law
an aghaidh an lagha

contravene *v*
bris *gr*
briseadh *agr*
to contravene an act / a rule
achd / riaghailt a bhriseadh

contribute *v*
cuir (*gr*) ri
cur (*agr*) ri

contribute *v* **to**
leudaich *gr*
leudachadh *agr*
the document contributes to our understanding
tha an sgrìobhainn a' leudachadh ar tuigse

contribution *n*
tabhartas *fir*
tabhartais *gin*
tabhartasan *iol*
National Insurance (NI) contributions
tabhartasan Àrachais Nàiseanta

contributory *adj*
co-thabhartail *br*
contributory pension
peinnsean co-thabhartail

control *n*
smachd *fir*
smachd *gin*
circumstances beyond our control
suidheachaidhean air nach eil smachd againn

control *v*
ceannsaich *gr*
ceannsachadh *agr*

Controller *n* **of Audit**
Rianadair (*fir*) Sgrùdaidh
Rianadair Sgrùdaidh *gin*

controversial *adj*
connspaideach *br*
a controversial issue
cùis chonnspaideach

controversy *n*
connspaid *boir*
connspaide *gin*
connspaidean *iol*

contumacious *adj*
eas-ùmhlach
(do dh'òrdugh-cùirte) *br*

contumacy *n*
eas-ùmhlachd
(do dh'òrdugh-cùirte) *boir*
eas-ùmhlachd *gin*

convene *v*
gairm *gr*
gairm *agr*
1 to convene a group
buidheann a ghairm
2 to convene a meeting
coinneamh a ghairm

convener *n*
neach-gairm *fir*
neach-ghairm *gin*
luchd-gairm *iol*
national convener of the party
neach-gairm nàiseanta a' phàrtaidh

convenience *n*
goireas *fir*
goireis *gin*
goireasan *iol*
at your convenience
an uair a bhitheas e goireasach dhut

convenient *adj*
goireasach *br*

convention *n*
(agreement)
cùmhnant *fir*
cùmhnaint *gin*
cùmhnantan *iol,*
coinbheinsean *fir*
coinbheinsein *gin*
coinbheinseanan *iol*
we are bound by the terms of the convention
tha sinn air ar teannachadh le cumhaichean a' choinbheinsein

convention *n*
(body)
co-chruinneachadh *fir*
co-chruinneachaidh *gin*
co-chruinneachaidhean *iol*
the convention is meeting in Edinburgh
tha an co-chruinneachadh a' coinneachadh ann an Dùn Èideann

convention *n*
(habit)
cleachdadh *fir*
cleachdaidh *gin*
cleachdaidhean *iol*
we will comply with the usual convention
leanaidh sinn an cleachdadh àbhaisteach

Convention *n* **of Scottish Local Authorities (COSLA)**
Co-chruinneachadh (*fir*) Ùghdarrasan Ionadail na h-Alba
Cho-chruinneachadh Ùghdarrasan Ionadail na h-Alba *gin*

Convention *n* **on Human Rights**
Cùmhnant (*fir*) air Còraichean a' Chinne Daonna
Cùmhnaint air Còraichean a' Chinne Daonna *gin*

conviction *n*
dìteadh *fir*
dìtidh *gin*
dìtidhean *iol*
she speaks with conviction
tha i cinnteach na barail

convince *v*
dearbh *gr*
dearbhadh *agr*

co-operate *v*
co-obraich *gr*
co-obrachadh *agr*

co-operation *n*
co-obrachadh *fir*
co-obrachaidh *gin*
in co-operation with
an co-bhoinn ri

co-opt *v*
co-thagh *gr*
co-thaghadh *agr*

co-opted *adj*
co-thaghte *br*
co-opted member
ball co-thaghte

co-optee *n*
neach co-thaghte *fir*
neach cho-thaghte *gin*
luchd co-thaghte *iol*

co-option *n*
co-thaghadh *fir*
co-thaghaidh *gin*

co-ordinate *v*
co-òrdanaich *gr*
co-òrdanachadh *agr*

co-ordinator *n*
co-òrdanaiche *fir*
co-òrdanaiche *gin*
co-òrdanaichean *iol*

copper-bottomed guarantee *n*
sàr-bharrantas *fir*
sàr-bharrantais *gin*
sàr-bharrantasan *iol*

copy *n* **for information**
lethbhreac (*fir*) airson fiosrachaidh
lethbhric airson fiosrachaidh *gin*
lethbhric airson fiosrachaidh *iol*

copy typist *n*
clò-sgrìobhadair *fir*
clò-sgrìobhadair *gin*
clò-sgrìobhadairean *iol*

corporate *adj*
corporra *br*
corporate body
buidheann chorporra

Corporate Body *n* **(of the Scottish Parliament)**
Buidheann (*boir*) Chorporra (Pàrlamaid na h-Alba)
Buidhne Corporra (Pàrlamaid na h-Alba) *gin*

corporation tax *n*
cìs (*boir*) corparaid
cìse corparaid *gin*

correct *adj*
ceart *br*

correct *v*
ceartaich *gr*
ceartachadh *agr*

correction *n*
ceartachadh *fir*
ceartachaidh *gin*
ceartachaidhean *iol*

correspondence *n* **(letters)**
litir *boir*
litreach *gin*
litrichean *iol*

correspondent *n*
co-sgrìobhadair *fir*
co-sgrìobhadair *gin*
co-sgrìobhadairean *iol*

corroborate *v*
co-dhearbh *gr*
co-dhearbhadh *agr*

corroborating evidence *n*
fianais (*boir*) cho-dhearbhaidh
fianais co-dhearbhaidh *gin*

corrupt *adj*
coirb / coirbte *br,*
truaillte *br*
corrupt practices
cleachdaidhean coirbte / truaillte

corrupt *v*
dèan (*gr*) coirb
dèanamh (*agr*) coirb,
truaill *gr*
truailleadh *agr*

corruptible *adj*
ion-choirbte *br,*
truaillidh *br*

corruption *n*
coirbeachd *boir*
coirbeachd *gin,*
truaillidheachd *boir*
truaillidheachd *gin*

corruptor *n*
neach (*fir*) a nì coirb
neach a nì coirb *gin*
daoine a nì coirb *iol,*
neach-truaillidh *fir*
neach-truaillidh *gin*
luchd-truaillidh *iol*

cost *n* **of living**
cosgais (*boir*) bhith-beò
cosgais bhith-beò *gin*

cost analysis *n*
mion-sgrùdadh (*fir*) cosgais
mion-sgrùdaidh chosgais *gin*
mion-sgrùdaidhean cosgais *iol*

cost-benefit analysis *n*
mion-sgrùdadh (*fir*) cosgais is buannachd
mion-sgrùdaidh chosgais is buannachd *gin*
mion-sgrùdaidhean cosgais is buannachd *iol*

cost control *n*
smachd (*fir*) cosgais
smachd chosgais *gin*

cost cutting *n*
gearradh (*fir*) cosgais
gearraidh chosgais *gin*

cost-effective *adj*
cosg-èifeachdach *br*

cost-effectiveness *n*
cosg-èifeachdas *fir*
cosg-èifeachdais *gin*

costing *n*
measrachadh (*fir*) cosgais
measrachaidh chosgais *gin*
measrachaidhean cosgais *iol*

council *n*
comhairle *boir*
comhairle *gin*
comhairlean *iol*

Council *n* **of Europe**
Comhairle (*boir*) na h-Eòrpa
Comhairle na h-Eòrpa *gin*

council chamber *n*
seòmar (*fir*) comhairle
seòmair chomhairle *gin*
seòmraichean comhairle *iol*

council meeting *n*
coinneamh (*boir*) comhairle
coinneimh comhairle *gin*
coinneamhan comhairle *iol*

council member *n*
ball-comhairle *fir*
buill-chomhairle *gin*
buill-chomhairle *iol*

Council *n* **of the European Union**
Comhairle (*boir*) an Aonaidh Eòrpaich
Comhairle an Aonaidh Eòrpaich *gin*

council tax *n*
cìs (*boir*) comhairle
cìse comhairle *gin*

councillor *n*
comhairliche *fir*
comhairliche *gin*
comhairlichean *iol*

counsel *n*
neach-tagraidh *fir*
neach-thagraidh *gin*
luchd-tagraidh *iol*
Queen's Counsel (QC)
Neach-tagraidh na Bànrighe

counsel *v*
comhairlich *gr*
comhairleachadh *agr*,
mol *gr*
moladh *agr*
he counsels caution
tha e a' comhairleachadh faicill,
tha e a' moladh faicill

counsellor *n*
comhairleach *fir*
comhairlich *gin*
comhairlich *iol*

count *n*
(of votes)
cunntadh *fir*
cunntaidh *gin*
cunntaidhean *iol*

count *v*
cunnt *gr*
cunntadh *agr*
1 to count votes
bhòtaichean a chunntadh
2 count me in
cunnt mise san àireimh

count *v* **on**
bi (*gr*) an eisimeil
the public is counting on us
tha am poball nar n-eisimeil

countenance *v*
aontaich (*gr*) ri
aontachadh (*agr*) ri
to countenance change
aontachadh ri atharrachadh

counter *v*
rach (*gr*) an aghaidh
dol (*agr*) an aghaidh

counteract *v*
cuir (*gr*) an neo-bhrìgh
cur (*agr*) an neo-bhrìgh

counter-allegation *n*
contra-chasaid *boir*
contra-chasaide *gin*
contra-chasaidean *iol*

counter-proposal *n*
contra-mholadh *fir*
contra-mholaidh *gin*
contra-mholaidhean *iol*

countersign *v*
co-shoighnich *gr*
co-shoighneachadh *agr*

countersignature *n*
co-shoighneachadh *fir*
co-shoighneachaidh *gin*
co-shoighneachaidhean *iol*

county *n*
siorrachd *boir*
siorrachd *gin*
siorrachdan *iol*

course,
in due course
an ceann seala

court *n* **of appeal**
cùirt (*boir*) ath-thagraidh
cùirte ath-thagraidh *gin*
cùirtean ath-thagraidh *iol*

Court *n* **of Human Rights (Strasbourg)**
Cùirt (*boir*) nan Còraichean Daonna
Cùirt nan Còraichean Daonna

court order *n*
òrdugh (*fir*) cùirte
òrduigh chùirte *gin*
òrdughan cùirte *iol*

courteous *adj*
modhail *br*
a courteous reply
freagairt mhodhail

courtesy *n*
modhalachd *boir*
as a matter of courtesy
airson a bhith modhail

cover *v*
còmhdaich *gr*
còmhdachadh *agr*,
dèilig *gr*
dèiligeadh *agr*
I have already covered that matter in my address
tha mi air dèiligeadh ris a' chùis sin a cheana nam òraid

crèche *n*
crèche *fir*
crèche *gin*
crèches *iol*

credibility *n*
creideas *fir*
creideis *gin*
credibility gap
dìth creideis

credit *n*
cliù *fir*
cliù *gin*,
creideas *fir*
creideis *gin*
creideasan *iol*
1 it was to her credit
bha e na chliù dhi
2 tax credit
cìs-chreideas

crime *n*
eucoir *boir*
eucorach *gin*
eucoirean *iol*

criminal *n*
eucorach *fir*
eucoraich *gin*
eucoraich *iol*

criminal law *n*
lagh (*fir*) eucorach
lagh eucorach *gin*

criminal offence *n*
eucoir *fir*
eucorach *gin*
eucoirean *iol*

criminalise *v*
eucoirich *gr*
eucoireachadh *agr*,
dèan (*gr*) na eucoir
dèanamh (*agr*) na eucoir

crisis *n*
èiginn *boir*
èiginn *gin*
èiginnean *iol*
crisis management
rianachd èiginneach

criterion *n*
criteria *pl*
slat-tomhais *boir*
slaite-tomhais *gin*
slatan-tomhais *iol*

critical *adj*
riatanach *br*,
tàireil *br*
1 a critical aspect of the problem
taobh riatanach na ceiste
2 he is very critical of our work
tha e glè thàireil dar n-obair

criticise *v*
càin *gr*
càineadh *agr*

criticism *n*
càineadh *fir*
càinidh *gin*
càinidhean *iol*

Croft Entrant Scheme *n*
Sgeama-inntrigidh (*fir*) Croitearachd
Sgeama-inntrigidh Croitearachd *gin*

Crofter Forestry *n*
Coillteearachd (*boir*) Chroiteir
Coillteearachd Chroiteir *gin*

Crofters Commission *n*
Ùghdarras (*fir*) nan Croitearan
Ùghdarras nan Croitearan *gin*

Crofters etc Building Grants and Loans Scheme *n* **(CBGLS)**
Sgeama (*fir*) Tabhartasan agus Iasadan Thaighean airson Chroitearan is eile
Sgeama Tabhartasan agus Iasadan Thaighean airson Chroitearan is eile *gin*

Crofting Counties Agricultural Grants Scheme *n* **(CCAGS)**
Sgeama (*fir*) Tabhartasan Àiteachais nan Siorrachdan Croitearachd
Sgeama Tabhartasan Àiteachais nan Siorrachdan Croitearachd *gin*

Crofting Legislation Reform *n*
Ath-leasachadh (*fir*) Reachdas Croitearachd
Ath-leasachadh Reachdas Croitearachd *gin*

Crofting Township Development Scheme *n*
Sgeama (*fir*) Leasachaidh Baile-croitearachd
Sgeama Leasachaidh Baile-croitearachd *gin*

Crofting Trust Advisory Service *n*
Seirbheis (*boir*) Comhairleachaidh Urras Croitearachd
Seirbheis Comhairleachaidh Urras Croitearachd *gin*

crony *n*
seana-charaid *fir*
seana-charaid *gin*
seana-chàirdean *iol*

cronyism *n*
seana-chàirdeas *fir*
seana-chàirdeis *gin*

cross-border *adj*
tar-chrìochail *br*
a cross-border initiative
iomairt thar-chrìochail

cross-community *adj*
tar-choimhearsnail *br*
the proposal enjoys cross-community support
tha taic thar-choimhearsnail aig a' mholadh

cross-cutting issue *n*
cùis (*boir*) a ghearras tarsainn (air cuspairean)

cross-examination *n*
cruaidh-cheasnachadh *fir*
cruaidh-cheasnachaidh *gin*
cruaidh-cheasnachaidhean *iol*

cross-examine *v*
cruaidh-cheasnaich *gr*
cruaidh-cheasnachadh *agr*

cross-fertilisation *n*
tar-thorachadh *fir*
tar-thorachaidh *gin*

cross-fertilise *v*
tar-thoraich *gr*
tar-thorachadh *agr*

cross-party coalition *n*
co-bhanntachd (*boir*)
thar-phàrtaidh
co-bhanntachd
thar-phàrtaidh *gin*
co-bhanntachdan
tar-phàrtaidh *iol*

cross-party consensus *n*
co-aonta (*fir*) tar-phàrtaidh
co-aonta thar-phàrtaidh *gin*

cross-party dialogue *n*
conaltradh (*fir*) tar-phàrtaidh
conaltraidh thar-phàrtaidh *gin*

cross party group(ing) *n*
buidheann (boir) thar-phàrtaidh
buidhne tar-phàrtaidh *gin*
buidhnean tar-phàrtaidh *iol*

cross-reference *n*
tar-iomradh *fir*
tar-iomraidh *gin*
tar-iomraidhean *iol*
he made a cross-reference to a further report
thug e iomradh air aithisg eile

cross-reference *v*
dèan (*gr*) tar-iomradh
dèanamh (*agr*) tar-iomraidh
to cross-reference a document to other reports
tar-iomradh a dhèanamh eadar sgrìobhainn is aithisgean eile

crown *n*
crùn *fir*
crùin *gin*
crùintean *iol*

Crown Office *n*
Oifis (*boir*) a' Chrùin
Oifis a' Chrùin *gin*

Crown Prosecution Service *n*
Seirbheis (*boir*) Casaid a' Chrùin
Seirbheis Casaid a' Chrùin *gin*

crucial *adj*
deatamach *br*
a matter of crucial importance
cùis dheatamach

cultural *adj*
cultarach *br*
cultural policy
poileasaidh cultarach

culture *n*
cultar *fir*
cultair *gin*
cultaran *iol*

curb *v*
bac *gr*
bacadh *agr*
to curb debate / discussion
deasbad / còmhradh a bhacadh

Cumbernauld and Kilsyth (Constituency)
Comar nan Allt agus Cill Saidhe
Comar nan Allt agus Cill Saidhe *gin*

Cunninghame North (Constituency)
Cunninghame a Tuath
Cunninghame a Tuath *gin*,
Coineagan a Tuath
Coineagan a Tuath *gin*

Cunninghame South (Constituency)
Cunninghame a Deas
Cunninghame a Deas *gin*,
Coineagan a Deas
Coineagan a Deas *gin*

currency *n*
ruith-airgid *boir*
ruith-airgid *gin*
ruithean-airgid *iol*
airgead *fir*
airgid *gin*
1 floating currency
airgead neo-cheangailte
2 fluctuating currency
airgead luaisgeach
3 strong currency
airgead làidir
4 weak currency
airgead lag

current *adj*
làithreach *br*
1 current expenditure
caiteachas làithreach
2 current levels of spending
ìrean làithreach de chaitheamh airgid
3 current legislation
reachdas làithreach
4 current practice
cleachdadh làithreach

curtail *v*
giorraich *gr*
giorrachadh *agr*
to curtail discussion
beachdachadh a ghiorrachadh

curtailing *adj*
giorrachaidh *br*
a curtailing motion
gluasad giorrachaidh

custody *n*
grèim *fir*
grèime *gin*
grèimean *iol*
in custody
an grèim

custom *n*
cleachdadh *fir*
cleachdaidh *gin*
cleachdaidhean *iol*
custom and practice
nòs is cleachdadh

custom house *n*
taigh-cusbainn *fir*
taigh-chusbainn *gin*
taighean-cusbainn *iol*

customs *n*
seirbheis (*boir*) na cusbainn
seirbheis na cusbainn *gin*

customs duty *n*
cìs (*boir*) cusbainn
cìse cusbainn *gin*

cut *n*
gearradh *fir*
gearraidh *gin*
gearraidhean *iol*
1 expenditure cut
gearradh caiteachais
2 cut and thrust
slaicean
3 the cut and thrust of debate
slaicean an deasbaid

cut *v*
caisg *gr*
casg *agr,*
giorraich *gr*
giorrachadh *agr*
to cut short a debate
deasbad a chasg / ghiorrachadh

cutback *n*
gearradh *fir*
gearraidh *gin*
gearraidhean *iol*

daily *adj*
làitheil *br*
the Minister gave a daily report on progress
rinn am Ministear aithisg làitheil air adhartas

dais *n*
dàs *fir*
dàis *gin*
dàis *iol*

damage *n*
cron *fir*
croin *gin,*
damaiste *fir*
damaiste *gin*
damaistean *iol*
1 damage limitation
cuibhreachadh croin
2 a damage limitation exercise
oidhirp gus damaiste a chuibhreachadh

data *npl*
dàta *fir*
dàta *gin*

data analysis *n*
mion-sgrùdadh (*fir*) dàta
mion-sgrùdadh dàta *gin*
mion-sgrùdaidhean dàta *iol*

data bank *n*
banca-dàta *fir*
banca-dàta *gin*
bancaichean-dàta *iol*

data processing *n*
obrachadh (*fir*) dàta
obrachaidh dàta *gin*

data protection *n*
dìon (*fir*) dàta
dìon dàta *gin*
Data Protection Act
Achd Dìon Dàta

database *n*
stòr-dàta *fir*
stòir-dàta *gin*
stòran-dàta *iol*
database management
rianachd stòir-dàta

date *n*
ceann-latha *fir*
cinn-latha *gin*
cinn-latha *iol*
a specific date
ceann-latha sònraichte

date *v*
cuir (*gr*) ceann-latha air
cur (*agr*) cinn-latha air
to date a document
ceann-latha a chur air sgrìobhainn

date stamp *n*
comharradh (*fir*) cinn-latha
comharraidh chinn-latha *gin*
comharraidhean cinn-latha *iol*

deadline *n*
ceann-ama *fir*
cinn-ama *gin*
cinn-ama *iol*
1 to miss a deadline
ceann-ama a chall
2 to meet a deadline
ceann-ama a choileanadh

deadlock *n*
ana-gèill *boir*
ana-gèill *gin*
to reach a deadlock
(cùis) a dhol gu ana-gèill

deal *n*
cùmhnant *fir*
cùmhnaint *gin*
cùmhnantan *iol*
the New Deal
an Cùmhnant Ùr

deal *v*
dèilig *gr*
dèiligeadh *agr*
1 to deal with a matter
dèiligeadh ri cùis
2 to deal in money
dèiligeadh ann an airgead

debate *n*
deasbad *fir*
deasbaid *gin*
deasbadan *iol*
debate on the address (Queen's Speech)
deasbad air Òraid na Bànrighe

debate *v*
deasbad *gr*
deasbad *agr*

debating chamber *n*
seòmar (*fir*) deasbaid
seòmair dheasbaid *gin*
seòmraichean deasbaid *iol*

de-briefing *n*
brath-aithris *fir*
brath-aithris *gin*
coinneamhan brath-aithris *iol*

debt *n*
fiach *fir*
fèich *gin*
fiachan *iol*
I am in your debt
tha mi nad fhiachaibh

debt payments *npl*
pàigheadh (*fir sg*) fhiachan
pàighidh fhiachan *gin*

decentralisation *n*
gluasad (*fir*) bhon mheadhan
gluasaid bhon mheadhan *gin*

decentralise *v*
gluais (*gr*) bhon mheadhan
gluasad (*agr*) bhon mheadhan

decentralised *adj*
air gluasad bhon mheadhan *br*

decentralising *adj*
gluasad bhon mheadhan *br*
a decentralising policy
poileasaidh gluasaid bhon mheadhan

decide *v*
co-dhùin *gr*
co-dhùnadh *agr*

deciding vote *n*
bhòt (*boir*) co-dhùnaidh
bhòt co-dhùnaidh *gin*

decision *n*
co-dhùnadh *fir*
co-dhùnaidh *gin*
co-dhùnaidhean *iol*

decision-making *n*
co-dhùnadh *fir*
co-dhùnaidh *gin*
1 decision-making body
buidheann co-dhùnaidh
2 decision-making process
modh co-dhùnaidh

declaration *n*
foillseachadh *fir*
foillseachaidh *gin*
declaration of interest
foillseachadh com-pàirt

declare *v*
foillsich *gr*
foillseachadh *agr*,
dearbh *gr*
dearbhadh *agr*,
innis *gr*
innse *agr*,
cuir (*gr*) an cèill
cur (*agr*) an cèill
1 to declare an interest
com-pàirt fhoillseachadh
2 to declare the result of the election
dearbhadh buil na bhòt / an taghaidh,
toradh an taghaidh innse

decline *n*
crìonadh *fir*
crìonaidh *gin*
the decline of the party
crìonadh a' phàrtaidh

decline *v*
diùlt *gr*
diùltadh *agr*,
rach (*gr*) nas miosa
dol (*agr*) nas miosa
1 to decline an invitation
cuireadh a dhiùltadh
2 the situation has declined
tha an suidheachadh air a dhol nas miosa

decree *n*
àithne-chùirte *fir*
àithne-cùirte *gin*
àithntean-cùirte *iol*

decree *v*
àithn *gr* (le cùirt)
àithne *agr* (le cùirt)

decriminalise *v*
dì-eucoirich *gr*
dì-eucoireachadh *agr*

defamation *n*
mì-chliùthachadh *fir*
mì-chliùthachaidh *gin*

defamatory *adj*
mì-chliùiteach *br*
defamatory remark
goth mì-chliùiteach

defeat *n*
call *fir*
calla *gin*
defeat in the election
call anns an taghadh

defeat *v*
buadhaich (*gr*) air
buadhachadh (*agr*) air
to defeat the opposition
buadhachadh air an luchd-dùbhlain

defect *n*
uireasbhaidh *boir*
uireasbhaidhe *gin*
uireasbhaidhean *iol*

defect *v*
trèig *gr*
trèigsinn *agr*
two members have defected to another party
tha dithis bhall air trèigsinn gu partaidh eile

defector *n*
neach-teiche *fir*
neach-teiche *gin*
luchd-teiche *iol*,
trèigsinneach *fir*
trèigsinnich *gin*
trèigsinnich *iol*

defence *n*
dìon *fir*
dìona *gin*

defend *v*
dìon *gr*
dìon *agr*

defendant *n*
neach-dìona *fir*
neach-diona *gin*
luchd-dìona *iol*

defender *n*
dìonadair *fir*
dìonadair *gin*
dìonadairean *iol*
defender of the faith
dìonadair a' chreideimh

defer *v*
cuir (*gr*) dàil
cur (*agr*) dàil,
gèill *gr*
gèilleadh *agr*
1 to defer a decision
dàil a chur ann an co-dhùnadh
2 to defer to someone (in a debate)
gèilleadh do neach (ann an deasbad)
3 to defer consideration
dàil a chur air beachdachadh

deficit *n*
easbhaidh *boir*
easbhaidhe *gin*
easbhaidhean *iol,*
call *fir*
calla *gin*

definition *n*
mìneachadh *fir*
mìneachaidh *gin*
mìneachaidhean *iol*
by definition
tro mhìneachadh

definitive *adj*
deimhinnte *br*
definitive text
teacsa deimhinnte

deflation *n*
(currency)
seargadh *fir*
seargaidh *gin*
deflation in the economy
seargadh anns an eaconamaidh

deflationary *adj*
seargach *br*

delay *n*
dàil *boir*
dàlach *gin*
dàilichean *iol*

delay *v*
cuir (*gr*) dàil
cur (*agr*) dàil

delaying tactic *n*
seòl (*fir*) dàlach
siùil dàlach *gin*

delegate *n*
(conference representative / deputy)
riochdaire *fir*
riochdaire *gin*
riochdairean *iol*

delegate *v*
thoir (*gr*) ùghdarras
toirt (*agr*) ùghdarrais *agr*
to delegate authority
ùghdarras (airson nì) a thoirt do (neach)

delegated authority *n*
ùghdarras (*fir*) air a thiomnadh
ùghdarrais air a thiomnadh *gin*
ùghdarrasan air an tiomnadh *iol*

delegated powers *npl*
cumhachdan (*fir iol*) air an tiomnadh
chumhachdan air an tiomnadh *gin*
under delegated powers
fo chumhachdan air an tiomnadh

delegation *n*
buidheann (*boir*) riochdachaidh
buidhne riochdachaidh *gin*
buidhnean riochdachaidh *iol,*
tiomnadh (*fir*) ùghdarrais
tiomnadh ùghdarrais *gin*
1 they are sending a delegation
tha iad a' cur buidheann riochdachaidh
2 delegation of authority
tiomnadh ùghdarrais

deliberate *adj*
a dh'aona ghnothaich *cgr*

deliberate *v*
(discuss / consider)
beachdaich *gr*
beachdachadh *agr*

deliberation *n*
beachdachadh *fir*
beachdachaidh *gin*
a period of deliberation
greis beachdachaidh

demand *n*
iarrtas *fir*
iarrtais *gin*
iarrtasan *iol*

demand *v*
iarr *gr*
iarraidh *agr*
I demand a recount
tha mi ag iarraidh ath-chunntadh

democracy *n*
deamocrasaidh *fir*
deamocrasaidh *gin*
deamocrasaidhean *iol*

democrat *n*
deamocratach *fir*
deamocrataich *gin*
deamocrataich *iol*

democratic *adj*
deamocratach *br*

democratic accountability *n*
cunntachalachd (*boir*) dheamocratach
cunntachalachd dheamocrataich *gin*

democratic debate *n*
deasbad (*fir*) deamocratach
deasbaid dheamocrataich *gin*
deasbadan deamocratach *iol*

democratic mandate *n*
ùghdarras (*fir*) deamocratach
ùghdarrais dheamocrataich *gin*

democratic process *n*
pròiseas (*fir*) deamocratach
pròiseis dheamocrataich *gin*
pròiseasan deamocratach *iol,*
modh (*boir*) dheamocratach
modha deamocrataich *gin*
modhannan deamocratach *iol*

democratic structure *n*
structair (*fir*) deamocratach
structair dheamocrataich *gin*
structairean deamocratach *iol*

democratise *v*
dèan (*gr*) deamocratach
dèanamh (*agr*) deamocratach

demonstrate *v*
seall *gr*
sealltainn *agr,*
tog (*gr*) fianais
togail (*agr*) fianais
1 to demonstrate how to carry out the task
sealltainn mar bu chòir an obair a choileanadh
2 to demonstrate against a policy
fianais a thogail an aghaidh poileasaidh

demonstration *n*
fianais *boir*
fianaise *gin*
fianaisean *iol*
1 her speech was a demonstration of her ability
bha a h-òraid mar fhianais air a comas
2 demonstration (protest)
fianais-dhùbhlain

demonstrator *n* **(protestor)**
neach-togail (*fir*) fianais
neach-togail fianais *gin*
luchd-togail fianais *iol*

denial *n*
àicheadh *fir*
àicheidh *gin*

denounce *v*
càin *gr*
càineadh *agr*

denunciation *n*
càineadh *fir*
càinidh *gin*
càinidhean *iol*

deny *v*
àicheidh *gr*
àicheadh *agr*,
rach (*gr*) às àicheadh
dol (*agr*) às àicheadh

depart *v*
falbh *gr*
falbh *agr*,
seachain *gr*
seachnadh *agr*
to depart from procedure
falbh bho dhòigh-obrach

department *n*
roinn *boir*
roinne *gin*
roinnean *iol*
department within an establishment
roinn taobh a-staigh buidhne

Department *n* **for Culture, Media and Sport**
Roinn (*boir*) a' Chultair, nam Meadhanan agus an Spòrs
Roinn a' Chultair, nam Meadhanan agus an Spòrs *gin*

Department *n* **for Education and Employment**
Roinn (*boir*) an Fhoghlaim agus a' Chosnaidh
Roinn an Fhoghlaim agus a' Chosnaidh *gin*

Department *n* **for International Development**
Roinn (*boir*) an Leasachaidh Eadar-nàiseanta
Roinn an Leasachaidh Eadar-nàiseanta *gin*

Department *n* **for the Environment, Transport and the Regions**
Roinn (*boir*) na h-Àrainneachd, na Còmhdhalach agus nan Roinnean
Roinn na h-Àrainneachd, na Còmhdhalach agus nan Roinnean *gin*

Department *n* **of Health**
Roinn (*boir*) na Slàinte
Roinn na Slàinte *gin*

Department *n* **of Social Security**
Roinn (*boir*) na Tèarainteachd Shòisealta
Roinn na Tèarainteachd Shòisealta *gin*

Department *n* **of Trade and Industry**
Roinn (*boir*) na Malairt agus a' Ghnìomhachais
Roinn na Malairt agus a' Ghnìomhachais *gin*

departmental *adj*
roinneil *br*
1 departmental committee
comataidh roinneil
2 departmental procedures
dòighean-obrach roinneil

deploy *v*
cleachd *gr*
cleachdadh *agr,*
cuir (*gr*) an gnìomh
cur (*agr*) an gnìomh
1 to deploy arguments
argamaidean a chleachdadh
2 to deploy strategies
innleachdan a chur an gnìomh

deployment *n*
cur (*fir*) an gnìomh
cuir an gnìomh *gin*

deposit *n* **(election)**
eàrlas *fir*
eàrlais *gin*
eàrlais *iol*
1 lost deposit
eàrlas caillte
2 he lost his deposit
chaill e eàrlas

depression *n*
ìsleachadh *fir*
ìsleachaidh *gin*
ìsleachaidhean *iol*

deputation *n*
buidheann-tagraidh *boir*
buidhne-tagraidh *gin*
buidhnean-tagraidh *iol*

depute *adj*
leas- *br*
depute director
leas-stiùiriche

deputy *adj*
leas- *br*
1 deputy director
leas-stiùiriche
2 deputy committee clerk
leas-chlàrc comataidh

deputy chief constable *n*
leas-àrd-chonstabal *fir*
leas-àrd-chonstabail *gin*
leas-àrd-chonstabail *iol*

Deputy First Minister *n*
Leas-phrìomh Mhinistear *fir*
Leas-phrìomh Mhinisteir *gin*

Deputy First Minister *n* **and Minister** *n* **for Justice**
Leas-phrìomh Mhinistear (*fir*) agus Ministear (*fir*) a' Cheartais
Leas-phrìomh Mhinisteir agus Ministear a' Cheartais *gin*

Deputy Lord Lieutenant *n*
Leas-mhorair-ionaid (*fir*) a' Chrùin
Leas-mhorair-ionaid a' Chrùin *gin*

deputy minister *n*
leas-mhinistear *fir*
leas-mhinisteir *gin*
leas-mhinistearan *iol*
Deputy Minister *n*
Leas-mhinistear *fir*
Leas-mhinisteir *gin*

Deputy Minister *n* **for Education, Europe and External Affairs**
Leas-mhinistear (*fir*) an Fhoghlaim, na Roinn Eòrpa agus Chùisean Taoibh A-muigh
Leas-mhinistear an Fhoghlaim, na Roinn Eòrpa agus Chùisean Taoibh A-muigh *gin*

Deputy Minister *n* **for Enterprise, Lifelong Learning and Gaelic**
Leas-mhinistear (*fir*) na h-Iomairt agus an Fhoghlaim Bheatha agus na Gàidhlig
Leas-mhinistear na h-Iomairt agus an Fhoghlaim Bheatha agus na Gàidhlig *gin*

Deputy Minister *n* **for Environment, Sport and Culture**
Leas-mhinistear (*fir*) na h-Àrainneachd, an Spòrs agus a' Chultair
Leas-mhinistear na h-Àrainneachd, an Spòrs agus a' Chultair *gin*

Deputy Minister *n* **for Finance and Local Government**
Leas-mhinistear (*fir*) an Ionmhais agus Riaghaltais Ionadail
Leas-mhinistear an Ionmhais agus Riaghaltais Ionadail *gin*

Deputy Minister *n* **for Health and Community Care**
Leas-mhinistear (*fir*) na Slàinte agus Cùraim Choimhearsnachd
Leas-mhinistear na Slàinte agus Cùraim Choimhearsnachd *gin*

Deputy Minister *n* **for Justice**
Leas-mhinistear (*fir*) a' Cheartais
Leas-mhinistear a' Cheartais *gin*

Deputy Minister *n* **for Parliament**
Leas-mhinistear (*fir*) na Pàrlamaid
Leas-mhinistear na Pàrlamaid *gin*

Deputy Minister *n* **for Rural Development**
Leas-mhinistear (*fir*) an Leasachaidh Dhùthchail
Leas-mhinistear an Leasachaidh Dhùthchail *gin*

Deputy Minister *n* **for Social Justice**
Leas-mhinistear (*fir*) a' Cheartais Shòisealta
Leas-mhinistear a' Cheartais Shòisealta *gin*

Deputy Presiding Officer *n*
Leas-oifigear (*fir*) Riaghlaidh
Leas-oifigeir Riaghlaidh *gin*
Leas-oifigearan Riaghlaidh *iol*

deregulate *v*
dì-riaghlaich *gr*
dì-riaghladh *agr*

deregulation *n*
dì-riaghladh *fir*
dì-riaghlaidh *gin*

deride *v* **(air)**
fanaid *gr*
fanaid *agr*
they derided his speech
rinn iad fanaid air òraid

derision *n*
fanaid *boir*
fanaide *gin*
the speech was greeted with derision
chaidh fanaid air an òraid

derogatory *adj*
cur-sìos *br*
a derogatory remark
facal cur-sìos

designate *v*
ainmich *gr*
ainmeachadh *agr*

designated *adj*
ainmichte *br*
designated officer
oifigear ainmichte

designation *n* **(appointment)**
dreuchd *boir*
dreuchd *gin*
dreuchdan *iol*

designation *n* **(title)**
tiotal *fir*
tiotail *gin*
tiotalan *iol*

despatch box *n*
bogsa (*fir*) nan òraid
bogsa nan òraid *gin*

destabilise *v*
dì-dhaingnich *gr*
dì-dhaingneachadh *agr,*
dèan (*gr*) cugallach
dèanamh (*agr*) cugallach
to destabilise the situation
an suidheachadh a dhèanamh cugallach

destabilising *adj*
dì-dhaingneachaidh *br*
a destabilising influence
buaidh dhì-dhaingneachaidh

detail *n*
nì (*fir*) mionaideach
nì mhionaidich *gin*
nithean mionaideach *iol*
the devil is in the detail
's ann anns na nithean mionaideach a tha an deuchainn

detailed *adj*
mionaideach *br,*
air a mhìneachadh,
air a shoillearachadh

1 a detailed examination of the facts
rannsachadh mionaideach air na thachair
2 as detailed below
mar a tha air a mhìneachadh anns na leanas,
mar a tha air a shoillearachadh anns na leanas

deter *v*
bac *gr*
bacadh *agr*

determination *n*
daingneachd *boir*
daingneachd *gin,*
dearbhadh *fir*
dearbhaidh *gin*
dearbhaidhean *iol*
1 they pursued the matter with determination
lean iad a' chuis le daingneachd
2 the determination of the issue
dearbhadh na cùise

determine *v*
dearbh *gr*
dearbhadh *agr*
1 to determine the truth
an fhìrinn a dhearbhadh
2 the Presiding Officer determined the question
dhearbh an t-Oifigear Riaghlaidh a' cheist
3 to determine the conditions in the contract
cumhaichean a' chunnraidh a dhearbhadh

determined *adj*
daingeann *br*
1 they made a determined assault
thug iad ionnsaigh dhaingeann
2 they were determined to win
bha iad daingeann airson a' chùis a ghleidheadh

deterrent *n*
seòl (*fir*) bacaidh
seòl bacaidh *gin*
siùil bhacaidh *iol*
the ultimate deterrent
an seòl bacaidh deireannach

detract *v*
thoir (*gr*) air falbh
toirt (*agr*) air falbh
that detracts from his reputation
tha sin a' toirt air falbh bho chliù

detractor *n*
cùl-chainntear *fir*
cùl-chainnteir *gin*
cùl-chainntearan *iol,*
neach (*fir*) cur-sìos
neach cur-sìos *gin*
luchd cur-sìos *iol*

detriment *n*
cron *fir*
croin *gin*
without detriment to our cause
gun chron dar taobh

detrimental *adj*
millteach *br*
detrimental to our long-term interests
millteach air ar leas san fhad-ùine

devaluation *n*
(currency)
dì-luachadh *fir*
dì-luachaidh *gin*
dì-luachaidhean *iol*
devaluation of currency
dì-luachadh airgid

develop *v*
leasaich *gr*
leasachadh *agr*

development *n*
leasachadh *fir*
leasachaidh *gin*
leasachaidhean *iol*
1 development plan
plana leasachaidh
2 development strategy
ro-innleachd leasachaidh

development control *n*
smachd (*fir*) leasachaidh
smachd leasachaidh *gin*

Development Department *n*
Roinn (*boir*) Leasachaidh
Roinne Leasachaidh *gin*

deviate *v*
saobh *gr*
saobhadh *agr*
1 to deviate from the party line
saobhadh bho fheallsanachd a' phàrtaidh
2 to deviate from the point under discussion
saobhadh bhon chuspair air a bheilear a' beachdachadh

deviation *n*
saobhadh *fir*
saobhaidh *gin*

devolution *n*
fèin-riaghladh *fir*
fèin-riaghlaidh *gin,*
tiomnadh (*fir*) chumhachdan (pàrlamaid)
tiomnadh chumhachdan (pàrlamaid) *gin*
Scottish devolution
fèin-riaghladh na h-Alba,
tiomnadh chumhachdan do dh'Alba

devolve *v*
tiomnaich (*gr*) cumhachd
tiomnadh (*agr*) cumhachd
to devolve powers to Parliament
cumhachdan a thiomnadh don Phàrlamaid

devolved power *n*
cumhachd (*fir*) tiomnaichte
cumhachd tiomnaichte *gin*
cumhachdan tiomnaichte *iol*,
fo chumhachd
this is a devolved power of the Scottish Parliament
tha seo a' tighinn fo chumhachd Pàrlamaid na h-Alba

dialogue *n*
còmhradh
còmhraidh *gin*
còmhraidhean *iol*

diametrically opposed *adj*
calg-dhìreach an aghaidh (a chèile)
1 the two matters are diametrically opposed
tha an dà chùis calg-dhìreach an aghaidh a chèile

2 she is diametrically opposed to it
tha i calg-dhìreach na aghaidh

diametrically opposing views *npl*
beachdan (*fir iol*) calg-dhìreach an aghaidh a chèile

diary *n*
leabhar-latha *fir*
leabhair-latha *gin*
leabhraichean-latha *iol*

dictate *v*
òrdaich *gr*
òrdaich *agr,*
deachd *gr*
deachdadh *agr*
1 to dictate terms
cumhaichean òrdachadh
2 to dictate a text
teacsa a dheachdadh

dictator *n*
deachdaire *fir*
deachdaire *gin*
deachdairean *iol,*
neach-deachdaidh *fir*
neach-dheachdaidh *gin*
luchd-deachdaidh *iol*
1 he is an absolute dictator
's e làn dheachdaire a tha ann
2 he was the dictator of the letter
b' e neach-deachdaidh na litreach

dictatorship *n*
deachdaireachd *boir*
deachdaireachd *gin*
deachdaireachdan *iol*
a benevolent dictatorship
deachdaireachd an deagh rùin

dignified *adj*
stuama *br*
dignified conduct
giùlan stuama

dignify *v*
mòraich *gr*
mòrachadh *agr*
I will not dignify that question with an answer
cha diù leam a' cheist sin a fhreagairt

dignity *n*
mòralachd *boir*
mòralachd *gin*
1 the dignity of the Parliament
mòralachd na Pàrlamaid
2 it was beneath his dignity to comment
cha bu diù leis beachd a thoirt seachad

diocese *n*
sgìre-easbaig *boir*
sgìre-easbaig *gin*
sgìrean-easbaig *iol*

diplomacy *n*
dioplòmasaidh *fir / boir*
dioplòmasaidh *gin*

diplomat *n*
riochdaire (*fir*) dioplòmasach
riochdaire dhioplòmasaich *gin*
riochdairean dioplòmasach *iol*

diplomatic *adj*
dioplòmasach *br*
diplomatic immunity
saorsa dhioplòmasach

direct *adj*
dìreach *br*
direct elections
taghaidhean dìreach

direct *v*
stiùir *gr*
stiùireadh *agr*

direct election *n*
taghadh (*fir*) dìreach
taghaidh dhìrich *gin*
taghaidhean dìreach *iol*

direction *n*
slighe *boir*
slighe *gin*
slighean *iol,*
stiùireadh *fir*
stiùiridh *gin*
1 we are moving in the right direction
tha sinn a' gluasad air an t-slighe cheart
2 he gave clear directions on what to do
thug e stiùireadh soilleir air na bha ri dhèanamh

directive *n*
riaghailt *boir*
riaghailte *gin*
riaghailtean *iol*
Directive by the European Commission
Riaghailt bhon Choimisean Eòrpach

director *n*
stiùiriche *fir*
stiùiriche *gin*
stiùirichean *iol*

Director General *n*
Àrd-stiùiriche *fir*
Àrd-stiùiriche *gin*
Àrd-stiùirichean *iol*

Director *n* **of Public Prosecutions**
Stiùiriche (*fir*) nan Casaidean Poblach
Stiùiriche nan Casaidean Poblach *gin*

directorate *n*
buidheann-stiùiridh *boir*
buidhne-stiùiridh *gin*
buidhnean-stiùiridh *iol*

disability *n*
ciorram *fir*
ciorraim *gin*
ciorraman *iol*
disability allowance
cuibhreann ciorraim

disabled *adj*
ciorramach *br*
1 disabled driver / person
dràibhear / neach ciorramach
2 disabled access
slighe do chiorramaich

disadvantage *v*
mì-leasaich *gr*
mì-leasachadh *agr*

disadvantaged area *n* **(DA)**
sgìre mhì-leasaichte *boir*
sgìre mhì-leasaichte *gin*
sgìrean mhì-leasaichte *iol*

disagree *v*
easaontaich *gr*
easaontachadh *agr*

disagreement *n*
easaonta *boir*
easaonta *gin*

disallow *v*
mì-cheadaich *gr*
mì-cheadachadh *agr*
the record was amended to disallow their votes
chaidh an clàr atharrachadh gus na bhòtaichean aca a mhì-cheadachadh

disburse *v*
pàigh *gr*
pàigheadh *agr*

disbursement *n*
pàigheadh *fir*
pàighidh *gin*
pàighidhean *iol*
disbursements account
cunntas pàighidh

discharge *v*
coilean *gr*
coileanadh *agr*
to discharge a function
dleastanas a choileanadh

disciplinary action *n*
gnìomh (*fir*) smachdachaidh
gnìomh smachdachaidh *gin*
gnìomhan smachdachaidh *iol,*
smachdachadh *fir*
smachdachaidh *gin*
smachdachaidhean *iol*

disciplinary measures *npl*
ceumannan (*fir iol*) smachdachaidh
cheumannan smachdachaidh *gin*

disciplinary procedure *n*
modh (*boir*) smachdachaidh
modha smachdachaidh *gin*
modhan smachdachaidh *iol*

discipline *n*
smachd *fir*
smachd *gin*

disclosure *n*
sgaoileadh *fir*
sgaoilidh *gin*
disclosure of information
fiosrachadh a sgaoileadh

discourteous *adj*
mì-mhodhail *br*
a discourteous reply
freagairt mhì-mhodhail

discredit *n*
mì-chreideas *fir*
mì-chreideis *gin*
to his discredit
gu a mhì-chreideis

discredit *v*
mì-chliùthaich *gr*
mì-chliùthachadh *agr*

discrepancy *n*
eadar-dhealachadh *fir*
eadar-dhealachaidh *gin*
eadar-dhealachaidhean *iol*

discretion *n*
cead *fir*
cead *gin,*
ùghdarras *fir*
ùghdarrais *gin*,
mar as roghnach le
1 at the committee's discretion
le cead na comataidh,
mar as roghnach leis
a' chomataidh
2 discretion to act
ùghdarras gnìomh a ghabhail

discretionary *adj*
fo ùghdarras *br*
1 discretionary power
cumhachd fo ùghdarras
2 discretionary award / spending
tabhartas / cosg fo ùghdarras

discriminate *v*
dèan (*gr*) lethbhreith
dèanamh (*agr*) lethbhreith

discrimination *n*
lethbhreith *boir*
lethbhreith *gin*
social discrimination
lethbhreith shòisealta

discriminatory *adj*
lethbhreitheach *br*

discuss *v*
beachdaich *gr*
beachdachadh *agr*

discussion *n*
beachdachadh *fir*
beachdachaidh *gin*
discussion group
buidheann beachdachaidh

disenfranchise *v*
thoir (*gr*) còir-bhòtaidh bho
toirt (*agr*) còir-bhòtaidh bho,
dì-chòirich *gr*
dì-chòireachadh *agr*

disenfranchised *adj*
dì-chòirichte *br,*
le còir-bhòtaidh air a toirt bho
they were disenfranchised
chaidh an dì-chòireachadh,
chaidh an còraichean-bhòtaidh a thoirt bhuapa

dishonest *adj*
eas-onarach,
mì-onarach *br*

dishonesty *n*
mì-onair *boir*
mì-onaire *gin*

dishonour *n*
eas-onair *boir*
eas-onaire *gin*

dishonour *v*
eas-onaraich *gr*
eas-onarachadh *agr*
1 to dishonour one's family
do theaghlach eas-onarachadh
2 to dishonour a cheque
seic eas-onorachadh

dismiss *v*
caith (*gr*) a-mach
caitheamh (*agr*) a-mach,
cuir (*gr*) à dreuchd
cur (*agr*) à dreuchd,
diùlt *gr*
diùltadh *agr*
1 to dismiss an idea
beachd a chaitheamh a-mach
2 to dismiss staff
luchd-obrach a chur à dreuchd
3 to dismiss an appeal
tagradh a dhiùltadh

dismissal *n*
cur (*fir*) à dreuchd
cuir à dreuchd *gin*

disorder *n*
mì-rian *boir*
mì-rian *gin*

disorderly *adj*
mì-rianail *br*
disorderly conduct
dol a-mach mì-rianail

disparage *v*
dèan (*gr*) tàir (air)
dèanamh (*agr*) tàire (air)

disparaging *adj*
tàireil *br*
disparaging remark
facal tàireil

dispel *v*
cuir (*gr*) às do
cur (*agr*) às do
I wish to dispel that notion
tha mi airson cur às don bheachd sin

dispensation *n*
cead *fir*
cead *gin*

dispense *v*
cuir (*gr*) an dara taobh
cur (*agr*) an dara taobh
to dispense with a condition
cumha a chur an dara taobh

disposal *n*
riarachadh *fir*
riarachaidh *gin,*
cur (*fir*) às (do nì)
cuir às (do nì) *gin*
1 a disposal in business
riarachadh ann an gnothachas
2 disposal costs
cosgaisean cuir às (do nì)
3 to put / place at the disposal of the committee
cur fo ùghdarras na comataidh

dispose *v*
cuir (*gr*) an dara taobh
cur (*agr*) an dara taobh
we have disposed of that argument
tha sinn air an argamaid sin a chur an dara taobh

disputatious *adj*
buaireanta *br*

dispute *n*
deasbad *fir*
deasbaid *gin*
deasbadan *iol,*
buaireadh *fir*
buairidh *gin*
buairidhean *iol,*
aimhreit *boir*
aimhreite *gin*
aimhreitean *iol*
1 the matter was not in dispute
cha robh a' chùis fo dheasbad
2 a dispute has arisen
tha buaireadh air èirigh
3 a bitter dispute between them
(fìor) aimhreit eatorra

dispute *v*
ceasnaich *gr*
ceasnachadh *agr*
to dispute a decision
co-dhùnadh a cheasnachadh

disqualification *n*
dì-cheadachadh *fir*
dì-cheadachadh *gin*
dì-cheadachaidhean *iol*
1 disqualification from holding office
dì-cheadachadh bho dhreuchd a chumail
2 to lift / remove a disqualification
dì-cheadachadh a thogail / a thoirt air falbh

disqualify *v*
dì-cheadaich *gr*
dì-cheadachadh *agr*
to disqualify from holding office
dì-cheadachadh bho dhreuchd a chumail

disregard *n*
dìmeas *fir*
dìmeas *gin*
disregard for the truth
dìmeas air an fhìrinn

disregard *v*
dèan (*gr*) dìmeas
dèanamh (*agr*) dìmeas

disreputable *adj*
mì-chliùiteach *br*
disreputable behaviour / conduct
dol a-mach mì-chliùiteach

disrepute *n*
mì-chliù *fir*
mì-chliù *gin*
to bring something into disrepute
mì-chliù a tharraing air rud

disruptive *adj*
a nì mì-rian *br*
disruptive behaviour
giùlan a nì mì-rian

disseminate *v*
sgaoil *gr*
sgaoileadh *agr*

dissemination *n*
sgaoileadh *fir*
sgaoilidh *gin*

dissension *n*
easaonta *boir*
easaonta *gin*

dissent *n*
easaonta *boir*
easaonta *gin*
vote of dissent
bhòt easaonta

dissent *v*
easaontaich *gr*
easaontachadh *agr*
to dissent from a view
easaontachadh ri beachd

dissenting *adj*
easaontach *br*
1 dissenting voices
guthan easaontach
2 dissenting judgment
breithneachadh easaontach

disservice *n*
mì-sheirbheis *boir*
mì-sheirbheis *gin*
mì-sheirbheisean *iol*
he has done a great disservice to the community
bu mhòr a' mhì-sheirbheis a rinn e air a' choimhearsnachd

dissident *adj*
easaontach *br*
dissident view
beachd easaontach

dissident *n*
easaontaiche *fir*
easaontaiche *gin*
easaontaichean *iol*

dissolution *n*
sgaoileadh *fir*
sgaoilidh *gin*
sgaoilidhean *iol*
dissolution of Parliament
sgaoileadh na Pàrlamaid

dissolve *v*
sgaoil *gr*
sgaoileadh *agr,*
cuir (*gr*) mu sgaoil
cur (*agr*) mu sgaoil
to dissolve Parliament
Pàrlamaid a sgaoileadh,
Pàrlamaid a chur mu sgaoil

distasteful *adj*
mì-chàilear *br*
the subject is distasteful to Members
tha an cuspair mì-chàilear
do Bhuill

distribute *v*
riaraich *gr*
riarachadh *agr,*
sgaoil *gr*
sgaoileadh *agr*

distribution *n*
riarachadh *fir*
riarachaidh *gin*
distribution of powers
riarachadh chumhachdan

district *n*
sgìre *boir*
sgìre *gin*
sgìrean *iol*

district audit *n*
sgrùdadh (*fir*) sgìreil
sgrùdaidh sgìreil *gin*
sgrùdaidhean sgìreil *iol*

district council *n*
comhairle (*boir*) sgìre
comhairle sgìre *gin*
comhairlean sgìre *iol*

district councillor *n*
comhairliche (*fir*) sgìre
comhairliche sgìre *gin*
comhairlichean sgìre *iol*

district court *n*
cùirt (*boir*) sgìre
cùirte sgìre *gin*
cùirtean sgìre *iol*

district valuer *n*
neach-luachaidh (*fir*) sgìreil
neach-luachaidh sgìreil *gin*
luchd-luachaidh sgìreil *iol*

disturbance allowance *n*
cuibhreann (*fir*) an-fhoise
cuibhrinn an-fhoise *gin*
cuibhrinnean an-fhoise *iol*

divergence *n* **of opinion**
caochladh (*fir*) bheachd
caochlaidh bheachd *gin*
caochlaidhean bheachd *iol*

division *n*
roinn *boir*
roinne *gin*
division of powers
roinn air cumhachd

division *n*
(for a vote in parliament)
tearbadh *fir*
tearbaidh *gin*
tearbaidhean *iol iol,*
bhòt (sa Phàrlamaid) *boir*
bhòt (sa Phàrlamaid) *gin*
bhòtaichean (sa Phàrlamaid) *iol*

division bell *n*
clag (*fir*) bhòtaidh *fir*
claig bhòtaidh *gin*
clagan bhòtaidh *iol*

division lobby *n*
lobaidh (fir / boir) bhòtaidh
lobaidh bhòtaidh *gin*
lobaidhean bhòtaidh *iol*

document *n*
sgrìobhainn *boir*
sgrìobhainne *gin*
sgrìobhainnean *iol*
document under seal
sgrìobhainn fo sheula

document *v*
cuir (*gr*) an sgrìobhadh
cur (*agr*) an sgrìobhadh

documentary *adj*
sgrìobhte *br*
documentary evidence
fianais sgrìobhte

documentation *n*
sgrìobhainnean *boir iol*
(a bhuineas do chuspair)

domestic *adj*
dachaigh *boir,*
na dachaigh
domestic policy
poileasaidh na dachaigh

doubt *n*
teagamh *fir*
teagaimh *gin*
teagamhan *iol*
beyond (reasonable) doubt
gun teagamh (reusanta)

doubt *v*
cuir (*gr*) teagamh
cur (*agr*) teagamh

downturn *n*
lùghdachadh *fir*
lùghdachaidh *gin*

draft *adj*
dreachd
draft document / report / version
dreachd de sgrìobhainn /
de dh'aithisg / de thionndadh

draft *n*
dreachd *boir*
dreachd *gin*
dreachdan *iol*

draft *v*
dèan (*gr*) dreachd
dèanamh (*agr*) dreachd

drafting *n*
dreachdadh *fir*
dreachdaidh *gin*

draftsman *n*
dreachdadair *fir*
dreachdadair *gin*
dreachdadairean *iol*
Parliamentary Draftsman
Dreachdadair na Pàrlamaid

drain *n*
traoghadh *fir*
traoghaidh *gin*
a drain on resources
traoghadh den mhaoin

Dublin *n*
Baile (*fir*) Átha Cliath
Baile Átha Cliath *gin*

due process *n*
coileanadh (*fir*) dligheach
coileanaidh dhlighich *gin*
the due process of law
coileanadh dligheach an lagha

duly enacted *adj*
coileanta gu dligheach *br*

Dumbarton (Constituency)
Dùn Bhreatainn
Dhùn Bhreatainn *gin*

Dumfries (Constituency)
Dùn Phris
Dhùn Phris *gin*

Dundee East (Constituency)
Dùn Dèagh an Ear
Dhùn Dèagh an Ear *gin*

Dundee West (Constituency)
Dùn Dèagh an Iar
Dhùn Dèagh an Iar *gin*

Dunfermline East (Constituency)
Dùn Phàrlain an Ear
Dhùn Phàrlain an Ear *gin*

Dunfermline West (Constituency)
Dùn Phàrlain an Iar
Dhùn Phàrlain an Iar *gin*

duplicate *adj*
lethbhreac *br*
lethbhric *gin*
lethbhric *iol*
in duplicate
le lethbhreac

duplicate *v*
dèan (*gr*) lethbhreac
dèanamh (*agr*) lethbhric

duplication *n*
lethbhreacadh *fir*
lethbhreacaidh *gin,*
dùblachadh *fir*
dùblachaidh *gin*

duration, for the duration of Parliament
rè na Pàrlamaid

duty *n* **(obligation)**
dleastanas *fir*
dleastanais *gin*
dleastanasan *iol,*
cìs (cusbainn) *boir*
cìse (cusbainn) *gin*
cìsean (cusbainn) *iol*
breach of duty
briseadh dleastanais

duty *n* **(tax)**
cìs *boir*
cìse *gin*
cìsean *iol*
cigarette duty
cìs shiogaireat

duty-free *adj*
saor (*br*) bho chìsean (cusbainn)

early day motion *n* **(EDM)**
gluasad (*fir*) mochthrath
gluasaid mhochthrath *gin*
gluasadanan mochthrath *iol*

earmark *v*
comharraich *gr*
comharrachadh *agr*

earnings *npl*
cosnadh *fir*
cosnaidh *gin*

easement *n*
lasachadh *fir*
lasachaidh *gin*

East Kilbride (Constituency)
Cille Brìde an Ear
Cille Brìde an Ear *gin*

East Lothian (Constituency)
Lodainn an Ear
Lodainn an Ear *gin*

Eastwood (Constituency)
Coille an Ear,
A' Choille (*boir*) an Ear
Na Coille an Ear *gin*

ecologist *n*
eag-eòlaiche *fir*
eag-eòlaiche *gin*
eag-eòlaichean *iol*

economic appraisal *n*
measadh (*fir*) eaconamach
measaidh eaconamaich *gin*
measaidhean eaconamach *iol*

Economic Development, Advice and Employment Issues Group
Buidheann (*boir*) Chùisean Leasachaidh Eaconamaich, Comhairle agus Cosnaidh
Buidheann Chùisean Leasachaidh Eaconamaich, Comhairle agus Cosnaidh *gin*

economical *adj*
cunntach *br,*
eaconamach *br*
economical with the truth
cunntach air an fhìrinn

economics *npl*
eaconamas *fir*
eaconamais *gin,*
eaconamachd *boir*
eaconamachd *gin*
1 economics is a difficult science
's e saidheans doirbh a tha ann an eaconamas

2 the ecomomics of the situation are looking good
tha econamachd na cùise a' coimhead math

economy *n*
eaconamaidh *fir / boir*
eaconamaidh *gin*
eaconamaidhean *iol*
enterprise economy
eaconamaidh adhartach

Edinburgh Central (Constituency)
Meadhan (*fir*) Dhùn Èideann
Mheadhan Dhùn Èideann *gin*

Edinburgh East and Musselburgh (Constituency)
Dùn Èideann an Ear agus Musselburgh
Dhùn Èideann an Ear agus Musselburgh *gin*

Edinburgh North and Leith (Constituency)
Dùn Èideann a Tuath agus Lìte
Dhùn Èideann a Tuath agus Lìte *gin*

Edinburgh Pentlands (Constituency)
Dùn Èideann Pentlands
Dhùn Èideann Pentlands *gin*

Edinburgh South (Constituency)
Dùn Èideann a Deas
Dhùn Èideann a Deas *gin*

Edinburgh West (Constituency)
Dùn Èideann an Iar
Dhùn Èideann an Iar *gin*

education *n*
foghlam *fir*
foghlaim *gin*
Education Act
Achd an Fhoghlaim

Education, Culture and Sport Committee *n*
Comataidh (*boir*) an Foghlaim, a' Chultair agus an Spòrs
Comataidh an Foghlaim, a' Chultair agus an Spòrs *gin*

Education Department *n*
Roinn (*boir*) Foghlaim
Roinne Foghlaim *gin*

education office *n*
oifis (*boir*) foghlaim
oifis foghlaim *gin*
oifisean foghlaim *iol*

Educational Institute *n* **of Scotland**
Institiud (boir) Fòghlaim na h-Alba
Institiud Fòghlaim na h-Alba *gin*

educational *adj*
foghlaim *fir gin*

educational priority area *n* **(EPA)**
ceàrn (*fir*) le prìomhachas a thaobh foghlaim
ceàrnaidh le prìomhachas a thaobh foghlaim *gin*
ceàrnaidhean le prìomhachas a thaobh foghlaim *iol*

educational provision *n*
solarachadh (*fir*) foghlaim
solarachaidh fhoghlaim *gin*

educational psychologist *n*
sìc-eòlaiche (*fir*) foghlaim
sìc-eòlaiche fhoghlaim *gin*
sìc-eòlaichean foghlaim *iol*

Educational Statistical Enquiries *npl*
Fiosrachadh (*fir*) mu Staitistig Foghlaim
Fiosrachaidh mu Staitistig Foghlaim *gin*,
Fiosrachadh (*fir*) mu Àireamhan Foghlaim
Fiosrachaidh mu Àireamhan Foghlaim *gin*

educational welfare officer *n*
oifigear-leasa (*fir*) foghlaim
oifigeir-leasa fhoghlaim *gin*
oifigearan-leasa foghlaim *iol*

effect *n*
buaidh *boir*
buaidhe *gin*
buaidhean *iol*
to give effect to
(rud) a chur an gnìomh

effect *v*
thoir (*gr*) gu buil
toirt (*agr*) gu buil
to effect a change
atharrachadh a thoirt gu buil

effective *adj*
èifeachdach *br*

effectiveness *n*
èifeachdas *fir*
èifeachdais *gin*

efficacy *n*
èifeachd *boir*
èifeachd *gin*

efficiency *n*
èifeachdas *boir*
èifeachdais *gin*
Efficiency Unit
Aonad Èifeachdais

efficient *adj*
èifeachdach *br*

Eggs and Poultry Office *n*
Oifis (*boir*) nan Uighean agus nan Eun-taighe
Oifis nan Uighean agus nan Eun-taighe *gin*

elaborate *adj*
mionaideach *br*,
saothraichte *br*
an elaborate design
dealbhadh mionaideach,
dealbhadh saothraichte

elaborate *v*
leudaich *gr*
leudachadh *agr*
to elaborate on a proposal
leudachadh air moladh

elder statesman *n*
seanair-stàite *fir*
seanar-stàite *gin*
seanairean-stàite *iol*

elder stateswoman *n*
seanmhair-stàite *boir*
seanmhair-stàite *gin*
seanmhairean-stàite *iol*

elect *adj*
ùr-thaghte *br*
chairman-elect
cathraiche ùr-thaghte

elect *v*
tagh *gr*
taghadh *agr*

elected *adj*
taghte *br,*
air taghadh
1 elected mayor
mèar taghte
2 elected member
ball taghte
3 elected unopposed
air a t(h)aghadh gun tagraiche eile na (h-)aghaidh

election *n*
taghadh *fir*
taghaidh *gin*
taghaidhean *iol*
1 parliamentary election
taghadh pàrlamaid
2 to stand for election
seasamh san taghadh / sna taghaidhean

election address *n*
òraid (*boir*) taghaidh
òraide taghaidh *gin*
òraidean taghaidh *iol*

election campaign *n*
iomairt (*boir*) taghaidh
iomairt taghaidh *gin*
iomairtean taghaidh *iol*

election defeat *n*
call (*fir*) san taghadh
call san taghadh *gin*

election expenses *npl*
cosgaisean (*boir iol*) taghaidh
chosgaisean taghaidh *gin*

election result *n*
toradh (*fir*) an taghaidh
toradh an taghaidh *gin*
toraidhean an taghaidh *iol*

election victory *n*
buaidh (*boir*) san taghadh
buaidhe san taghadh *gin*

electioneering *n*
ri iomairt (*boir*) taghaidh

elector *n*
neach-taghaidh *fir*
neach-thaghaidh *gin*
luchd-taghaidh *iol*

electoral *adj*
taghaidh *fir gin*

electoral college *n*
colaiste (*boir*) taghaidh
colaiste taghaidh *gin*
colaistean taghaidh *iol*

electoral district *n*
sgìre (*boir*) taghaidh
sgìre taghaidh *gin*
sgìrean taghaidh *iol*

electoral division *n*
roinn-taghaidh *boir*
roinne-taghaidh *gin*
roinnean-taghaidh *iol*

electoral fraud *n*
foill (*boir*) taghaidh
foille taghaidh *gin*

electoral law *n*
lagh-taghaidh *fir*
lagha-thaghaidh *gin*

electoral officer *n*
oifigear-taghaidh *fir*
oifigeir-thaghaidh *gin*
oifigearan-taghaidh *iol*

electoral parity *n*
co-ionannachd (*boir*) san taghadh
co-ionannachd san taghadh *gin*

electoral quota *n*
cuota (*fir*) taghaidh
cuota thaghaidh *gin*
cuotathan taghaidh *iol*

electoral reform *n*
ath-leasachadh (*fir*) san dòigh-thaghaidh
ath-leasachaidh san dòigh-thaghaidh *gin*
ath-leasachaidhean san dòigh-thaghaidh *iol*

Electoral Reform Society *n*
Comann (*fir*) Ath-leasachaidh nan Taghaidhean
Comann Ath-leasachaidh nan Taghaidhean *gin*

electoral region *n*
ceàrn-taghaidh *fir*
ceàrnaidh-thaghaidh *gin*
ceàrnaidhean-taghaidh *iol*

electoral register *n*
clàr-bhòtaidh *fir*
clàir-bhòtaidh *gin*
clàran-bhòtaidh *iol*

electoral registration *n*
clàradh (*fir*) taghaidh
clàraidh taghaidh *gin*

Electoral Registration Officer *n*
Oifigear (*fir*) Clàraidh an Taghaidh
Oifigear Clàraidh an Taghaidh *gin*

electoral roll *n*
clàr (*fir*) luchd-bhòtaidh
clàir luchd-bhòtaidh *gin*
clàran luchd-bhòtaidh *iol*

electoral system *n*
siostam (*fir*) taghaidh
siostaim taghaidh *gin*
siostaman taghaidh *iol*

electoral ward *n*
uàrd-taghaidh *fir*
uàird-thaghaidh *gin*
uàird-thaghaidh *iol*

electorate *n*
luchd-bhòtaidh *iol*
luchd-bhòtaidh *gin*

electors' list *n*
clàr (*fir*) luchd-bhòtaidh
clàir luchd-bhòtaidh *gin*
clàran luchd-bhòtaidh *iol*

electronic mail *n*
post-dealain *fir*
puist-dealain *gin*

electronic tag *n*
taga (*fir*) eileagtronaigeach
taga eileagtronaigich *gin*
tagaichean eileagtronaigeach *iol*

electronic tagging *n*
tagadh (*fir*) eileagtronaigeach
tagaidh eileagtronaigich *gin*

electronic voting *n*
bhòtadh (*fir*) eileagtronaigeach
bhòtaidh eileagtronaigich *gin*
electronic voting system
siostam-bhòtaidh
eileagtronaigeach

elegance *n*
grinneas *fir*
grinneis *gin,*
snas *fir*
snais *gin*
elegance of expression
grinneas labhairt

elegant *adj*
eirmseach *br,*
snasail *br*
1 elegant wit
gearradh-cainnt eirmseach
2 an elegant turn of phrase
briathran snasail

element *n*
eileamaid *boir*
eileamaid *gin*
eileamaidean *iol*
there are two elements to the amendment
tha dà eileamaid anns an atharrachadh

elementary *adj*
sìmplidh *br*

eleventh hour *n*
a' mhionaid (*boir*) mu dheireadh
they were rescued at the eleventh hour
chaidh an sàbhaladh aig a' mhionaid mu dheireadh

eligibility *n*
ion-roghnachd *boir*
ion-roghnachd *gin*

eligible *adj*
ion-roghnach *br*

e-mail *n*
post-dealain *fir*
puist-dealain *gin*
puist-dealain *iol*

emanate *v*
sruth (*gr*) bho
sruthadh (*agr*) bho,
thig (*gr*) bho
tighinn (*agr*) bho
to emanate from the Assembly
tighinn a-mach bhon t-Seanadh

emancipate *v*
saor *gr* (bho chuing)
saoradh *agr* (bho chuing)

emancipated *adj*
air saoradh (bho chuing)

emancipation *n*
saorsa *boir* (bho chuing)
saorsa *gin* (bho chuing)

embargo *n*
bacadh *fir*
bacaidh *gin*
bacaidhean *iol*
to place an embargo on a news item
bacadh a chur air brath-naidheachd

embargoed until
air a bhacadh gu

embarrass *v*
nàraich *gr*
nàrachadh *agr,*
tàmailtich *gr*
tàmailteachadh *agr*
they wish to embarrass the minister
lùigeadh iad am ministear a nàrachadh / a thàmailteachadh

embarrassing *adj*
nàrach *br,*
tàmailteach *br*
an embarrassing situation
suidheachadh nàrach,
suidheachadh tàmailteach

embarrassment *n*
nàire *boir*
nàire *gin,*
tàmailt *boir*
tàmailte *gin*
a cause of embarrassment
adhbhar nàire,
adhbhar tàmailt

embassy *n*
àmbasaid *boir*
àmbasaid *gin*
àmbasaidean *iol*

embody *v*
cuir (*gr*) an cèill
cur (*agr*) an cèill,
gabh (*gr*) a-steach
gabhail (*agr*) a-steach
this embodies a number of principles
tha seo a' cur an cèill grunn phrionnsabal,
tha seo a' gabhail a-steach grunn phrionnsabal

embrace *v*
(accept eagerly)
gabh (*gr*) ri (gu togarrach)
gabhail (*agr*) ri (gu togarrach)

emergency *n*
suidheachadh-èiginn *fir*
suidheachaidh-èiginn *gin*
suidheachaidhean-èiginn *iol*

emergency debate *n*
deasbad (*fir*) èiginn
deasbaid èiginn *gin*
deasbadan èiginn *iol*

emergency exit *n*
doras-èiginn *fir*
dorais-èiginn *gin*
dorsan-èiginn *iol*

emergency legislation *n*
reachdas (*fir*) èiginn
reachdais èiginn *gin*

emergency meeting *n*
coinneamh-èiginn *boir*
coinneimh-èiginn *gin*
coinneamhan-èiginn *iol*

emergency order *n*
òrdugh-èiginn *fir*
òrduigh-èiginn *gin*
orduighean-èiginn *iol*

emergency powers *npl*
ùghdarras-èiginn *fir*
ùghdarrais-èiginn *gin*

emergency procedure *n*
dòigh-obrach (*boir*) an èiginn
dòigh-obrach an èiginn *gin*
dòighean-obrach an èiginn *iol*

emergency question *n*
ceist-èiginn *boir*
ceist-èiginn *gin*
ceistean-èiginn *iol*

emergency work *n*
obair (*boir*) èiginn
obrach èiginn *gin*

emoluments *npl*
làn-tuarastal
(a thaobh dreuchd) *fir*
làn-tuarastail
(a thaobh dreuchd) *gin*

emotive *adj*
buaireasach *br*
an emotive issue
cùis bhuaireasach

employ *v*
(use)
cleachd *gr*
cleachdadh *agr*
to employ tactics
seòl a chleachdadh

employ *v*
(staff)
fastaidh *gr*
fastadh *agr*
to employ workers
luchd-obrach fhastadh

employee *n*
neach-obrach *fir*
neach-obrach *gin*
luchd-obrach *iol*

employer *n*
fastaiche *fir*
fastaiche *gin*
fastaichean *iol*

employment *n*
cosnadh *fir*
cosnaidh *gin*

employment advisory service *n*
seirbheis (*boir*) comhairleachaidh cosnaidh
seirbheis comhairleachaidh cosnaidh *gin*
seirbheisean comhairleachaidh cosnaidh *iol*

employment appeal tribunal *n*
tribiunal-tagraidh (*fir*) cosnaidh
tribiunail-tagraidh chosnaidh *gin*
tribiunail-tagraidh chosnaidh *iol*

employment conditions *npl*
cumhachan (*boir iol*) cosnaidh
chumhachan cosnaidh *gin*

employment department *n*
roinn (*boir*) cosnaidh
roinne cosnaidh *gin*
roinnean cosnaidh *iol*

employment law *n*
lagh (*fir*) cosnaidh
lagha chosnaidh *gin*
laghannan cosnaidh *iol*

employment policy *n*
poileasaidh (*fir*) cosnaidh
poileasaidh chosnaidh *gin*
poileasaidhean cosnaidh *iol*

employment protection legislation *n*
reachdas (*fir*) dìon cosnaidh
reachdais dhìon cosnaidh *gin*

employment rehabilitation centre *n*
ionad (*fir*) ath-ghnàthachaidh cosnaidh
ionaid ath-ghnàthachaidh chosnaidh *gin*
ionadan ath-ghnàthachaidh cosnaidh *iol*

employment service agency *n*
buidheann (*boir*) sheirbheisean cosnaidh
buidhne sheirbheisean cosnaidh *gin*
buidhnean sheirbheisean cosnaidh *iol*

employment service division *n*
roinn (*boir*) sheirbheisean cosnaidh
roinne sheirbheisean cosnaidh *gin*
roinnean sheirbheisean cosnaidh *iol*

employment training *n*
trèanadh (*fir*) airson cosnaidh
trèanaidh airson cosnaidh *gin*
employment training scheme
sgeama trèanaidh airson cosnaidh

employment transfer scheme *n*
sgeama (*fir*) gluasad cosnaidh
sgeama ghluasad cosnaidh
sgeamaichean gluasad cosnaidh

empower *v*
thoir (*gr*) ùghdarras do
toirt (*agr*) ùghdarrais do

empowered *adj*
ùghdaraichte *br*
we are empowered to act
tha ùghdarras againn rud a dhèanamh

empowerment *n*
ùghdarachadh *fir*
ughdarachaidh *gin*

Empty Croft Houses Initiative *n*
Ro-innleachd (*boir*) nan Taighean-croite Falamh
Ro-innleachd nan Taighean-croite Falamh *gin*

enable *v*
dèan (*gr*) comasach
dèanamh (*agr*) comasach

enabling *adj*
a bheir comas,
comasachaidh *br*
1 enabling legislation
reachdas comasachaidh,
reachdas a bheir comas
2 enabling role
riochd a bheir comas

enact *v*
dèan (*gr*) lagh de
dèanamh (*agr*) lagha de

enactment *n*
(of a bill or law)
achdachadh *fir*
achdachaidh *gin*
achdachaidhean *iol*

encapsulate *v*
co-ghlac *gr*
co-ghlacadh *agr*
to encapsulate their objectives
an cuid amasan a cho-ghlacadh

enclosure *n*
(in a letter)
(nì a tha) an lùib (litreach) *roi*

encompass *v*
cuairtich *gr*
cuairteachadh *agr,*
gabh (*gr*) a-steach
gabhail (*agr*) a-steach
the philosophy encompasses a range of concepts
tha an fheallsanachd a' gabhail a-steach raon / farsaingeachd smuaintean

encourage *v*
misnich *gr*
misneachadh *agr*
the news encourages us greatly
tha an naidheachd gar misneachadh gu mòr

end of year moneys / monies *npl*
suimeannan (*boir iol*) (airgid) ceann na bliadhna
shuimeannan (airgid) ceann na bliadhna *gin*

endorse *v*
(approve)
cuir (*gr*) aonta ri
cur (*agr*) aonta ri
I wish to endorse the report
bu mhath leam aonta a chur ris an aithisg

endorsement *n*
aonta *fir*
aontaidh *gin*
aontaidhean *iol,*
cùl-sgrìobhadh *fir*
cùl-sgrìobhaidh *gin*
cùl-sgrìobhaidhean *iol*
1 a ringing endorsement
aonta àrd-labhrach
2 endorsement of driving licence
cùl-sgrìobhadh air cead dràibhidh

energetic *adj*
sgairteil *br*
lùthmhor *br'*
an energetic defence of policy
dìon sgairteil air poileasaidh

energetically *adv*
gu sùrdail cgr,
gu lùthmhor cgr

energy *n*
lùth *fir*
lùtha *gin*
1 energy efficiency
lùth-èifeachdas
2 energy conservation
caomhnadh lùtha

enforce *v*
(law, legislation)
cuir (*gr*) an gnìomh
cur (*agr*) an gnìomh,
cuir (*gr*) an sàs
cur (*agr*) an sàs

enfranchise *v*
thoir (*gr*) còir-bhòtaidh do
toirt (*agr*) còir-bhòtaidh do

England *n*
Sasainn *boir*
Sasainn *gin*

enjoy *v*
meal *gr*
mealtainn *agr*
that party does not enjoy the confidence of Parliament
chan eil am pàirtidh ud a' faighinn earbsa bhon Phàrlamaid

enlighten *v*
dèan (*gr*)
soilleireachadh (do)
dèanamh (*agr*)
soilleireachaidh (do),
soilleirich *gr* (do)
soilleireachadh *agr* (do)

enlightened *adj*
a fhuair soilleireachadh

enlightening *adj*
a nì soilleireachadh
an enlightening reply
freagairt a nì soilleireachadh,
freagairt soillearachaidh

enquire *v*
faighnich *gr*
faighneachd *agr*

enquiry *n*
(request)
ceist *boir*
ceiste *gin*
ceistean *iol*

enquiry *n*
(examination)
rannsachadh *fir*
rannsachaidh *gin*
rannsachaidhean *iol*

enrol *v*
clàraich *gr*
clàrachadh *agr*

enrolment *n*
(enlisting)
liostadh *fir*
liostaidh

enrolment *n*
(registration)
clàrachadh *fir*
clàrachaidh *gin*

enshrine *v*
glèidh *gr* (coisrigte)
gleidheadh *agr*
to enshrine in law
gleidheadh san lagh,
cur san lagh

enter *v*
rach (*gr*) a-steach
dol (*agr*) a-steach,
tòisich *gr*
tòiseachadh *agr*
1 to enter a room
dol a-steach do rum
2 to enter into an alliance (with)
dol an caidreabhas (le)
3 to enter into an argument
tòiseachadh air argamaid

enterprise *n*
iomairt *boir*
iomairt *gin*
iomairtean *iol*
the enterprise economy
an eaconamaidh iomairteach

Enterprise and Industrial Affairs Group *n*
Buidheann (*boir*) Iomairt agus Chùisean Gnìomhachais
Buidheann Iomairt agus Chùisean Gnìomhachais *gin*

Enterprise and Lifelong Learning Committee *n*
Comataidh (boir) na h-Iomairt agus an Fhoghlaim Bheatha
Comataidh na h-Iomairt agus an Fhoghlaim Bheatha

Enterprise and Lifelong Learning Department *n*
Roinn (*boir*) Iomairt agus Ionnsachaidh Fhad-bheatha
Roinn Iomairt agus Ionnsachaidh Fhad-bheatha *gin*

enterprise zone *n*
ceàrn (*fir*) iomairt
ceàrnaidh iomairt *gin*
ceàrnaidhean iomairt *iol,*
sòn (*fir*) iomairt
sòn iomairt *gin*
sònan iomairt *iol*

enterprising *adj*
ionnsaigheach *br*,
iomairteach *br*

entitlement *n*
làn-chòir *boir*
làn-chòire *gin*
entitlement under the law
làn-chòir fon lagh

entrenched position *n*
barail (*boir*) dhaingeann
baraile daingeann *gin*
barailean daingeann *iol*

entrepreneur *n*
neach-tionnsgain *fir*
neach-thionnsgain *gin*
luchd-tionnsgain *gin*

enumeration date *n*
ceann-là (*fir*) àireamhachd
cinn-là àireamhachd *gin*
cinn-là àireamhachd *iol*

enumeration district *n*
sgìre-àireamhachd *boir*
sgìre-àireamhachd *gin*
sgìrean-àireamhachd *iol*
census enumeration district
sgìre-àireamhachd cunntais-shluaigh

environment agency *n*
buidheann (*boir*) àrainneachd
buidhne àrainneachd *gin*
buidhnean àrainneachd *gin*

Environmental Affairs Group *n*
Buidheann (*boir*) Chùisean Àrainneachd
Buidheann Chùisean Àrainneachd *gin*

environmentally sensitive area *n*
(ESA)
ceàrn (*fir*) le àrainneachd chugallaich
ceàrnaidh le àrainneachd chugallaich *gin*
ceàrnaidhean le àrainneachd chugallaich *iol*

equal opportunities *n*
co-ionannachd (*boir*) chothroman
co-ionannachd chothroman *gin*
equal opportunities policy
poileasaidh co-ionannachd chothroman

equal opportunities commission *n*
coimisean (*fir*) airson co-ionannachd chothroman
coimisein airson co-ionannachd chothroman *gin*

Equal Opportunities Committee *n*
Comataidh (*boir*) Co-ionannachd Chothroman
Comataidh Co-ionannachd

equal pay *n*
pàigheadh (*fir*) co-ionann
pàighidh cho-ionainn *gin*

equal rights *npl*
còraichean (*boir iol*) co-ionann
chòraichean co-ionann *gin iol*

equal treatment *n*
làimhseachadh (*fir*) co-ionann
làimhseachaidh cho-ionainn *gin*

equal validity *n*
tàbhachd (*boir*) cho-ionann
tàbhachd cho-ionainn *gin*

equality *n*
co-ionannachd *boir*
co-ionannachd *gin*
the equality agenda
gnothach na co-ionannachd

equality *n* **of opportunity**
co-ionannachd (*boir*) cothruim
co-ionannachd cothruim *gin*

equality *n* **of votes**
co-ionannachd (*boir*) bhòtaichean
co-ionannachd bhòtaichean

equality requirements *npl*
feumalachdan (*boir iol*) co-ionannachd fheumalachdan
co-ionannachd *gin iol*

equitable *adj*
cothromach *br*

era *n*
linn *boir*
linne *gin*
linntean *iol*
the beginning of a new era
aig toiseach linne ùire

erode *v*
criom *gr*
criomadh *agr*
to erode our rights
ar còraichean a chriomadh

erosion *n*
criomadh *fir*
criomaidh *gin*
the erosion of our rights
criomadh air ar còraichean

error *n*
mearachd *boir*
mearachd *gin*
mearachdan *iol*
1 to commit an error
mearachd a dhèanamh
2 an error of principle
mearachd a thaobh prionnsabail

escape route *n*
rathad (*fir*) dol às
rathaid dol às *gin*
rathaidean dol às *iol*

espousal *n*
taobhadh *fir*
taobhaidh *gin*
the espousal of a cause
taobhadh ri adhbhar

espouse *v*
taobh (*gr*) ri
taobhadh (*agr*) ri
to espouse a cause
taobhadh ri adhbhar

essential *adj*
riatanach *br*

establish *v*
cuir (*gr*) air bhonn
cur (*agr*) air bhonn,
stèidhich *gr*
stèidheachadh *agr,*
thoir (*gr*) am follais
toirt (*agr*) am follais,
coisinn *gr*
cosnadh *agr,*
dearbh *gr*
dearbhadh *agr*
1 to establish an institution
buidheann-stèidhichte a chur air bhonn
2 to establish the facts
fìrinn na cùise a thoirt am follais,
fìrinn na cùise a dhearbhadh
3 to establish a reputation
cliù a chosnadh

establishment *n* **(institution)**
buidheann (*boir*) stèidhichte
buidhne stèidhichte *gin*
buidhnean stèidhichte *iol*
'the Establishment'
'an Comann-Stèidhichte'

establishment *n* **(setting up)**
cur (*fir*) air bhonn
cuir air bhonn *gin,*
stèidheachadh *fir*
stèidheachaidh *gin*

estate *n* **(land, property)**
oighreachd *boir*
oighreachd *gin*
oighreachdan *iol*
estate factor
bàillidh oighreachd

estates department *n*
roinn (*boir*) fearainn-thogalach
roinne fearainn-thogalach *gin*
roinnean fearainn-thogalach *iol*

estimate *n*
tuairmse *boir*
tuairmse *gin*
tuairmsean *iol,*
measrachadh *fir*
measrachaidh *gin*
measrachaidhean *iol*
an estimate of cost
tuairmse air cosgais,
measrachadh air cosgais

estimate *v*
thoir (*gr*) tuairmse air
toirt (*agr*) tuairmse air,
measraich *gr*
measrachadh *agr*
to estimate a number
tuairmse a thoirt air àireimh

estimated *adj*
measraichte *br*
1 an estimated number
àireamh mheasraichte
2 an estimated price
prìs mheasraichte

estimation *n*
(opinion)
barail *boir*
baraile *gin*
barailean *iol*

ethical *adj*
eiticeil *br,*
beusail *br*
ethical foreign policy
poileasaidh (dhùthchannan) cèin eiticeil / beusail

ethics *n*
eitic *boir*
eitic *gin,*
beusalachd *boir*
beusalachd *gin*

EU law *n*
lagh (*fir*) an Aonaidh Eòrpaich
lagh an Aonaidh Eòrpaich *gin*
laghannan an Aonaidh Eòrpaich *iol*

euro *n*
euroes *pl*
euro *fir / boir*
euro *fir*
eurothan *iol*
1 the euro block
bloc an euro
2 the euro zone
ceàrn an euro,
sòn an euro

euro-constituency *n*
roinn-taghaidh (*boir*) Eòrpach
roinne-taghaidh Eòrpaich *gin*
roinnean-taghaidh Eòrpach *iol*

euroland *n*
tìr (*boir*) an euro
tìr an euro *gin*

European *adj*
Eòrpach *br*

European Atomic Energy Community *n* **(Euratom)**
Coimhearsnachd (*boir*)
Cumhachd Atamaich na h-Eòrpa
Coimhearsnachd Cumhachd
Atamaich na h-Eòrpa *gin*

European Bureau *n* **for Lesser-used Languages**
Biùro (*fir*) Eòrpach nam
Mion-Chànan
Biùro Eòrpach nam
Mion-Chànan *gin*

European Central Bank *n*
Banca (*fir*) Coitcheann
na h-Eòrpa
Banca Coitcheann
na h-Eòrpa *gin*

European Coal and Steel Community *n*
Coimhearsnachd (*boir*) Guail
is Stàilinn na h-Eòrpa
Coimhearsnachd Guail
is Stàilinn na h-Eòrpa *gin*

European Commission *n*
Coimisean (*fir*) Eòrpach
Coimisein Eòrpaich *gin*

European Commissioner *n*
Coimiseanair (*fir*) Eòrpach
Coimiseanair Eòrpa ich *gin*

European Committee *n*
Comataidh (boir) Eòrpach
Comataidh Eòrpaich gin

European Committee *n* **of the Regions**
Comataidh (*boir*) Roinnean
na h-Eòrpa
Comataidh Roinnean
na h-Eòrpa *gin*
the Committee of the Regions
Comataidh nan Roinnean

European Community *n*
Coimhearsnachd (*boir*) Eòrpach
a' Choimhearsnachd (*boir*)
Eòrpach
na Coimhearsnachd Eòrpaich *gin*

European Court *n* **of Auditors**
Cùirt (*boir*) Sgrùdadh Chunntais
na h-Eòrpa
Cùirt Sgrùdadh Chunntais
na h-Eòrpa *gin*
Committee of Auditors
Comataidh Sgrùdaidh nan
Cunntas

European Court *n* **of Human Rights**
(Strasbourg)
Cùirt (*boir*) Eòrpach nan
Còraichean Daonna
Cùirt Eòrpach nan
Còraichean Daonna,
Cùirt (*boir*) Eòrpach Chòraichean
a' Chinne Daonna
Cùirt Eòrpach Chòraichean
a' Chinne Daonna *gin*

European Court *n* **of Justice**
Cùirt (*boir*) Ceartais na h-Eòrpa
Cùirt Ceartais na h-Eòrpa *gin*
the Court of Justice
Cùirt a' Cheartais

European Defence Community *n*
Coimhearsnachd (*boir*) Dìon
na h-Eòrpa
Coimhearsnachd Dìon
na h-Eòrpa *gin*

European Economic and Social Committee *n*
Comataidh (*boir*) Eaconamach
is Shòisealta na h-Eòrpa
Comataidh Eaconamach
is Shòisealta na h-Eòrpa *gin*

European Economic Area *n*
Ceàrn (*fir*) Eaconamach
na h-Eòrpa
Cheàrn Eaconamach
na h-Eòrpa *gin*

European Economic Community *n*
(EEC)
Coimhearsnachd (*boir*)
Eaconamach na h-Eòrpa
Coimhearsnachd Eaconamach
na h-Eòrpa *gin*

European Free Trade Association *n* **(EFTA)**
Comann (*fir*) Saor-mhalairt
na h-Eòrpa
Chomann Saor-mhalairt
na h-Eòrpa *gin*

European Investment Bank *n*
(EIB)
Banca (*fir*) Calpa na h-Eòrpa
Bhanca Calpa na h-Eòrpa *gin*

European law *n*
lagh (*fir*) na h-Eòrpa
lagh na h-Eòrpa *gin*

European Monetary System *n*
(EMS)
Siostam (*fir*) Airgid na h-Eòrpa
Siostam Airgid na h-Eòrpa *gin*

European Ombudsman *n*
Ombudsman (*fir*) na h-Eòrpa
Ombudsman na h-Eòrpa *gin*

European Parliament *n*
Pàrlamaid (*boir*) na h-Eòrpa
Pàrlamaid na h- Eòrpa *gin*

European parliamentary constituency *n*
(EPC)
roinn-phàrlamaid (*boir*) Eòrpach
roinne-pàrlamaid Eòrpa *gin*
roinnean-pàrlamaid Eòrpa *iol*

European Regional Development Fund *n*
(ERDF)
Maoin (*boir*) Leasachaidh
Roinnean na h-Eòrpa
Maoin Leasachaidh Roinnean na
h-Eòrpa *gin*

European single currency *n*
airgead (*fir*) singilte na h-Eòrpa
airgead singilte na h-Eòrpa *gin*

European Social Fund *n*
(ESF)
Maoin (*boir*) Shòisealta
na h-Eòrpa
Maoin Shòisealta na h-Eòrpa *gin*

European Union *n*
(EU)
Aonadh (*fir*) Eòrpach
Aonaidh (*fir*) Eòrpaich

European Union Defence Force *n*
Feachd (*boir*) Dìon an Aonaidh Eòrpaich
Feachd Dìon an Aonaidh Eòrpaich *gin*

European Union Structural Funds *npl*
Maoin (*boir*) Structarail an Aonaidh Eòrpaich
Maoin Structarail an Aonaidh Eòrpaich *gin*

evaluate *v*
meas *gr*
measadh *agr*
to evaluate the strength of support
meud na taice a mheasadh

evaluation *n*
measadh *fir*
measaidh *gin*

evidence *n*
teisteanas *fir*
teisteanais *gin,*
fianais *boir*
fianaise *gin*
1 the rules of evidence
riaghailtean an teisteanais
2 he stated in evidence
dh'aithris e mar fhianais

evident *adj*
follaiseach *br*
1 it was evident from the report
bha e follaiseach bhon aithisg
2 it is self-evident
tha e follaiseach (ann fhèin)

exaggerate *v*
cuir (*gr*) ris (an fhìrinn)
cur (*agr*) ris (an fhìrinn)
he has an exaggerated sense of his importance
tha barail ro mhòr aige air (cho cudthromach is a tha e) fhèin

examination *n* **(inspection)**
rannsachadh *fir*
rannsachaidh *gin*
rannsachaidhean *iol,*
sgrùdadh *fir*
sgrùdaidh *gin*
sgrùdaidhean *iol*

examination *n* **(school etc)**
deuchainn *boir*
deuchainne *gin*
deuchainnean *iol*

examination in public *n* **(EIP)**
rannsachadh (*fir*) poblach
rannsachaidh phoblaich *gin*
rannsachaidhean poblach *iol,*
sgrùdadh (*fir*) poblach
sgrùdaidh phoblaich *gin*
sgrùdaidhean poblach *iol*

examine *v* **(school etc)**
thoir (*gr*) deuchainnean do
toirt (*gr*) dheuchainnean do

examine *v* **(to inspect)**
rannsaich *gr*
rannsachadh *agr,*
sgrùd *gr*
sgrùdadh *agr*

examine *v* **(to study)**
sgrùd *gr*
sgrùdadh *agr*

example *n*
eisimpleir *fir*
eisimpleir *gin*
eisimpleirean *iol*
to set an example
eisimpleir a shealltainn / a nochdadh

exception *n*
eisgeachd *boir*
eisgeachd *gin*
eisgeachdan *iol,*
nì (*fir*) eadar-dhealaichte
nì eadar-dhealaichte *gin*
nithean eadar-dhealaichte *iol*
with the exception of
ach a-mhàin

exchange rate *n*
co-luach (*fir*) an airgid
co-luach an airgid *gin*
the exchange rate against the pound
co-luach na not

Exchequer *n*
Roinn (*boir*) an Ionmhais
Roinn an Ionmhais *gin*

exclude *v*
cùm (*gr*) bho
cumail (*agr*) bho,
cùm (*gr*) a-mach à
cumail (*agr*) a-mach à
1 to exclude a party from a meeting
pàrtaidh a chumail bho choinneimh
2 to exclude a subject from a report
cuspair a chumail a-mach à aithisg

excluded *adj*
air a chumail a-mach

exclusion *n*
às-dùnadh *fir*
às-dùnaidh *gin,*
dùnadh *fir*
dùnaidh *gin*
social exclusion
às-dùnadh sòisealta,
dùnadh sòisealta

exclusive *adj*
toirmeasgach *br*
1 an exclusive club
cluba toirmeasgach
2 an exclusive policy
poileasaidh toirmeasgach
3 the arguments are mutually exclusive
cha tig na h-argamaidean a rèir a chèile

exclusiveness *n*
a dhùineas a-mach

exclusivity *n*
gun tighinn a rèir a chèile

execute *v*
thoir (*gr*) gu buil
toirt (*agr*) gu bui

executive *adj*
gnìomhach *br*

executive *n* **(body)**
roinn-ghnìomha *boir*
roinne-gnìomha *gin,*
stiùireachas *fir*
stiùireachais *gin*

1 the Executive and the Judiciary
An Roinn-Ghnìomha agus an Roinn-Cheartais
2 the Scottish Executive
Riaghaltas na h-Alba

executive *n* **(business-person)**
gnìomhaiche *fir*
gnìomhaiche *gin*
gnìomhaichean *iol*
a business executive
gnìomhaiche gnothachais

Executive *n*, **the Northern Ireland Executive**
Riaghaltas (*fir*) Èireann a Tuath
Riaghaltas Èireann a Tuath *gin*

Executive *n*, **the Scottish**
Riaghaltas (*fir*) na h-Alba
Riaghaltas na h-Alba *gin*

executive agency *n*
buidheann-ghnìomha *boir*
buidhne-gnìomha *gin*
buidhnean-gnìomha *iol*

executive body *n*
còmhlan-gnìomha *fir*
còmhlain-ghnìomha *gin*
còmhlain-ghnìomha *iol*

executive committee *n*
comataidh (*boir*) ghnìomhach
comataidh ghnìomhaich *gin*
comataidhean gnìomhach *iol*

executive council *n*
comhairle (*boir*) ghnìomhach
comhairle gnìomhaich *gin*
comhairlean gnìomhach *iol*

executive decision *n*
co-dhùnadh (*fir*) luchd-gnìomha
co-dhùnaidh luchd-gnìomha *gin*
co-dhùnaidhean luchd-gnìomha *iol*

executive officer *n*
oifigear-gnìomha *fir*
oifigeir-ghnìomha *gin*
oifigearan-gnìomha *iol*

executive power *n*
cumhachd-gnìomha *fir*
cumhachd-ghnìomha *gin*
cumhachdan-gnìomha *iol*

executive role *n*
dreuchd (*boir*) gnìomha
dreuchd gnìomha *gin*
dreuchdan gnìomha *iol*

Executive Secretariat *n*
Rùnaireachd (*boir*) an Riaghaltais
Rùnaireachd an Riaghaltais *gin*

exempt *adj*
neo-bhuailteach *br,*
saor *br*
exempt from tax
neo-bhuailteach do chìs,
saor bho chìs

exempt *v*
saor *gr*
saoradh *agr*

exemption *n*
saoradh *fir*
saoraidh *gin*
exemption from tax
saoradh o chìs

exercise *n*
eacarsaich *boir*
eacarsaich *gin*
eacarsaichean *iol*

exercise *v*
cleachd *gr*
cleachdadh *agr*
to exercise a right
còir a chleachdadh

exert *v*
thoir *gr*
toirt *agr,*
cuir (*gr*) thuige
cur (*agr*) thuige,
leig (*gr*) cudthrom
leigeil (*agr*) cudthruim
1 to exert influence
buaidh a thoirt
2 to exert oneself
thu fhèin a chur thuige
3 to exert pressure on a person
cudthrom a leigeil air neach

exhort *v*
earalaich *gr*
earalachadh *agr*

exhortation *n*
earail *boir*
earalach *gin*
earalaichean *iol*

exit poll *n*
cunntas (*fir*) sgaoilidh
cunntais sgaoilidh *iol*
cunntasan sgaoilidh *iol*

ex-officio *adj*
tro dhreuchd,
do bhrìgh oifige
ex-officio member of the committee
ball den chomataidh tro dhreuchd / do bhrìgh oifige

expansion *n*
leudachadh *fir*
leudachaidh *gin*
expansion of a building
leudachadh air togalach

expediency *n*
iomchaidheachd *boir*
iomchaidheachd,
(dòigh) a fhreagras air a' chùis a tha an làthair
short-term expediency
seòl geàrr-ùine

expedient *adj*
iomchaidh *br*

expedient *n*
innleachd *boir*
innleachd *gin*
innleachdan *iol*
a temporary expedient
innleachd gheàrr-ùine

expenditure *n*
caiteachas *fir*
caiteachais *gin*
expenditure review
sgrùdadh air caiteachas

expenditure programme *n*
prògram (*fir*) caiteachais
prògraim chaiteachais *gin*
prògraman caiteachais *iol*

the government's expenditure programme
prògram caiteachais an riaghaltais

explanatory *adj*
mìneachail *br*
an explanatory note
nota mìneachaidh

exploit *v*
gabh (*gr*) brath air
gabhail (*agr*) brath air
to exploit a weakness
brath a ghabhail air laige

exploratory *adj*
feuchainn *br*
exploratory talks
còmhraidhean feuchainn

export *n*
às-bathar *fir*
às-bathair *gin*

export credit guarantee *n*
barrantas (*fir*) creideis airson às-mhalairt
barrantais chreideis airson às-mhalairt *gin*
barrantasan creideis airson às-mhalairt *iol*
export credit guarantee department
roinn barrantais chreideis airson às-mhalairt

export market *n*
margadh (*fir / boir*) às-mhalairt
margaidh às-mhalairt *gin*
margaidhean às-mhalairt *iol,*
margadh (*fir/ boir*) a-muigh
margaidh a-muigh *gin*
margaidhean a-muigh *iol*

expose *v*
leig (*gr*) ris
leigeil (*agr*) ris
1 **to expose to ridicule**
cùis-bhùirt a dhèanamh (de neach)
2 **to expose an inadequacy**
uireasbhaidh a leigeil ris

exposition *n*
cunntas (*fir*) mìneachaidh
cunntais mhìneachaidh *gin*
cunntasan mìneachaidh *iol*
exposition of a policy
cunntas mìneachaidh (a thoirt) air poileasaidh

express *adj*
a dh'aon ghnothach
express instruction
òrdugh a dh'aon ghnothach

expression *n*
(appearance)
coltas *fir*
coltais *gin*
the expressions on their faces
an coltas a bha air na h-aodannan aca

expression *n*
(of thought)
cur (*fir*) an cèill
cuir an cèill *gin*
an expression of gratitude
cur an cèill buidheachais

expression *n*
(phrase)
abairt *boir*
abairt *gin*
abairtean *iol*
a useful expression
abairt fheumail

expression *n*
(verbal)
modh-labhairt *fir*
modh-labhairt *gin*
modhannan-labhairt *iol*
vagueness of expression
neo-chinnte anns na chaidh a labhairt

extend *v*
leudaich *gr*
leudachadh *agr,*
sìn *br* (a-mach)
sìneadh *agr* (a-mach)
1 **to extend a welcome**
fàilte a chur (air neach)
2 **to extend a time limit**
ceann-ama a shìneadh a-mach

extensive *adj*
farsaing *br*
an extensive search
rannsachadh farsaing

external *adj*
bhon taobh a-muigh
1 **external audit**
sgrùdadh(-airgid) bhon taobh a-muigh
2 **external funding**
maoineachadh bhon taobh a-muigh

eye-witness *adj*
sùil-fhianaise *br*
an eye-witness account
cunntas sùil-fhianaise

F

facade *n*
aghaidh *boir*
aghaidh *gin*
aghaidhean *iol*

facilitate *v*
cuidich *gr*
cuideachadh *agr,*
dèan (*gr*) comasach
dèanamh (*agr*) comasach

facilitator *n*
neach (*fir*) a nì comasach *fir*
neach a nì comasach *gin*
daoine a nì comasach *iol,*
neach-cuideachaidh *fir*
neach-cuideachaidh *gin*
luchd-cuideachaidh *iol*

facility *n*
goireas *fir*
goireis *gin*
goireasan *iol,*
alt *fir*
uilt *gin*
1 **the crèche is a valuable facility in the new building**
tha an crèche / an cròileagan na ghoireas luachmhor san togalach ùr

2 to have a facility for languages
alt a bhith aig neach air cànainean

facsimile transmission *n*
tar-chur (*fir*) facsimile
tar-chuir facsimile *gin*
(facs)

fact *n*
fìrinn *boir*
fìrinne *gin,*
nì (*fir*) fìrinneach
nì fhìrinneach *gin*
nithean fìrinneach *iol*
a matter of fact
an fhìrinn

faction *n*
buidheann *boir*
buidhne *gin*
buidhnean *iol,*
faicsean *fir*
faicsein *gin*
faicseanan *iol*
opposing factions
buidhnean / faicseanan an aghaidh a chèile

factor *n*
adhbhar *fir*
adhbhair *gin*
adhbhair / adhbharan *iol,*
bun-chùis *boir*
bun-chùise *gin*
bun-chùisean *iol,*
eileamaid *boir*
eileamaid *gin*
eileamaidean *iol,*
nì *fir*
nì *gin*
nithean *iol*
estate factor
bàillidh oighreachd

fair *adj*
cothromach *br*
fair comment
cunntas cothromach

faith *n*
creideas *fir*
creideis *gin,*
earbsa *boir*
earbsa *gin*
1 an act of faith
nì a sheallas creideas
2 in good faith
ann an deagh rùn
3 to have faith in
creideas / earbsa a bhith aig neach às

Falkirk East (Constituency)
An Eaglais (*boir*) Bhreac an Ear
Na h-Eaglaise Brice an Ear *gin*

Falkirk West (Constituency)
An Eaglais Bhreac an Iar
Na h-Eaglaise Brice an Iar *gin*

family credit *n*
creideas (*fir*) teaghlaich
creideis theaghlaich *gin*

family division *n*
roinn (*boir*) an teaghlaich
roinn an teaghlaich *gin*

family expenditure survey *n*
suirbhidh (*fir*) caiteachais theaghlaich
suirbhidh caiteachais theaghlaich *gin,*
sgrùdadh (*fir*) caiteachais theaghlaich
sgrùdadh caiteachais theaghlaich *gin*

family health division *n*
roinn (*boir*) slàinte teaghlaich
roinn slàinte teaghlaich *gin*

Family Health Services Authority *n*
(FHSA)
Ùghdarras (*fir*) Sheirbheisean Slàinte Teaghlaich
Ùghdarras Sheirbheisean Slàinte Teaghlaich *gin*

family income supplement *n*
(FIS)
sochair-leasachaidh (*boir*) teachd-a-steach teaghlaich
sochair-leasachaidh teachd-a-steach teaghlaich *gin*

family practitioner committee *n*
comataidh (*boir*) nan dotairean-teaghlaich
comataidh nan dotairean-teaghlaich *gin*

family practitioner services *n*
seirbheisean (*boir iol*) nan dotairean-teaghlaich
seirbheisean nan dotaire an-teaghlaich *gin*

farm and conservation grants scheme *n*
sgeama (*fir*) thabhartas thuathanas is glèidhteachais
sgeama thabhartas thuathanas is glèidhteachais *gin*

farm and horticulture development scheme *n*
(FHDS)
sgeama (*fir*) leasachaidh airson thuathanas is tuathanais-ghàrraidh
sgeama leasachaidh airson thuathanas is tuathanais-ghàrraidh *gin*

Farm and Rural Conservation Agency *n*
(formely ADAS)
Buidheann (*boir*) Ghlèidhteachais Thuathanas is Dhùthchail
Buidheann Glèidhteachais Thuathanas is Dùthchail *gin*

Farm Business Surveys *npl*
(FBS)
Sgrùdaidhean (*fir iol*) Gnothachais Thuathanas
Sgrùdaidhean Gnothachais Thuathanas *gin*

Farm Capital Grant Scheme *n*
(FCGS)
Sgeama (*fir*) Tabhartais Chalpa do Thuathanasan
Sgeama Thabhartais Chalpa do Thuathanasan *gin*

Farm Diversification Grant Scheme *n*
(FDGS)
Sgeama (*fir*) Tabhartais Iol-ghnèitheachaidh do Thuathanasan
Sgeama Thabhartais Iol-ghnèitheachaidh do Thuathanasan *gin*

Farm Tourism Advisory Committee *n*
Comataidh (*boir*) Comhairleachaidh air Turasachd Tuathanais
Comataidh Comhairleachaidh air Turasachd Tuathanais *gin*

Farm Woodland Premium Scheme *n*
Sgeama (*fir*) Tàillibh do Choilltean Tuathanais
Sgeama Thàillibh do Choilltean Tuathanais *gin*

Farm Woodland Scheme *n*
Sgeama (*fir*) airson Coilltean Tuathanais
Sgeama airson Coilltean Tuathanais *gin*

far-reaching *adj*
farsaing *br*
the report had far-reaching effects
bha buaidh fharsaing aig an aithisg

fast track *n*
slighe (*boir*) luath
slighe luaithe *gin*
the fast track for promotion
an t-slighe luath gu àrdachadh

fast tracking *n*
a bhith ag obair san t-slighe luath

fast-track *adj*
san t-slighe luath
1 fast-track legislation
reachdas san t-slighe luath
2 fast-track procedure
dòigh-obrach san t-slighe luath

Father *n* **of the House**
(Parliament)
Athair (*fir*) na Pàrlamaid
Athair na Pàrlamaid *gin*

fault *n*
coire *boir*
coire *gin*
coireannan *iol*
1 to find fault with someone
coire fhaighinn do neach
2 I accept that the fault is mine
tha mi a' gabhail ris gur e mi fhìn as coireach

fault *v*
lorg (*gr*) mearachd an
lorgadh (*agr*) mearachd an
we could not fault his logic
cha lorgamaid mearachd na argamaid

favour *n*
fàbhar *fir*
fàbhair *gin*
fàbharan *iol*
1 in favour
ann am fàbhar
2 this policy finds favour with the government
tha an riaghaltas a' taobhadh ris a' phoileasaidh seo

favour *v*
bi (*gr*) fàbharach do
1 fortune favours the brave
tha fortan fàbharach don treun
2 to find favour
fàbhar fhaighinn

favourite *adj*
(neach / nì) as roghnaiche le
a favourite policy
poileasaidh as roghnaiche le (neach, buidhinn)

favourite *n*
(neach / nì) as docha le
he is a favourite of mine
is esan as docha leam

fax *n*
facs *fir*
facs *gin*
facsaichean *iol*

fax *v*
cuir (*gr*) facs (gu)
cur (*agr*) facs (gu)

feasibility study *n*
sgrùdadh (*fir*) ion-dhèantachd
sgrùdaidh ion-dhèantachd *gin*
sgrùdaidhean ion-dhèantachd *iol*

federal *adj*
feadarail *br*
federal government
riaghaltas feadarail

federalism *n*
feadaraileachd *boir*
feadaraileachd *gin*

federation *n*
caidreachas *fir*
caidreachais *gin*
caidreachais *iol*

fee *n*
cìs *boir*
cìse *gin*
cìsean *iol*

feedback *n*
fios (*fir*) air ais
fios air ais *gin*

fees office *n*
oifis (*boir*) chìs
oifis chìs *gin*

feud *n*
connsachadh *fir*
connsachaidh *gin,*
falachd *boir*
falachd *gin*
falachdan *iol*

feud *v*
connsaich *gr*
connsachadh *agr*

feuding *n*
connsachadh *fir*
connsachaidh *gin*

fiduciary *adj*
creideasach *br*

fighting fund *n*
maoin (*boir*) còmhraig
maoine còmhraig *gin*
maoinean còmhraig *iol*

file *n*
faidhle *boir*
faidhle *gin*
faidhleachan *iol*
file management system
siostam rianachd fhaidhleachan

file *v*
cuir (*gr*) ann am faidhle
cur (*agr*) ann am faidhle,
faidhlich *gr*
faidhleadh *agr*

filibuster *n*
bacadh (tro bhith
a' dèanamh dàil) *fir*
bacaidh (tro bhith
a' dèanamh dàil) *gin*

filibuster *v*
bac *gr* (tro bhith
a' dèanamh dàil)
bacadh (tro bhith
a' dèanamh dàil) *agr*

filibustering *n*
bacadh (tro bhith
a' dèanamh dàil) *fir*
bacaidh (tro bhith
a' dèanamh dàil) *gin*

filing *n*
faidhleadh *boir*
faidhlidh *gin*
1 filing cabinet
cèis-fhaidhleachan
2 filing clerk
clàrc fhaidhleachan

final *adj*
deireannach *br*

final *n*
(sports)
cuairt (*boir*) dheireannach
cuairte deireannaich *gin*
cuairtean deireannach *iol*

final judg(e)ment *n*
breith (*boir*) dheireannach
breith dheireannaich *gin*

final notice *n*
brath (*fir*) deireannach
bratha dheireannaich *gin*

final order *n*
òrdugh (*fir*) deireannach
òrduigh dheireannaich *gin*
òrduighean deireannach *iol*

finance *n*
ionmhas *fir*
ionmhais *gin*
ionmhasan *iol*
Finance Bill
Bile Ionmhais

finance *v*
ionmhasaich *gr*
ionmhasachadh *agr*

Finance Committee *n*
Comataidh (*boir*) an Ionmhais
Comataidh an Ionmhais *gin*

finance department *n*
roinn (*boir*) an ionmhais
roinn an ionmhais *gin*
roinnean an ionmhais *iol*

finance officer *n*
oifigear (*fir*) an ionmhais
oifigear an ionmhais *gin*
oifigearan an ionmhais *iol*

financial commitment *n*
gealltanas (*fir*) ionmhasail
gealltanais ionmhasail *gin*
gealltanasan ionmhasail *iol*

financial constraints *npl*
cuingeadan (*boir iol*) ionmhasail
chuingeadan ionmhasail *gin*

financial control *n*
smachd (*fir*) ionmhasail
smachd ionmhasail *gin*
smachdan ionmhasail *iol*

financial information system *n*
siostam (*fir*) fiosrachaidh
ionmhasail
siostaim fhiosrachaidh
ionmhasail *gin*
siostaman fiosrachaidh
ionmhasail *iol*

financial interest *n*
ceangal (*fir*) ionmhasail
ceangail ionmhasail *gin*
ceangail / ceanglaichean
ionmhasail *iol*,
com-pàirt (*boir*) ionmhasail
com-pàirt ionmhasail *gin*
com-pàirtean ionmhasail *iol*
to declare a financial interest
com-pàirt ionmhasail
fhoillseachadh

financial limits *npl*
crìochan (*boir iol*) ionmhasail
chrìoch ionmhasail *gin*

financial management *n*
rianachd (*boir*) ionmhasail
rianachd ionmhasail *gin*
Financial Management Initiative (FMI)
Iomairt airson Rianachd
Ionmhasail

financial planning *n*
dealbhadh (*fir*) ionmhasail
dealbhaidh ionmhasail *gin*

financial policy *n*
poileasaidh (*fir*) ionmhasail
poileasaidh ionmhasail *gin*
poileasaidhean ionmhasail *iol*

financial provisions *npl*
ullachadh (*fir*) a thaobh ionmhais
ullachaidh a thaobh ionmhais *gin*

financial prudence *n*
faiceall (*boir*) a thaobh ionmhais
faicill a thaobh ionmhais *gin*

financial regulations *npl*
riaghailtean (*boir iol*) ionmhasail
riaghailtean ionmhasail *gin*

financial resources *npl*
stòras (*fir*) ionmhasail
stòrais ionmhasail *gin*

financial restraint *n*
measarrachd (*boir*) a thaobh
ionmhais
measarrachd a thaobh
ionmhais *gin*

financial return *n*
(form)
bileag-thuairisgeil (*boir*) ionmhais
bileag-thuairisgeil ionmhais *gin*
bileagan-tuairisgeil ionmhais *iol*

financial return *n*
(money)
piseach (*fir*) air airgead
pisich air airgead *gin*

financial secretary *n*
rùnaire (*fir*) an ionmhais
rùnaire an ionmhais *gin*
rùnairean an ionmhais *iol*

financial statement *n*
cunntas (*fir*) ionmhasail
cunntais ionmhasail *gin*
cunntasan ionmhasail *iol*

financial year *n*
bliadhna-ionmhais
bliadhna-ionmhais *gin*
bliadhnachan-ionmhais *iol*

financing *n*
ionmhasachadh *fir*
ionmhasachaidh *gin*
debt financing
ionmhasachadh fhiach

find *v* **favour (with)**
thoir (*gr*) a thaobh
toirt (*agr*) a thaobh
to find favour
(with a person, group)
(neach, buidheann) a thoirt a
thaobh

finding *n*
stèidheachadh *fir*
stèidheachaidh *gin,*
fiosrachadh *fir*
fiosrachaidh *gin,*
breith *boir*
breith *gin*
1 finding of fact
stèidheachadh na fìrinne,
fiosrachadh mun fhìrinn
2 finding of law
breith fon lagh

findings *npl*
toradh *fir sg*
toraidh *gin*
the findings of an enquiry
toradh bho rannsachadh

fine *n*
càin *boir*
cànach / càine *gin*
càintean *iol*
he was fined a hundred
pounds
chaidh càin ceud not air

fire alarm *n*
inneal-rabhaidh (*fir*) teine
inneil-rabhaidh theine *gin*
innealan-rabhaidh teine *iol*

fire certificate *n*
teisteanas (*fir*) teine
teisteanais teine *gin*
teisteanasan teine *iol*

fire door *n*
doras-teine *fir*
dorais-theine *gin*
dorsan-teine *iol*

fire drill *n*
drile-theine *boir*
drile-teine *gin*
drileachan-teine *iol*

fire escape *n*
slighe (*boir*) teichidh
(bho theine)
slighe teichidh
(bho theine) *gin*
slighean teichidh
(bho theine) *iol*

fire extinguisher *n*
inneal-smàlaidh *fir*
inneil-smàlaidh *gin*
innealan-smàlaidh *iol*

fire fighting equipment *n*
acfhainn-smàlaidh teine *boir*
acfhainne-smàlaidh teine *gin*

fire hazard *n*
cunnart (*fir*) teine
cunnairt theine *gin*
cunnartan teine *iol*

fire precautions *npl*
earalas (*fir*) teine
earalais theine *gin*

fire regulation *n*
riaghailt (*boir*) teine
riaghailt teine *gin*
riaghailtean teine *iol*

fire risk *n*
cunnart (*fir*) bho theine
cunnairt bho theine *gin*
cunnartan bho theine *iol*

fire safety *n*
sàbhailteachd (*boir*) teine
sàbhailteachd teine *gin*

first *adj*
a' chiad *br*
1 first past the post
sa chiad àite
2 first past the post election
system
sìostam àireamh bhòtaichean
as motha
3 First Reading (of a Bill)
a' Chiad Leughadh (de Bhile)

First Lord *n* **of the Treasury**
Prìomh Mhorair (*fir*) an Ionmhais
Prìomh Mhorair an Ionmhais *gin*

First Minister *n*
Prìomh Mhinistear *fir*
Prìomh Mhinisteir *gin*
Prìomh Mhinistearan *iol*

First Minister's Questions *npl*
Ceistean (*boir* iol) a' Phrìomh
Mhinisteir
Ceistean a' Phrìomh
Mhinisteir *gin*

fiscal *adj*
fiosgail *br*

fiscal policy *n*
fiscal policies *pl*
poileasaidh (*fir*) fiosgail
poileasaidh fhiosgail *gin*
poileasaidhean fiosgail *iol*

fiscal year *n*
bliadhna (*boir*) fhiosgail
bliadhna fiosgail *gin*
bliadhnachan fiosgail *iol*

Fisheries Protection Agency *n*
Buidheann (*boir*) Dìon an Iasgaich
Buidheann Dìon an Iasgaich *gin*

Fisheries Protection Service *n*
Seirbheis (*boir*) Dìon an Iasgaich
Seirbheis Dìon an Iasgaich *gin*

Fishery Office *n*
Oifis (*boir*) an Iasgaich
Oifis an Iasgaich *gin*

fix *v*
suidhich *gr*
suidheachadh *agr*
to fix the budget
am buidseat a shuidheachadh

fixed assets *npl*
so-mhaoin (*boir sg*) shuidhichte
so-mhaoine suidhichte *gin*

fixed capital *n*
calpa (*fir*) suidhichte
calpa shuidhichte *gin*

fixed penalty *n*
càin (*boir*) shuidhichte
càine suidhichte *gin*
càintean suidhichte *iol,*
ùnnlagh (*fir*) suidhichte
ùnnlagh shuidhichte *gin*
ùnnlaghan suidhichte *iol*

fixed-term contract *n*
cunnradh (*fir*) ùine-suidhichte
cunnraidh ùine-suidhichte *gin*
cunnraidhean ùine-suidhichte *iol*

fixed-term tenancy *n*
teanantachd (*boir*) theirm-shuidhichte
teanantachd theirm-shuidhichte *gin*
teanantachdan teirm-shuidhichte *iol*

flag *v*
comharraich *gr*
comharrachadh *agr*
I wish to flag up a matter of concern
bu mhath leam cùis cùraim a chomharrachadh

flagship *adj*
suaicheanta *br*
a flagship policy
poileasaidh suaicheanta

flagship *n*
suaicheantas *fir*
suaicheantais *gin*
the Parliament is the flagship of democracy in Scotland
's i a' Phàrlamaid suaicheantas an deamocrasaidh an Alba

flaw *n*
gaoid *boir*
gaoide *gin*
gaoidean *iol,*
lochd *fir*
lochda *gin*
lochdan *iol*

flawed evidence *n*
fianais (*boir*) ghaoideach
fianaise gaoidich *gin,*
fianais (*boir*) lochdach
fianaise lochdaich *gin*

flexibility *n*
sùbailteachd *boir*
sùbailteachd *gin*

flexible *adj*
sùbailte *br*

flexible budget *n*
buidseat (*fir*) sùbailte
buidseit shùbailte *gin*
buidseatan sùbailte *iol*

flexible hours *npl*
uairean (*boir iol*) sùbailte
uairean sùbailte *gin*

flexible working *n*
obrachadh (*fir*) sùbailte
obrachaidh shùbailte *gin*

flexitime *n*
uairean (*boir iol*) sùbailte
uairean sùbailte *gin*

flip chart *n*
fille-chlàr *fir*
fille-chlàir *gin*
fille-chlàran *iol*

floating currency *n*
airgead (*fir*) neo-cheangailte .
airgid neo-cheangailte *gin*

floating voter *n*
neach-bhòtaidh (*fir*) neo-cheangailte
neach-bhòtaidh neo-cheangailte *gin*
luchd-bhòtaidh neo-cheangailte *iol*

floor *n* **of the House (Parliament)**
làr (*fir*) an t-Seòmair
làr an t-Seòmair *gin*

flow *n*
sruth *fir*
srutha *gin*
sruthan *iol*
in full flow of speech
ann am meadhan sruth cainnte

flow *v*
sruth *gr*
sruthadh *agr*

flow chart *n*
sruth-chlàr *fir*
sruth-chlàir *gin*
sruth-chlàran *iol*

flow-chart *v*
sruth-chlàr *gr*
sruth-chlàradh *agr*

fluctuate *v*
atharraich *gr* (bho àm gu àm)
atharrachadh *agr* (bho àm gu àm)

fluctuating *a*
caochlaideach *br*

fluctuating currency *n*
airgead (*fir*) luaisgeach
airgid luaisgich *gin*

fluctuation *n*
caochlaideachd *boir*
caochlaideachd *gin*
caochlaidhean *iol*

follow *v*
lean *gr*
leantainn *agr*

follow-up *adj*
leanmhainn *br*
a follow-up meeting
coinneamh leanmhainn

foot and mouth disease *n*
an galar (*fir*) roil(l)each / ronnach
a' ghalair roil(l)ich / ronnaich *gin*
an galar (*fir*) ladhair is beòil
a' ghalair ladhair is bheòil *gin*
an outbreak of foot and mouth disease
briseadh a-mach galair ladhair is bheòil

forbid *v*
toirmisg *gr*
toirmeasg *agr*

forbidden *adj*
toirmisgte *br*

force *n*
neart *fir*
neirt *gin*
an act in full force and effect
achd ann an làn neart is èifeachd

force *v*
èignich *gr*
èigneachadh *agr,*
spàrr *gr*
sparradh *agr*
to force a division / vote
bhòtadh èigneachadh,
bhòt a sparradh (orra)

forecast *n*
ro-aithris *boir*
ro-aithrise *gin*
ro-aithrisean *iol*

forecast *v*
ro-aithris *gr*
ro-aithris *agr*

forecasting *n*
ro-aithris *boir*
ro-aithrise *gin*

forefront,
in the forefront
air tùs gnothaich

foreign affairs *npl*
cùisean (*boir iol*) dhùthchannan cèin
chùisean dhùthchannan cèin *gin*

Foreign and Commonwealth Office *n*
Oifis (*boir*) nan Dùthchannan Cèin agus a' Cho-fhlaitheis
Oifis nan Dùthchannan Cèin agus a' Cho-fhlaitheis *gin*

foreign market *n*
margadh (*fir / boir*) thall thairis
margaidh thall thairis *gin*
margaidhean thall thairis *iol*

Foreign Office *n*
Oifis (*boir*) nan Dùthchannan Cèin
Oifis nan Dùthchannan Cèin *gin*

foreign policy *n*
poileasaidh (*fir*) air dùthchannan cèin
poileasaidh air dùthchannan cèin *gin,*

Foreign Secretary *n*
Rùnaire (*fir*) nan Dùthchannan Cèin
Rùnaire nan Dùthchannan Cèin *gin*

foresee *v*
ro-aithnich *gr*
ro-aithneachadh *agr*

foreseeable *adj*
a chithear air adhart,
a dh'aithnichear ro-làimh
in the foreseeable future
cho fad 's a chithear air adhart,
cho fad 's a dh'aithnichear ro-làimh

forfeiture *n*
arfuntachadh *fir*
arfuntachaidh *gin*

forge *v*
cuir (*gr*) air bhonn
cur (*agr*) air bhonn,
sgrìobh (*gr*) gu fallsa
sgrìobhadh (*agr*) gu fallsa
1 to forge an alliance
caidreabhas a chur air bhonn
2 to forge a signature
ainm a sgrìobhadh gu fallsa

form *n* **(document)**
foirm *fir / boir*
foirm *gin*
foirmean *iol*

form *n* **(of words)**
modh (*boir*) cainnte
modha cainnte *gin*
modhannan cainnte *iol*

form *v*
bi (*gr*) ... ann,
cruthaich *gr*
cruthachadh *agr,*
cuir (*gr*) ri chèile
cur (*agr*) ri chèile
1 they will form the next government
is iadsan an t-ath riaghaltas a bhitheas ann
2 to form a coalition
co-bhanntachd a chruthachadh / a dhèanamh
3 they are trying to form an administration
tha iad a' feuchainn ri riaghaltas a chur ri chèile

form *n* **of contract**
forms *npl* **of contract**
foirm (*fir / boir*) cunnraidh
foirme cunnraidh *gin*
foirmean cunnraidh *iol*

form *n* **of tender**
forms *npl* **of tender**
foirm (*fir / boir*) tairgse
foirme tairgse *gin*
foirmean tairgse *iol*

formal *adj*
foirmeil *br*

formalise *v*
foirmeilich *gr*
foirmealachadh *agr*

formality *n*
foirmealachd *boir*
foirmealachd *gin*
a mere formality
gnàths (*fir*) falamh

former *adj*
a bha ann roimhe
former mayor / provost
fear / tè a bha roimhe na m(h)èar / p(h)ròbhaist

forms and precedents *npl*
nòsan agus ro-eisimpleirean *fir iol*
nòsan agus ro-eisimpleirean *gin*

formula *n*
foirmle / formula *boir*
foirmle *gin*
foirmlichean *iol*
Barnett formula
foirmle / formula Bharnett

formula funding *n*
maoineachadh (*fir*) a rèir foirmle
maoineachaidh a rèir foirmle *gin*

formulate *v*
cuir (*gr*) ri chèile
cur (*agr*) ri chèile

forthcoming *adj*
fosgarra *br*,
ri teachd *cgr*
1 the minister was not forthcoming when questioned in detail
cha d'fhuaras fiosrachadh bhon mhinistear an uair a chaidh a cheasnachadh gu mionaideach
2 the forthcoming event
an tachartas a tha ri teachd

forthwith *adv*
gun mhaille

forum *n*
fòram *fir*
fòraim *gin*
fòraim *iol*
a forum for debate
fòram airson deasbaid

forward planning *n*
ro-phlanadh *fir*
ro-phlanaidh *gin*

forwards *adv*
air adhart *cgr*

foster *v*
(a child)
altramaich *gr*
altramachadh *agr*

foster *v*
(nurture)
àraich *gr*
àrach *agr*
to foster good relations
gus deagh chaidreabh àrach

fourth estate *n*
(the press / media)
an ceathramh tighearnas (na meadhanan)

fragment *v*
falbh (*gr*) na mhìrean
falbh (*agr*) na mhìrean,
mìreanaich *gr*
mìreanachadh *agr*

fragmentation *n*
falbh (*fir*) na mhìrean
falbh na mhìrean *gin*

framework *n*
frèam *fir*
frèama *gin*
frèamaichean *iol*

franchise *n*
(commercial)
ceadachd (margaideachaidh) *boir*
ceadachd (margaideachaidh) *gin*
ceadachdan (margaideachaidh) *iol*

franchise *n*
(political)
còir (*boir*) bhòtaidh
còire bhòtaidh *gin*

franchise *v*
thoir (*gr*) ceadachd (margaideachaidh) do
toirt (*agr*) ceadachd (margaideachaidh) do

fraud *n*
foill *boir*
foille *gin*
foillean *iol*

fraudulent *adj*
foilleil *br*
fraudulent misrepresentation
claon-chunntas foilleil

free *adj*
saor *br*,
an-asgaidh *cgr*
1 a free vote
bhòtadh saor
2 free of charge
saor is an-asgaidh

free market *n*
saor-mhargadh *fir / boir*
saor-mhargaidh *gin*
saor-mhargaidhean *iol*

free speech *n*
saor-chainnt *boir*
saor-chainnte *gin*

freedom *n*
saorsa *boir*
saorsa *gin*

freedom *n* **of assembly**
saorsa (*boir*) tionail
saorsa tionail *gin*

freedom *n* **of choice**
saorsa (*boir*) taghaidh
saorsa taghaidh *gin*

freedom *n* **of expression**
saorsa (*boir*) labhairt
saorsa labhairt *gin*

freedom *n* **of information**
saorsa (*boir*) fiosrachaidh
saorsa fiosrachaidh *gin*
Freedom of Information Act
Achd Saorsa an Fhiosrachaidh

freedom *n* **of opinion**
saorsa (*boir*) beachd
saorsa beachd *gin*

freedom *n* **of speech**
saorsa (*boir*) cainnte
saorsa cainnte *gin*

freedom *n* **of the press / media**
saorsa (*boir*) nam meadhanan
saorsa nam meadhanan *gin*

free-standing *adj*
neo-eisimeileach
a free-standing agreement
còrdadh neo-eisimeileach

frequency *n*
bitheantas *fir*
bitheantais *gin,*
minigeachd *boir*
minigeachd *gin*
minigeachdan *iol,*
tricead *fir*
triceid *gin*
1 frequency of meetings
bitheantas nan coinneamhan
2 radio frequency
minigeachd rèidio

frequent *adj*
bitheanta *br*
frequent meetings
coinneamhan bitheanta

frequent *v*
tathaich *gr*
tathaich *agr*
to frequent meetings
coinneamhan a thathaich

front-bench *adj*
beinge-aghaidh *br,*
front-bench spokesman
neach-labhairt airson nam
beingean-aghaidh

front-bench *n*
being-aghaidh *boir*
beinge-aghaidh *gin*
beingean-aghaidh *iol*

front-bencher *n*
beingear-aghaidh *fir*
beingeir-aghaidh *gin*
beingearan-aghaidh *iol,*
beul-bheingear *fir*
beul-bheingeir *gin*
beul-bheingearan *iol*

fulfil *v*
coilean *gr*
coileanadh *agr,*
dèan *gr*
dèanamh *agr*
1 to fulfil a role
riochd a choileanadh
2 to fulfil an obligation
comain a choileanadh
3 to fulfil a function
dleasdanas / dreuchd
a choileanadh,
feum a dhèanamh

full scrutiny *n*
sgrùdadh (*fir*) iomlan
sgrùdaidh iomlain *gin*
sgrùdaidhean iomlan *iol*
full scrutiny procedure
dòigh-obrach làn-sgrùdaidh

fullness *n*
lànachd *boir*
lànachd *gin*
in the fullness of time
san àm iomchaidh,
air a' cheann thall,
an ceann sreath

full-time *adj*
làn-ùine *br*
1 full-time equivalent (FTE) students
oileanaich ionann is làn-ùine
2 full-time staff
luchd-obrach làn-ùine

function *n*
cruinneachadh (*fir*) sòisealta
cruinneachaidh shòisealta *gin*
cruinneachaidhean sòisealta *iol,*
gnìomh *fir*
gnìomha *gin*
gnìomhan *iol*
1 to attend a function
a bhith an làthair aig
cruinneachadh (sòisealta)
2 to perform a function
gnìomh a choileanadh

function *v*
obraich *gr*
obrachadh *agr*

functional *adj*
gnìomhachail *br*
functional strategy
ro-innleachd gnìomhachail

fund *n*
maoin *boir*
maoine *gin*
Consolidated Fund
Maoin Bhonntaichte

fund *v*
maoinich *gr*
maoineachadh *agr*

fundamental *adj*
bunaiteach *br*
a fundamental principle
prionnsabal bunaiteach

funding *n*
(grant)
maoineachadh *fir*
maoineachaidh *gin*
local authority funding
maoineachadh bhon
ùghdarras ionadail

funding formula *n*
foirmle / formula (*boir*)
maoineachaidh
foirmle maoineachaidh *gin*
foirmlichean maoineachaidh *iol*

furnish *v*
thoir (*gr*) do
toirt (*agr*) do
to furnish a report
aithisg a thoirt do
(neach, bhuidhinn)

further *adj*
a bharrachd,
a thuilleadh *cgr*
one further point
aon phuing a bharrachd,
aon phuing a thuilleadh air sin

further *adv*,
further to that point of order
a' leantainn air a' phuing
òrduigh sin

further *v*
cuir (*gr*) air adhart
cur (*agr*) air adhart
to further a cause
adhbhar a chur air adhart

further education *n*
(FE)
foghlam (*fir*) adhartach
foghlaim adhartaich *gin*

furtherance *n*
cur (*fir*) air aghaidh
cuir air aghaidh *gin*
in furtherance of
ann a bhith a' cur air aghaidh

future *adj*
san àm ri teachd
at a future date
san àm ri teachd

future *n*
àm (*fir*) ri teachd
ama ri teachd *gin*

G8 *n*
(group of industrialised nations)
a' bhuidheann (*fir / boir*) G8 (de na dùthchannan as beartaiche)
na buidhne G8 *gin*

Gaelic Arts Development Council *n*
Pròiseact (*fir*) nan Ealan
Pròiseact nan Ealan *gin*

Gaelic Broadcasting Committee *n*
Comataidh (*boir*) Craolaidh Gàidhlig
Comataidh Craolaidh Gàidhlig *gin*

Gaelic Pre-school Council *n*
Comhairle (*boir*) nan Sgoiltean Àraich (CNSA)
Comhairle nan Sgoiltean Àraich *gin*

gain *n*
(increase, profit)
buannachd *boir*
buannachd *gin*
buannachdan *iol*

gain *v*
buannaich *gr*
buannachd *agr*
to gain a majority vote
mòr-chuid (de bhòtaichean) a bhuannachd

gallery *n*
gailearaidh *fir*
gailearaidh *gin*
gailearaidhean *iol*

Galloway and Upper Nithsdale
(Constituency)
Gall-Ghaidhealaibh agus Bràigh Nid
Gall-Ghaidhealaibh agus Bràigh Nid *gin*

gap *n*
beàrn *boir*
bèirn *gin*
beàrnan *iol*
a gap in the legislation
beàrn san reachdas

garner *v*
dìoghlaim *gr*
dìoghlam *agr*
garner resources
stòrasan a dhìoghlam

gauge *v*
tomhais *gr*
tomhas *agr*
to gauge the strength of local opinion
tomhas cho làidir is a tha daoine san àite a' faireachdainnean

gender *n*
(grammatical)
gnè *boir*
gnè *gin*

gender *n*
(sex)
gin *boir*
gine *gin,*
gnè *boir*
gnè *gin*
gender issues
cùisean co-cheangailte ri gin / gnè

general *adj*
coitcheann *br*

General Agreement on Tariffs and Trade *n*
(GATT)
Còrdadh (*fir*) Coitcheann air Taraifean is Malairt
Còrdaidh (*fir*) Choitchinn air Taraifean is Malairt *gin*

general election *n*
taghadh (*fir*) coitcheann
taghaidh choitchinn *gin*
General Election (Westminster)
Taghadh Pàrlamaid (Westminster)

general improvement area *n*
(GIA)
ceàrn (*fir*) leasachaidh choitchinn
ceàrn leasachaidh choitchinn *gin*
ceàrnaidhean leasachaidh choitchinn *iol*

General Nursing Council *n*
Comhairle (*boir*) Choitcheann an Nursaidh
Comhairle Choitcheann an Nursaidh *gin*

general purposes committee *n*
comataidh (*boir*) adhbharan coitcheann
comataidh adhbharan coitcheann *gin*

general register office *n*
oifis (*boir*) choitcheann a' chlàraidh
oifis choitcheann a' chlàraidh *gin*

general review *n*
sgrùdadh (*fir*) coitcheann
sgrùdaidh choitchinn *gin*
sgrùdaidhean coitcheann *iol*

general schools budget *n*
(GSB)
buidseat (*fir*) coitcheann nan sgoiltean
buidseat coitcheann nan sgoiltean *gin*

General Scottish Vocational Qualification *n*
(GSVQ)
Barrantas (*fir*) Dreuchdail Coitcheann na h-Alba
Barrantas Dreuchdail Coitcheann na h-Alba *gin*

general secretary *n*
àrd-rùnaire *fir*
àrd-rùnaire *gin*
àrd-rùnairean *iol*

generate *v*
gin *gr*
gineadh *agr*
the debate generated more heat than light
bha an deasbad aimhreiteach, gum mhòran fiosrachaidh a' tighinn am bàrr

generic *adj*
coitcheann *br*
generic skills
sgilean coitcheann

gerrymander *v*
dèan (*gr*) claon-roinn (air sgìre taghaidh)
dèanamh (*agr*) claon-roinne (air sgìre taghaidh)

gerrymandering *n*
claon-roinn *boir*
claon-roinne *gin*

gibe *n*
goth *fir*
gothaidh *gin*
gothaidhnean *iol,*
tàthag *boir*
tàthaig *gin*
tàthagan *iol*
a cheap gibe
tàthag shuarach

gibe *v*
thoir (*gr*) goth air
toirt (*agr*) goth air

gift *n*
(present)
tìodhlac *fir*
tìodhlaic *gin*
tìodhlacan *iol*

gift *n*
(talent)
gibht *boir*
gibht *gin*
gibhtean *iol*

give *v*
thoir *gr*
toirt *agr,*
thoir (*gr*) gu buil
toirt (*agr*) gu buil
to give effect (to something)
(rud) a thoirt gu buil

give *v* **way**
gèill *gr*
gèilleadh *agr*
to give way in debate
a ghèilleadh (do neach) ann an deasbad

glare *n*
làn-fhollais *boir*
làn-fhollais *gin*
in the glare of publicity
ann an làn-fhollais a' mhòr-shluaigh

glare *v*
thoir (*gr*) sùil fhiadhaich
toirt (*agr*) sùil fhiadhaich
to glare at an opponent
sùil fhiadhaich a thoirt air neach-dùbhlain

glaring *adj*
làn-fhollaiseach *br*
a glaring error
mearachd làn-fhollaiseach

Glasgow Anniesland
(Constituency)
Glaschu Anniesland
Glaschu Anniesland *gin*

Glasgow Baillieston
(Constituency)
Glaschu Baillieston
Glaschu Baillieston *gin*

Glasgow Cathcart
(Constituency)
Glaschu Coille Chart
Glaschu Coille Chart *gin*

Glasgow Govan
(Constituency)
Glaschu Baile a' Ghobhainn
Glaschu Baile a' Ghobhainn *gin*

Glasgow Kelvin
(Constituency)
Glaschu Ceilbhin
Glaschu Ceilbhin *gin*

Glasgow Maryhill
(Constituency)
Glaschu Maryhill
Glaschu Maryhill *gin*

Glasgow Pollock
(Constituency)
Glaschu Pollock
Glaschu Pollock *gin*

Glasgow Rutherglen
(Constituency)
Glaschu An Ruadh Ghleann
Glaschu An Ruadh Ghleann *gin*

Glasgow Shettleston
(Constituency)
Glaschu Shettleston
Glaschu Shettleston *gin,*
Glaschu Baile Sheadna
Glaschu Baile Sheadna *gin*

Glasgow Springburn
(Constituency)
Glaschu Springburn
Glaschu Springburn *gin*

golden share *n*
earrann (*boir*) an òir
earrann an òir *gin*
the government holds a golden share
tha earrann an òir ann an làmhan an riaghaltais

goods vehicle testing station *n*
stèisean (*fir*) dearbhaidh charbad-bathair
stèisein dhearbhaidh charbad-bathair *gin*
stèiseanan dearbhaidh charbad-bathair *iol*

goodwill *n*
deagh-ghean *fir*
deagh-gheana *gin*
the policy has generated goodwill among the people
tha am poileasaidh air deagh-ghean a thogail am measg an t-sluaigh

Gordon (Constituency)
Gòrdan *fir*
Ghòrdain *gin*

govern *v*
riaghail *gr*
riaghladh *agr*

government *n*
riaghaltas *fir*
riaghaltais *gin*
riaghaltasan *iol*

Government Actuary's Department *n*
Roinn (*boir*) Actuaraidh an Riaghaltais
Roinn Actuaraidh an Riaghaltais *gin*

government agency *n*
buidheann (*boir*) riaghaltais
buidhne riaghaltais *gin*
buidhnean riaghaltais *iol*

government circular *n*
cuairtlitir (*boir*) riaghaltais
cuairtlitir riaghaltais *gin*
cuairtlitrichean riaghaltais *iol*

government contract *n*
cunnradh (*fir*) riaghaltais
cunnraidh riaghaltais *gin*
cunnraidhean riaghaltais *iol*

government department *n*
roinn (*boir*) riaghaltais
roinne riaghaltais *gin*
roinnean riaghaltais *iol*

government expenditure *n*
caiteachas (*fir*) riaghaltais
caiteachais riaghaltais *gin*

government policy *n*
poileasaidh (*fir*) riaghaltais
poileasaidh riaghaltais *gin*
poileasaidhean riaghaltais *iol*

government telecommunications network *n*
lìon (*fir*) tele-chonaltraidh an riaghaltais
lìon tele-chonaltraidh an riaghaltais *gin*
lìn tele-chonaltraidh an riaghaltais *iol*

government training centre *n*
ionad (*fir*) trèanaidh an riaghaltais
ionad trèanaidh an riaghaltais *gin*
ionadan trèanaidh an riaghaltais *iol*

government whip *n*
cuip (*boir*) an riaghaltais
cuip an riaghaltais *gin*
cuipean an riaghaltais *iol*

grade *n*
ìre *boir*
ìre *gin*
ìrean *iol*

grade *v*
rangaich *gr*
rangachadh *agr*

graduate teacher programme *n*
prògram (*fir*) luchd-teagaisg le ceum
prògraim luchd-teagaisg le ceum *gin*

grant *n*
tabhartas *fir*
tabhartais *gin*
tabhartasan *iol*
1 European Grant
Tabhartas Eòrpach
2 Specific Grants
Tabhartasan Sònraichte

grant *v*
builich *gr*
buileachadh *agr*
grant leave
cead a bhuileachadh

grant aid *n*
tabhartas-cuideachaidh *fir*
tabhartais-chuideachaidh *gin*
tabhartasan-cuideachaidh *iol*

grant aid *v*
thoir (*gr*) tabhartas-cuideachaidh do
toirt (*agr*) tabhartais-chuideachaidh do
to grant aid an association
tabhartas-cuideachaidh a thoirt do chomann

grant application *n*
iarrtas (*fir*) airson tabhartais
iarrtais airson tabhartais *gin*
iarrtasan airson tabhartais *iol*

grant *n* **in aid**
tabhartas (*fir*) gus cuideachadh
tabhartais gus cuideachadh *gin*
tabhartasan gus cuideachadh *iol*

grasp *n*
grèim *fir*
grèim *gin*
within our grasp
nar grèim

grasp *v*
gabh (*gr*) grèim air
gabhail (*agr*) grèim air
to grasp an opportunity
grèim a ghabhail air cothrom

grassroots democracy *n*
deamocrasaidh (*fir*) am measg an t-sluaigh
deamocrasaidh am measg an t-sluaigh *gin*

grassroots opinion *n*
beachd (*fir*) an t-sluaigh
beachd an t-sluaigh *gin*

gratitude *n*
buidheachas *fir*
buidheachais *gin*

gratuitous *adj*
(uncalled for)
gun fàth gun adhbhar

gratuity *n*
saor-thìodhlac *fir*
saor-thìodhlaic *gin*
saor-thìodhlacan *iol*

Greater London Assembly *n*
Seanadh (*fir*) Mòr-roinn Lunnainn
Seanaidh Mòr-roinn Lunnainn *gin*

Greater London Council *n*
(GLC)
Comhairle (*boir*) Mòr-roinn Lunnainn
Comhairle Mòr-roinn Lunnainn *gin*

green paper *n*
pàipear (*fir*) uaine
pàipeir uaine *gin*
pàipearan uaine *iol*

Green Party *n*
am Pàrtaidh (*fir*) Uaine
a' Phàrtaidh Uaine *gin*
the Greens
na h-Uainich

Greenock and Inverclyde
(Constituency)
Grianaig agus Inbhir Chluaidh
Grianaig agus Inbhir Chluaidh *gin*

greet *v*
cuir (*gr*) fàilte air
cur (*agr*) fàilte air

greet *v* **with derision**
dèan (*gr*) bùrt ri
dèanamh (*agr*) bùirt ri
to greet a speech with derision
bùrt a dhèanamh ri òraid

grievance *n*
cùis-ghearain *boir*
cùise-gearain *gin*
cùisean-gearain *iol*

grievance procedure *n*
dòigh-obrach (*boir*) a thaobh chùisean-gearain
dòigh-obrach a thaobh chùisean-gearain *gin*

gross capital *n*
làn-chalpa *fir*
làn-chalpa *gin*

gross domestic product *n*
(GDP)
làn-thoradh (*fir*) dùthchail
làn-thoraidh dhùthchail

gross misconduct *n*
fìor mhì-ghiùlan *fir*
fìor mhì-ghiùlain *gin*

gross national product *n*
(GNP)
làn-thoradh (*fir*) nàiseanta
làn-thoraidh nàiseanta

ground *n*
adhbhar *fir*
adhbhair *gin*
adhbhair / adhbharan *iol*
ground for the application
bun-adhbhar don iarrtas
ground of appeal
adhbhar tagraidh

groundless *adj*
gun adhbhar,
gun bhunait
your fears are groundless
tha eagal oirbh gun adhbhar

group director *n*
stiùiriche (*fir*) còmhlain
stiùiriche chòmhlain *gin*
stiùirichean còmhlain *iol*

guarantee *n*
barrantas *fir*
barrantais *gin*
barrantasan *iol*

guarantee *v*
rach (*gr*) an urras
dol (*gr*) an urras

guaranteed *adj*
le barrantas
guaranteed for two years
le barrantas dà bhliadhna

guerrilla *n*
guerrilla *fir*
guerrilla *gin*
1 guerrilla tactics
innleachdan guerrilla
2 guerrilla warfare
cogadh guerrilla

guidance *n*
stiùireadh *fir*
stiùiridh *gin*
guidance note
nota stiùiridh

guide *n*
(publication)
leabhar-iùil *fir*
leabhair-iùil *gin*
leabhraichean-iùil *iol*

guide *n*
(person)
neach-iùil *fir*
neach-iùil *gin*
luchd-iùil *iol*

guide *v*
stiùir *gr*
stiùireadh *agr,*
thoir (*gr*) stiùireadh do
toirt (*agr*) stiùiridh do

guideline *n*
stiùireadh *fir*
stiùiridh *gin,*
comharra (*fir*) treòrachaidh
comharra threòrachaidh *gin*
comharran treòrachaidh *iol*
to act within certain broad guidelines
rud a dhèanamh an taobh a-staigh stiùiridh fharsainn shònraichte

guillotine *n*
gileatain *fir*
gileatain *gin*
guillotine motion
gluasad airson gileatain

guillotine *v*
cuir (*gr*) fo ghileatain
cur (*gr*) fo ghileatain
to guillotine a bill
bile a chur fo ghileatain

guilt *n*
cionta *fir*
cionta *gin*

guilty *adj*
ciontach *br*
the guilty party
an fheadhainn (a tha) ciontach

gutter politics *n*
poileataics (*boir*) an t-saibheir
poileataics an t-saibheir *gin*

gutter press *n*
luchd-naidheachd (*iol*) an t-sàibheir
luchd-naidheachd an t-sàibheir *gin*

habitual *adj*
gnàthach *br*

half-hearted *adj*
leth choma *br,*
meang-bhlàth *br*
a half-hearted effort
oidhirp leth choma,
oidhirp mheang-bhlàth

Hamilton North and Bellshill (Constituency)
Hamalton a Tuath agus Bellshill
Hamalton a Tuath agus Bellshill *gin*

Hamilton South (Constituency)
Hamalton a Deas
Hamalton a Deas *gin*

handcuff *v*
cuir *(gr)* glas-làmh (air)
cur *(agr)* glas-làmh (air)

handcuffs *npl*
glas-làmh *boir*
glais-làmh *gin*
glasan-làmh *iol*

harass *v*
claoidh *gr*
claoidh *agr,*
leamhaich *gr*
leamhachadh *agr,*
sàraich *gr*
sàrachadh *agr*

harassment *n*
sàrachadh *fir*
sàrachaidh *gin*
sexual harassment
sàrachadh gnèitheasach / sàrachadh feiseil

hardship *n*
cruadal *fir*
cruadail *gin*
cruadalan *iol*

harm *n*
cron *fir*
croin *gin*
croin *iol*
substantial harm
tomhas mòr de chron

harm *v*
dèan *(gr)* cron air
dèanamh *(agr)* croin air

haste *n*
cabhag *boir*
cabhaig *gin,*
deifir *boir*
deifire *gin*
indecent haste
cabhag neo-iomchaidh,
deifir neo-iomchaidh

head *adj*
àrd- *br,*
prìomh *br*
head landlord
àrd-uachdaran
head lease
prìomh ghabhail

head *n* **of department**
heads *npl* **of departments**
stiùiriche-roinne *fir*
stiùiriche-roinne *gin*
stiùirichean-roinnean *iol*

head *n* **of division**
heads *npl* **of divisions**
stiùiriche (*fir*) fo-roinne
stiùiriche fho-roinne *gin*
stiùirichean fho-roinnean *iol*

head *n* **of state**
heads *npl* **of state**
ceann-stàite *fir*
cinn-stàite *gin*
cinn-stàite *iol*

head *n* **of unit**
heads *npl* **of units**
ceannard-aonaid *fir*
ceannaird-aonaid *gin*
ceannardan-aonadan *iol*

headed *adj*
le ceann
headed paper
pàipear le ceann (clò-bhuailte)

heading *n*
ceann *fir*
cinn *gin*
cinn *iol*
a subject heading
ceann-cuspair

headnote *n*
(to a law report)
ceann-sgrìobhainne *fir*
cinn-sgrìobhainne *gin*
cinn-sgrìobhainne *iol,*
nota-chinn *boir*
nota-cinn *gin*
notaichean-cinn *iol*

headquarters *n / pl*
prìomh oifis *boir*
prìomh oifis *gin*
prìomh oifisean *iol,*
prìomh àros *fir*
prìomh àrois *gin*
prìomh àrosan *iol*

Headquarters *n / pl*
(Lifelong Learning)
Prìomh Oifisean (*boir iol*) (Foghlam Fad-beatha)
Phrìomh Oifisean (Foghlam Fad-beatha) *gin*

health *n*
slàinte *boir*
slàinte *gin*
health and safety at work
slàinte is sàbhailteachd san àite-obrach

Health and Safety Executive *n*
Roinn-Ghnìomha (*boir*) Slàinte is Sàbhailteachd
Roinne-Gnìomha Slàinte is Sàbhailteachd *gin*

health and safety policy *n*
poileasaidh (*fir*) slàinte is sàbhailteachd
poileasaidh shlàinte is shàbhailteachd *gin*
poileasaidhean slàinte is sàbhailteachd *iol*

Health and Community Care Committee *n*
Comataidh (boir) na Slàinte agus Cùraim Choimhearsnachd
Comataidh na Slàinte agus Cùraim Choimhearsnachd *gin*

health board *n*
bòrd (*fir*) slàinte
bùird shlàinte *gin*
bùird shlàinte *iol*

health council *n*
comhairle (*boir*) slàinte
comhairle slàinte *gin*

health department *n*
roinn (*boir*) slàinte
roinne slàinte *gin*
roinnean slàinte *iol*

health district *n*
sgìre (*boir*) slàinte
sgìre slàinte *gin*
sgìrean slàinte *iol*

health education *n*
foghlam (*fir*) slàinte
foghlaim shlàinte *gin*
Health Education Council
Comhairle airson Foghlaim Shlàinte

Health Education Board *n* **for Scotland (HEBS)**
Bòrd (*fir*) Foghlaim Shlàinte na h-Alba
Bhòrd Foghlaim Shlàinte na h-Alba *gin*

Health Policy Unit *n*
Aonad (*fir*) Poileasaidh Slàinte
Aonaid Phoileasaidh Slàinte *gin*

health information *n*
fiosrachadh (*fir*) slàinte
fiosrachaidh shlàinte

health promotion *n*
brosnachadh (*fir*) slàinte
brosnachaidh shlàinte
Health Promotion Authority
Ùghdarras (*fir*) Brosnachaidh Shlàinte

health services *npl*
seirbheisean (*boir iol*) slàinte
seirbheisean slàinte *gin*
health services policy
poileasaidh seirbheisean slàinte

healthy *adj*
fallain *br*
healthy debate
deasbad fallain

hear *v*
cluinn *gr*
cluinntinn agr
hear! hear!
math thu!, dha-rìribh!

hearing *n*
cùis *boir*
cùise *gin*
cùisean *iol,*
èisteachd *boir*
èisteachd *gin*
èisteachdan *iol,*
rannsachadh *fir*
rannsachaidh *gin*
rannsachaidhean *iol*
1 a court hearing
cùis lagha
2 public hearing
rannsachadh poblach

hearsay *n*
fathann *fir* fathainn *gin*
hearsay evidence
fianais fathainn

heart *n*
cridhe *fir*
cridhe *gin*
cridheachan *iol*
1 with (his) hand on (his) heart
le làmh air a bhroilleach
2 the heart of the matter
cnag na cùise

heated *adj*
teth *br*
heated argument / debate / discussion
argamaid theth / deasbad teth / còmhradh teth

heckle *v*
buair *gr*
buaireadh *agr,*
piobraich *gr*
piobrachadh *agr*

heckler *n*
buaireadair *fir*
buaireadairean *iol*

heckling *n*
buaireadh *fir*
buairidh *gin,*
piobrachadh *fir*
piobrachaidh *gin*

hectoring *adj*
bagrach *br*
to speak in a hectoring tone
labhairt ann an dòigh bhagraich

hectoring *n*
bagradh *fir*
bagraidh *gin*

hegemony *n*
ceannas *fir*
ceannais *gin*

heinous *adj*
aingidh *br,*
eucoireach *br,*
gràineil *br*
1 heinous offence
casaid aingidh
2 heinous crime
eucoir aingidh / ghràineil

help desk *n*
deasg (*fir*) cuideachaidh
deasg chuideachaidh *gin*
deasgan cuideachaidh *iol*

helpline *n*
loidhne (*boir*) taice,
loidhne taice *gin*,
loidhne (*boir*) fiosrachaidh,
loidhne fiosrachaidh *gin*,
taic (*boir*) fòn
taice fòn *gin*

hence *adv*
à seo suas *cgr*

hence *conj*
air an adhbhar sin *nr*

Her Majesty's Inspectors *npl* **of Schools**
(HMI)
Luchd-sgrùdaidh (*iol*) na Bànrighe airson Sgoiltean
Luchd-sgrùdaidh na Bànrighe airson Sgoiltean *gin*

Her Majesty's Stationery Office *n*
(HMSO)
Oifis (*boir*) Foillseachaidh na Bànrighe
Oifis Foillseachaidh na Bànrighe *gin*

hereditary peer *n*
morair (*fir*) oighre
morair oighre *gin*
morairean oighre *iol*

hereinafter *adv*
bho seo a-mach

heresy *n*
eiriceachd *boir*
eiriceachd *gin*
eiriceachdan *iol*,
saobh-chreideamh *fir*
saobh-chreideimh *gin*
saobh-chreideamhan *iol*

hereupon *adv*
an dèidh seo *cgr*,
leis a seo *cgr*

heritage *n*
dualchas *fir*
dualchais *gin*
dualchasan *iol*
heritage coast
oirthir dhualchasach

hidden agenda *n*
clàr-gnothaich (*fir*) falaichte
clàir-ghnothaich fhalaichte *gin*
clàran-gnothaich falaichte *iol*,
cuilbheart *boir*
cuilbheirt *gin*
cuilbheartan *iol*

hierarchy *n*
rangachd *boir*
rangachd *gin*
rangachdan *iol*,
siostam-rangachaidh *fir*
siostaim-rangachaidh *gin*
siostaman-rangachaidh *iol*

High Commission *n*
Àrd-choimisean *fir*
Àrd-choimisein *gin*
Àrd-choimiseanan *iol*

High Commissioner *n*
Àrd-choimiseanair *fir*
Àrd-choimiseanair *gin*
Àrd-choimiseanairean *iol*

high court *n*
àrd-chùirt *boir*
àrd-chùirte *gin*
àrd-chùirtean *iol*
High Court of Justiciary
Àrd-Chùirt a' Cheartais

high profile *n*
ìomhaigh àrd *boir*
ìomhaigh àirde *gin*
ìomhaighean àrda *iol*
to maintain a high profile
ìomhaigh àrd a chumail

high treason *n*
mòr-thraoidhtearachd *boir*
mòr-thraoidhtearachd *gin*,
mòr-bhrathadh *fir*
mòr-bhrathaidh *gin*

higher education *n*
(HE)
foghlam àrd-ìre *fir*
foghlaim àrd-ìre *gin*

higher national certificate
(HNC)
Teisteanas (*fir*) Nàiseanta Àrd-ìre
Teisteanais Nàiseanta Àrd-ìre *gin*
Teisteanasan Nàiseanta Àrd-ìre *iol*

Higher National Diploma *n*
(HND)
Dioplòma (*fir*) Nàiseanta Àrd-ìre
Dioplòma Nàiseanta Àrd-ìre *gin*

Highland Health Board *n*
Bòrd (*fir*) Slàinte na Gaidhealtachd
Bòrd Slàinte na Gaidhealtachd *gin*

Highland Primary Care NHS Trust *n*
Urras (*fir*) NHS Prìomh Chùram na Gaidhealtachd
Urras NHS Prìomh Chùram na Gaidhealtachd *gin*

Highlands and Islands Convention *n*
Co-chruinneachadh (*fir*) na Gaidhealtachd is nan Eilean
Co-chruinneachadh na Gaidhealtachd is nan Eilean *gin*

Highlands and Islands Development Board *n*
Bòrd (*fir*) Leasachaidh na Gaidhealtachd is nan Eilean
Bòrd Leasachaidh na Gaidhealtachd is nan Eilean *gin*

Highlands and Islands Enterprise *n*
(HIE)
Iomairt (*boir*) na Gaidhealtachd is nan Eilean
Iomairt na Gaidhealtachd is nan Eilean *gin*

highlight *n*
puing (*boir*) chudthromach
puinge cudthromaich *gin*
puingean cudthromach *iol*
the highlight of the speech
a' phuing a bu chudthromaich den òraid

highlight *v*
cuir *(gr)* cudthrom air
cur *(agr)* cudthruim air
to highlight a point
cudthrom a chur air puing

high-profile *adj*
follaiseach *br,*
làn-fhollaiseach *br*
a high-profile strategy
ro-innleachd làn-fhollaiseach

high-risk strategy *n*
ro-innleachd (*boir*) chunnartach
ro-innleachd chunnartaich *gin*
ro-innleachdan cunnartach *iol*

highway *n*
rathad-mòr *fir*
rathaid-mhòir *gin*
rathaidean-mòra /
ròidean-mòra *iol*
Highway Code
Còd an Rathaid

Hill Livestock Compensatory Allowance *n*
Cuibhreann (*fir*) Dìolaidh Stuic air Talamh Àrd
Cuibhreann (*fir*) Dìolaidh Stuic air Talamh Àrd *gin*

Historic Scotland *n*
Alba (*boir*) Eachdraidheil
Alba Eachdraidheil *gin*

hitherto *adj*
gu ruige seo

hold *v*
cùm *(gr)* ris a' bheachd
cumail *(agr)* ris a' bheachd
the Court holds
tha a' Chùirt a' cumail ris a' bheachd

holiday *n*
saor-latha *fir*
saor-latha *gin*
saor-làithean *iol*
1 holiday entitlement
còir air saor-làithean
2 holiday with pay
saor-latha air pàigheadh

home affairs *npl*
cùisean (*boir iol*) na dùthcha
cùisean na dùthcha *gin*

home civil service *n*
seirbheis (*boir*) chatharra na dùthcha
seirbheis chatharra na dùthcha *gin*

home market *n*
margadh (*fir / boir*) na dùthcha fhèin
margadh na dùthcha fhèin *gin*

Home Office *n*
Oifis (*boir*) na Dùthcha
Oifis na Dùthcha *gin*

home owner *n*
sealbhadair (*fir*) dachaigh
sealbhadair dhachaigh *gin*
sealbhadairean dachaigh *iol*

home rule *n*
fèin-riaghladh *fir*
fèin-riaghlaidh *gin*

Home Secretary *n*
Rùnaire (*fir*) na Dùthcha
Rùnaire na Dùthcha *gin*

homeless *adj*
gun dachaigh

homeless *n*
daoine (*fir iol*) gun dachaigh
dhaoine gun dachaigh *gin*

homelessness *n*
dìth (*boir*) dachaigh
dìth dachaigh *gin,*
a bhith gun dachaigh

homes insulation scheme *n*
sgeama (*fir*) teas-ghleidhidh dhachaighean
sgeama theas-ghleidhidh dhachaighean *gin*
sgeamaichean teas-ghleidhidh dhachaighean *iol*

honest *adj*
onarach *br,*
trèibhdhireach *br*

honesty *n*
onair *boir*
onaire *gin,*
trèibhdhireas *fir*
trèibhdhireis *gin*

honeymoon period *n*
àm (*fir*) nam pòg
àm nam pòg *gin*
amannan nam pòg *iol*

honour *n*
urram *fir*
urraim *gin*
to acquit yourself with honour
thu fhèin a ghiùlan le urram

honour *v*
thoir *(gr)* urram do
toirt *(agr)* urraim do,
cuir *(gr)* urram air
cur *(agr)* urraim air,
coilean *gr*
coileanadh agr
1 to honour the wishes of the people
urram a thoirt do thoil an t-sluaigh
2 to honour someone for his / her work
urram a chur air neach airson na h-obrach a rinn e / i
3 they have honoured their commitment
tha iad air an gealladh a choileanadh

honourable *adj*
urramach *br*
the (right) honourable member
am ball (fìor) urramach

honours list *n*
liosta (*boir*) urraim
liosta urraim *gin*
liostaichean urraim *iol*

honours system *n*
siostam (*fir*) urraim
siostaim urraim *gin*
siostaman urraim *iol*

Horticultural and Marketing Office *n*
Oifis (*boir*) Tuathanais-ghàrraidh agus Margaideachd
Oifis Tuathanais-ghàrraidh agus Margaideachd *gin*

horse-trading *n*
geur-bharganachadh *fir*
geur-bharganachaidh *gin*

horticultural adviser *n*
comhairleach (*fir*) tuathanachais-ghàrraidh
comhairlich thuathanachais-ghàrraidh *gin*
comhairlich thuathanachais-ghàrraidh *iol*

hospital management committee *n*
(HMC)
comataidh (*boir*) stiùiridh ospadail
comataidh stiùiridh ospadail *gin*
comataidhean stiùiridh ospadailean *iol*

hospitality *n*
aoigheachd *boir*
aoigheachd *gin*
hospitality suite
seòmar / seòmraichean aoigheachd

host broadcaster *n*
òst-chraoladair *fir*
òst-chraoladair *gin*
òst-chraoladairean *iol*

hostage *n*
bràigh *fir / boir*
bràighe *gin*
bràighdean *iol,*
neach (*fir*) am bruid
neach am am bruid *gin*
daoine am am bruid *iol*

hostel *n*
ostail *boir*
ostail *gin*
ostailean *iol*
hostel deficit grant
tabhartas easbhaidhe ostail

hostilities *npl*
cogadh *fir*
cogaidh *gin*
cogaidhean *iol,*
sabaid *boir*
sabaid *gin*
sabaidean *iol*

hostility *n*
nàimhdeas *fir*
nàimhdeis *gin,*
faireachdainn (*boir*) an aghaidh
faireachdainn an aghaidh *gin*
1 hostility was shown towards him
chaidh nàimhdeas a nochdadh dha
2 there is some hostility towards the proposal
tha faireachdainnean làidir ann an aghaidh a' mholaidh

hotchpotch *n*
brochan *fir*
brochain *gin*

hours *npl* **of work**
uairean (*boir iol*) obrach
uairean obrach *gin*

House *n* **of Commons**
Taigh (*fir*) nan Cumantan
Thaigh nan Cumantan *gin*

House *n* **of Lords**
Taigh (*fir*) nam Morairean
Thaigh nam Morairean *gin*

house owner *n*
sealbhadair (*fir*) taighe
sealbhadair thaighe *gin*
sealbhadairean thaighean *iol*

houses *npl* **in multiple occupation**
(HMOs)
taighean (*fir iol*) ann an ioma-sheilbh
thaighean ann an ioma-sheilbh *gin,*
taighean (*fir iol*) sa bheil grunnd a' còmhnaidh
thaighean sa bheil grunnd a' còmhnaidh *gin*

Houses *npl* **of Parliament**
Taighean (*fir iol*) na Pàrlamaid
Thaighean na Pàrlamaid *gin*

housing *n*
taigheadas *fir*
taigheadais *gin*

housing action areas *npl*
(HAA)
ceàrnaidhean (*fir iol*) obair-ghnìomha thaigheadais
cheàrnaidhean obair-ghnìomha thaigheadais *gin*

housing advice centre *n*
ionad (*fir*) comhairle taigheadais
ionaid chomhairle thaigheadais *gin*
ionadan comhairle taigheadais *iol*

Housing Corporation *n*
Corparaid (*boir*) Taigheadais
Corparaid Taigheadais *gin*
Corparaidean Taigheadais *iol*

housing cost yardsticks *npl*
tomhasan (*fir iol*) cosgais taigheadais
tomhasan cosgais taigheadais *gin*

housing costs *npl*
cosgaisean (*boir iol*) taigheadais
chosgaisean taigheadais *gin*

human resource management *n*
(HRM)
rianachd (*boir*) ghoireas dhaonna
rianachd ghoireas dhaonna *gin*

human resources *npl*
goireasan (*fir iol*) daonna
ghoireasan daonna *gin*

human rights *npl*
còraichean (*boir iol*) daonna
chòraichean daonna
human rights abuse
mì-ghnàthachadh chòraichean daonna

hung council *n*
comhairle (*boir*) gun mhòr-chuid
comhairle gun mhòr-chuid *gin*
comhairlean gun mhòr-chuid *iol*

hung parliament *n*
pàrlamaid (*boir*) gun mhòr-chuid
pàrlamaid gun mhòr-chuid *gin*
pàrlamaidean gun mhòr-chuid *iol*

hustings *npl*
iomairt (*boir*) taghaidh
iomairt taghaidh *gin*
iomairtean taghaidh *iol*

hype *n*
haidhp *boir*
haidhp *gin*,
sèideadh (an àird) *fir*
sèididh (an àird) *gin*

hype *v*
gaothaich *gr*
gaothadh *agr*,
sèid *gr*
sèideadh *agr*,
to hype a situation out of all proportion
suidheachadh a ghaothadh a-mach à rian,
suidheachadh a shèideadh a-mach à rian

hyped up *adj*
air a ghaothadh,
air a shèideadh

hypocrisy *n*
cealg *br*
ceilge *gin*

hypocrite *n*
cealgair *fir*
cealgair *gin*
cealgairean *iol*

hypocritical *adj*
cealgach *br*

identification *n*
aithneachadh *fir*
aithneachaidh *gin*
identification and documentation
aithneachadh agus sgrìobhainnean

identification card *n*
cairt-aithneachaidh *boir*
cairt-aithneachaidh *gin*
cairtean-aithneachaidh *iol*

identification mark *n*
comharradh-aithneachaidh *fir*
comharraidh-aithneachaidh *gin*
comharraidhean-aithneachaidh *iol*

identify *v*
comharraich *gr*
comharrachadh *agr*

identity *n*
dearbh-aithne *boir*
dearbh-aithne *gin*,
ionannachd *boir*
ionannachd *gin*
ionannachdan *iol*
1 a nation's identity
dearbh-aithne nàisein,
ionannachd nàisein
2 a company's corporate identity
ionannachd chorparra companaidh

identity card *n*
cairt-aithneachaidh *boir*
cairt-aithneachaidh *gin*
cairtean-aithneachaidh *iol*

identity disc *n*
diosg-aithneachaidh *fir*
diosg-aithneachaidh *gin*
diosgan-aithneachaidh *iol*

ill-advised *adj*
neo-ghlic *br*,
mì-chomhairleach *br*
1 you would be ill-advised to take that action
cha bhitheadh e glic dhut sin a dhèanamh
2 an ill-advised action
gnìomh mì-chomhairleach

ill-considered *adj*
droch-bheachdaichte
the action was ill-considered
bha an gnìomh droch-bheachdaichte

illegal *adj*
mì-laghail *br*

illegality *n*
mì-laghalachd *boir*

illegitimacy *n*
dìolanas *fir*
dìolanais *gin*,
neo-dhlighealachd *boir*
neo-dhlighealachd *gin*

illegitimate *adj*
dìolain *br*,
neo-dhligheil

ill-informed *adj*
aineolach *br*
an ill-informed comment
beachd aineolach

ill-timed *adj*
an an-àm,
mì-thràthail *br*
the intervention was ill-timed
bha an tighinn a-staigh an an-àm,
bha an eadar-theachd mì-thràthail

illuminate *v*
soilleirich *br*
soilleireachadh *agr*

illuminating *adj*
soilleireachaidh *br*
an illuminating discussion
còmhradh a bheir soilleireachaidh

image *n*
dealbh *fir*
deilbh *gin*
dealbhan *iol*,
ìomhaigh *boir*
ìomhaigh *gin*
ìomhaighean *iol*
1 the image on the screen
an dealbh air an sgrion
2 to project an image
ìomhaigh a chur an cèill

immaterial *adj*
gun bhrìgh *br*
it is immaterial to me
tha e gun bhrìgh dhomh

immediate *adj*
grad *br*,
mu dheireadh *cgr*
1 an immediate response
grad fhreagairt
2 immediate past chairman
an cathraiche mu dheireadh

immigrant *n*
in-imriche *fir*
in-imriche *gin*
in-imrichean *iol*
illegal immigrant
in-imriche mì-laghail

immigration *n*
in-imrich *boir*
in-imriche *gin*
immigration policy
poileasaidh in-imriche

immune *adj*
saor *br*,
dìonta *br*
immune from criticism
saor / dìonta bho chàineadh

immunity *n*
dìonachd *fir*
dìonachd *gin*
immunity from prosecution
dìonachd bho chasaid

impact *n*
buaidh *boir*
buaidhe *gin*,
buil *boir*
buile *gin*
builean *iol*
1 the impact of the policy
buaidh a' phoileasaidh
2 impact assessment
measadh buile

impact *v*
thoir (*gr*) buaidh air
toirt (*agr*) buaidh air
to impact on the situation
buaidh a thoirt air
an t-suidheachadh

impartial *adj*
gun lethbhreith *br*

impartiality *n*
neo-chlaonachd *boir*
neo-chlaonachd *gin*,
a bhith gun lethbhreith

impartially *adv*
gun lethbhreith *cgr*

impasse *n*
staing *boir*
stainge *gin*
staingean *iol*
to resolve an impasse
staing a rèiteach

impassioned *adj*
dùrachdach *br*
1 she made an impassioned speech
rinn i òraid dhùrachdach
2 an impassioned plea
tagradh dùrachdach

impeach *v*
casaidich (airson eucoir
an aghaidh an stàite) *gr*
casaideachadh (airson eucoir
an aghaidh an stàite) *agr*

impeachment *n*
casaideachadh (airson eucoir
an aghaidh an stàite) *fir*
casaideachaidh (airson eucoir
an aghaidh an stàite) *gin*

impeachment procedure *n*
modh casaideachaidh *boir*
modha casaideachaidh *gin*
modhan casaideachaidh *iol*

impeachment proceedings *npl*
cùrsa (*fir*) casaideachaidh
cùrsa chasaideachaidh *gin*

implacable *adj*
neo-thruacanta *br*
an implacable opponent
neach-dùbhlain neo-thruacanta

implacably *adv*
gu tur *cgr*
I am implacably opposed to that idea
tha mi gu tur an aghaidh
a' bheachd sin

implement *n*
inneal *fir*
inneil *gin*
innealan *iol*

implement *v*
builich *gr*
buileachadh *agr*,
thoir (*gr*) gu buil
toirt (*agr*) gu buil
to implement a policy
poileasaidh a bhuileachadh,
poileasaidh a thoirt gu buil

implementation *n*
buileachadh *fir*
buileachaidh *gin*
Implementation Unit
Aonad Buileachaidh

implication *n*
seagh *fir*
seagha *gin*
seaghan *iol*
by implication
mar a thathar a' tuigsinn

implicit *adj*
fillte *br*
implicit in the statement
fillte a-staigh san aithris

implied *adj*
fillte *br*
implied terms
cumhaichean fillte

imply *v*
ciallaich *gr*
ciallachadh *agr*

import *n*
in-mhalairt *boir*
in-mhalairt *gin*,
bathar (*fir*) a-steach
bathair a-steach *gin*

import economy *n*
margadh (*fir*) in-mhalairt
margaidh in-mhalairt *gin*

importune *v*
sìor-iarr *gr*
sìor-iarraidh *agr*
to importune a colleague for support
taic a shìor-iarraidh bho
cho-obraiche

impose *v*
leig (*gr*)
leigeil *agr*
to impose a condition
cumha a leigeil

imposition *n*
leigeil *boir*
leigeil *gin,*
sparradh *fir*
sparraidh *gin*
the imposition of a tax
leigeil cìse,
sparradh cìse

impoverish *v*
fàg (*gr*) bochd
fàgail (*agr*) bochd

impoverished *adj*
air fhàgail bochd *br*

impracticable *adj*
do-dhèanta *br*
the amendment as drafted s impracticable
tha an t-atharrachadh, mar a tha e san dreachd, do-dhèanta

impractical *adj*
do-dhèanta *br,*
neo-phra(g)taigeach *br*

improper *adj*
mì-iomchaidh *br*
improper conduct
giùlan mì-iomchaidh

impropriety *n*
(improper conduct)
mì-iomchaidheachd *boir*
mì-iomchaidheachd *gin*

impropriety *n*
(indecency)
mì-bheusachd *boir*
mì-bheusachd *gin*

improve *v*
leasaich *gr*
leasachadh *agr*
to improve the wording of a Bill
briathran Bile a leasachadh

improvement *n*
leasachadh *fir*
leasachaidh *gin*
leasachaidhean *iol*
an improvement in the wording
leasachadh air na briathran

impugn *v*
cuir (*gr*) amharas air
cur (*agr*) amharas air
to impugn his good name
amharas a chur air a chliù

imputation *n*
cur (*fir*) às leth
cuir às leth *gin*

impute *v*
cuir (*gr*) às leth
cur (*agr*) às leth

imputed *adj*
air a chur às leth

inaccuracy *n*
mearachd *boir*
mearachd *gin*
mearachdan *iol,*
neo-chruinneas *fir*
neo-chruinneis *gin*

inaccurate *adj*
mearachdach *br*

inadequacy *n*
uireasbhaidh *boir*
uireasbhaidhe *gin*
uireasbhaidhean
1 the inadequacy of the rules
uireasbhaidh nan riaghailtean
2 a sense of personal inadequacy
mothachadh air uireasbhaidh phearsanta

inadequate *adj*
uireasbhach *br*

inadvertent *adj*
neo-aireach *br*
an inadvertent remark
facal neo-aireach

inadvertently *adv*
gun fhiosta *cgr*
I inadvertently misled Parliament
chuir mi a' Phàrlamaid am mearachd gun fhiosta

inalienable *adj*
do-dhealaichte *br*
an inalienable right
còir dho-dhealaichte

inappropriate *adj*
neo-iomchaidh *br*
1 inappropriate behaviour
dòigh-ghiùlain neo-iomchaidh
2 it would be inappropriate for me to preside over this item
bhiodh e neo-iomchaidh dhomhsa a bhith sa chathair airson a' chuspair seo

inchoate *adj*
neo-leasaichte *br*

incidence *n*
tricead *fir*
triceid *gin*
triceadan *iol*

incidental expenses *npl*
cosgaisean (*boir iol*) tuiteamach
chosgaisean tuiteamach *gin*

inclination *n*
claonadh *fir*
claonaidh *gin*
claonaidhean *iol*

inclusion *n*
in-ghabhail *fir*
in-ghabhail *gin,*
com-pàirteachadh *fir*
com-pàirteachaidh *gin*
social inclusion
in-ghabhail sòisealta,
com-pàirteachadh sòisealta

inclusive *adj*
in-ghabhalach *br,*
a ghabhas a-steach,
com-pàirteach *br*

inclusiveness *n*
in-ghabhalachd *boir*
in-ghabhalachd *gin*,
(nì) a ghabhas a-steach
com-pàirteachas *fir*
com-pàirteachais *gin*

inclusivity *n*
in-ghabhalachd *boir*
in-ghabhalachd *gin*,
(nì) a ghabhas a-steach

income *n*
teachd-a-steach *fir*
teachd-a-steach *gin*

income support
taic (*boir*) teachd-a-steach
taic teachd-a-steach *gin*

income tax *n*
cìs (*boir*) cosnaidh
cìse cosnaidh *gin*

incoming *adj*
a tha a' tighinn a-steach *br,*
ùr *br*
incoming chairman
cathraiche a tha a' tighinn
a-steach,
cathraiche ùr

incompetence *n*
neo-chomasachd *boir*
neo-chomasachd *gin*
neo-chomasachdan *iol*

incompetent *adj*
neo-chomasach *br*
1 the Minister is totally incompetent
tha am Ministear gu tur
neo-chomasach
2 I am incompetent to decide
tha e neo-chomasach dhomh
a thighinn gu co-dhùnadh

inconclusive *adj*
neo-chinnteach *br*
the debate was inconclusive
bha an deasbad neo-chinnteach

inconsistency *n*
neo-chunbhalachd *boir*
neo-chunbhalachd *gin*
neo-chunbhalachdan *iol*

inconsistent *adj*
neo-chunbhalach *br*

incorruptible *adj*
do-choirbte *br*,
nach gabh coirbeadh,
neo-thruaillidh *br*,
nach gabh truailleadh

incumbent *adj*
mar fhiachaibh
it is incumbent upon us to act with discretion
tha e mar fhiachaibh òirnn
gluasad gu faiceallach

incumbent *n*
sealbhadair *fir*
the present incumbent is well regarded
tha meas mòr aig daoine air
an t-sealbhadair a tha ann
an-ceartuair

independence *n*
neo-eisimeileachd *boir*
neo-eisimeileachd *gin*

independent *adj*
neo-eisimeileach *br*

independent *n*
neo-eisimeileach *fir*
neo-eisimeilich *gin*
neo-eisimeilich *iol*

Independent Broadcasting Authority *n*
(IBA)
Ùghdarras (*fir*) Craolaidh
Neo-eisimeileach
Ùghdarrais Chraolaidh
Neo-eisimeilich *gin*

independent member *n*
ball (*fir*) neo-eisimeileach
buill neo-eisimeilich *gin*
buill neo-eisimeileach *iol*

independent review *n*
sgrùdadh (*fir*) neo-eisimeileach
sgrùdaidh neo-eisimeilich *gin*
sgrùdaidhean
neo-eisimeileach *iol*

Independent Television Commission *n*
Coimisean (*fir*) Neo-eisimeileach
Telebhisein
Coimisein Neo-eisimeilich
Thelebhisein *gin*

index *n* **of industrial production**
clàr-innse (*fir*) toradh
gnìomhachais
clàr-innse toradh
gnìomhachais *gin*

indicate *v*
comharraich *gr*
comharrachadh *agr*

indicative *adj*
taisbeanach *br*

indicative *v*,
be indicative of
nochd *gr*
nochdadh *agr*
the speech was indicative of his attitude
bha an òraid a' nochdadh
mar a bha e a' faireachdainn

indict *v*
tog (*gr*) casaid an aghaidh
(gu foirmeil / an sgrìobhadh)
togail (*agr*) casaid an aghaidh

indictable *adj*
ion-chasaideach *br*
indictable offence
eucoir ion-chasaideach

indirect *adj*
neo-dhìreach *br*

indisputable *adj*
dearbhte gun cheist *br,*
do-bhreugnachaidh *br*
an indisputable point
puing dhearbhte gun cheist,
puing dho-bhreugnachaidh

indissoluble *adj*
do-sgaoilte *br*

individual *adj*
pearsanta *br*
individual liberty
saorsa phearsanta

individual *n*
neach *fir*
neach *gin*
daoine *iol*

inducement *n*
brosnachadh *fir*
brosnachaidh *gin*
brosnachaidhean *iol*

induction programme *n*
prògram (*fir*) inntrigidh
prògraim inntrigidh *gin*
prògraman inntrigidh *iol*

induction training *n*
trèanadh (*fir*) inntrigidh
trèanaidh inntrigidh *gin*

indulgence *n*
cead *fir*
I have sought the indulgence of the First Minister
dh'iarr mi cead a' Phrìomh Mhinisteir

industrial *adj*
gnìomhachasach *br*
1 industrial relations
dàimh ghnìomhachasach
2 industrial society
comann-sòisealta gnìomhachasach
3 industrial training board
bòrd-trèanaidh gnìomhachasach

industrial development grant *n*
tabhartas (*fir*) leasachaidh ghnìomhachasaich
tabhartas leasachaidh ghnìomhachasaich *gin*

inefficiency *n*
neo-èifeachdas *fir*
neo-èifeachdais *gin*
neo-èifeachdasan *iol*

ineligible *adj*
neo-cheadaichte *br*
ineligible to vote
neo-cheadaichte bhòtadh

inequity *n*
neo-ionannas *fir*
neo-ionannais *gin*
neo-ionannasan *iol*
this inequity must be addressed
feumar dèiligeadh ris an neo-ionannas seo

inextricable *adj*
do-fhuasgailte *br*,
do-sgaraichte *br*

inextricably *adv*
do-sgaraichte *br*
the two issues are inextricably linked
cha ghabh an dà chùis a sgaradh

inference *n*
co-dhùnadh *fir*
co-dhùnaidh *gin*
co-dhùnaidhean *iol*
to draw an inference
co-dhùnadh a thoirt

inflammatory *adj*
buaireasach *br*
inflammatory statement
aithris bhuaireasach

inflation *n*
atmhorachd *boir*
atmhorachd *gin*
inflation rate
ìre na h-atmhorachd

inflationary spiral *n*
cuairteag (*boir*) atmhorachd
cuairteig atmhorachd *gin*

influence *n*
buaidh *boir*
buaidhe *gin*

influence *v*
thoir (*gr*) buaidh air
toirt (*agr*) buaidh air

influential *adj*
aig a bheil buaidh,
buadhach *br*

inform *v*
innis do
innse (*agr*) do,
thoir (*gr*) fios do
toirt (*agr*) fios do
to inform committee members about a meeting
fios a thoirt do bhuill comataidh mu choinneamh

informal *adj*
neo-fhoirmeil *br*
informal discussion
còmhradh neo-fhoirmeil

informality *n*
neo-fhoirmealachd *boir*
neo-fhoirmealachd *gin*

information *n*
fiosrachadh *fir*
fiosrachaidh *gin*
1 (copy) for information
(lethbhreac) airson fiosrachaidh
2 information desk
deasca fiosrachaidh
3 information pack
pasgan fiosrachaidh

information and communications technology *n*
(ICT)
teicneolas (*fir*) fiosrachaidh agus conaltraidh
teicneolais fhiosrachaidh agus chonaltraidh *gin*

information dissemination *n*
sgaoileadh (*fir*) fiosrachaidh
sgaoilidh fhiosrachaidh *gin*

information division *n*
roinn (*boir*) fiosrachaidh
roinne fiosrachaidh *gin*

information exchange *n*
co-roinn (*boir*) fiosrachaidh
co-roinne fiosrachaidh *gin*

information handling *n*
làimhseachadh (*fir*) fiosrachaidh
làimhseachaidh fhiosrachaidh *gin*

information management *n*
rianachd (*boir*) fiosrachaidh
rianachd fiosrachaidh *gin*

information network *n*
lìonra (*fir*) fiosrachaidh
lìonraidh fhiosrachaidh *gin*
lìonraidhean fiosrachaidh *iol*

information officer *n*
oifigear (*fir*) fiosrachaidh
oifigeir fhiosrachaidh *gin*
oifigearan fiosrachaidh *iol*

information processing *n*
obrachadh (*fir*) fiosrachaidh
obrachaidh fiosrachaidh *gin*

information retrieval *n*
ath-ghairm (*boir*) fiosrachaidh
ath-ghairm fiosrachaidh *gin*,
lorg (*boir*) fiosrachaidh
lorg fiosrachaidh *gin*

information service *n*
seirbheis (*boir*) fiosrachaidh
seirbheis fiosrachaidh *gin*
seirbheisean fiosrachaidh *iol*

information system *n*
siostam (*fir*) fiosrachaidh
siostaim fhiosrachaidh *gin*
siostaman fiosrachaidh *iol*

information technology *n* **(IT)**
teicneolas (*fir*) fiosrachaidh
teicneolais fhiosrachaidh *gin*

information technology centre *n*
ionad (*fir*) teicneolais fhiosrachaidh
ionaid theicneolais fhiosrachaidh *gin*
ionadan teicneolais fhiosrachaidh *iol*

informed *adj*
fiosraichte *br*
an informed decision
co-dhùnadh fiosraichte

infrastructure *n*
bun-structair *fir*
bun-structair *gin*

infringe *v*
bris (*gr*) a-steach air
briseadh (*agr*) a-steach air
to infringe rights
briseadh a-steach air còraichean

infringement *n*
briseadh (*fir*) a-steach
brisidh a-steach *gin*
infringement of rights
briseadh a-steach air còraichean

inherent *adj*
in-ghnèitheach *br*
inherent jurisdiction
uachdranas in-ghnèitheach, dlighe-chomas in-ghnèitheach

inherit *v*
sealbhaich *gr*
(mar oighreachd)
sealbhachadh
(mar oighreachd) *agr*

inheritance *n*
oighreachd *boir*
oighreachd *gin*
oighreachdan *iol*,
sealbh *boir*
seilbhe *gin*
inheritance tax
cìs-oighreachd,
cìs-seilbhe

in-house *adj*
in-thaigh *br*
in-house computer bureau
biùro coimpiutair in-thaigh

iniquity *n*
aingidheachd *boir*
aingidheachd *gin*
aingidheachdan *iol*
his iniquity was pardoned
chaidh aingidheachd a mhaitheadh dha

initial *adj*
ciad *br*
initial date
ciad cheann-là

initial allowance *n*
ciad chuibhreann *fir*
ciad chuibhrinn *gin*
ciad chuibhreannan *iol*

initial teacher training *n* **(ITT)**
tùs-thrèanadh (*fir*) thidsear
tùs-thrèanaidh thidsear *gin*

initiate *v*
tòisich *gr*
tòiseachadh *agr*

initiation *n*
inntrigeadh *fir*
inntrigidh *gin*
1 initiation rites
deas-ghnàthan inntrigidh
2 initiation ceremony
deas-ghnàth inntrigidh

initiative *n*
iomairt *boir*
iomairt *gin*
iomairtean *iol*,
tionnsgnadh *fir*
tionnsgnaidh *gin*
tionnsgnaidhean *iol*,
eirmseachd *boir*
eirmseachd *gin*
1 this is an ambitious initiative
's e tionnsgnadh misneachail a tha seo
2 he displayed great initiative
nochd e cho eirmseach is a bha e

inject *v*
cuir (*gr*) do
cur (*agr*) do
to inject passion into a debate
faireachdainn a chur do dheasbad

injection *n*
leasachadh *fir*
leasachaidh *gin*
leasachaidhean *iol*
an injection of capital
leasachadh de chalpa

injunction *n*
òrdugh *fir*
òrduigh *gin*
òrduighean *iol*,
òrdugh-cùirte *fir*
òrduigh-chùirte *gin*
òrdughan-cùirte *iol*
1 inhibitory injunction
òrdugh bacaidh
2 to grant an injunction
òrdugh-cùirte a dheònachadh

injure *v*
dochainn *gr*
dochann *agr,*
leòn *gr*
leòn *agr*

injurious *adj*
dochannach *br*

injury *n*
dochann *fir*
dochainn *gin*
dochannan *iol*

injustice *n*
eu-ceartas *boir*
eu-ceartais *gin*
eu-ceartasan *iol*

Inland Revenue *n*
Oifis (*boir*) na Cìse Nàiseanta,
Oifis (*boir*) nan Cìsean
Oifis nan Cìsean *gin*
Inland Revenue Value Office
Oifis Luachaidh nan Cìsean

innocence *n*
neo-chiontachd *boir*
to declare your innocence
do neo-chiontachd a nochdadh

innocent *adj*
neo-chiontach *br,*
neo-choireach *br*
1 innocent of a crime
neo-chiontach de dh'eucoir
2 innocent misrepresentation
claon-iomradh neo-choireach

innovate *v*
tionnsgail *gr*
tionnsgal *agr,*
ùr-ghnàthaich *gr*
ùr-ghnàthachadh *agr*

innovation *n*
ùr-ghnàthachadh *fir*

innovative *adj*
ùr-ghnàthach *br*
an innovative approach / policy
modh / poileasaidh ùr-ghnàthach

innovator *n*
nuadhasair *fir*
nuadhasair *gin*
nuadhasairean *iol*

innovatory *adj*
nuadhasach *br*

innuendo *n*
fiar-shanas *fir*
fiar-shanais *gin,*
leth-iomradh *fir*
leth-iomraidh *gin*
leth-iomraidhean *iol*
a campaign of innuendo
iomairt de dh'fhiar-shanais,
iomairt de leth-iomradh

inopportune *adj*
mì-thràthail *br*
an inopportune moment
àm mì-thràthail

input *n*
cur-a-steach *fir*
cuir-a-steach *gin*
their input was regarded as a valuable contribution
bha an cur-a-steach na chuideachadh mòr

input *v*
cuir (*gr*) a-steach
cur (*agr*) a-steach
to input information into a computer
fiosrachadh a chur a-steach do choimpiutar

inquiry *n*
rannsachadh *fir*
rannsachaidh *gin*
rannsachaidhean *iol*
1 inquiry in public
rannsachadh san fhollais
2 public inquiry
rannsachadh poblach

inquisition *n*
mion-cheasnachadh *fir*
mion-cheasnachaidh *gin*

inquisitor *n*
mion-cheasnaiche *fir*
mion-cheasnaiche *gin*
mion-cheasnaichean *iol,*
neach-ceasnachaidh *fir*
neach-ceasnachaidh *gin*
luchd-ceasnachaidh *iol*

inquisitorial *adj*
ceasnachail *br*
inquisitorial system
siostam ceasnachail

inquorate *adj*
gun chuòram
the meeting was (declared) inquorate
bha a' choinneamh (air a gairm mar) gun chuòram

insane *adj*
gun chiall
an insane proposal
moladh gun chiall

insanity *n*
tinneas-inntinn *fir*
tinneis-inntinn *gin*
on the grounds of insanity
air bhun tinneis-inntinn

inscribe *v*
sgrìobh air *gr*
sgrìobhadh air *agr*

inscription *n*
in-sgrìobhadh *fir*
in-sgrìobhaidh *gin*
in-sgrìobhaidhean *iol,*
sgrìobhadh *fir*
sgrìobhaidh *gin*
sgrìobhaidhean *iol*

in-service *adj*
in-sheirbheis *br*
in-service training
trèanadh in-sheirbheis

insist *v*
dearbh *gr*
dearbhadh *agr*
I insist on speaking
tha mi a' dearbhadh gu bheil mi a' dol a bhruidhinn

insistence *n*
dearbhadh *fir*
dearbhaidh *gin*

inspection *n*
sgrùdadh *fir*
sgrùdaidh *gin*
sgrùdaidhean *iol*
the school is liable to inspection at any time
tha an sgoil buailteach a bhith air a sgrùdadh aig àm sam bith

inspection *n* **of documents**
sgrùdadh (*fir*) sgrìobhainnean
sgrùdaidh sgrìobhainnean *gin*
sgrùdaidhean sgrìobhainnean *iol*

inspection committee *n*
comataidh-sgrùdaidh *boir*
comataidh-sgrùdaidh *gin*
comataidhean-sgrùdaidh *iol*

inspector *n*
neach-sgrùdaidh *fir*
neach-sgrùdaidh *gin*
luchd-sgrùdaidh *iol*
Her Majesty's Chief Inspector of Schools
Àrd-neach-sgrùdaidh nan Sgoiltean (don Bhànrigh)

inspectorate *n*
luchd-sgrùdaidh *fir*
luchd-sgrùdaidh *gin*
Inspectorate of Ancient Monuments
Luchd-sgrùdaidh nan Làraichean Àrsaidh

inspiration *n*
brosnachadh *fir*
brosnachaidh *gin*

inspire *v*
brosnaich *gr*
brosnachadh *agr*
to inspire by example
brosnachadh tro eisimpleir

inspired *adj*
brosnaichte *br*

inspiring *adj*
brosnachail *br*
an inspiring sight
sealladh brosnachail

instalment *n*
earrann *boir*
earrainn *gin*
earrannan *iol*
by instalment
ann an earrannan

institute *n*
institiud *boir*
institiuid *gin*
institute of higher education
institiud foghlaim àrd-ìre

institute *v*
cuir (*gr*) air chois
cur (*agr*) air chois
to institute legal proceedings
cùis-lagha a chur air chois

institution *n*
ionad *fir*
ionaid *gin*
ionadan *iol,*
stèidheachadh *fir*
stèidheachaidh *gin*
1 an educational institution
ionad foghlaim
2 the institution of clear guidelines
stèidheachadh stiùireadh soilleir

institutional reform *n*
leasachadh (*fir*) bunaiteach
leasachaidh bhunaitich *gin*
leasachaidhean bunaiteach *iol*

instruct *v*
oidich *gr*
oideachadh *agr,*
teagaisg *gr*
teagasg *agr*

instruction *n*
ionnsachadh *fir*
ionnsachaidh *gin,*
teagasg *fir*
teagaisg *gin,*
òrdugh *fir*
òrduigh *gin*
òrduighean *iol*
1 educational instruction
oideachadh foghlamach
2 to issue an instruction
òrdugh a thoirt
3 to act on instructions
òrdugh / stiùireadh a leantainn

instrument *n*
inneal *fir*
inneil *gin*
innealan *iol,*
ionnstramaid *boir*
ionnstramaid *gin*
ionnstramaidean *iol*
1 statutory instrument
ionnstramaid reachdail
2 instrument and articles of government
ionnstramaidean agus artaigealan riaghaltais

insufficient *adj*
neo-choileanta *br,*
ro ghann *br*
1 insufficient ground
adhbhar neo-choileanta
2 insufficient time was allocated for the debate
chaidh àm ro ghann a shònrachadh airson an deasbaid

insult *n*
tàir *boir*
tàire *gin*
it is an insult to our intelligence
tha sin na thàir air ar tuigse

insult *v*
dèan (*gr*) tàir air
dèanamh (*agr*) tàir air

insulting *adj*
tàireil
an insulting remark
facal tàireil

insurance *n*
àrachas *fir*
àrachais *gin*

integral *adj*
riatanach *br*
an integral part
earrann riatanach

integrate *v*
amalaich *gr*
amalachadh *agr,*
aonaich *gr*
aonachadh *agr*

integrated *adj*
amalaichte *br,*
aonaichte *br*
integrated policies
poileasaidhean amalaichte, poileasaidhean aonaichte

Integrated Administration and Control System *n*
Siostam (*fir*) Rianachd agus Smachd Amalaichte
Siostam Rianachd agus Smachd Amalaichte *gin*

integration *n*
amalachas *fir*
amalachais *gin*
social integration
amalachas sòisealta

integrity *n*
(moral)
ionracas *fir*
ionracais *gin*

integrity *n*
(wholeness)
iomlanachd *boir*

intellect *n*
inntinn *boir*
inntinn *gin*
a challenge to the intellect
dùbhlan don inntinn

intellectual *adj*
inntleachdail *br*
an intellectual challenge
dùbhlan inntleachdail

intellectual *n*
inntleachdach *fir*
inntleachdaich *gin*
inntleachdaich *iol,*
neach (*fir*) inntleachdail
neach inntleachdail *gin*
daoine inntleachdail *iol*

intelligence *n*
(covert research)
fàisneis *boir*
fàisneis *gin,*
rannsachadh *fir*
rannsachaidh *gin*
our intelligence has uncovered their plans
tha an fhàisneis / rannsachadh againn air an cuid phlanaichean a lorg a-mach

intelligence *n*
(information)
fiosrachadh *fir*
fiosrachaidh *gin,*
tuairisgeul *fir*
tuairisgeil *gin*
they have made this intelligence available to us
thug iad dhuinn cothrom air an fhiosrachadh seo / air an tuairisgeul seo

intelligence *n*
(intellect)
inntleachd *boir*
inntleachd *gin,*
tuigse *boir*
tuigse *gin,*
tùr *boir*
tùir *gin*
a person of great intelligence
neach mòr inntleachd,
neach mòr-thuigseach

intelligent *adj*
toinisgeil *br*
tùrail *br*
1 an intelligent speech
òraid thoinisgeil
2 an intelligent woman
boireannach toinisgeil,
boireannach tùrail

intend *v*
rùnaich *gr*
rùnachadh *agr*

intensive *adj*
dian *br*

intent *adj*
gu dian *cgr*
le rùn daingeann
he was intent upon promoting the cause
bha e gu dian ag adhartachadh na cùise,
bha rùn daingeann aige gus a' chùis adhartachadh

intent *n*
rùn *fir*
rùin *gin*
with intent
le rùn,
a dh'aon ghnothach

intention *n*
rùn *fir*
rùin *gin*
rùintean *iol*

intentional *adj*
a dh'aon ghnothach *cgr*

interchange *v*
iomlaidich *gr*
iomlaideachadh *agr,*
malairtich *gr*
malairteachadh *agr*

interdepartmental *adj*
eadar-roinneil *br*
inter-departmental working party
buidheann-obrach eadar-roinneil

inter-diocesan *adj*
eadar-dhìoghaiseach *br,*
eadar-easbaigeach *br*
Inter-Diocesan Schools Commission
Coimisean Eadar-easbaigeach nan Sgoiltean

inter-disciplinary *adj*
eadar-dhreuchdail,
eadar-dhiosaplaineach

interest *n*
com-pàirt *boir*
com-pàirte *gin,*
leas *fir*
leas *gin,*
math *fir*
maith *gin*
1 to have a financial interest in a company
com-pàirt ionmhasail a bhith aig neach ann an companaidh
2 in the public interest
airson math a' phobaill,
airson leas a' phobaill

interest *n*
(finance)
riadh *fir*
rèidh *gin*
1 financial interest
riadh ionmhais
2 interest on money
riadh air airgead

interest group *n*
buidheann (*boir*) brosnachaidh
buidhne brosnachaidh *gin*
buidhnean brosnachaidh *iol,*
buidheann (*boir*) iomairt
buidhne iomairt *gin*
buidhnean iomairt *iol*

interest rate *n*
ìre (*boir*) an rèidh
ìre an rèidh *gin*
ìrean an rèidh *iol*

interested body *n*
buidheann (*boir*) le ùidh / le com-pàirt sa chùis

interested party *n*
neach (*fir*) le com-pàirt sa chùis
neach le com-pàirt sa chùis *gin*
daoine le com-pàirt sa chùis *iol,*
neach (*fir*) le ùidh sa chùis
neach le ùidh sa chùis *gin*
daoine le ùidh sa chùis *iol*

interesting *adj*
ùidheil *br*

interface *n*
eadar-aghaidh *boir*
eadar-aghaidh *gin*
eadar-aghaidhean *iol*

interfere *v*
buin ri *gr*
buntainn ri *agr*

interference *n*
cur (fir) a-steach
cuir a-steach *gin*
interference in / with a matter
cur a-steach ann an cùis

intergovernmental *adj*
eadar-riaghaltasan *br*
1 intergovernmental relations
ceanglaichean eadar-riaghaltasan
2 intergovernmental talks
còmhraidhean eadar-riaghaltasan

interim *adj*
eadar-amail *br*

interim order *n*
òrdugh (*fir*) eadar-amail
òrduigh eadar-amail *gin*
òrdughan eadar-amail *iol*

interim report *n*
aithisg (*boir*) eadar-amail
aithisg eadar-amail *gin*
aithisgean eadar-amail *iol*

interim settlement *n*
rèite (*boir*) eadar-amail
rèite eadar-amail *gin*
rèitean eadar-amail *iol*

interlocutor *n*
àithne (*boir*) britheimh
àithne britheimh *gin*
àithntean britheimh *iol*

interlocutory *adj*
eadar-bhreitheach *br*
interlocutory injunction
òrdugh (-cùirte) eadar-bhreitheach

intermediary *adj*
eadar-mheadhanach *br*

intermediary *n*
eadar-mheadhanair *fir*
eadar-mheadhanair *gin*
eadar-mheadhanairean *iol*

intermediate *adj*
meadhanach *br*

internal audit *n*
in-sgrùdadh *fir*
in-sgrùdaidh *gin*

internal auditor *n*
in-sgrùdaire *fir*
in-sgrùdaire *gin*
in-sgrùdairean *iol*

internal investment *n*
in-sheilbh *fir*
in-sheilbh *gin*

internal market *n*
margadh (*fir / boir*) a-staigh
margaidh a-staigh *gin*

International Atomic Energy Authority *n*
Ùghdarras (*fir*) Eadar-Nàiseanta a' Chumhachd Atomaich
Ùghdarras Eadar-Nàiseanta a' Chumhachd Atomaich *gin*

International Court *n* **of Justice**
Cùirt (*boir*) Eadar-nàiseanta a' Cheartais
Cùirt Eadar-nàiseanta a' Cheartais *gin*

International Monetary Fund *n*
(IMF)
Maoin (*boir*) Airgid Eadar-nàiseanta
Maoin Airgid Eadar-nàiseanta *gin*

International Standard Book Number *n*
(ISBN)
Leabhar-àireamh (*boir*) Ghnàthach Eadar-nàiseanta
Leabhar-àireimh Ghnàthaich Eadar-nàiseanta
(LAGE)

internet *n*
eadar-lìon *fir*
eadar-lìon *gin*
the Internet
An t-Eadar-lìon

interpret *v*
(explain)
mìnich *gr*
mìneachadh *agr*

interpret *v*
(languages)
eadar-theangaich *gr*
eadar-theangachadh *agr*

interpretation *n*
(explanation)
mìneachadh *fir*
mìneachaidh *gin*
his interpretation of the law
a mhìneachadh air an lagh

interpretation *n*
(languages)
eadar-theangachadh *fir*
eadar-theangachaidh *gin*
1 simultaneous interpretation
eadar-theangachadh maraon
2 consecutive interpretation
eadar-theangachadh co-leanailteach

interpretation clause *n*
clàsa (*fir*) mìneachaidh
clàsa mhìneachaidh *gin*

interpreter *n*
eadar-theangaiche *fir*
eadar-theangaiche *gin*
eadar-theangaichean *iol*
1 simultaneous interpreter
eadar-theangaiche maraon
2 consecutive interpreter
eadar-theangaiche co-leanailteach

interregional *adj*
eadar-roinneil *br*
interregional co-operation
co-obrachadh eadar-roinneil

interrupt *v*
bris (*gr*) a-steach (air)
briseadh (*agr*) a-steach (air),
cuir (*gr*) stad air
cur (*agr*) stad air
to interrupt a speaker
briseadh a-steach air
neach-labhairt,
stad a chur air neach-labhairt

interruption *n*
briseadh (*fir*) a-steach
brisidh a-steach *gin,*
stad *fir*
stad *gin*
the moment of interruption (of a debate)
àm a chaidh briseadh a-steach (air deasbad),
uair stad (deasbaid)

intervene *v*
rach (*gr*) san eadraiginn
dol (*agr*) san eadraiginn

intervene *v*
(parliamentary sense)
dèan (*gr*) eadar-theachd
dèanamh (*agr*) eadar-theachd

intervention *n*
eadar-theachd *fir*
eadar-theachd *gin*
eadar-theachdan *iol,*
tighinn (*fir*) a-steach
tighinn a-steach *gin*

interventionist *adj*
eadar-theachdail *br*

interventionist *n*
eadar-theachdaiche *fir*
eadar-theachdaiche *gin*
eadar-theachdaichean *iol*

interview *n*
agallamh *fir*
agallaimh *gin*
interview area
àite-agallamh

interview *v*
dèan (*gr*) agallaimh (le)
dèanamh (*agr*) agallaimh (le)

interviewee *n*
neach-agallaimh *fir*
neach-agallaimh *gin*
luchd-agallaimh *iol*

interviewer *n*
agallaiche *fir*
agallaiche *gin*
agallaichean *iol*

intranet *n*
eadra-lìon *fir*
eadra-lìn *gin*

introduce *v*
cuir (*gr*) an aithne
cur (*agr*) an aithne,
thoir (*gr*) a-steach
toirt (*agr*) a-steach
1 to introduce a guest
aoigh a chur an aithne (dhaoine eile)
2 to effect an introduction
(neach) a chur an aithne (neach eile)
3 to introduce an amendment
atharrachadh a thoirt a-steach

introduction *n*
cur (*fir*) an aithne
cuir an aithne *gin,*
ro-ràdh *fir*
ro-ràidh *gin*
ro-ràdhan *iol*
the introduction to a document
an ro-ràdh do sgrìobhainn

introductory *adj*
tòiseachaidh *fir / gin*
1 introductory remarks
briathran tòiseachaidh
2 introductory statement
aithris tòiseachaidh

invalid *adj*
neo-bhrìgheil
an invalid argument
deasbaireachd neo-bhrìgheil

invalid *n*
euslainteach *fir*
euslaintich *gin*
euslaintich *iol*

invalidate *v*
cuir (*gr*) an neo-bhrìgh
cur (*agr*) an neo-bhrìgh

invalidity *n*
neo-bhrìgheachas *fir*
neo-bhrìgheachais *gin*

Inverness East, Nairn and Lochaber (Constituency)
Inbhir Nis an Ear, Inbhir Narann agus Loch Abar
Inbhir Nis an Ear, Inbhir Narann agus Loch Abar *gin*

invest *v*
cuir (*gr*) (airgead / calpa) an seilbh
cur (*agr*) (airgid / calpa) an seilbh
invested money
airgead an seilbh

investigate *v*
sgrùd *gr*
sgrùdadh *agr*

investigation *n*
sgrùdadh *fir*
sgrùdaidh *agr*
sgrùdaidhean iol

investigative *adj*
sgrùdail *br*

investigatory *adj*
sgrùdail *br*

investiture *n*
in-shealbhachadh *fir*

investment *n*
airgead (*fir*) an seilbh
airgid an seilbh *gin,*
seilbh (airgid / calpa) *boir*
seilbhe (airgid / calpa) *gin*
seilbhean (airgid / calpa) *iol*

Investment Assistance *n*
Taic (*boir*) le Cur an Seilbh
Taice le Cur an Seilbh *gin*

invitation *n*
cuireadh *fir*
cuiridh *gin*
cuiridhean *iol*
1 invitation to tender
cuireadh gus tairgseachadh
2 invitation to an event
cuireadh gu tachartas

invite *v*
thoir (*gr*) cuireadh do *gr*
toirt (*agr*) cuiridh do *agr*

inward investment *n*
in-sheilbh *fir*
in-sheilbh *gin*
in-sheilbhean *iol*

irrebuttable presumption *n*
barail (*boir*) nach gabh
breugnachadh
baraile nach gabh
breugnachadh *gin*

irreconcilable *adj*
do-rèiteachail *br*
irreconcilable differences
eadar-dhealachaidhean
do-rèiteachail

irregular *adj*
neo-riaghailteach *br*

irregularity *n*
neo-riaghailteachd *boir*
neo-riaghailteachd *gin*
neo-riaghailteachdan *iol*
there were irregularities in the procedures
bha neo-riaghailteachdan
sna modhan,
bha na modhan gun a bhith
riaghailteach

irrelevant *adj*
nach buin don ghnothach *br*

irremediable *adj*
do-leasachaidh *br,*
do-leigheas *br*

irrevocable *adj*
do-atharrachaidh *br*

isolation *adv,*
in isolation
air leth *cgr,*
na aonar *cgr*
taken in isolation
air a ghabhail air leth,
air a ghabhail na aonar

isolation *n*
aonarachd *boir*
aonarachd *gin,*
lethoireachd *boir*
lethoireachd *gin*

isolationism *n*
aonarachdas *fir*
aonarachdais *gin,*
lethoireachas *fir*
lethoireachais *gin*

isolationist *adj*
aonarail *br,*
lethoireachail *br,*

isolationist *n*
aonaraiche *fir*
aonaraiche *gin*
aonaraichean *iol,*
lethoiriche *fir*
lethoiriche *gin*
lethoirichean *iol*
isolationist policies
poileasaidhean aonarail /
lethoireachail

issue *n*
ceist *boir*
ceiste *gin*
ceistean *iol,*
cùis *boir*
cùise *gin*
cùisean *iol*

issue *v*
cuir (*gr*) a-mach
cur (*agr*) a-mach,
lìbhrig (*gr*)
lìbhrigeadh (*agr*)
1 to issue a circular
cuairtlitir a chur a-mach
2 to issue a summons
bàirlinn a chur a-mach,
bàirlinn a lìbhrigeadh
2 I take issue with you on that
tha ceist orm riut mun sin,
tha eadar-dhealachadh beachd
agam riut mun sin

IT screen *n*
sgrion (*fir*) TF
sgrion TF *gin*
sgrionachan TF *iol*

iterative *adj*
ath-aithriseach *br*
the speech was iterative and complex
bha an òraid ath-aithriseach
agus iom-fhillte

J

jeer *v*
mag (*gr*) (air)
magadh *agr*

jeering *n*
magadh *fir*
magaidh *gin*

job *n*
obair *boir*
obrach *gin*
obraichean *iol*

job analysis *n*
sgrùdadh (*fir*) obrach
sgrùdadh obrach *gin*

job centre *n*
ionad-obrach *fir*
ionaid-obrach *gin*
ionadan-obrach *iol*

job club(s) *n(pl)*
club-obrach *fir*
club-obrach *gin*
clubaichean-obrach *iol*

job creation programme *n*
prògram (*fir*)
cruthachaidh-obrach
prògraim
chruthachaidh-obrach *gin*
prògraman
cruthachaidh-obrach *iol*

job description *n*
tuairisgeul (*fir*) obrach
tuairisgeil obrach *gin*
tuairisgeulan obrach *iol*

job evaluation *n*
measadh (*fir*) obrach
measaidh obrach *gin*
measaidhean obrach *iol*

job introduction scheme *n* **for disabled persons**
sgeama (*fir*) tòiseachaidh-obrach do dhaoine ciorramach
sgeama thòiseachaidh-obrach do dhaoine ciorramach *gin*

job release scheme *n*
sgeama (*fir*) saoradh-obrach
sgeama shaoradh-obrach *gin*

job search scheme *n*
sgeama (*fir*) sireadh-obrach
sgeama shireadh-obrach *gin*

job specification *n*
cunntas (*fir*) obrach
cunntais obrach *gin*
cunntasan obrach *iol*

job start allowance *n*
cuibhreann (*fir*) tòiseachaidh-obrach
cuibhrinn tòiseachaidh-obrach *gin*
cuibhreannan tòiseachaidh-obrach *iol*

joint *adj*
co- *br*
1 joint secretary
co-rùnaire
2 joint authority
co-ùghdarras

Joint Clinical Research Committee *n*
Co-chomataidh (*boir*) air Rannsachadh Clionaigeach
Co-chomataidh air Rannsachadh Clionaigeach *gin*

joint committee *n*
co-chomataidh *boir*
co-chomataidh *gin*
co-chomataidh *iol*

joint finance *n*
co-ionmhasachadh *fir*
co-ionmhasachaidh *gin*

joint funding *n*
co-mhaoineachadh *fir*
co-mhaoineachaidh *gin*

Joint Liaison Committee *n* **(JLC)**
Co-chomataidh (*boir*) Ceangail,
Co-chomataidh Ceangail *gin*

Joint Nature Conservation Committee *n*
Co-chomataidh (*boir*) Glèidhteachais Nàdair
Co-chomataidh Glèidhteachais Nàdair *gin*

joint planning *n*
co-dhealbhadh *fir*
co-dhealbhaidh *gin*

joint provision *n*
co-sholar *fir*
co-sholair *gin*

joint scheme *n*
co-sgeama *fir / boir*
co-sgeama *gin*

joint sovereignty *n*
co-uachdranachd *boir*
co-uachdranachd *gin*

joint venture *n*
co-iomairt *boir*
co-iomairte *gin*
co-iomairtean *iol*

joint venture project *n*
pròiseact (*fir*) co-iomairte
pròiseict cho-iomairte *gin*
pròiseactan co-iomairte *iol*

Joint Working Party on Child Health Surveillance *n*
Co-bhuidheann-obrach (*boir*) air Sgrùdadh Slàinte Chloinne
Co-bhuidhne-obrach air Sgrùdadh Slàinte Chloinne *gin*

joint-chair(man) *n*
co-chathraiche *fir*
co-chathraiche *gin*
co-chathraichean *iol*

jointly *adv*
an co-bhoinn *cgr*

journalism *n*
naidheachdas *fir*
naidheachdais *gin*

journalist *n*
neach-naidheachd *fir*
neach-naidheachd *gin*
luchd-naidheachd *iol*

judg(e)ment *n* **(adjudication)**
breith *boir*
breith
breithean *iol,*
binn *boir*
binne *gin*

judg(e)ment *n* **(opinion)**
beachd *fir*
beachda *gin*
beachdan *iol*

judge *n*
britheamh *fir*
britheimh *gin*
britheamhan *iol*

judge *v*
thoir (*gr*) breith
toirt (*agr*) breith

judicature *n*
roinn-cheartais *boir*
roinne-ceartais *gin*

judicial *adj*
breitheach *br,*
laghail *br*

judicial bench *n*
cathair (*boir*) breitheanais
cathrach breitheanais *gin*
cathraichean breitheanais *iol*

judicial inquiry *n*
rannsachadh (*fir*) laghail
rannsachaidh laghail *gin*
rannsachaidhean laghail *iol*

judicial investigation *n*
sgrùdadh (*fir*) laghail
sgrùdaidh laghail *gin*
sgrùdaidhean laghail *iol*

judicial review *n*
ath-bhreithneachadh (*fir*) laghail
ath-bhreithneachaidh laghail *gin*
ath-bhreithneachaidhean laghail *iol*

judiciary *n*
(judges)
britheamhan (*fir iol*) a' Chrùin
britheamhan a' Chrùin *gin*

judiciary *n*
(judicature, administration of justice)
roinn-cheartais *boir*
roinne-ceartais *gin*

junior minister *n*
fo-mhinistear *fir*
fo-mhinisteir *gin*
fo-mhinistearan *iol*

jurisdiction *n*
uachdranas (*fir*) (laghail)
uachdranais *gin*
uachdranasan *iol,*
dlighe-chomas *fir*
dlighe-chomais *gin*
1 under the jurisdiction of
fo uachdranas (laghail)
2 to remove from the jurisdiction of
a ghluasad bho dhlighe-chomas

jurisprudence *n*
dlighe-eòlas *fir*
dlighe-eòlais *gin*

jury *n*
diùraidh *fir*
diùraidh *gin*
diùraidhean *iol*

just *adj*
ceart *br,*
cothromach *br,*
dligheach *br*
just cause
adhbhar dligheach

justice *n*
ceartas *fir*
ceartais *gin*
according to principles of justice
a rèir prionnsabalan ceartais

Justice Charter for Scotland *n*
Còir (*boir*) Ceartais na h-Alba
Còir Ceartais na h-Alba *gin*

Justice Committee (1 / 2) *n*
Comataidh (boir) a' Cheartais (1 / 2)
Comataidh a' Cheartais (1 / 2) gin

Justice Department *n*
Roinn (*boir*) Ceartais
Roinn Ceartais *gin*

Justice *n* **of the Peace (JP)**
Maor *(fir)* Ceartais
Maoir Cheartais *gin*
Maoir Cheartais *iol*

justiciary *n*
rianachd-cheartais *boir*
rianachd-cheartais *gin*
High Court of Justiciary
Àrd-chùirt a' Cheartais

justifiable *adj*
a rèir ceartais,
so-dhìonaidh *br*

justification *n*
fìreanachadh *fir*
fìreanachaidh *gin,*
ùghdarras (*fir*) math
ùghdarrais mhath *gin*

justify *v*
fìreanaich *gr*
fìreanachadh *agr,*
thoir (*gr*) ùghdarras math (airson)
toirt (*agr*) ùghdarras math (airson)

key *adj*
prìomh *br*

key issue *n*
prìomh chuspair *fir*
prìomh chuspair *gin*
prìomh chuspairean *iol*

key marginal constituency *n*
(prìomh) roinn-taghaidh chugallach *boir*
(prìomh) roinn-taghaidh chugallaich *gin*
(prìomh) roinnean-taghaidh cugallach *iol*

key sector *n*
prìomh roinn *boir*
prìomh roinne *gin*
prìomh roinnean *iol*

key service indicator *n*
prìomh chomharra (*fir*) seirbheis
prìomh comharra sheirbheis *gin*
prìomh chomharran seirbheis *iol*

key stage *n* **(education)**
ìre (*boir*) chudthromach
ìre cudthromaich *gin*
ìrean cudthromach *iol*

keyboard *n* **(for a computer)**
meur-chlàr *fir*
meur-chlàir *gin*
meur-chlàran *iol*

keynote *adj*
prìomh *br*
1 keynote speaker
prìomh neach-labhairt
2 keynote speech
prìomh òraid

keynote *n*
prìomh chùis *boir*
prìomh chùise *gin*
prìomh chùisean *iol*

Kilmarnock and Loudoun (Constituency)
Cill Mhearnaig agus Lughdan
Cill Mhearnaig agus Lughdan *gin*

kingdom *n*
rìoghachd *boir*
rìoghachd *gin*
rìoghachdan *iol*
United Kingdom (UK)
An Rìoghachd Aonaichte

King's Counsel *n*
(KC)
Neach-tagraidh (*fir*) an Rìgh
Neach-tagraidh an Rìgh *gin*
Luchd-tagraidh an Rìgh

King's Proctor *n*
Procadair (*fir*) an Rìgh
Procadair an Rìgh *gin*
Procadairean an Rìgh *iol*

Kirkcaldy (Constituency)
Cathair (*boir*) Challdainn
Cathair Challdainn *gin*

knock-on *n*
buaidh *boir*
buaidhe *gin*
buaidhean *iol*

knock-on effect *n*
buaidh *boir*
buaidhe *gin*
buaidhean *iol*
the knock-on effect of the tax would be inflationary
's e buaidh na cìse ìre na h-atmhorachd a mheudachadh

know *v*
aithnich *gr*
aithneachadh aig,
bi (*gr*) fios aig
I know that person
aithnichidh mi an neach sin

know-how *n*
eòlas *fir*
eòlais *gin*

knowledge *n*
eòlas *fir*
eòlais *gin*

labour *n*
saothair *boir*
saothrach *gin*

labour *v*
saothraich *gr*
saothrachadh *agr,*
to labour under a misapprehension
a bhith de bheachd mearachdach

labour exchange *n*
ionad (*fir*) obrach
ionaid obrach *gin*
ionadan obrach *iol*

labour market *n*
margadh (*fir / boir*) fastachd
margaidh fhastachd *gin*

Labour Party *n*
Pàrtaidh (*fir*) Làbarach
Pàrtaidh Làbaraich *gin*
1 Labour
na Làbaraich
2 Labour (Party) supporter
neach-taice a' Phàrtaidh Làbaraich

labour relations *npl*
dàimhean-obrach *fir iol*
dhàimhean-obrach *gin*

Lady *n*
(peeress / wife of a knight)
Baintighearna *boir*
Baintighearna *gin*
Baintighearnan *iol*,
Ban-mhoraire *boir*
Ban-mhoraire *gin*
Ban-mhorairearean *iol*

laid down *adj*
clàraichte *br*
as laid down in Standing Orders
mar a tha clàraichte sna Gnàth-riaghailtean

laity *n*
neo-chlèir *boir*
neo-chlèire *gin*

Land Court *n*
Cùirt (*boir*) an Fhearainn
Cùirt an Fhearainn *gin*

land register *n*
clàr (*fir*) fearainn
clàir fhearainn *gin*
clàran fearainn *iol*

land service *n*
seirbheis (*boir*) fearainn
seirbheis fearainn *gin*
seirbheisean fearainn *iol*

land use adviser *n*
comhairleach (*fir*) air cleachdadh fearainn
comhairlich air cleachdadh fearainn *gin*
comhairlich air cleachdadh fearainn *iol*

lands tribunal *n*
tribiunal (*fir*) fearainn
tribiunail fhearainn *gin*
tribiunail fhearainn *iol*

landscape adviser *n*
comhairleach (*fir*) deilbh-talmhainn
comhairlich dheilbh-talmhainn *gin*
comhairlichean deilbh talmhainn *iol*

landscape architect *n*
ailtire (*fir*) deilbh-thalmhainn
ailtire dheilbh-thalmhainn *gin*
ailtirean deilbh-thalmhainn/ *iol*

landscaping *n*
cumadh (*fir*) fearainn
cumaidh fearainn *gin*
cumaidhean fearainn *iol,*
dealbh-tìre *fir*
deilbh-thìre *gin*

landslide *adj*
le gluasad mòr *br*
a landslide victory
buaidh le fìor ghluasad (san luchd-bhòtaidh)

landslide *n*
buaidh (*boir*) le gluasad mòr
buaidhe le gluasad mòr *gin*
buaidhean le gluasad mòr *iol*
to win by a landslide
buannachadh le gluasad mòr (san luchd-bhòtaidh)

language *n*
cànan *fir*
cànain *gin*
cànainean *iol*,
cànain *boir*
cànaine *gin*
cànainean *iol*

language export centre *n*
ionad (*fir*) às-mhalairt cànain
ionaid às-mhalairt cànain *gin*
ionadan às-mhalairt cànain *iol*

language policy *n*
poileasaidh (*fir*) cànain
poileasaidh chànain *gin*
poileasaidhean cànain *iol*

language scheme *n*
sgeama (*fir*) cànain
sgeama chànain *gin*
sgeamaichean cànain *iol*

language tuition *n*
oideachas (*fir*) cànain
oideachais chànain *gin*

lapse *v*
rach (*gr*) mu làr
dol (*agr*) mu làr,
thig (*gr*) gu ceann
tighinn (*agr*) gu ceann,
tuit *gr*
tuiteam *agr*
1 the temporary chairmanship will lapse at the end of the meeting
thig dreuchd a' chathraiche shealaich gu ceann aig deireadh na coinneimh
2 to lapse into silence
tuiteam sàmhach

last-ditch *adj*
deireannach *br*
a last-ditch attempt to save the situation
oidhirp dheireannach gus a' chùis a rèiteach

late-night sitting *n*
suidhe (*fir*) anmoch
suidhe anmoich *gin*
suidhean anmoch *iol*

launch *n*
cur (*fir*) air bhog *fir*
cuir air bhog *gin*,
foillseachadh *fir*
foillseachaidh *gin*
foillsichidhean *iol*
launch of the manifesto
cur air bhog a' mhanifesto,
foillseachadh a' mhanifesto

launch *v*
thoir (*gr*) aghaidh air
toirt (*agr*) aghaidh air
to launch the initiative
aghaidh a thoirt air iomairt

law *n*
lagh *fir*
lagha *gin*
laghannan *iol*
1 according to law
a rèir an lagha
2 in accordance with the law
ann an co-rèir ris an lagh
3 law and order
lagh is rian
4 law and disorder
lagh is mì-rian

law commissioner *n*
coimiseanair (*fir*) lagha *fir*
coimiseanair lagha *gin*
coimiseanairean lagha *iol*

law court *n*
cùirt (*boir*) lagha
cùirt lagha *gin*
cùirtean lagha *iol*

law enforcement *n*
cur (*fir*) an gnìomh lagha
cur an gnìomh lagha *gin,*
èigneachadh (*fir*) lagha
èigneachaidh lagha *gin*

Law Lord *n*
Morair (*fir*) Dearg
Morair Dheirg *gin*
Morairean Dearga *iol*

law *n* **of contract**
lagh (*fir*) cunnraidh
lagha chunnraidh *gin*
laghannan cunnraidh *iol*

law officer *n*
oifigear (*fir*) lagha
oifigeir lagha *gin*
oifigearan lagha *iol*

Law Officers' Department *n*
Roinn (*boir*) Oifigearan an Lagha
Roinn Oifigearan an Lagha *gin*

law reform *n*
ath-leasachadh (*fir*) lagha
ath-leasachaidh lagha *gin*
ath-leasachaidhean lagha *iol*

law report *n*
aithisg (*boir*) lagha
aithisg lagha *gin*
aithisgean lagha *iol*

lawful *adj*
laghail *br*

lawful development *n*
leasachadh laghail *fir*
leasachaidh laghail *gin*
leasachaidhean laghail *iol*

lawless *adj*
dìthreachdach *br,*
gun ùmhlachd don lagh

lawlessness *n*
mi-laghalachd *boir*
mi-laghalachd *gin*

law-maker *n*
reachdadair *fir*
reachdadair *gin*
reachdadairean *iol*

law-making *n*
reachdachadh *fir*
reachdachaidh *gin*

lawyer *n*
neach-lagha *fir*
neach-lagha *gin*
luchd-lagha *iol*

lay *v* **before Parliament**
cuir (*gr*) fa chomhair na Pàrlamaid
cur (*agr*) fa chomhair na Pàrlamaid

layman *n*
neo-eòlaiche
neo-eòlaiche *gin*
neo-eòlaichean *iol*

lead *n*
stiùir *boir*
stiùire *gin*
stiùirean *iol*
to give a lead
stiùir a thoirt

lead *v*
adhbharaich *gr*
adhbharachadh *agr,*
stiùir *gr,*
stiùireadh *agr,*
bi (*gr*) nad
cheannard air
1 to lead to the preparation of a report
adhbharachadh gun
deach aithisg ullachadh
2 to lead a party
pàrtaidh a stiùireadh,
a bhith nad cheannard
air pàrtaidh

lead member *n*
prìomh bhall *fir*
prìomh bhuill *gin*
prìomh bhuill *iol*
lead member system
siostam prìomh bhuill

leader *n*
ceannard *fir*
ceannaird *gin*
ceannardan *iol*

Leader *n* **of the House of Commons**
Ceannard (*fir*) Thaigh nan
Cumantan
Ceannard Thaigh nan
Cumantan *gin*

Leader *n* **of the House of Lords**
Ceannard (*fir*) Thaigh nam
Morairean
Ceannard (*fir*) Thaigh nam
Morairean *gin*

leadership *n*
(position of leader)
ceannardas *fir*
ceannardais *gin*
ceannardasan *iol*

leadership *n*
(quality of a leader)
buaidhean (*boir iol*) ceannais
bhuaidhean ceannais *gin,*
ceannardas *fir*
ceannardais *gin*
to show leadership
buaidhean ceannais a nochdadh,
ceannardas a nochdadh

leadership challenge *n*
dùbhlan (*fir*) ceannardais *fir*
dùbhlain ceannardais *gin*
dùbhlanan ceannardais *iol*

leadership contest *n*
farpais (*boir*) ceannardais *boir*
farpais ceannardais *gin*
farpaisean ceannardais *iol*

leading *adj*
prìomh *br*
leading case
prìomh chùis

leak *n*
fios (*fir*) a chaidh a leigeil
mu sgaoil
fios a chaidh a leigeil
mu sgaoil *gin*
fiosan a chaidh a leigeil
mu sgaoil *iol*

leak *v*
leig (*gr*) mu sgaoil
leigeil (*agr*) mu sgaoil
he leaked the document to the press
leig e an sgrìobhainn mu
sgaoil chun nam meadhanan

leaked document *n*
sgrìobhainn (*boir*) a chaidh a
leigeil mu sgaoil
sgrìobhainne a chaidh a leigeil
mu sgaoil *gin*
sgrìobhainnean a chaidh a leigeil
mu sgaoil *iol*

leave *n*
cead *fir*
cead *gin*
ceadan *iol*
leave to appeal
cead ath-thagradh a dhèanamh

left *adj*
clì *br*

left-wing *adj*
(na) làimhe clì

left wing *n*
làmh (*boir*) chlì
làimhe clì *gin*

left-winger *n*
neach (*fir*) air an làimh chlì
neach air an làimh chlì *gin*
daoine air an làimh chlì *iol*

legal *adj*
laghail *br*
the legal basis for a programme
bonn laghail airson prògraim

legal action *n*
cùis-lagha *boir*
cùis-lagha *gin*
cùisean-lagha *iol*
to raise a legal action against
a thoirt gu lagh

legal advice *n*
comhairle (*boir*) laghail
comhairle laghail *gin*

legal aid *n*
taic (*boir*) laghail
taice laghail *gin*

legal authority *n*
ùghdarras (*fir*) laghail
ùghdarrais laghail *gin*
ùghdarrasan laghail *iol*

legal challenge *n*
dùbhlan (*fir*) laghail
dùbhlain laghail *gin*
dùbhlain laghail *iol*

legal enforceability *n*
comas (fir) cuir an gnìomh
fon lagh
comas cuir an gnìomh
fon lagh *gin*

legal entity *n*
eintiteas (fir) laghail
eintiteis laghail *gin*
eintiteasan laghail *iol*,
nì (*fir*) laghail
nì laghail *gin*
nithean laghail *iol*

legal loophole *n*
beàrn (*boir*) laghail
beàirn laghail *gin*
beàrnan laghail *iol*

legal machinery *n*
innleachd (*boir*) laghail
innleachd laghail *gin*
innleachdan laghail *iol*

legal opinion *n*
beachd (*fir*) laghail
beachda laghail *gin*
beachdan laghail *iol*

legal personality *n*
pearsa (*fir*) laghail
pearsa laghail *gin*
pearsaichean laghail *iol*

legal proceedings *n*
imeachdan (*boir iol*) laghail
imeachdan laghail *gin,*
modhan (*boir iol*) laghail
modhan laghail *gin*

legal right *n*
còir (*boir*) laghail
còire laghail *gin*
còraichean laghail *iol*

legal service *n*
seirbheis (*boir*) laghail
seirbheise laghail *gin*
seirbheisean laghail *iol*

legal term *n*
teirm (*boir*) laghail
teirme laghail *gin*
teirmean laghail *iol*

legalisation *n*
ceadachadh (*fir*) laghail
ceadachaidh laghail *gin,*
dèanamh (*fir*) laghail
dèanaimh laghail *gin*

legalise *v*
dèan (*gr*) laghail
dèanamh (*agr*) laghail

legalised *adj*
air a dhèanamh laghail,
gu laghail *cgr*

legality *n*
laghalachd *boir*
laghalachd *gin,*
nì (*fir*) laghail
nì laghail *gin*
nithean laghail *iol*

legally binding *adj*
ceangaltach (*br*) fon lagh

legally bound *adj*
ceangailte (*br*) fon lagh

legally enforceable *adj*
ion-èigneachail (*br*) fon lagh,
a ghabhas a chur an gnìomh
fon lagh
the matter is not legally enforceable
chan eil a' chùis ion-èigneachail
fon lagh,
cha ghabh a' chùis a chur an
gnìomh fon lagh

legally qualified *adj*
le barrantas lagha

legislate *v*
reachdaich *gr*
reachdachadh *agr*

legislation *n*
reachdas *fir*
reachdais *gin*
to be passed into legislation
ri sgrìobhadh ann an reachdas

legislation committee *n*
comataidh (*boir*) reachdais
comataidh reachdais *gin*
comataidhean reachdais *iol*

legislative *adj*
reachdail *br*

legislative body *n*
buidheann (*boir*) reachdail
buidhne reachdail *gin*
buidhnean reachdail *iol*

legislative power *n*
cumhachd (*fir*) reachdail
cumhachd reachdail *gin*
cumhachdan reachdail *iol*

legislative scrutiny *n*
sgrùdadh (*fir*) reachdail
sgrùdaidh reachdail *gin*
sgrùdaidhean reachdail *iol*

legislature *n* **(legislative body)**
reachdadaireachd *boir*
reachdadaireachd *gin*
reachdadaireachdan *iol*

legitimate *adj*
dligheil *br*

legitimate *v*
dèan (*gr*) dligheil
dèanamh (*agr*) dligheil

legitimise *v*
dèan (*gr*) dligheil
dèanamh (*agr*) dligheil

leisure centre *n*
ionad (*fir*) chur-seachad
ionaid chur-seachad *gin*
ionadan chur-seachad *iol*

leniency *n*
iochdalachd *boir*
iochdalachd *gin*

lenient *adj*
iochdail *br*

less favoured area *n* **(LFA)**
sgìre (*boir*) fho-leasaichte
sgìre fo-leasaichte *gin*
sgìrean fo-leasaichte *iol*

lesser-used language *n*
mion-chànan *fir*
mion-chànain *gin*
mion-chànanan *iol*

level *adj*
còmhnard *br*
a level playing field
suidheachadh co-ionann,
cothromach

level *v*
cuir (*gr*) às leth
cur (*agr*) às leth,
dèan (*gr*) co-ionann
dèanamh (*agr*) co-ionann
1 to level an accusation
casaid a chur às leth (neach)
2 to level the playing field
an suidheachadh a dhèanamh
co-ionann

levy *n*
cìs *boir*
cìse *gin*
cìsean *iol*

levy *v*
leig *gr*
leigeil *agr*
to levy a tax
cìs a leigeil

liability *n*
(financial obligations, commitments)
fèicheanas *fir*
fèicheanais *gin*
fèicheanasan *iol*

liability *n*
(financial, for payment)
fiach *fir*
fèich *gin*
fiachan *iol*
assets and liabilities
so-mhaoin agus do-mhaoin

liability *n*
(the state of being liable)
buailteachd *boir*
buailteachd *gin*

liable *adj*
ri *roi,*
buailteach *br,*
fo fhiachan *br*
1 to be liable for payment
a bhith ri phàigheadh
2 to be liable for an action
a bhith buailteach do chùis-lagha
3 to be financially liable
a bhith buailteach gu h-ionmhasail,
a bhith fo fhiachan

liaise *v*
dèan (*gr*) ceangal
dèanamh (*agr*) ceangail

liaison *n*
ceangal *fir*
ceangail *gin*
ceanglaichean / ceangail *iol*

liaison committee *n*
comataidh (*boir*) ceangail
comataidh ceangail *gin*
comataidhean ceangail *iol*

liaison officer *n*
oifigear (*fir*) ceangail
oifigeir cheangail *gin*
oifigearan ceangail *iol*

libel *n*
cliù-mhilleadh *fir*
cliù-mhillidh *gin*
cliù-mhillidhean *iol,*
tuaileas *fir*
tuaileis *gin*
tuaileasan *iol*
the law of libel
lagh cliù-mhillidh

libel *v*
cliù-mhill (ann an sgrìobhadh) *gr*
cliù-mhilleadh (ann an sgrìobhadh) *agr,*
cuir (*gr*) alladh air
cur (*agr*) alladh air

libel damages *npl*
airgead-dìolaidh (*fir*) cliù-mhillidh
airgead-dìolaidh cliù-mhillidh *gin*

libel suit *n*
cùis-lagha (*boir*) cliù-mhillidh
cùise-lagha cliù-mhillidh *gin*
cùisean-lagha cliù-mhillidh *iol*

libeller *n*
cliù-mhilltear *fir*
cliù-mhillteir *gin*
cliù-mhilltearan *iol,*
saobh-sgrìobhadair *fir*
saobh-sgrìobhadair *gin*
saobh-sgrìobhadairean *iol*

libellous *adj*
cliù-mhillteach *br*

liberal *adj*
(philosophical and political)
libearalach *br*

liberal democracy *n*
deamocrasaidh (*fir*) libearalach
deamocrasaidh libearalaich *gin*
deamocrasaidhean libearalach *iol*

liberal democrat *n*
libearalach (*fir*) deamocratach
libearalaich dheamocrataich *gin*
libearalaich dheamocratach *gin*
Liberal Democrats (the party)
na Libearalaich Dheamocratach

liberal democratic *adj*
libearalach deamocratach *br*
Liberal Democratic Party
am Pàrtaidh Libearalach Deamocratach

liberty *n*
saorsa *boir*
saorsa *gin,*
saorsainn *boir*
saorsainne *gin*
saorsainnean *iol*

library *n*
leabharlann *fir*
leabharlainn *gin*
leabharlannan *iol*

licence *n*
cead *fir*
cead *gin*
ceadan *iol,*
ceadachd *boir*
ceadachd *gin*
ceadachdan *iol*

license *v*
ceadaich *gr*
ceadachadh / ceadachd *agr*

licensed *adj*
ceadaichte *br,*
fo cheadachd *br*

licensing board *n*
bòrd (*fir*) ceadachd
bùird cheadachd *gin*
bùird cheadachd *iol*

licensing court *n*
cùirt (*boir*) ceadachd
cùirte ceadachd *gin*
cùirtean ceadachd *iol*

licensing hours *npl*
uairean (*boir iol*) fo cheadachd
uairean fo cheadachd *gin*

licensing laws *npl*
laghan (*fir iol*) ceadachd
laghan ceadachd *gin*

lie *v* **in state**
bi (*gr*) fo fhaire phoblaich

lieu, in lieu of
ann an àite (rud),
an ionad (rud)

lieutenant *n* **(associate)**
neach-ionaid *fir*
neach-ionaid *gin*
luchd-ionaid *iol*
a trusty lieutenant
neach-ionaid dìleas

lieutenant *n* **(military)**
leifteanant *fir*
leifteanaint *gin*
leifteanantan *iol*

life interest *n*
com-pàirt (*boir*) beatha
com-pàirt beatha *gin*
com-pàirtean beatha *iol*

life peer *n*
morair (*fir*) beatha
morair bheatha *gin*
moraírean beatha *iol*

Lifelong Learning Group *n*
Buidheann (*boir*) Foghlaim
Fhad-beatha
Buidhne Foghlaim
Fhad-beatha *gin*

lifetime *n*
rè *boir*
during the lifetime of Parliament
rè na Pàrlamaid

lift *v*
tog *gr*
togail *agr*
to lift a disqualification
dì-cheadachadh a thogail

light *n*
solas *fir*
solais *gin*
solais *iol*
in the light of that explanation
mar thoradh air a' mhìneachadh
sin

like for like
nithean ceudna am malairt a
chèile

like with like
nithean ceudna … ri chèile
to compare like with like
nithean ceudna a choimeas
(ri chèile)

like-minded *adj*
den aon bharail *br*
all the Members were like-minded
bha na Buill uile den aon bharail

limit *n*
crìoch *boir*
crìche *gin*
crìochan *iol*
a cash limit
crìoch ionmhais

limit *v*
cuingealaich *gr*
cuingealachadh *agr*
this limits our scope for action
tha seo a' cuingealachadh ar
raon obrach

limitation *n*
crìoch *boir*
crìche *gin*
crìochan *iol*
1 statute of limitations
reachd nan crìoch (ama)
2 it is permitted within certain limitations
tha e ceadaichte an
taobh-staigh crìochan àraidh

limited *adj*
cuibhrichte *br*
1 limited capacity
cothrom cuibhrichte
2 a limited number of options
àireamh chuibhrichte
de roghainnean

link *n*
alt *fir*
uilt *gin*
altan *iol,*
ceangal *fir*
ceangail *gin*
ceanglaichean / ceangail *iol*

link *n* **(in chain)**
tinne *boir*
tinne *gin*
tinneachan *iol*

link road *n*
alt-rathad *fir*
alt-rathaid *gin*
alt-rathaidean /
alt-ròidean *iol,*
rathad-ceangail *fir*
rathaid-cheangail *gin*
rathaidean-ceangail /
ròidean-ceangail *iol*

Linlithgow (Constituency)
Gleann Iucha
Ghlinn Iucha *gin*

liquidate *v*
leagh *gr*
leaghadh *agr*

liquidation *n*
leaghadh *fir*
leaghaidh *gin,*
call-creideis *fir*
call-chreideis *gin,*
sgaoileadh *fir*
sgaoilidh *gin*
1 the liquidation of a company
leaghadh companaidh,
sgaoileadh companaidh
(le call-creideis)
2 the company went into voluntary liquidation
chaidh a' chompanaidh a
leaghadh gu saor-thoileach,
chaidh a' chompanaidh a
sgaoileadh (le call-creideis)
gu saor-thoileach

List Member *n*
Ball (*fir*) Liosta
Buill Liosta *gin*
Buill Liosta *iol*

listen *v*
èist *gr*
èisteachd *agr*

litigant *n*
agartach *fir*
agartaich *gin*
agartaich *iol*

litigation *n*
agartachd *boir*
agartachd *gin*

litigious *adj* **(case)**
agartach *br*

litigious *adj* **(person)**
agartach *br,*
dèidheil (*br*) air agartachd,
tugta (*br*) do dh'agartachd

Livingston (Constituency)
Baile Dhùn Lèibhe
Bhaile Dhùn Lèibhe *gin*

loan *n*
iasad *fir*
iasaid *gin*
iasadan *iol*
loan sanction
ùghdarachadh iasaid

lobby *n*
lobaidh *fir / boir*
lobaidh *gin*
lobaidhean *iol,*
trannsa *boir*
trannsa *gin*
trannsaichean *iol*
mass lobby
lobaidh / trannsa cruinneachaidh

lobby *v*
coitich (*gr*) ri
coiteachadh (*agr*) ri,
dèan (*gr*) tagradh ri
dèanamh (*agr*) tagradh ri
to lobby a Member of Parliament
coiteachadh a dhèanamh ri Ball Pàrlamaid,
tagradh a dhèanamh ri Ball Pàrlamaid

lobby correspondent *n*
neach-naidheachd (*fir*) an lobaidh
neach-naidheachd an lobaidh *gin*
luchd-naidheachd an lobaidh *iol*

lobbying *n*
coiteachadh *fir*
coiteachaidh *gin*

lobbyist *n*
neach-coiteachaidh *fir*
neach-choiteachaidh *gin*
luchd-coiteachaidh *iol*

local authority *n*
ùghdarras ionadail *fir*
ùghdarrais ionadail *gin*
ùghdarrasan ionadail *iol*

local authority association *n*
comann ùghdarrais ionadail *fir*
comann ùghdarrais ionadail *gin*
comainn ùghdarrais ionadail *iol*

local authority expenditure *n*
caiteachas (*fir*) ùghdarrais ionadail
caiteachas ùghdarras ionadail *gin*

local authority finance(s) *n(pl)*
ionmhas ùghdarrais ionadail *fir*
ionmhas ùghdarrais ionadail *gin*
ionmhasan ùghdarras ionadail *iol*

local autonomy *n*
fèin-ùghdarras ionadail *fir*
fèin-ùghdarrais ionadail *gin*

local careers advisory service *n*
seirbheis (*boir*) comhairleachaidh dhreuchd ionadail
seirbheis comhairleachaidh dhreuchd ionadail *gin*
seirbheisean comhairleachaidh dhreuchd ionadail *iol*

local community *n*
coimhearsnachd (*boir*) ionadail
coimhearsnachd ionadail *gin*
coimhearsnachdan ionadail *iol*

local council *n*
comhairle (*boir*) ionadail
comhairle ionadail *gin*
comhairlean ionadail *iol*

local council election *n*
taghadh (*fir*) comhairle ionadail
taghadh comhairle ionadail *gin*
taghadh chomhairlean ionadail *iol*

local councillor *n*
comhairliche (*fir*) ionadail
comhairliche ionadail *gin*
comhairlichean ionadail *iol*

local democracy *n*
deamocrasaidh (*fir*) ionadail
deamocrasaidh ionadail *gin*
deamocrasaidhean ionadail *iol*

local dental committee *n* **(LDCs)**
comataidh (*boir*) fhiaclair ionadail
comataidh fhiaclair ionadail *gin*
comataidhean fhiaclair ionadail *iol*

local designation scheme *n*
sgeama (*fir*) ainmeachaidh ionadail
sgeama ainmeachaidh ionadail *gin*
sgeamaichean ainmeachaidh ionadail *iol*

local education authority *n* **(LEA)**
ùghdarras (*fir*) foghlaim ionadail
ùghdarrais fhoghlaim ionadail *gin*
ùghdarrasan foghlaim ionadail *iol*

local election *n*
taghadh (*fir*) ionadail
taghaidh ionadail *gin*
taghaidhean ionadail *iol*

local environment services *npl*
seirbheisean (*boir iol*) àrainneachd ionadail
sheirbheisean àrainneachd ionadail *gin*

local government *n*
riaghaltas (*fir*) ionadail
riaghaltais ionadail *gin*
riaghaltasan ionadail *iol*

Local Government Boundary Commission *n*
Coimisean (*fir*) Chrìoch an Riaghaltais Ionadail
Coimisean Chrìoch an Riaghaltais Ionadail *gin*
Coimiseanan Chrìoch an Riaghaltais Ionadail *iol*

Local Government Committee *n*
Comataidh (boir) Riaghaltais Ionadail
Comataidh Riaghaltais Ionadail gin

local government election *n*
taghadh (*fir*) riaghaltais ionadail
taghadh riaghaltais ionadail *gin*
taghaidhean riaghaltasan ionadail *iol*

local government expenditure *n*
caiteachas (*fir*) riaghaltais ionadail
caiteachas riaghaltais ionadail *gin*
caiteachasan riaghaltais ionadail *iol*

local government finance *n*
ionmhas (*fir*) riaghaltais ionadail
ionmhas riaghaltais ionadail *gin*
ionmhasan riaghaltais ionadail *iol*

local government officer *n*
oifigear (*fir*) riaghaltais ionadail
oifigeir riaghaltais ionadail *gin*
oifigearan riaghaltais ionadail *iol*

local government reform *n*
ath-leasachadh (*fir*) riaghaltais ionadail
ath-leasachadh riaghaltais ionadail *gin*
ath-leasachaidhean riaghaltais ionadail *iol*

local government reorganisation *n*
ath-eagrachadh (*fir*) riaghaltais ionadail
ath-eagrachadh riaghaltais ionadail *gin*
ath-eagrachaidhean riaghaltais ionadail *iol*

local government staff *n*
luchd-obrach (*iol*) riaghaltais ionadail
luchd-obrach riaghaltais ionadail *gin*

local health council *n*
comhairle (*boir*) slàinte ionadail
comhairle slàinte ionadail *gin*

local income tax *n*
cìs (*boir*) cosnaidh ionadail
cìse cosnaidh ionadail *gin*
cìsean cosnaidh ionadail *iol*

local inquiry *n*
rannsachadh (*fir*) ionadail
rannsachaidh ionadail *gin*
rannsachaidhean ionadail *iol*

local office *n*
oifis (*boir*) ionadail
oifise ionadail *gin*
oifisean ionadail *iol*

local plan *n*
plana (*fir*) ionadail
plana ionadail *gin*
planaichean ionadail *iol*

local planning committee *n*
comataidh (*boir*) dealbhaidh ionadail
comataidh dealbhaidh ionadail *gin*
comataidhean dealbhaidh ionadail *iol*

local schools budget *n* **(LSB)**
buidseat (*fir*) sgoiltean ionadail
buidseit sgoiltean ionadail *gin*
buidseatan sgoiltean ionadail *iol*

local support centres *npl*
ionadan (*fir iol*) taice ionadail
ionadan taice ionadail *gin*

local taxation office *n*
oifis (*boir*) chìs ionadail
oifis chìs ionadail *gin*
oifisean chìs ionadail *iol*

local valuation court *n*
cùirt (*boir*) luachaidh ionadail
cùirte luachaidh ionadail *gin*
cùirtean luachaidh ionadail *iol*

local vehicle licensing office *n* **(LVLO)**
oifis (*boir*) ionadail ceadachaidh charbad
oifis ionadail ceadachaidh charbad *gin*
oifisean ionadail ceadachaidh carbad *iol*

Locate in Scotland *n*
Suidhich an Alba
Suidhich an Alba *gin*

location incentive scheme *n*
sgeama (*fir*) tarraing gu làraich (shònraichte)
sgeama tarraing gu làraich *gin*
sgeamaichean tarraing gu làraich *iol*

lodge *v*
cuir (*gr*) a-steach
cur (*agr*) a-steach
to lodge an appeal
ath-thagradh a chur a-steach

log *v* **off**
dèan (*gr*) tarraing
dèanamh (*agr*) tarraing,
log (*gr*) dheth
logadh (*agr*) dheth

log *v* **on**
dèan (*gr*) ceangal
dèanamh (*agr*) ceangal,
log (*gr*) air
logadh (*agr*) air

long *adj*
fada *br*
in the long run
san ùine-fhada

long term *n*
ùine (*boir*) fhada
ùine fada *gin*,
fad-ùine *boir*
in the long term
anns an ùine-fhada,
san fhad-ùine

long vacation *n*
saor-làithean (*fir iol*) fada
shaor-làithean fada *gin*

long-lasting *adj*
buan *br*,
mairsinneach *br*
the policy will have long-lasting benefits
bithidh buannachdan mairsinneach aig a' phoileasaidh

long-term *adj*
fad-ùine *br*,
ùine-fhada *br*,
anns an ùine-fhada,
san fhad-ùine
1 long-term planning
dealbhadh fad-ùine
2 the long-term view
sealladh san fhad-ùine

loophole *n*
beàrn *boir*
bèirn *gin*
beàrnan *iol*

Lord *n*
Morair *fir*
Morair *gin*
Morairean *iol*
(The) Lord MacDonald
Am Morair Dòmhnallach

Lord Advocate *n*
Morair (*fir*) Tagraidh
Morair Thagraidh *gin*
Morairean Tagraidh *iol*

Lord Advocate *n* **of Scotland**
Morair (*fir*) Tagraidh na h-Alba
Morair Tagraidh na h-Alba *gin*
Morairean Tagraidh na h-Alba *iol*

Lord *n* **of Appeal**
Morair (*fir*) an Ath-thagraidh
Morair an an Ath-thagraidh *gin*

Lord Chamberlain *n*
Àrd-sheumarlan *fir*
Àrd-sheumarlain *gin*

Lord Chancellor *n*
Àrd-sheansalair *fir*
Àrd-sheansalair *gin*

Lord Chancellor's Department
Roinn (*boir*) an Àrd-sheansalair
Roinn an Àrd-sheansalair *gin*

Lord Chief Justice *n*
Prìomh Mhorair (*fir*) a' Cheartais
Prìomh Mhorair a' Cheartais *gin*

Lord High Chancellor *n* **of Great Britain**
Prìomh Ard-sheansalair Bhreatainn *fir*
Prìomh Ard-sheansalair Bhreatainn *gin*

Lord Lieutenant *n*
Lords Lieutenant *pl*
Morair-ionaid (*fir*) a' Chrùin
Morair-ionaid a' Chrùin *gin*
Morairean-ionaid a' Chrùin *iol*

Lord President *n* **of the Council**
Àrd-mhorair na Comhairle *fir*
Àrd-mhorair na Comhairle *gin*

Lord President *n* **of the Court of Session**
Àrd-mhorair (*fir*) Cùirt an t-Seisein
Àrd-mhorair Cùirt an t-Seisein *gin*
Àrd-mhorairean Cùirt an t-Seisein *iol*

Lords *n*
Morairean *fir iol*
Mhorairean *gin*
in the (House of) Lords
ann an Taigh nam Morairean

lose *v*
caill *gr*
call *agr*
1 to lose an election
taghadh a chall
2 to lose a deposit
eàrlas a chall

loss *n*
call *fir*
calla *gin*
nithean a chaidh a chall *iol*

lost deposit *n*
eàrlas (*fir*) caillte
eàrlais chaillte *gin*
eàrlais chaillte *iol*

lottery *n*
crannchur *fir*
crannchuir *gin*
crannchuran *iol*
National Lottery
An Crannchur Nàiseanta

low cost home ownership *n*
seilbh (*boir*) dachaigh bheag-chosgais
seilbh dachaigh bheag-chosgais *gin*

loyal *adj*
dìleas *br*
the loyal opposition
am pàrtaidh-dùbhlain dìleas

loyalty *n*
dìlseachd *boir*
dìlseachd *gin*

mace *n*
lorg-shuaicheantais *boir*
luirge-suaicheantais *gin*
lorgan-suaicheantais *iol*
Mace Bearer
Oifigear na Luirge

machinery *n*
modhan-obrach *boir iol*
modhan-obrach *gin*
mhodhan-obrach *iol*
the machinery of government
modhan-obrach riaghaltais

madness *n*
cuthach *fir*
cuthaich *gin*

magistrate *n*
maighstir (*fir*) lagha
maighstir lagha *gin*
maighstirean lagha *iol*

magistrates' court *n*
cùirt (*boir*) nam maighstirean lagha
cùirt nam maighstirean lagha *gin*
cùirtean nam maighstirean lagha *iol*

maiden speech *n*
a' chiad òraid *boir*
na ciad òraide *gin*
na ciad òraidean *iol*

main housing subsidy *n*
prìomh shubsadaidh (*fir*) taigheadais
prìomh shubsadaidh thaigheadais *gin*
prìomh shubsadaidhean taigheadais *iol*

main urban programme *n*
prìomh phrògram (*fir*) bailteil
prìomh phrògraim bhailteil *gin*
prìomh phrograman bailteil

mainframe computer *n*
mòr-choimpiutar *fir*
mòr-choimpiutair *gin*
mòr-choimpiutaran *iol*

mainstream opinion *n*
beachd a' mhòr-shluaigh *fir*
beachd a' mhòr-shluaigh *gin*
beachdan a' mhòr-shluaigh

maintain *v* **(argue in debate)**
cùm *gr*
cumail *agr*

maintain *v* **(look after)**
cùm (*gr*) suas
cumail (*agr*) suas

maintain *v* **(possession)**
glèidh *gr*
gleidheadh *agr*

maintenance *n*
cumail (*boir*) suas
cumail suas *gin,*
gleidheadh *fir*
gleidhidh *gin*

major incident control *n*
ceannsal (*fir*) mòr-thachartais
ceannsail mhòr-thachartais *gin*

major incident unit *n*
aonad (*fir*) mòr-thachartais
aonaid mhòr-thachartais *gin*
aonadan mòr-thachartais *iol*

majority *n*
mòr-chuid *boir*
mòr-chodach *gin*
mòr-chodaichean *iol*
1 we are in the majority
tha mhòr-chuid leinn,
tha sinne sa mhòr-chuid
2 the silent majority
a' mhòr-chuid shàmhach

majority group *n*
mòr-bhuidheann *boir*
mòr-bhuidhne *gin*
mòr-bhuidhnean *iol*

majority language *n*
mòr-chànan *fir*
mòr-chànain *gin*
mòr-chànain *iol*

majority party *n*
mòr-phàrtaidh *fir*
mòr-phàrtaidh *gin*
mòr-phàrtaidhean *iol*

majority rule *n*
riaghladh (*fir*) leis a'
mhòr-chuid *fir*
riaghlaidh leis a'
mhòr-chuid *gin*

maladministration *n*
mì-rianachd *boir*
mì-rianachd *gin*

malfeasance *n*
giùlan (*fir*) mì-dhligheach
giùlain mhì-dhlighich *gin*

malpractice *n*
mì-chleachdadh *fir*
mì-chleachdaidh *gin*
mì-chleachdaidhean *iol*

manage *v*
stiùir *gr*
stiùireadh *agr*
dèan (*gr*) a' chùis
dèanamh (*agr*) na cùise
we have managed to secure support
rinn sinn a' chùis air taic a
dhleasadh

managed *adj*
stiùirichte *br*
a managed economy
eaconamaidh stiùirichte

management *n* **(the personnel)**
stiùirichean *fir iol*
stiùirichean *gin,*
manaidsearan *fir iol*
mhanaidsearan *gin*

management *n* **(the process)**
stiùireadh *fir*
stiùiridh *gin*

management committee *n*
comataidh (*boir*) stiùiridh
comataidh stiùiridh *gin*
comataidhean stiùiridh *iol*

management information *n*
fiosrachadh (*fir*) stiùiridh
fiosrachaidh stiùiridh *gin*

management information system *n*
siostam (*fir*) fiosrachaidh stiùiridh
siostaim fhiosrachadh
stiùiridh *gin*
siostaman fiosrachaidh
stiùiridh *iol*

management team *n*
sgioba (*boir*) stiùiridh
sgioba stiùiridh *gin*
sgioban stiùiridh *iol*

manager *n*
manaidsear *fir*
manaidseir *gin*
manaidsearan *iol*

mandate *n*
mandat *fir*
mandait *gin*
mandatan *iol,*
ùghdarras *fir*
ùghdarrais *gin*
ùghdarrasan *iol*
to secure a mandate
ùghdarras a dhleasadh

mandate *v*
òrdaich *gr*
òrdachadh *agr*

mandated *adj*
builichte le mandat *br,*
òrdaichte *br*

mandatory *adj*
do-sheachanta *br,*
èigneachail *br*
mandatory injunction
òrdugh-cùirte
do-sheachanta / èigneachail

manifesto *n*
manifesto *fir*
manifesto *gin*
manifestothan *iol*
manifesto commitment
gealltanas manifesto

manpower *n*
sgiobachd *boir*
sgiobachd *gin*

manpower planning *n*
dealbhadh (*fir*) sgiobachd
dealbhaidh sgiobachd *gin*

manpower policy *n*
poileasaidh (*fir*) sgiobachd
poileasaidh sgiobachd *gin*
poileasaidhean sgiobachd *iol*

manpower resources *npl*
(stòras de) luchd-obrach *fir*
(stòrais de) luchd-obrach *gin*

manuscript *n*
làmh-sgrìobhainn *boir*
làmh-sgrìobhainne *gin*
làmh-sgrìobhainnean *iol*
in manuscript form
an riochd làmh-sgrìobhainne

margin *n*
oir *boir*
oire *gin*
oirean *iol,*
diofar *fir*
diofair *gin*
diofaran *iol*
1 at the margin(s)
air an oir,
air na h-oirean
2 by a slender margin
le diofar beag (eatarra)

marginal constituency *n*
roinn-phàrlamaid (*boir*) theann
roinne-pàrlamaid tinne *gin*
roinnean-pàrlamaid teanna *iol*

marginal seat *n*
roinn-taghaidh (*boir)* theann
roinne-taghaidh tinne *gin*
roinnean-taghaidh teanna *iol*

marginalise *v*
cuir (*gr*) chun an iomaill,
cur (*agr*) chun an iomaill
fàg (*gr*) nas miosa dheth
fàgail (*agr*) nas miosa dheth
the policy will marginalise the disadvantaged
fàgaidh am poileasaidh luchd an anacothruim eadhon nas miosa dheth

Maritime and Coastguard Agency *n*
Buidheann-ghnìomha (*boir*) na Mara is nam Maor-chladach
Buidheann-ghnìomha na Mara is nam Maor-chladach *gin*

market *n*
margadh *fir / boir*
margaidh *gin*
margaidhean *iol*

market economy *n*
eaconamaidh (*fir / boir*) margaidh
eaconamaidh margaidh *gin*
eaconamaidhean margaidh *iol*

marshal *v*
cruinnich *gr*
cruinneachadh *agr,*
trus *gr*
trusadh *agr*
1 to marshal one's forces
cothroman neach a chruinneachadh
2 to marshal the arguments
na h-argamaidean a thrusadh

matched funding *n*
maoineachadh (*fir*) co-ionann
maoineachaidh cho-ionainn *gin*
the scheme will be financed by matched funding
thèid an sgeama ionmhasachadh le maoineachadh co-ionann

material *adj*
a bhuineas do (rud),
tàbhachdach *br*
material to the argument
a bhuineas don argamaid,
tàbhachdach don argamaid

materially *adv*
gu ìre mhòir *cgr*
affect materially
buaidh mhòr a thoirt air

matter *n* **of judgment**
cùis (*boir*) breithneachaidh
cùise breithneachaidh *gin*
cùisean breithneachaidh *iol*

matter *n* **of trust** *n*
cùis (*boir*) earbsa
cùis earbsa *gin*
cùisean earbsa *iol*

mature *adj*
abaich *br*

mature *v*
abaich *gr*
abachadh *agr*

maturity *n*
abaichead *fir*
abaicheid *gin,*
inbhe *boir*
inbhe *gin*

maximum *adj*
as motha

maximum *n*
uas-mheud *fir*
uas-mheud *gin*
uas-mheudan *iol,*
(an nì) as motha
statutory maximum
uas-mheud reachdail

mayor *n*
mèar *fir*
mèar *gin*
mèaran *iol*

mayoress *n*
bean (*boir*) mèar
bean mèar *gin*
mnathan mhèaran *iol*

meaningful *adj*
brìoghmhor *br*
a meaningful debate
deasbad brìoghmhor

means *n* **of escape**
dòigh (*boir*) teiche
dòighe teiche *gin*
dòighean teiche *iol*

means test *n*
deuchainn (*boir*) teachd-a-steach
deuchainn teachd-a-steach *gin*
deuchainnean teachd-a-steach *iol*

meantime *n*
eadar-ama *fir*
eadar-ama *gin*
in the meantime
anns an eadar-ama

measure *n*
ceum *fir*
ceuma *gin*
ceuman *iol*
1 parliamentary measure
ceum pàrlamaid

2 security measures
ceuman tèarainteachd

mechanism *n*
dòigh *boir*
dòighe *gin*
dòighean *iol,*
uidheam *boir*
uidheim *gin*
uidheaman *iol*

media *n*
meadhanan *fir iol*
mheadhanan *gin*
media facilities
goireasan mheadhanan

media wall *n*
balla (*fir*) nan sgrionachan
balla nan sgrionachan *gin*
ballachan nam sgrionachan *iol*

mediate *v*
eadar-mheadhanaich
eadar-mheadhanachadh *agr*

medical appeals tribunal *n*
tribiunal (*fir*) airson ath-thagraidhean meidigeach
tribiunail airson ath-thagraidhean meidigeach *gin*
tribiunail airson ath-thagraidhean meidigeach *iol*

medical officer *n* **of health**
oifigear (*fir*) slàinte meidigeach
oifigeir shlàinte mheidigich *gin*
oifigearan slàinte meidigeach *iol*

medical practices committee *n*
(MPC)
comataidh (*boir*) mhodhan meidigeach
comataidh mhodhan meidigeach *gin*

medium *n*
media *pl*
meadhan *fir*
meadhain *gin*
meadhanan *iol*

medium-term *adj*
meadhan-ùine *br*
medium-term planning
dealbhadh meadhan-ùine

medium term *n*
meadhan-ùine *boir*
meadhan-ùine *gin*
in the medium term
sa mheadhan-ùine

meet *v*
coinnich *gr* (ri)
coinneachadh *agr* (ri),
coilean *gr*
coileanadh *agr*
1 to meet often
coinneachadh gu tric
2 to meet a target
coinneachadh ri targaid / targaid a ruighinn
3 to meet the needs of the public
coinneachadh ri feuman an t-sluaigh,
feuman an t-sluaigh a choileanadh

meeting *n*
coinneamh *boir*
coinneimh *gin*
coinneamhan *iol*
to arrange a meeting
coinneamh a chur air dòigh

meeting procedures *npl*
modhan (*boir iol*) coinneimh
modhan coinneimh *gin*

meeting room *n*
rum (*fir*) coinneimh
ruim choinneimh *gin*
rumannan coinneimh *iol*

megaphone diplomacy *n*
dioplòmasaidh (*fir / boir*) a' mheagafoin
dioplòmasaidh a' mheagafoin *gin,*
sgalartaich (*boir*) ri chèile
sgalartaich ri chèile *gin*

member *n*
ball *fir*
buill *gin*
buill *iol*
List Member
Ball Liosta

Member *n* **of Parliament (MP)**
Ball (*fir*) Pàrlamaid
Buill Pàrlamaid *gin*
Buill Pàrlamaid *iol*

Member *n* **of the European Parliament (MEP)**
Ball (*fir*) Pàrlamaid Eòrpaich
Buill Pàrlamaid Eòrpaich *gin*
Buill Pàrlamaid Eòrpaich *iol*

Member *n* **of the Northern Ireland Assembly** *n* **(MLA)**
Ball (*fir*) Seanadh Èireann a Tuath
Buill Seanadh Èireann a Tuath *gin*
Buill Seanadh Èireann a Tuath *iol*

Member *n* **of the Scottish Parliament (MSP)**
Ball (*fir*) Pàrlamaid na h-Alba
Buill Pàrlamaid na h-Alba *gin*
Buill Pàrlamaid na h-Alba *iol*

member's allowance *n*
member's allowances, members' allowances *pl*
cuibhreann (*fir*) buill
cuibhrinn buill *gin*
cuibhreannan buill *iol,*
cuibhreannan bhall *iol*

Members' Information and Briefing Service *n*
Seirbheis (*boir*) Fiosrachaidh is Brath-ullachaidh nam Ball
Seirbheis Fiosrachaidh is Brath-ullachaidh nam Ball *gin*
Seirbheisean Fiosrachaidh is Brath-ullachaidh nam Ball *iol*

Members' Library *n*
Leabharlann (*fir*) nam Ball
Leabharlann nam Ball *gin*

Members' Tea Room *n*
Rum (*fir*) Teatha nam Ball
Rum Teatha nam Ball *gin*

membership *n*
ballrachd *boir*
ballrachd *gin*
ballrachdan *iol*

member-state *n*
ball-stàit *boir*
ball-stàite *gin*
ball-stàitean *iol*
member-state of the European Union (EU)
ball-stàit den Aonadh Eòrpach

memorandum *n*
memoranda *pl*
meòrachan *fir*
meòrachain *gin*
meòrachain *iol*

memorial service *n*
seirbheis (*boir*) cuimhneachaidh
seirbheis cuimhneachaidh *gin*
seirbheisean cuimhneachaidh *iol*

memory *n*
cuimhne *boir*
cuimhne *gin*
nithean air a bheil cuimhne *iol*
to commit to memory
gleidheadh an cuimhne

Mercantile Marine Office *n*
Oifis (*boir*) Marsantachd na Mara
Oifis Marsantachd na Mara *gin*

merge *v*
coimeasg *gr*
coimeasgadh *agr,*
dèan (*gr*) cothlamadh
dèanamh (*agr*) cothlamadh,
dlùth-cheangail *gr*
dlùth-cheangal *agr*

merger *n*
(of companies)
coimeasg *fir*
coimisg *gin*
coimeasgan *iol,*
aonadh *fir*
aonaidh *gin*
aonaidhean *iol*

merit *n*
airidheachd *boir*
airidheachd *gin*
promotion was gained on merit
bhathar airidh air àrdachadh

message *n*
teachdaireachd *boir*
teachdaireachd *gin*
teachdaireachdan *iol*
1 to get the message over / across
an teachdaireachd a chur tarsainn
2 message pager
inneal teachdaireachd, pàidsear

messenger *n*
teachdaire *fir*
teachdaire *gin*
teachdairean *iol*
messenger service
seirbheis teachdaire

Meteorological Office *n*
Oifis (*boir*) na Sìde
Oifis na Sìde *gin*

method *n*
dòigh *boir*
dòighe *gin*
dòighean *iol*
method of working
dòigh obrach

microphone *n*
miocrofon *fir*
miocrofoin *gin*
miocrofoin *iol*

Middle Temple *n*
Teampall (*fir*) Meadhain
Teampaill Mheadhain *gin*

Midlothian (Constituency)
Meadhan (*fir*) Lodainn
Mheadhan Lodainn *gin*

mileage allowance *n*
cuibhreann (*fir*) siubhail
cuibhrinn shiubhail *gin*
cuibhreannan siubhail *iol*

militant *adj*
mileanta *br,*
cathachail *br*

militant *n*
mileantach *fir*
mileantaich *gin*
mileantaich *iol*

militate *v* **against**
obraich (*gr*) an aghaidh
obrachadh (*agr*) an aghaidh

Milk Marketing Board *n*
Bòrd (*fir*) Margaidh a' Bhainne
Bhòrd Margaidh a' Bhainne *gin*

minded *adj*
den bheachd
I am minded to agree with you
tha mi den bheachd aontachadh riut

mindset *n*
beachd-inntinn *fir*
beachd-inntinn *gin*
beachdan-inntinn *iol*

minimal *adj*
as lugha *br*
at minimal risk
fon chunnart as lugha

minimise *v*
lùghdaich *gr*
lùghdachadh *agr*
to minimise the powers of the Department
fìor lùghdachadh a dhèanamh air cumhachdan na Roinne

minimum *adj*
as lugha *br*

minimum *n*
ìos-mheud *fir*
ìos-mheud *gin*
ìos-mheudan *iol*
statutory minimum
ìos-mheud reachdail

minister *n*
ministear *fir*
ministeir *gin*
ministearan *iol*

Minister *n* **for Education - Europe and External Affairs (Scottish Executive)**
Ministear (*fir*) an Fhoghlaim, na Roinn Eòrpa agus Chùisean Taoibh A-muigh
Mhinistear an Fhoghlaim, na Roinn Eòrpa agus Chùisean Taoibh A-muigh *gin*

Minister *n* **for Enterprise and Life-Long Learning (Scottish Executive)**
Ministear (*fir*) na h-Iomairt is an Fhoghlaim Bheatha
Mhinistear na h-Iomairt is an Fhoghlaim Bheatha *gin*

Minister *n* **for Environment, Sport and Culture (Scottish Executive)**
Ministear (*fir*) na h-Àrainneachd, an Spòrs agus a' Chultair
Mhinistear na h-Àrainneachd, an Spòrs agus a' Chultair *gin*

Minister *n* **for Finance and Local Government (Scottish Executive)**
Ministear (*fir*) an Ionmhais agus Riaghaltais Ionadail
Mhinistear an Ionmhais agus Riaghaltais Ionadail *gin*

Minister *n* **for Health and Community Care (Scottish Executive)**
Ministear (*fir*) na Slàinte is Cùraim Choimhearsnachd
Mhinistear na Slàinte is Cùraim Choimhearsnachd *gin*

Minister *n* **for Parliament (Scottish Executive)**
Ministear (*fir*) na Pàrlamaid
Mhinistear na Pàrlamaid *gin*

Minister *n* **for Rural Development (Scottish Executive)**
Ministear (*fir*) an Leasachaidh Dhùthchail
Mhinistear an Leasachaidh Dhùthchail *gin*

Minister *n* **for Social Justice (Scottish Executive)**
Ministear (*fir*) a' Cheartais Shòisealta
Mhinistear a' Cheartais Shòisealta *gin*

Minister *n* **for Transport (Scottish Executive)**
Ministear (*fir*) na Còmhdhail
Mhinistear na Còmhdhail *gin*

Minister *n* **of State**
Ministear (*fir*) Stàite
Ministeir Stàite *gin*
Ministearan Stàite *iol*

Minister *n* **of the Crown**
Ministear (*fir*) a' Chrùin
Mhinistear a' Chrùin *gin*

Minister *n* **without Portfolio**
Ministear (*fir*) gun Chùram Roinne
Ministeir gun Chùram Roinne *gin*

ministerial *adj*
ministreil *br*

Ministerial Code *n*
Còd (*fir*) Ministreil
Còd Ministreil *gin*
Ministerial Code of Conduct
Còd Giùlain Ministreil

ministry *n*
ministreachd *boir*
ministreachd *gin*
ministreachdan *iol*

Ministry *n* **of Agriculture, Fisheries and Food (MAFF)**
Ministreachd (*boir*) an Àiteachais, an Iasgaich agus a' Bhidhe
Ministreachd an Àiteachais, an Iasgaich agus a' Bhidhe *gin*

Ministry *n* **of Defence**
Ministreachd (*boir*) an Dìon
Ministreachd an Dìon *gin*

minority *adj*
beag-chuid,
sa bheag-chuid,
leis a' bheag-chuid,
na beag-chodach *br*
1 minority rule
riaghladh beag-chuid,
riaghladh leis a' bheag-chuid
2 minority government
riaghaltais beag-chuid,
riaghaltas na beag-chodach

minority *n*
beag-chuid *boir*
beag-chodach *gin*
beag-chodaichean *iol*

minority group *n*
mion-bhuidheann *boir*
mion-bhuidhne *gin*
mion-bhuidhnean *iol*

minority language *n*
mion-chànan *fir*
mion-chànain *gin*
mion-chànain *iol*

minority party *n*
pàrtaidh (*fir*) sa bheag-chuid
pàrtaidh sa bheag-chuid *gin*
pàrtaidhean sa bheag-chuid *iol*
minority party debate
deasbad pàrtaidh sa bheag-chuid

minute *n*
geàrr-chunntas *fir*
geàrr-chunntais *gin*
geàrr-chunntasan *iol*
minute of a meeting
geàrr-chunntas coinneimh

minute *v*
gabh (*gr*) geàrr-chunntas
gabhail (*agr*) geàrr-chunntais

misapprehension *n*
mì-thuigse *boir*
mì-thuigse *gin*
to labour under a misapprehension
mì-thuigse a bhith aig neach (air cùis)

misbehave *v*
bi (*gr*) ri mì-mhodh

misbehaviour *n*
droch ghiùlan *fir*
droch ghiùlain *gin*

miscarriage *n* **of justice**
iomrall (*fir*) ceartais
iomraill cheartais *gin*
iomraill cheartais *iol*

miscellaneous *adj*
eugsamhail, measgaichte *br*

misconduct *n*
mì-ghiùlan *fir*
mì-ghiùlain *gin*
gross misconduct
fìor mhì-ghiùlan

misconstrue *v*
mì-thuig *gr*
mì-thuigsinn *agr*,
tog (*gr*) ceàrr
togail (*agr*) ceàrr
you misconstrue what I said
mhì-thuig thu na thubhairt mi,
thog thu ceàrr na thubhairt mi

misdemeanour *n*
eucoir *boir*
eucoire *gin*
eucoirean,
mì-ghnìomh *fir*
mì-ghnìomha *gin*
mì-ghnìomhan
to commit a misdemeanour
eucoir a dheanamh,
mì-ghnìomh a dhèanamh

misfeasance *n*
mì-choileanadh *fir*
(dligheach)
mì-choileanaidh *gin*
(dhlighich)

misgivings *npl*
teagamhan *fir iol*
theagamhan *gin,*
mì-earbsa *boir*
mì-earbsa *gin*

misguided *adj*
droch-comhairleach *br,*
mearachdach *br*

misguidedly *adv*
gu droch-comhairleach,
le mearachd

misinstruct *v*
mì-theagaisg *gr*
mì-theagasg *agr*

misjudg(e)ment *n*
mì-bhreithneachadh *fir*
mì-bhreithneachaidh *gin*
mì-bhreithneachaidhean *iol,*
mì-thuigse *boir*
mì-thuigse *gin*
the decision was a serious misjudg(e)ment
s e droch mhì-thuigse air a' chùis a bha anns a' cho-dhùnadh

misjudge *v*
mì-bhreithnich *gr*
mì-bhreithneachadh *agr,*
mì-thuig *gr*
mì-thuigsinn *agr*
you have misjudged the mood of the people
tha thu air fonn an t-sluaigh a mhì-thuigsinn,
cha do thuig thu fonn an t-sluaigh

mislead *v*
meall *gr*
mealladh *agr*

misleading *adj*
meallta *br*

mismanagement *n*
droch stiùireadh *fir*
droch stiùiridh *gin*

mismatch *n*
gun a bhith a rèir a chèile,
mì-chòrdadh *fir*
mì-chòrdaidh *gin*
mì-chòrdaidhean *iol*
there is a mismatch between A and B
chan eil A agus B (a' tighinn) a rèir a chèile,
tha mì-chòrdadh eadar A agus B

mismatch *v*
mì-chòrd *gr*
mì-chòrdadh *agr*

misrepresent *v*
mì-riochdaich *gr*
mì-riochdachadh *agr*

misrepresentation *n*
mì-riochdachadh *fir*
mì-riochdachaidh *gin*

mission *n*
rùn *fir*
rùin *gin*
rùintean *iol*

mission statement *n*
aithris (*boir*) rùin
aithrise rùin *gin*
aithrisean rùin *iol*

mistake *n*
mearachd *boir*
mearachd *gin*
mearachdan *iol*
to make a mistake
mearachd a dhèanamh

mistake *v*
bi (*gr*) am mearachd,
dèan (*gr*) mearachd
dèanamh (*agr*) mearachd

mitigate *v*
maothaich *gr*
maothachadh *agr*

mitigating *adj*
maothachaidh *fir gin*
1 **mitigating circumstances**
cùisean a nì maothachadh air an t-suidheachadh
2 **mitigating strategy**
ro-innleachd a nì maothachadh air an t-suidheachadh

mitigation *n*
maothachadh *fir*
maothachaidh *gin*

model *adj*
samhlach *br,*
brod *fir le gin*
a model scheme
sgeama samhlach,
brod an sgeama

model *n*
mac-samhail *fir*
mic-shamhail *gin*
mic-shamhail *iol,*
modail *fir*
modail *gin*
modailean *iol,*
samhladh *fir*
samhlaidh *gin*
samhlaidhean *iol*

moderate *adj*
modarat *br*

moderate *n*
modaratach *fir*
modarataich *gin*
modarataich *iol*

modernisation *n*
ùrachadh *fir*
ùrachaidh *gin*
ùrachaidhean *iol,*
nodhachadh *fir*
nodhachaidh *gin*
nodhachaidhean *iol*

modification *n*
mion-atharrachadh *fir*
mion-atharrachaidh *gin*
mion-atharraichidhean *iol*
modification order
òrdugh mion-atharrachaidh

modify *v*
mion-atharraich *gr*
mion-atharrachadh *agr*

monarch *n*
monarc *fir*
monairc *gin*
monarcan *iol*

monarchist *n*
monarcach *fir*
monarcaich *gin*
monarcaich *iol*

monarchy *n*
monarcachd *boir*
monarcachd *gin*
monarcachdan *iol*
constitutional monarchy
monarcachd bhun-reachdail

monetary affairs *npl*
gnothaichean (*fir iol*) airgid
ghnothaichean airgid *gin*

monetary interest *n*
com-pàirt (*boir*) ionmhasail
com-pàirt ionmhasail *gin*
com-pàirtean ionmhasail *iol*
to declare a monetary interest
com-pàirt ionmhasail
fhoillseachadh

Money Bill *n*
(parliamentary)
Bile (*fir*) Airgid
Bile Airgid *gin*

monitor *v*
cùm (*gr*) sùil air
cumail (*agr*) sùil air,
sgrùd *gr*
sgrùdadh *agr*
to monitor progress
sùil a chumail air adhartas,
adhartas a sgrùdadh

monitoring officer *n*
oifigear (*fir*) sgrùdaidh
oifigeir sgrùdaidh *gin*
oifigearan sgrùdaidh

monitoring procedure *n*
modh (*boir*) sgrùdaidh
modha sgrùdaidh *gin*
modhan sgrùdaidh

Monopolies and Mergers Commission *n*
Coimisean (*fir*) nan
Lèir-shealbhachd is nan
Coimeasg
Coimisean nan
Lèir-shealbhachd is nan
Coimeasg

monopoly *n*
monopolaidh *fir / boir*
monopolaidh *gin*
monopolaidh *iol*,
lèir-shealbhachd *boir*
lèir-shealbhachd *gin*
lèir-shealbhachdan *iol*

moral *adj*
moralta *br*

moral code *n*
riaghailt (*boir*) mhoralta
riaghailt moralta *gin*
riaghailtean moralta *iol*

moral framework *n*
beairt (*boir*) mhoralta
beairt moralta *gin*
beairtean moralta *iol,*
frèam (*fir*) moralta
frèama mhoralta *gin*
frèamaichean moralta *iol*

moral issue *n*
cuspair (*fir*) moralta
cuspair mhoralta *gin*
cuspairean moralta *iol*

moral judg(e)ment *n*
breithneachadh (*fir*) moralta
breithneachaidh mhoralta *gin*
breithneachaidhean moralta *iol*

moral obligation *n*
dleastanas (*fir*) moralta
dleastanais mhoralta *gin*
dleastanasan moralta *iol*

moral right *n*
còir (*boir*) mhoralta
còire / còrach moralta *gin*
còraichean moralta *iol*

moral standards *npl*
inbhean (*boir iol*) moralta
inbhean moralta *gin*

moral tone *n*
dòigh-labhairt (*boir*) mhoralta
dòigh-labhairt moralta *gin,*
gleus (*boir*) mhoralta
gleusa moralta *gin,*
guth (*fir*) moralta
gutha mhoralta *gin*

moral values *npl*
luachan (*fir iol*) moralta
luachan moralta *gin*

morale *n*
misneachd *boir*
misneachd *gin*

morality *n*
moraltachd *boir*
moraltachd *gin*

moratorium *n*
moratoria *pl*
dàileachadh *fir*
dàileachaidh *gin*
dàileachaidhean *iol*

Moray (Constituency)
Moireabh *fir*
Mhoireabh *gin*

Mother *n* **of the House / Parliament**
Màthair (*boir*) na Pàrlamaid
Màthair na Pàrlamaid *gin*

Motherwell and Wishaw (Constituency)
Tobair na Màthar agus Wishaw
Tobair na Màthar agus
Wishaw *gin*

motion *n* **(procedural)**
gluasad *fir*
gluasaid *gin*
gluasadan *iol*
1 a motion of no confidence
gluasad cion-earbsa
2 a motion to report progress
gluasad gus cunntas a thoirt air
adhartas

mountain centre *n*
ionad (*fir*) bheann
ionaid bheann *gin*
ionadan bheann *iol*

mountain railway *n*
rèile (*boir*) bheann
rèile bheann *gin*
rèileachan bheann *iol*

move *v*
cuir (*gr*) air adhart
cur (*agr*) air adhart,
gluais *gr*
gluasad *agr*
to move an amendment
atharrachadh a chur
air adhart / a ghluasad

multi-cultural resources centre *n*
ionad-stòrais (*fir*)
ioma-chultarach
ionaid-stòrais
ioma-chultaraich *gin*
ionadan-stòrais
ioma-chultarach *iol*

multi-disciplinary *adj*
ioma-chuspair *br*,
ioma-dhiosaplaineach *br*

multi-party *adj*
ioma-phàrtaidh *br*
multi-party talks
còmhraidhean ioma-phàrtaidh

multilateral *br*
ioma-thaobhach *br*
multilateral talks
còmhraidhean ioma-thaobhach

municipal *adj*
munaiseapail *br*

municipal borough *n*
baile (*fir*) munaiseapail
baile mhunaiseapail *gin*
bailtean munaiseapail *iol*

mutual agreement *n*
co-aontachd *boir*
co-aontachd *gin*
by mutual agreement
tro cho-aontachd

named nurse *n*
nurs (*boir*) ainmichte
nurs ainmichte *gin*
nursaichean ainmichte *iol*

nation *n*
dùthaich *boir*
dùthcha *gin*
dùthchannan *iol*,
nàisean *fir*
nàisein *gin*
nàiseanan *iol*

national *adj*
nàiseanta *br*
1 **national heritage**
dualchas nàiseanta
2 **national income**
teachd-a-steach nàiseanta
3 **in the national interest**
a chum leas an nàisein
4 **national security**
tèarainteachd nàiseanta

National Archives of Scotland
Tasglannan (*fir iol*) Nàiseanta na h-Alba
Thasglannan Nàiseanta na h-Alba *gin*

National Assembly *n* **for Wales**
Seanadh (*fir*) Nàiseanta na Cuimrigh
Seanadh Nàiseanta na Cuimrigh *gin*

National Audit Office *n*
Oifis (*boir*) Nàiseanta an Sgrùdaidh
Oifis Nàiseanta an Sgrùdaidh *gin*

National Blood Transfusion Service *n*
Seirbheis (*boir*) Iomlaid Fala Nàiseanta
Seirbheis Iomlaid Fala Nàiseanta *gin*

National Children's Home *n*
Dachaigh (*boir*) Nàiseanta Chloinne
Dachaigh Nàiseanta Cloinne *gin*

National Council *n* **for Civil Liberties**
Comhairle (*boir*) Nàiseanta airson Shaorsainnean Catharra
Comhairle Nàiseanta airson Shaorsainnean Catharra *gin*

national debt *n*
fiachan (*fir*) nàiseanta
fhiachan nàiseanta *gin*

National Economic Development Council *n* **(NEDC)**
Comhairle (*boir*) Leasachaidh Eaconamaich Nàiseanta
Comhairle Leasachaidh Eaconamaich Nàiseanta *gin*

National Economic Development Strategy *n*
Iomairt (*boir*) Leasachaidh Eaconamaich Nàiseanta
Iomairt Leasachaidh Eaconamaich Nàiseanta *gin*

National Farmers' Union *n* **(NFU)**
Aonadh (*fir*) Nàiseanta nan Tuathanach
Aonadh Nàiseanta nan Tuathanach *gin*

National Farmers' Union *n* **of England and Wales**
Aonadh (*fir*) Nàiseanta Thuathanach Shasainn agus na Cuimrigh
Aonadh Nàiseanta Thuathanach Shasainn agus na Cuimrigh *gin*

National Farmers' Union *n* **of Scotland**
Aonadh (*fir*) Nàiseanta Thuathanach na h-Alba
Aonadh Nàiseanta Thuathanach na h-Alba *gin*

National Galleries *npl* **of Scotland**
Gailearaidhean (*fir iol*) Nàiseanta na h-Alba
Gailearaidhean Nàiseanta na h-Alba *gin*

National Girobank *n*
Girobanc (*fir*) Nàiseanta
Girobanc Nàiseanta *gin*

National Grid *n* **(electricity)**
Griod (*fir*) (Nàiseanta) an Dealain
Griod (Nàiseanta) an Dealain

National Grid *n* **(mapping)**
Cliath (*boir*) Nàiseanta
Clèithe Nàiseanta *gin*

National Grid Company *n* **plc**
Companaidh (*fir / boir*) a' Ghriod Nàiseanta plc
Companaidh a' Ghriod Nàiseanta plc *gin*

National Health Service *n* **(NHS)**
Seirbheis (*boir*) Nàiseanta na Slàinte
Seirbheis Nàiseanta na Slàinte *gin*

National Health Service Corporate Strategy Project *n*
Pròiseact (*fir*) Ro-innleachd Corporra Seirbheis Nàiseanta na Slàinte
Pròiseict Ro-innleachd Chorporra Seirbheis Nàiseanta na Slàinte *gin*

National Health Service Directorate *n*
Buidheann-stiùiridh (*boir*) Seirbheis Nàiseanta na Slàinte
Buidheann-stiùiridh Seirbheis Nàiseanta na Slàinte *gin*

National Health Service Training Authority *n*
Ùghdarras (*fir*) Trèanaidh Seirbheis Nàiseanta na Slàinte
Ùghdarras Trèanaidh Seirbheis Nàiseanta na Slàinte *gin*

National Health Staff Advisory Committee *n*
Comataidh (*boir*) Comhairleachaidh Luchd-obrach Seirbheis Nàiseanta na Slàinte
Comataidh Comhairleachaidh Luchd-obrach Seirbheis Nàiseanta na Slàinte *gin*

National Heritage Memorial Fund *n*
Maoin (*boir*) Cuimhneachaidh Dualchais Nàiseanta
Maoin Cuimhneachaidh Dualchais Nàiseanta *gin*

National House Building Council *n*
Comhairle (*boir*) Nàiseanta Togail Thaighean
Comhairle Nàiseanta Togail Thaighean *gin*

National Insurance *n* **(NI)**
Àrachas (*fir*) Nàiseanta
Àrachais Nàiseanta *gin*

National Language Unit *n* **of Wales**
Aonad (*fir*) Cànain Nàiseanta na Cuimrigh
Aonad Cànain Nàiseanta na Cuimrigh *gin*

National Library *n* **of Scotland**
Leabharlann (*fir*) Nàiseanta na h-Alba
Leabharlann Nàiseanta na h-Alba *gin*

National Literacy Trust *n* **(NLT)**
Urras (*fir*) Nàiseanta airson Litearrais
Urrais Nàiseanta airson Litearrais *gin*

National Loans Fund *n*
Maoin (*boir*) Iasad Nàiseanta
Maoin Iasad Nàiseanta *gin*

national lottery *n*
crannchur (*fir*) nàiseanta
crannchuir nàiseanta *gin*

national mobility scheme *n*
sgeama (*fir*) so-ghluasaid nàiseanta
sgeama sho-ghluasaid nàiseanta *gin*

National Museum and Gallery *n*
Taigh-tasgaidh (*fir*) agus Gailearaidh (*fir*) Nàiseanta
Taigh-thasgaidh agus Gailearaidh Nàiseanta *gin*

National Museums *npl* **of Scotland**
Taighean-tasgaidh (*fir iol*) Nàiseanta na h-Alba
Taighean-tasgaidh Nàiseanta na h-Alba *gin*

National Nature Reserve *n* **(NNR)**
Tèarmann (*fir*) Nàdair Nàiseanta
Tèarmainn Nàdair Nàiseanta *gin*
Tèarmannan Nàdair Nàiseanta *iol*

National Nursery Examination Board *n* **(NNEB)**
Bòrd (*fir*) Deuchainn Nàiseanta Sgoiltean Àraich
Bhòrd Deuchainn Nàiseanta Sgoiltean Àraich *gin*

National Nursing Staff Committee *n*
Comataidh (*boir*) Luchd-obrach Nursaidh Nàiseanta
Comataidh Luchd-obrach Nursaidh Nàiseanta *gin*

National Old Age Pensioners Association *n*
Comann (*fir*) Nàiseanta Pheinnseinearan Seann Aoise
Chomann Nàiseanta Pheinnseinearan Seann Aoise *gin*

national party *n*
pàrtaidh (*fir*) nàiseanta
pàrtaidh nàiseanta *gin*
pàrtaidhean nàiseanta *iol*
Scottish National Party (SNP)
Pàrtaidh Nàiseanta na h-Alba

national power *n*
cumhachd (*fir*) nàiseanta
cumhachd nàiseanta *gin*

national pride *n*
pròis (*boir*) nàiseanta
pròise nàiseanta *gin*

National Professional Qualification *n* **for Headship (NPQH)**
Barrantas (*fir*) Proifeasanta Nàiseanta airson Ceannais-sgoile
Barrantais Phroifeiseanta Nàiseanta airson Ceannais-sgoile *gin*

National Roads Directorate *n*
Luchd-stiùiridh (*iol*) Ròidean / Rathaidean Nàiseanta
Luchd-stiùiridh Ròidean / Rathaidean Nàiseanta *gin*

National Rivers Authority *n* **(NRA)**
Ùghdarras (*fir*) Nàiseanta nan Aibhnichean
Ùghdarras Nàiseanta nan Aibhnichean *gin*

National Savings Bank *n*
Banca (*fir*) Sàbhalaidh Nàiseanta
Banca Shàbhalaidh Nàiseanta *gin*

National Savings Committee *n*
Comataidh (*boir*) Sàbhalaidh Nàiseanta
Comataidh Sàbhalaidh Nàiseanta *gin*

National Sheep Association *n*
Comann (*fir*) Nàiseanta nan Caorach
Comann Nàiseanta nan Caorach *gin*

National Society *n* **for the Prevention of Cruelty to Children (NSPCC)**
Comann (*fir*) Nàiseanta Dìon Chloinne
Comann Nàiseanta Dhìon Chloinne *gin*

National Union *n* **of Farmworkers (NUF)**
Aonadh (*fir*) Nàiseanta Luchd-obrach Thuathanas
Aonadh Nàiseanta Luchd-obrach Thuathanas *gin*

National Union *n* **of Journalists (NUJ)**
Aonadh (*fir*) Nàiseanta Luchd-naidheachd
Aonadh Nàiseanta Luchd-naidheachd *gin*

National Union *n* **of Licensed Victuallers**
Aonadh (*fir*) Nàiseanta nan Òstairean le Ceadachd
Aonadh Nàiseanta nan Òstairean le Ceadachd *gin*

National Union *n* **of Mineworkers (NUM)**
Aonadh (*fir*) Nàiseanta Luchd-obrach nam Mèinnean
Aonadh Nàiseanta Luchd-obrach nam Mèinnean *gin*

National Union *n* **of Students in Scotland**
Aonadh (*fir*) Nàiseanta nan Oileanach an Alba
Aonadh Nàiseanta nan Oileanach an Alba *gin*

National Union *n* **of Teachers (NUT)**
Aonadh (*fir*) Nàiseanta Luchd-teagaisg
Aonadh Nàiseanta Luchd-teagaisg *gin*

National Water Council *n*
Comhairle (*boir*) Nàiseanta an Uisge
Comhairle Nàiseanta an Uisge *gin*

National Youth Agency *n*
Buidheann (*boir*) Nàiseanta na h-Òigridh
Buidheann Nàiseanta na h-Òigridh *gin*

National Youth Forum *n*
Fòram (*fir*) Nàiseanta na h-Òigridh
Fòram Nàiseanta na h-Òigridh *gin*

nationalise *v*
cuir (*gr*) ann an seilbh na stàite
cur (*agr*) ann an seilbh na stàite *agr*

nationalism *n*
nàiseantachas *fir*
nàiseantachais *gin*

nationalist *adj*
nàiseantach *br*

nationalist *n*
nàiseantach *fir*
nàiseantaich *gin*
nàiseantaich *iol*

nationalistic *adj*
nàiseantachail *br*

nationality *n*
nàiseantachd *boir*
nàiseantachd *gin*
nàiseantachdan *iol*

nationhood *n*
nàiseanachas *fir*
nàiseanachais *gin*

NATO *n* **(North Altantic Treaty Organisation)**
NATO
NATO *gin*

Natural Environmental Research Council *n*
Comhairle (*boir*) Rannsachaidh Àrainneachd Nàdair
Comhairle Rannsachaidh Àrainneachd Nàdair *gin*

natural justice *n*
ceartas (*fir*) nàdarra
ceartais nàdarra *gin*
the rules of natural justice
riaghailtean a' cheartais nàdarra

nature reserve *n*
tèarmann (*fir*) nàdair
tèarmainn nàdair
tèarmannan nàdair *iol*

necessary *adj*
deatamach
as and when necessary
mar a tha deatamach

negligence *n*
dearmadachd *boir*
dearmadachd *gin*

negligent *adj*
dearmadach *br*

negotiable *adj*
ion-tràchdte *br*, ri bharganachadh
1 negotiable instrument
ionnstramaid ion-tràchdte / ri bharganachadh
2 not negotiable
do-thràchdte, gun a bhith ri bharganachadh

negotiate *v*
barganaich *gr*
barganachadh *agr*
negotiated tender
tairgse bharganaichte

negotiating committee *n*
comataidh (*boir*) barganachaidh
comataidh barganachaidh *gin*
comataidhean barganachaidh *iol*

negotiating position *n*
seasamh (*fir*) barganachaidh
seasaimh bharganachaidh *gin*
seasamhan barganachaidh *iol*

negotiation *n*
barganachadh *fir*
barganachaidh *gin*
còmhraidhean *fir iol*
chòmhraidhean *gin*

negotiator *n*
barganaiche *fir*
barganaiche *gin*
barganaichean *iol*

Neighbourhood Watch *n*
Faire (*boir*) Coimhearsnachd
Faire Coimhearsnachd *gin*

nepotism *n*
àrdachadh-chàirdean *fir*
àrdachaidh-chàirdean *gin*

net budget *n*
buidseat (*fir*) lom
buidseit luim *gin*
buidseatan loma *iol*

Net Farm Income *n* **(NFI)**
Teachd-a-steach (*fir*) Lom Tuathanais
Teachd-a-steach Lom Tuathanais *gin*

network *n*
lìonra *fir*
lìonraidh *iol*
lìonraidhean *iol*

network *v*
dèan (*gr*) lìonra
dèanamh (*agr*) lìonraidh

networking *n*
dèanamh (*fir*) lìonraidh
dèanamh lìonraidh *gin*

neutral *br*
neo-phàirteach *br*

neutrality *n*
neo-phàirteachd *boir*
neo-phàirteachd *gin*

New Deal *n*
Cùmhnant (*fir*) Ùr
Cùmhnaint Ùir *gin*

New Opportunities Fund *n*
Maoin (*boir*) airson Chothroman Ùra
Maoine airson Chothroman Ùra *gin*

New Town Development Corporation *n*
Corparaid (*boir*) Leasachaidh Baile Ùir
Corparaid Leasachaidh Baile Ùir *gin*

New Towns Act *n*
Achd (*boir*) nam Bailtean Ùra
Achd nam Bailtean Ùra *gin*

New Towns and Urban Development Corporations Act *n*
Achd (*boir*) Chorparaidean Bhailtean Ùra agus Leasachaidh Bailteil
Achd Chorparaidean Bhailtean Ùra agus Leasachaidh Bailteil *gin*

New Year's Honours List *n*
Liosta (*boir*) Urraman na Bliadhna Ùire
Liosta Urraman na Bliadhna Ùire *gin*

Newly Qualified Teacher *n* **(NQT)**
Neach-teagaisg (*fir*) le Ùr Theisteanas
Neach-theagaisg le Ùr Theisteanas

news release *n*
fios-naidheachd *fir*
fios-naidheachd *gin*

Nitrate Sensitive Area *n*
Àrainn (*boir*) Fhrionasach a thaobh Niotrait
Àrainne Frionasaich a thaobh Niotrait *gin*
Àrainnean Frionasach a thaobh Niotrait *iol*

Nitrate Vulnerable Zone *n*
Sgìre (*boir*) Sho-mhillidh a thaobh Niotrait
Sgìre So-mhillidh a thaobh Niotrait *gin*
Sgìrean So-mhillidh a thaobh Niotrait *gin*

no confidence *n*
cion (*fir*) earbsa
cion earbsa *gin*
1 vote of no confidence
bhòt cion earbsa
2 no confidence motion
gluasad cion earbsa

'no' lobby *n*
lobaidh (*fir / boir*) luchd 'chan eadh'
lobaidh luchd 'chan eadh' *gin*

nod *n*
cromadh (*fir*) (den cheann)
cromaidh (den cheann) *gin*
the application was granted on the nod
chaidh an t-iarrtas a bhuileachadh le cromadh den cheann / gun deasbad

nod *v*
crom (*gr*) do cheann
cromadh (*agr*) do chinn,
aontaich (*gr*) gun deasbad
aontachadh (*agr*) gun deasbad
1 to nod through
aontachadh le cromadh den cheann
2 the application was nodded through
chaidh aontachadh ris an iarrtas gun deasbad

'noes' *npl*
luchd (*iol*) 'chan eadh'
luchd 'chan eadh' *gin*,
luchd-àicheidh *iol*
luchd-àicheidh *gin*
the 'noes' have it
is ann aig an luchd 'chan eadh' a tha a' bhuaidh

Noise Act *n*
Achd (*boir*) an Fhuaim
Achd an Fhuaim *gin*

Noise and Statutory Nuisance Act *n*
Achd (*boir*) Fuaim agus Gràine Reachdail
Achd Fuaim agus Gràine Reachdail *gin*

nominal charge *n*
ainm (*fir*) cìse
ainm chìse *gin*
ainmean cìse *iol*,

nominal charge *n*
cìs (*boir*) ann an ainm a-mhàin
cìse ann an ainm a-mhàin *gin*
cìsean ann an ainm a-mhàin *iol*

nominate *v*
ainmich *gr*
ainmeachadh *agr*

nominated member *n*
ball (*fir*) ainmichte
buill ainmichte *gin*
buill ainmichte *iol*

nominating officer *n*
oifigear (*fir*) ainmeachaidh
oifigeir ainmeachaidh *gin*
oifigearan ainmeachaidh *iol*

nomination *n*
ainmeachadh *fir*
ainmeachaidh *gin*
nomination paper
pàipear ainmeachaidh

nominator *n*
ainmiche *fir*
ainmiche *gin*
ainmichean *iol*

nominee *n*
neach (*fir*) a chaidh
ainmeachadh
neach a chaidh
ainmeachadh *gin*
daoine a chaidh
ainmeachadh *iol,*
tagraiche *fir*
tagraiche *gin*
tagraichean *iol*

non-advanced further education *n*
(NAFE)
foghlam adhartach
neo-àrdaichte
foghlaim adhartaich
neo-àrdaichte *gin*

non-aligned *adj*
neo-thaobhach *br*

non-alignment *n*
neo-eisimeileachd *boir*
neo-eisimeileachd *gin,*
neo-thaobhachas *fir*
neo-thaobhachais *gin*

non-committal *adj*
leam-leat *br,*
neo-cheangaltach *br*
the reply was non-committal
bha an fhreagairt leam-leat,
bha an fhreagairt
neo-cheangaltach

non-compliance *n*
neo-ghèilleadh *fir*
neo-ghèillidh *gin,*
gun a bhith (a' tighinn) a rèir
non-compliance with the rules
neo-ghèilleadh do
na riaghailtean,
gun a bhith a' cumail ris
na riaghailtean

non-confrontational *adj*
neo-bhuaireanta *br*

Non-Departmental Government Funded Body *n*
Buidheann (*boir*) Neo-roinneil
Maoinichte leis an Riaghaltas
Buidhne Neo-roinneil Maoinichte
leis an Riaghaltas *gin*
Buidhnean Neo-roinneil
Maoinichte leis an Riaghaltas *iol*

Non-Departmental Public Body *n*
(NDPB)
Buidheann (*boir*) Phoblach
Neo-roinneil
Buidhne Poblaich
Neo-roinneil *gin*
Buidhnean Poblach
Neo-roinneil *iol*

non-disclosure *n*
neo-sgaoileadh *br*
neo-sgaoilidh *gin*
non-disclosure agreement
aonta neo-sgaoilidh

non-domestic rates *npl*
reataichean (*fir iol*) gnothachais
reataichean gnothachais *gin*

nonfeasance *n*
neo-choileanadh *fir* (dligheach)
neo-choileanaidh (dhlighich) *gin*

non-financial interest *n*
com-pàirt (*boir*) neo-ionmhasail
com-pàirt neo-ionmhasail *gin*

non-legal *adj*
neo-laghail *br*

non-ministerial *adj*
neo-mhinistreil *br*

non-negotiable *adj*
do-thràchdte *br,*
do-bharganachaidh *br*

non-political *adj*
neo-phoileataigeach *br*

non-statutory *adj*
neo-reachdail *br*
a non-statutory committee
comataidh neo-reachdail

non-voting *adj*
neo-bhòtaidh *br*
in a non-voting capacity
ann an dreuchd neo-bhòtaidh

norm *n*
norm *fir*
noirm *gin*
noirm *iol,*
àbhaist *boir*
àbhaiste *gin*
àbhaistean *iol*

North East Fife (Constituency)
Fìobha an Ear-Thuath
Fìobha an Ear-Thuath *gin*

North Tayside (Constituency)
Taobh Tatha a Tuath
Taobh Tatha a Tuath *gin*

Northern Ireland *n*
Èirinn (*boir*) a Tuath
Èireann a Tuath *gin*

Northern Ireland Assembly *n*
Seanadh (*fir*) Èireann a Tuath
Sheanadh Èireann a Tuath *gin*

Northern Ireland Executive *n*
Riaghaltas (*fir*) Èireann a Tuath
Riaghaltas Èireann a Tuath *gin*

Northern Ireland Office *n*
Oifis (*boir*) Èireann a Tuath
Oifis Èireann a Tuath *gin*

not later than
gun a bhith nas fhaide na
not later than next week
gun a bhith nas fhaide na an ath sheachdain

note *n*
toirt (*boir*) fainear
toirt fainear *gin*
to take careful note of the circumstances
toirt fainear do na suidhichidhean gu cùramach

note *v*
thoir (*gr*) fainear do
toirt (*agr*) fainear do
I note your objection
tha mi a' toirt fainear dur gearan

notice *n*
brath *fir*
bratha *gin*
I have received a notice to that effect
tha mi air brath fhaighinn san robh an aon sgeul

notice *n* **of meeting**
brath (*fir*) coinneimh
bratha choinneimh *gin*

notice *n* **of motion**
brath (*fir*) gluasad
bratha ghluasaid *gin*

notice *n* **of questions**
brath (*fir*) air ceistean
bratha air ceistean *gin*

notification *n*
clàradh (*fir*) fiosrachaidh
clàradh fiosrachaidh *gin,*
cur (*fir*) an cèill
cuir an cèill *gin*
notification rate
ìre clàradh fiosrachaidh,
ìre cuir an cèill

notwithstanding *adv*
a dh'aindeoin *roi le gin*
notwithstanding the objections
a dh'aindeoin nan gearan

Nuclear Installations Inspectorate *n*
Luchd-sgrùdaidh (*iol*) nan Ionadan Niuclasach
Luchd-sgrùdaidh nan Ionadan Niuclasach *gin*

null *adj*
neo-bhrìoghmhor *br,*
neonitheach *br*
null and void
falamh (*br*) gun èifeachd

nullity *n*
neo-bhrìoghmhorachd *boir*
neo-bhrìoghmhorachd *gin,*
neonitheachd *boir*
neonitheachd *gin*

Nurse Education Forum *n*
Co-labhairt (*boir*) Foghlaim Nursaichean
Co-labhairt Foghlaim Nursaichean *gin*

Nursery Education and Grant Maintained Schools Act *n*
Achd (*boir*) Foghlaim Sgoiltean Àraich agus Sgoiltean Tabhartais
Achd Foghlaim Sgoiltean Àraich agus Sgoiltean Tabhartais *gin*

Nursery Voucher Centre *n*
Ionad (*fir*) Eàrlais Sgoil Àraich
Ionad Eàrlais Sgoil Àraich *gin*
Ionadan Eàrlais Sgoil Àraich *iol*

Nurses, Midwives and Health Visitors Act *n*
Achd (*boir*) Nursaichean, Bhan-ghlùine agus Luchd-tadhail Slàinte
Achd Nursaichean, Bhan-ghlùine agus Luchd-tadhail Slàinte *gin*

nursing employment adviser *n*
comhairleach (*fir*) fastaidh nursaichean
comhairlich fhastaidh nursaichean *gin*
comhairlich fhastaidh nursaichean *iol*

oath *n*
bòid *boir*
bòide *gin*
bòidean *iol,*
mionn *fir / boir*
mionna *gin*
mionnan *iol*
1 oath of allegiance
bòid dhìlseachd
2 to take the oath of allegiance
bòid dhìlseachd a ghabhail
3 swear on oath
dol air mhionnan

obedience *n*
ùmhlachd *boir*
ùmhlachd *gin*

obey *v*
bi (*gr*) umhail do

object *v*
cuir (*gr*) an aghaidh
cur (*agr*) an aghaidh

objection *n*
gearan *fir*
gearain *gin*
gearanan *iol,*
cur (*fir*) an aghaidh
cuir an aghaidh *gin*
1 I have no objection to the proposal
chan eil gearan agam an aghaidh a' mholaidh sin
2 to raise an objection
cur an aghaidh puing,
gearan a thogail
3 Objection!
Gearan!

objective *adj*
cothromach *br,*
neo-eisimeileach *br*
an objective assessment
measadh cothromach,
measadh neo-eisimeileach

objective *n*
amas *fir*
amais *gin*
amasan *iol*
to set an objective
amas a shuidheachadh

objectively *adv*
gu cothromach,
neo-eisimeileach *br*
objectively speaking
a' bruidhinn gu cothromach,
a' bruidhinn gu neo-eisimeileach

objectivity *n*
neo-eisimeileachd *boir*
neo-eisimeileachd *gin*

obligation *n*
comain *boir*
comain *gin*
comainean *iol,*
uallach *fir*
uallaich *gin*
uallaich *iol*

obligatory *adj*
mar dhleastanas *br,*
mar uallach *br*

obscenity laws *npl*
laghan (*fir iol*) drabastachd
laghan drabastachd *gin*

observance *n*
gleidheadh *fir*
gleidhidh *gin*
the observance of human rights
gleidheadh còraichean
a' chinne-daonna

observation *n*
cumail (*boir*) sùil air
cumail sùil air *gin*
I am keeping that subject under observation
tha mi a' cumail sùil air
a' chuspair sin

observe *v*
glèidh *gr*
gleidheadh *agr*
to observe the rules
riaghailtean a ghleidheadh

observer *n*
neach-amhairc *fir*
neach-amhairc *gin*
luchd-amhairc *iol*

obsolete *adj*
à cleachdadh *br*

obstruct *v*
bac *gr*
bacadh *agr*
1 to obstruct the course of justice
cùrsa a' cheartais
a bhacadh
2 to obstruct a debate
deasbad a bhacadh

obstruction *n*
bacadh *fir*
bacaidh *gin*
bacaidhean *iol*
the obstruction of the debate
bacadh an deasbaid

obstructionist *adj*
a nì bacadh *br*
obstructionist tactics
innleachdan a nì bacadh

obstructionist *n*
neach-bacaidh *fir*
neach-bhacaidh *gin*
luchd-bacaidh *iol*

obstructive *adj*
a nì bacadh *br,*
ceannairceach *br*
obstructive behaviour
giùlan a nì bacadh,
dol a-mach ceannairceach

obviate *v*
seachain *gr*
seachnadh *agr,*
cuir (*gr*) casg air
cur (*agr*) casg air
1 to obviate a danger
cunnart a sheachnadh
2 to obviate problems
casg a chur air
duilgheadasan

occasion *n*
adhbhar *fir*
adhbhair *gin*
adhbhair / adhbharan *iol,*
turas *fir*
turais *gin*
tursan *iol*
1 we never had occasion to doubt his integrity
cha robh adhbhar againn riamh
teagamh a chur na chliù
2 she said this on numerous occasions
thuirt i seo iomadh turas

occasion *v*
adhbharaich *gr*
adhbharachadh *agr*
to occasion comment
còmhradh adhbharachadh

occupation *n*
(of a building)
còmhnaidh *boir*
còmhnaidhe *gin*

occupation *n*
(job, profession)
dreuchd *boir*
dreuchd *gin*
dreuchdan *iol*

occupation *n*
(of a building in protest)
gabhail (*fir*) thairis (togalaich)
gabhail thairis (togalaich) *gin*

occupational guidance service *n*
seirbheis (*boir*) stiùiridh obrach
seirbheis stiùiridh obrach *gin*
seirbheisean stiùiridh obrach *iol*

occupational guidance unit *n*
aonad (*fir*) stiùiridh obrach
aonad stiùiridh obrach *gin*
aonadan stiùiridh obrach *iol*

occupy *v*
(to move into a building)
gabh (*gr*) còmhnaidh an
gabhail (*agr*) còmhnaidh an

occupy *v*
(to take over a building in protest)
gabh (*gr*) thairis (togalach)
gabhail (*agr*) thairis (togalaich)

occurrence *n*
tachartas *fir*
tachartais *gin*
tachartasan *iol*
this was a regular occurrence
's e tachartas bitheanta a bha seo

Ochil (Constituency)
Ochaill
Ochaill *gin*

offence *n*
eucoir *boir*
eucorach *gin*
eucoirean *iol*
criminal offence
eucoir,
casaid eucorach

offend *v*
dèan (*gr*) eucoir
dèanamh (*agr*) eucoir,
thoir (*gr*) oilbheum do
toirt (*agr*) oilbheum do
he was offended by that statement
ghabh e oilbheum bhon aithris ud

offender *n*
ciontach *fir*
ciontaich *gin*
ciontaich *iol,*
eucorach *boir fir*
eucoraich *gin*
eucoraich *iol*

offer *n*
tairgse *boir*
tairgse *gin*
tairgsean *iol*

offer *v*
tairg *gr*
tairgse / tairgsinn *agr*

offeree *n*
neach (*fir*) ris a bheilear a' tairgse
neach ris a bheilear a' tairgse *gin*
daoine ris a bheilear a' tairgse *iol*

offeror *n*
tairgsiche *fir*
tairgsiche *gin*
tairgsichean *iol*

office *n*
(job)
dreuchd *boir*
dreuchd *gin*
dreuchdan *iol*
1 she is worthy of high office
tha i airidh air àrd-dhreuchd
2 to assume office
dreuchd a ghabhail
3 to be in office
a bhith ann an dreuchd

office *n*
(place)
oifis *boir*
oifise *gin*
oifisean *iol*

Office *n* **of her Majesty's Chief Inspector for Schools (OHMCI)**
Oifis (*boir*) Prìomh Neach-sgrùdaidh na Bànrighe airson Sgoiltean
Oifis Phrìomh Neach-sgrùdaidh na Bànrighe airson Sgoiltean *gin*

Office *n* **of National Statistics (ONS)**
Oifis (*boir*) an Staitistig Nàiseanta
Oifis an Staitistig Nàiseanta *gin*,
Oifis (*boir*) nan Àireamhan Nàiseanta
Oifis nan Àireamhan Nàiseanta *gin*

Office *n* **of Population Censuses And Surveys (OPCS)**
Oifis (*boir*) airson Chunntasan agus Rannsachaidhean Sluaigh
Oifis airson Chunntasan agus Rannsachaidhean Sluaigh *gin*

Office *n* **of the Rail Regulator**
Oifis (*boir*) Riaghlaiche na Rèile
Oifis Riaghlaiche na Rèile *gin*

office accommodation *n*
àite (*fir*) oifisean
àite oifisean *gin*

office equipment *n*
uidheam (*boir*) oifis
uidheim oifis *gin*
uidheaman oifis *iol*

office hours *npl*
uairean (*boir iol*) oifis
uairean oifis *gin*

office machinery *n*
innealan (*fir iol*) oifis
innealan oifis *gin*

office management *n*
stiùireadh (*fir*) oifis
stiùireadh oifis *gin*

office staff *n*
luchd-obrach (*iol*) oifis
luchd-obrach oifis *gin*

officer *n*
oifigear *fir*
oifigeir *gin*
oifigearan *iol*
1 senior officer
prìomh oifigear,
àrd-oifigear
2 executive officer
oifigear gnìomha
3 clerical officer
oifigear clèireachd

offices *npl*
deagh rùn *fir*
deagh rùin *gin*
we must use our good offices to help them
feumaidh sinn ar deagh rùn a nochdadh gus an cuideachadh

official *adj*
oifigeil *br*

official *n*
oifigear *fir*
oifigeir *gin*
oifigearan *iol*

Official Petitioner *n*
Athchuingeach (*fir*) Oifigeil
Athchuingich Oifigeil *gin*
Athchuingich Oifigeil *iol*

Official Referee *n*
Rèitire (*fir*) Oifigeil
Rèitire Oifigeil *gin*
Rèitirean Oifigeil *iol*

Official Report *n*
Aithisg (*boir*) Oifigeil
Aithisg Oifigeil *gin*
Aithisgean Oifigeil *iol*

Official Reporter *n*
Neach-aithisg (*fir*) Oifigeil
Neach-aithisg Oifigeil *gin*
Luchd-aithisg Oifigeil *iol*

Official Seed Testing Station *n* **(OSTS)**
Stèisean (*fir*) Oifigeil airson Dearbhadh Sìl is Froise
Stèisein Oifigeil airson Dearbhadh Sìl is Froise *gin*

official secret *n*
rùn-dìomhair (*fir*) oifigeil
rùin-dìomhair oifigeil *gin*
rùintean-dìomhair oifigeil *iol*
Official Secrets Act
Achd nan Rùintean-dìomhair Oifigeil

Official Solicitor *n*
Neach-lagha (*fir*) Oifigeil
Neach-lagha Oifigeil *gin*

off-message *adj*
far-theachdaireachd
those who did not follow the party line were considered to be off-message
bha an fheadhainn nach do lean ri beachd a' phàrtaidh air am meas far-theachdaireachd

Old People's Welfare Committee *n*
Comataidh (*boir*) Shochairean Sheann Daoine
Comataidh Shochairean Sheann Daoine *gin*

ombudsman *n*
ombudsmen *pl*
ombudsman *fir*
ombudsmain *gin*
ombudsmain *iol*

one member one vote (OMOV)
aon bhall aon bhòt

one-line whip *n*
cuip aon-loidhne
cuip aon-loidhne *gin*
cuipean aon-loidhne *iol*

onerous *adj*
trom *br*
an onerous duty
dleastanas trom

on-line *adj*
air-loidhne *br*

on-message *adj*
air-teachdaireachd *br*
to be on-message you must agree with party policies
gu bhith air-teachdaireachd feumaidh sibh aontachadh ri poileasaidhean a' phàrtaidh

onslaught *n*
ionnsaigh *fir / boir*
ionnsaigh *gin*
ionnsaighean *iol*
they unleashed a determined onslaught on the policy
thug iad ionnsaigh dìoghrasach air a' phoileasaidh

open *adj*
fosgailte *br*

open *v*
fosgail *gr*
fosgladh *agr*
to open the debate
an deasbad fhosgladh

Open Cast Coal Act *n*
Achd (*boir*) Gual nam Mèinnean Fosgailte
Achd Gual nam Mèinnean Fosgailte *gin*

Open Cast Executive *n*
Buidheann-ghnìomha (*boir*) nam Mèinnean Fosgailte
Buidheann-ghnìomha nam Mèinnean Fosgailte *gin*

open government *n*
riaghaltas (*fir*) fosgailte
riaghaltais fhosgailte *gin*

open mind *n*
inntinn (*boir*) fhosgailte
inntinne fosgailte *gin*

Open Spaces Act *n*
Achd (*boir*) nan Àiteachan Fosgailte
Achd nan Àiteachan Fosgailte *gin*

Open University *n*
An t-Oilthigh (*fir*) Fosgailte
An Oilthigh Fhosgailte *gin*

Open University Validation Service *n*
Seirbheis (*boir*) Barrantachaidh an Oilthigh Fhosgailte
Seirbheis Barrantachaidh an Oilthigh Fhosgailte *gin*

open-ended investment company *n* **(OEIC)**
companaidh (fir / boir) seilbhe gun cheangal
companaidh seilbhe gun cheangal *gin*
companaidhean seilbhe gun cheangal *iol*

Opening *n* **of Parliament**
Fosgladh (*fir*) na Pàrlamaid
Fosgladh na Pàrlamaid *gin*

opening hours *npl*
uairean (*boir iol*) fosglaidh
uairean fosglaidh *gin*

open-minded *adj*
le inntinn fhosgailte *br*

openness *n*
fosgarrachd *boir*
fosgarrachd *gin*

operate *v*
obraich *gr*
obrachadh *agr*

operating cost *n*
cosgais (*boir*) obrachaidh
cosgais obrachaidh *gin*
cosgaisean obrachaidh *iol*

operation *n*
obair *boir*
oibre / obrach *gin*
obraichean *iol*
to come into operation
tòiseachadh air obair

operational *adj*
obrachaidh,
ag obrachadh *br*

operative date *n*
ceann-latha (*fir*) obrachaidh
cinn-latha obrachaidh *gin*
cinn-latha obrachaidh *iol*

operative part *n*
pàirt (*fir*) susbainteach
pàirt shusbaintich *gin*
pàirtean susbainteach *iol*
the operative part of a deed
pàirt susbainteach de sgrìobhainn ghnìomhais

operative words *npl*
facail (*fir iol*) shusbainteach
fhacal susbainteach *gin*
operative words in a conveyance
na facail shusbainteach ann an tìodhlacas

opinion *n*
beachd *fir*
beachda *gin*
beachdan *iol*

opinion poll *n*
cunntas (*fir*) bheachd
cunntais bheachd *gin*
cunntasan bheachd *iol*

opinion-former *n*
cruthadair-bheachd *fir*
cruthadair-bheachd *gin*
cruthadairean-bheachd *iol*

opponent *n*
neach-dùbhlain *fir*
neach-dùbhlain *gin*
luchd-dùbhlain *iol*

opportune *adj*
fàbharach *br*
this is an opportune time
's e àm fàbharach a tha seo

opportunity *n*
cothrom (math) *fir*
cothruim (mhath) *gin*
cothroman (matha) *iol*
a golden opportunity
sàr chothrom

oppose *v*
cuir (*gr*) an aghaidh
cur (*agr*) an aghaidh

opposing factions *npl*
buidhnean (*fir iol*) dùbhlanach
bhuidhnean dùbhlanach *gin*

opposition *n* **(concept)**
dùbhlan *fir*
dùbhlain *gin*,
cur (*fir*) an aghaidh
cuir an aghaidh *gin*

opposition *n* **(people)**
dùbhlanaich *fir iol*
dhùbhlanach *gin*,
dùbhlan *fir*
dùbhlain *gin*

opposition benches *npl*
beingean (*boir iol*) dùbhlain
beingean dùbhlain *gin*

opposition party *n*
pàrtaidh (*fir*) dùbhlanach
pàrtaidh dhùbhlanaich *gin*
pàrtaidhean dùbhlanach *iol*

opposition whip *n*
cuip (*boir*) nan dùbhlanach
cuip nan dùbhlanach *gin*
cuipean nan dùbhlanach *iol*

opt out *v*
tarraing (*gr*) a-mach
tarraing (*agr*) a-mach
to opt out of
tarraing a-mach à

option *n*
roghainn *boir*
roghainn *gin*
roghainnean *iol*

opt-out *n*
tarraing (*boir*) a-mach
tarraing a-mach *gin*
opt-out clause
clàsa tarraing a-mach

oral *adj*
beòil *fir gin*
1 oral answer / reply
freagairt bheòil
2 oral question
ceist bheòil
3 oral examination
rannsachadh beòil
4 oral evidence
fianais bheòil

oration *n*
òraid *boir*
òraide *gin*
òraidean *iol*

orator *n*
òraidiche *fir*
òraidiche *gin*
òraidichean *iol*

oratory *n*
òraideireachd *boir*
òraideireachd *gin*,
ùr-labhairt *boir*
ùr-labhairt *gin*

order *n*
òrdugh *fir*
òrduigh *gin*
òrdughan *iol*
1 to come to order
a thighinn gu òrdugh
2 public order
òrdugh poblach
3 to call a meeting to order
coinneamh a thoirt gu òrdugh
4 Order!
Òrdugh!
5 an order for goods
òrdugh airson bathair
6 point of order
puing òrduigh

order *v*
(to arrange in order)
cuir (*gr*) an òrdugh
cur (*agr*) an òrdugh

order *v*
(to issue / place an order)
òrdaich *gr*
òrdachadh *agr*
to order a recount
ath-chunntas òrdachadh

order *n* **for possession**
òrdugh (*fir*) seilbhe
òrduigh sheilbhe *gin*
òrduighean seilbhe *iol*

Order *n* **in Council**
(sovereign's order given on advice of Privy Council)
Òrdugh (*fir*) ann an Comhairle (a' Chrùin)
Òrduigh ann an Comhairle (a' Chrùin) *gin*
Òrduighean ann an Comhairle (a' Chrùin) *iol*

order *n* **of business**
òrdugh (*fir*) gnothaich
òrduigh ghnothaich *gin*

Order *n* **of the Day**
Òrdugh (*fir*) an Latha
Òrdugh an Latha *gin*

order paper *n*
pàipear (*fir*) òrduigh
pàipeir òrduigh *gin*
pàipearan òrduigh *iol*

order,
in order *adj*
(acceptable)
ann an òrdugh *br*

order,
in order *adj*
(correct place)
ann an òrdugh *br*

order,
out of order *adj*
neo-riaghailteach *br,*
a-mach à òrdugh *br,*
briste *br*
1 to rule a question out of order
ceist a mheas neo-riaghailteach
2 to rule someone out of order
neach a riaghladh a-mach à òrdugh
3 the lift is out of order
tha an t-àrdaichear briste

Ordinary National Diploma *n*
(OND)
Dioplòma (*fir*) Coitcheann Nàiseanta
Dioplòma Choitchinn Nàiseanta *gin*

Ordnance Survey *n*
(OS)
Suirbhidh (*fir*) Òrdanais
Suirbhidh Òrdanais *gin*
according to the Ordnance Survey map
a rèir mapa an t-Suirbhidh Òrdanais

organisation *n*
(society, movement)
buidheann *fir / boir*
buidhinn / buidhne *gin*
buidhnean *iol*
community organisation
buidheann coimhearsnachd

organisation *n*
(systematic arrangement)
eagrachadh *fir*
eagrachaidh *gin,*
rian *fir*
rian *gin*

Organisation *n* **for Economic Co-Operation and Development (OECD)**
Buidheann (*fir / boir*) airson Co-obrachaidh agus Leasachaidh Eaconamaich
Buidhne airson Co-obrachaidh agus Leasachaidh Eaconamaich *gin*

Organisation *n* **for Rehabilitation through Training**
Buidheann (*fir / boir*) airson Ath-ghnàthachaidh tro Thrèanadh
Buidhne airson Ath-ghnàthachaidh tro Thrèanadh *gin*

organise *v*
cuir (*gr*) air dòigh
cur (*agr*) air dòigh,
cuir (*gr*) rian air
cur (*agr*) rian air

original writ *n*
sgrìobhainn-chùirte (*boir*) thùsail
sgrìobhainne-cùirte tùsail *gin*
sgrìobhainnean-cùirte tùsail *iol*

originate *v*
thig (*gr*) bho thùs
tighinn (*agr*) bho thùs

Orkney
(Constituency)
Arcaibh
Arcaibh *gin*

outcome *n*
buil *boir*
buile *gin*
builean *iol,*
co-dhùnadh *fir*
co-dhùnaidh *gin*
co-dhùnaidhean *iol,*
toradh *fir*
toraidh *gin*
toraidhean *iol*

output *n*
toradh *fir*
toraidh *gin*
toraidhean *iol*

outrageous *adj*
uabhasach *br*
an outrageous remark
facal uabhasach

outrageously *adv*
gu h-uabhasach *cgr*
they behaved outrageously
bha dol a-mach uabhasach aca

outspoken *adj*
àrd-bhriathrach *br*
an outspoken critic of government policy
neach a bheir càineadh àrd-bhriathrach air poileasaidh an riaghaltais

outstanding *adj*
air leth *cgr,*
gun rèiteach
1 outstanding issues
cuspairean gun rèiteach
2 an outstanding achievement
euchd air leth math
3 outstanding debts
fiachan gun phàigheadh

out-turn *n*
fìor *br*
the costs were expressed in out-turn prices
chaidh na cosgaisean ainmeachadh aig fìor phrìsean

ovation *n*
bualadh-bhas (*fir*) fada
bualaidh-bhas fhada *gin*
a standing ovation
(an luchd-èisteachd) nan seasamh ri bualadh-bhas

overall control *n*
làn-smachd *fir*
làn-smachd *gin*
no overall control
gun làn-smachd (aig duine / taobh seach taobh)

overall majority *n*
mòr-chuid (*boir*) iomlan
mòr-chodach iomlain *gin*
mòr-chodaichean iomlan *iol*

overseas market *n*
margadh (*fir / boir*) thall thairis
margaidh thall thairis *gin*
margaidhean thall thairis *iol*

overall responsibilities *npl*
uallaich (*fir iol*) iomlan
uallaich iomlan *gin*

overburden *v*
cuir (*gr*) cus uallaich air
cur (*agr*) cus uallaich air

overcome *v* **(conquer)**
buadhaich (*gr*) air
buadhachadh (*agr*) air,
cothaich *gr*
cothachadh *agr*

overcome *v* **(solve)**
dèan (*gr*) a' chùis (air)
dèanamh (*agr*) na cùise (air)

overcrowding *n*
dòmhlachadh (sluaigh) *fir*
dòmhlachaidh (sluaigh) *gin*

overhead projector *n*
proiseactar (*fir*) os-cinn
proiseactair os-cinn *gin*
proiseactaran os-cinn *iol*

overheads *npl*
cosgaisean (*boir iol*) rianachd
chosgaisean rianachd *gin*
office overheads
cosgaisean rianachd oifise

overload *v*
an-luchdaich *gr*
an-luchdachadh *agr*

overloading *n*
an-luchdachadh *fir*
an-luchdachaidh *gin*

overriding *adj*
os cionn a h-uile nì *br*
overriding interest
leas (a tha) os cionn a h-uile nì

overrule *v*
cuir (*gr*) an dara taobh
cur (*agr*) an dara taobh,
co-dhùin (*gr*) an aghaidh *gr*
co-dhùnadh (*agr*) an aghaidh,
os-riaghail *gr*
os-riaghladh *agr*
1 to overrule a decision
co-dhùnadh a chur an dara taobh
2 to overrule a speaker
co-dhùnadh an aghaidh neach-labhairt,
neach-labhairt os-riaghladh

overruling *n*
os-riaghladh *fir*
os-riaghlaidh *gin*

Overseas Development Administration *n* **(ODA)**
Buidheann-rianachd (*boir*) Leasachaidh Chèin
Buidheann-rianachd Leasachaidh Chèin

oversee *v*
bi ceannas agad air *gr*
he was nominated to oversee the project
chaidh ainmeachadh gus ceannas a bhith aige air a' phròiseact

oversight *n* **(error)**
dearmad *fir*
dearmaid *gin*
dearmadan *iol*

oversight *n* **(supervision)**
stiùireadh *fir*
stiùiridh *gin*
democratic oversight
stiùireadh deamocratach

oversimplify *v*
dèan (*gr*) ro shìmplidh
dèanamh ro shìmplidh *agr*
to oversimplify the situation
dreachd ro shìmplidh a chur air an t-suidheachadh

overspend *n*
cus cosgais *boir*
cus cosgais *gin*

overspend *v*
cosg (*gr*) cus
cosg (*agr*) cus,
tar-chosg *gr*
tar-chosg *agr*

overspending *n*
cus cosgais *boir*
cus cosgais *gin*
an overspending on the budget
cus cosgais air a' bhuidseat

overt *adj*
follaiseach br

overtime *n*
obair (*boir*) taobh a-muigh uairean àbhaisteach
obrach taobh a-muigh uaire an àbhaisteach *gin,*
seach-thìm *boir*
seach-thìme *gin*
overtime payment
pàigheadh airson obrach taobh a-muigh uairean àbhaisteach,
pàigheadh airson seach-thìme

overturn *v*
atharraich *gr*
atharrachadh *agr*
to overturn a decision
co-dhùnadh atharrachadh

overwhelm *v*
sguab (*gr*) romhad
sguabadh (*agr*) romhad
to overwhelm all opposition
gach neach / nì a tha nad aghaidh a sguabadh romhad

overwhelmed *adj*
air cur fodha *br*
they were overwhelmed by the difficulties
bha iad air an cur fodha le duilgheadasan

overwhelming support *n*
(fìor) làn-thaic *boir*
(fìor) làn-thaice *gin*

pact *n*
còrdadh *fir*
còrdaidh *gin*
còrdaidhean *iol*

paid holidays *npl*
saor-làithean (*fir iol*) pàighte
shaor-làithean pàighte *gin*

pair *n* **(Parliament)**
paidhir *fir / boir*
paidhir *gin*
paidhirichean *iol*

pair *v* **(Parliament)**
dèan (*gr*) paidhir
dèanamh (*agr*) paidhir

pairing *n* **(Parliament)**
dèanamh (*fir*) paidhir
dèanaimh paidhir *gin*,
paidhreadh *fir*
paidhridh *gin*

Paisley North (Constituency)
Pàislig a Tuath
Phàislig a Tuath *gin*

Paisley South (Constituency)
Pàislig a Deas
Phàislig a Deas *gin*

panacea *n*
panacea *fir*
panacea *gin*
the Act is not a panacea to solve all our problems
chan eil an Achd na panacea air gach duilgheadas a tha againn

paper *n*
pàipear *fir*
pàipeir *gin*
pàipearan *iol*
ballot paper
pàipear (*fir*) bhòtaidh

parameter *n*
paraimeadar *fir*
paraimeadair *gin*
paraimeadaran *iol*,
crìoch *boir*
crìche *gin*
crìochan *iol*

paramount *adj*
os cionn gach nì
this is of paramount importance
tha seo cudthromach os cionn gach nì eile

Parent Teacher Association *n* **(PTA)**
Comann (*fir*) Phàrant agus Luchd-teagaisg
Comainn Phàrant agus Luchd-teagaisg *gin*

parental rights *npl*
còraichean (*boir iol*) phàrant
còraichean phàrant *gin*

parish *n*
paraiste *boir*
paraiste *gin*
paraistean *iol*,
sgìre *boir*
sgìre *gin*
sgìrean *iol*
parish clerk
clàrc paraiste

Parliament *n*
Pàrlamaid *boir*
Pàrlamaide *gin*
Pàrlamaidean *iol*

parliamentarian *n*
pàrlamaideach *fir*
pàrlamaidich *gin*
pàrlamaidich *iol*

parliamentary *adj*
pàrlamaideach *br*

Parliamentary Advisory Council *n* **for Transport Safety**
Buidheann (*boir*) Comhairleachaidh Pàrlamaid air Sàbhailteachd Còmhdhail
Buidhne Comhairleachaidh Pàrlamaid air Sàbhailteachd Còmhdhail *gin*

parliamentary agent *n*
neach-ionaid (*fir*) pàrlamaideach
neach-ionaid phàrlamaidich *gin*
luchd-ionaid pàrlamaideach *iol*

parliamentary bill *n*
bile (*fir*) pàrlamaide
bile phàrlamaide *gin*
bilean pàrlamaide *iol*

parliamentary caucus *n*
càcas (*fir*) sa phàrlamaid /
càcais sa phàrlamaid *gin*
càcasan sa phàrlamaid *iol*

Parliamentary Commissioner *n* **for Administration (PCA)**
Coimiseanair (*fir*) na Pàrlamaid airson Rianachd
Coimiseanair na Pàrlamaid airson Rianachd *gin*

parliamentary constituency *n*
roinn-taghaidh (*boir*) pàrlamaid
roinne-taghaidh pàrlamaid *gin*
roinnean-taghaidh pàrlamaid *iol*

parliamentary debate *n*
deasbad (*fir*) pàrlamaid
deasbaid phàrlamaid *gin*
deasbadan pàrlamaid *iol*

parliamentary democracy *n*
deamocrasaidh (*fir*) pàrlamaideach
deamocrasaidh phàrlamaidich *gin*
deamocrasaidhean pàrlamaideach *iol*

parliamentary draftsman *n*
dreachdadair (*fir*) pàrlamaid
dreachdadair phàrlamaid *gin*
dreachdadairean pàrlamaid *iol*

parliamentary election *n*
taghadh (*fir*) pàrlamaid
taghaidh phàrlamaid *gin*
taghaidhean pàrlamaid *iol*

parliamentary practices *npl*
cleachdaidhean (*fir iol*) pàrlamaid
chleachdaidhean pàrlamaid *gin*

Parliamentary Private Secretary *n* **(PPS)**
Rùnaire Pàrlamaid Prìobhaideach
Rùnaire Phàrlamaid Phrìobhaidich *gin*
Rùnairean Pàrlamaid Prìobhaideach *iol*

parliamentary privilege *n*
pribhleid (*boir*) phàrlamaideach
pribhleide pàrlamaidich *gin*
pribhleidean pàrlamaideach *iol*,
sochair (*boir*) phàrlamaideach
sochaire pàrlamaidich *gin*
sochairean pàrlamaideach *iol*

parliamentary reform *n*
ath-leasachadh (*fir*) pàrlamaid
ath-leasachaidh phàrlamaid *gin*
ath-leasachaidhean
pàrlamaid *iol*

parliamentary robe *n*
èideadh (*fir*) pàrlamaid
èididh phàrlamaid *gin*

parliamentary scrutiny *n*
sgrùdadh (*fir*) le pàrlamaid
sgrùdaidh le pàrlamaid *gin*

Parliamentary Secretary *n*
Rùnaire (*fir*) Pàrlamaid
Rùnaire Phàrlamaid *gin*
Rùnairean Pàrlamaid *iol*

parliamentary sovereignty *n*
uachdranas (*fir*) pàrlamaid
uachdranais phàrlamaid *gin*

Parliamentary Under-Secretary *n* **of State**
Fo-rùnaire (*fir*) Stàite
na Pàrlamaid
Fo-rùnaire Stàite
na Pàrlamaid *gin*

parol *adj*
parol *br*

Parole Board *n* **for Scotland**
Bòrd (*fir*) Cead-saoraidh
na h-Alba
Bhòrd Cead-saoraidh
na h-Alba *gin*,
Bòrd (*fir*) Paroil na h-Alba
Bhòrd Paroil na h-Alba *gin*

part payment *n*
pàirt-phàigheadh *fir*
pàirt-phàighidh *gin*
pàirt-phàighidhnean *iol*

participate *v*
gabh (*gr*) pàirt
gabhail (*agr*) pàirt
to participate in a debate
pàirt a ghabhail ann an deasbad

participation *n*
com-pàirteachadh *fir*
com-pàirteachaidh *gin*

participative *adj*
com-pàirteach *br*
participative democracy
deamocrasaidh com-pàirteach

partisan *adj*
lethbhreitheach *br*

partisan *n*
pàirteasan *fir*
pàirteasain *gin*
pàirteasain *iol*

partisanship *n*
pàirteasanas *fir*
pàirteasanais *gin*

partner *n*
com-pàirtiche *fir*
com-pàirtiche *gin*
com-pàirtichean *iol*
to be an equal partner in the project
a bhith mar phàirtiche
co-ionann sa phròiseact

partner *v*
rach (*gr*) an co-bhoinn ri,
dol (*agr*) an co-bhoinn ri
we have agreed to partner them in a coalition
tha sinn air aontachadh a dhol
còmhla riutha ann an co-bhoinn

partnership *n*
com-pàirteachas *fir*
com-pàirteachais *gin*
com-pàirteachasan *iol*
a fruitful partnership
com-pàirteachas torach

Partnership Council *n*
Comhairle (*boir*)
Com-pàirteachais
Comhairle
Com-pàirteachais *gin*
Comhairlean
Com-pàirteachais *iol*

party *n*
pàrtaidh *fir*
pàrtaidh *gin*
pàrtaidhean *iol*
political party
pàrtaidh poileataigeach

party caucus *n*
càcas (*fir*) sa phàrtaidh
càcais sa phàrtaidh *gin*
càcasan sa phàrtaidh *iol*,
caucus (*boir*) sa phàrtaidh
caucus sa phàrtaidh *gin*
caucuses sa phàrtaidh *iol*

party election broadcast *n*
craoladh (*fir*) taghaidh
craoladh taghaidh *gin*
craolaidhean taghaidh *iol*

party line *n*
poileasaidh (*fir*) (aontaichte)
a' phàrtaidh
poileasaidh (aontaichte)
a' phàrtaidh *gin*
to toe the party line
gèilleadh do phoileasaidh
(aontaichte) a' phàrtaidh

party list *n*
liosta (*boir*) a' phàrtaidh
liosta a' phàrtaidh *gin*

party manager *n*
manaidsear (*fir*) pàrtaidh
manaidseir phàrtaidh *gin*
manaidsearan pàrtaidh *iol*

party political broadcast *n*
craoladh (*fir*) pàrtaidh
poileataigeach
craolaidh phàrtaidh
poileataigich *gin*
craolaidhean pàrtaidh
poileataigeach *iol*

party politics *n*
poileataics (*boir*) pàrtaidh
poileataics pàrtaidh *gin*

party system *n*
siostam (*fir*) phàrtaidhean
siostaim phàrtaidhean *gin*
siostaman phàrtaidhean *iol*

pass *n*
pas *fir*
pas *gin*
pasaichean *iol*
security pass
pas tèarainteachd

pass *v*
gabh (*gr*) ri
gabhail (*agr*) ri,
aontaich *gr*
aontachadh *agr*
1 to pass an Act
gabhail ri Achd,
Achd aontachadh
2 to pass the budget
gabhail ris a' bhuidseat,
am buidseat aontachadh
3 to pass a law
gabhail ri lagh,
lagh aontachadh

Passenger Transport Executive *n*
Roinn-ghnìomha (*boir*)
airson Còmhdhail
Luchd-Shiubhail
Roinn-ghnìomha
airson Còmhdhail
Luchd-Shiubhail *gin*

Passport Agency *n*
Buidheann-ghnìomha (*boir*)
nan Ceadan-siubhail
Buidheann-ghnìomha nan
Ceadan-siubhail *gin*

Patent Office *n*
Oifis (*boir*) nam Pàitinn
Oifis nam Pàitinn *gin*

patience *n*
foighidinn *boir*
foighidinne *gin*
our patience is exhausted
chan eil an tuilleadh
foighidinn againn

patient *adj*
foighidneach *br*

patiently *adv*
gu foighidneach *cgr*

patronage *n*
cùl-taic *fir*
cùl-taice *gin,*
pàtranachd *boir*
pàtranachd *gin*

pattern *n*
pàtran *fir*
pàtrain *gin*
pàtranan *iol*
the discussions usually follow a set pattern
mar as àbhaist leanaidh na
còmhraidhean pàtran suidhichte

pay *n*
pàigheadh *fir*
pàighidh *gin*
pàighidhnean *iol*
1 pay bargaining
barganachadh a thaobh
pàighidh
2 pay negotiation
còmhraidhean a thaobh
pàighidh

pay as you earn (PAYE)
pàigh mar a choisinnear

payable *adj*
ri phàigheadh (do)

payee *n*
neach (*fir*) dom pàighear
neach dom pàighear *gin*
daoine dom pàighear *iol*

paymaster *n*
pàighe-mhaighstir *fir*
pàighe-mhaighstir *gin*
pàighe-mhaighstirean *iol*
Paymaster General
Àrd-phàighe-mhaighstir

payment *n*
pàigheadh *fir*
pàighidh *gin*
pàighidhean *iol*

peer *n*
(lord / lady)
morair *fir*
morair *gin*
moraírean *iol*
1 appointed peer
morair suidhichte
2 hereditary peer
morair oighre
3 life peer
morair fad beatha
4 peer of the realm
morair na rìoghachd

peer *n*
(contemporary)
comhaois *fir*
comhaois *gin*
comhaoisean *iol*

peer *n*
(social equal)
co-inbheach *fir*
co-inbhich *gin*
co-inbhich *iol*

peerage *n*
(honour)
moraireachd *boir*
moraireachd *gin*
moraireachdan *iol*
1 he was given a peerage
chaidh moraireachd a thoirt
dha
2 she was elevated to the peerage
chaidh a h-àrdachadh don
mhoraireachd

peerage *n*
(peers)
moraireachd *boir*
moraireachd *gin*
moraireachdan *iol*

peeress *n*
ban-mhoraire *boir*
ban-mhoraire *gin*
ban-mhoraírean *iol*

peers *npl*
(contemporaries)
comhaoisean *fir iol*
chomhaoisean *gin*

penal *adj*
peanasach *br*
1 penal damages
damaistean peanasach
2 penal system
siostam peanais

penalise *v*
peanasaich *gr*
peanasachadh *gin,*
cuir (*gr*) peanas air
cur (*agr*) peanais air

penalty *n*
peanas *fir*
peanais *gin*
peanasan *iol*
penalty clause in a contract
clàsa èirig ann an cunnradh

pending *adj*
ri thighinn

pending *prep*
gu *roi*
pending further enquiries
gus an dèanar an tuilleadh
feòraich / faighneachd

pension *n*
peinnsean *fir*
peinnsein *gin*
peinnseanan *iol*
1 pension protection
dìon peinnsein
2 pension scheme
sgeama peinnsein

pension *v*
thoir (*gr*) peinnsean do
toirt (*agr*) peinnsein do
to pension someone off
duine a chur a-mach air
peinnsean

penultimate *adj*
leth-dheireannach *br,*
an dara ceum mu dheireadh *br*
the penultimate stage in the process
an ìre mu dheireadh sa chùis
ach aon

people's democracy *n*
deamocrasaidh (*fir*) a' phoballl
deamocrasaidh a' phoballl *gin*

per capita
gach pearsa

per cent
sa cheud

percentage *n*
ìre (*boir*) sa cheud,
ceudad *fir*
ceudaid *gin*
ceudadan *iol*

percentage decline *n*
crìonadh sa cheud
crìonaidh sa cheud *gin*

percentage growth *n*
fàs (*fir*) sa cheud
fàis sa cheud *gin*

percentage rate *n*
ìre (*boir*) sa cheud
ìre sa cheud *gin*
ìrean sa cheud *iol*

perform *v*
coilean *gr*
coileanadh *agr,*
dèan *gr*
dèanamh *agr*
1 to perform a duty
dleastanas a choileanadh
2 to perform well
coileanadh gu math,
dèanamh gu coileanta

performance appraisal *n*
measadh (*fir*) coileanaidh
measaidh choileanaidh *gin*

performance evaluation *n*
luachadh (*fir*) coileanaidh
luachaidh choileanaidh *gin*

performance indicator *n*
comharra (*fir*) coileanaidh
comharra choileanaidh *gin*
comharran coileanaidh *iol*

performance management *n*
rianachd (*boir*) coileanaidh
rianachd coileanaidh *gin*

performance target *n*
targaid (*boir*) coileanaidh
targaid coileanaidh *gin*
targaidean coileanaidh *iol*

period *n*
ùine *boir*
ùine *gin*
ùineachan *iol*
period of time
ùine

periodical *adj*
ùineach *br*
periodical report
aithisg ùineach

peripheral *adj*
iomallach *br*

perjury *n*
mionnan (*fir / boir iol*) eithich
mhionn eithich *gin*

perjure *v*
thoir (*gr*) mionnan eithich
toirt (*gr*) mhionn eithich
I must not perjure myself
chan fhaod mi na mionnan
eithich a thoirt

permanent *adj*
maireannach *br*

permanent representative *n*
riochdair (*fir*) maireannach
riochdair mhaireannaich *gin*
riochdairean maireannach *iol*

Permanent Secretary *n*
Rùnaire (*fir*) Maireannach
Rùnaire Mhaireannaich *gin*
Rùnairean Maireannach *iol,*
Ceannard (*fir*) Catharra
Ceannaird Chatharra *gin*
Ceannardan Catharra *iol*

Permanent Under-Secretary *n*
Fo-rùnaire (*fir*) Maireannach
Fo-rùnaire Mhaireannaich *gin*
Fo-rùnairean Maireannach *iol,*
Fo-cheannard *(fir)* Catharra
Fo-ceannaird Chatharra gin
Fo-ceannardan Catharra *iol*

permeate *v*
rach (*gr*) tro
dol (*agr*) tro
that view permeates all parts of society
tha am beachd sin a' dol tro gach
pàirt den chomann-shòisealta

permissible *adj*
ceadaichte *br*
it is not permissible to vote from the Galleries
chan eil e ceadaichte bhòtadh
bho na Gailearaidhean

permission *n*
cead *fir*
cead *gin*
to give permission
cead a thoirt

permit *n*
(document, licence)
ceadachd *boir*
ceadachd *gin*
ceadachdan *iol*

permit *v*
ceadaich *gr*
ceadachadh *agr*

permutation *n*
iomlaid *boir*
iomlaid *gin*
iomlaidean *iol*
we have tried every permutation
dh'fheuch sinn gach iomlaid dòighe air a' chùis

perpetual *adj*
sìor-

persecute *v*
geur-lean *br*
geur-leanmhainn *agr*

persecution *n*
geur-leanmhainn *fir*
geur-leanmhainn *gin*
geur-leanmhainnean *iol*

persecutor *n*
geur-leanmhainniche *fir*
geur-leanmhainniche *gin*
geur-leanmhainnichean *iol*

personal *adj*
pearsanta
a personal matter
gnothach pearsanta

personal assistant *n* **(PA)**
neach-cuideachaidh (*fir*) pearsanta
neach-chuideachaidh phearsanta *gin*
luchd-cuideachaidh pearsanta *iol*

personal computer *n* **(PC)**
coimpiutar (*fir*) pearsanta
coimpiutair phearsanta *gin*
coimpiutaran pearsanta *iol*

personal file *n*
faidhle (*boir*) phearsanta
faidhle pearsanta *gin*
faidhleachan pearsanta *iol*

personnel *n*
sgiobachd *boir*
sgiobachd *gin*

personnel appraisal *n*
measadh (*fir*) sgiobachd
measaidh sgiobachd *gin*
measaidhean sgiobachd *iol*

personnel department *n*
roinn (*boir*) sgiobachd
roinne sgiobachd *gin*
roinnean sgiobachd *iol*

personnel management *n*
stiùireadh (*fir*) sgiobachd
stiùiridh sgiobachd *gin*

personnel manager *n*
manaidsear (*fir*) sgiobachd
manaidseir sgiobachd *gin*
manaidsearan sgiobachd *iol*

personnel officer *n*
oifigear (*fir*) sgiobachd
oifigeir sgiobachd *gin*
oifigearan sgiobachd *iol*

persuade *v*
thoir (*gr*) a thaobh
toirt (*agr*) a thaobh,
cuir (*gr*) ìmpidh air
cur (*agr*) ìmpidh air

persuaded *adj*
air toirt a thaobh *iol*
I am persuaded by the argument
tha an argamaid air mo thoirt a thaobh

persuasion *n*
ìmpidh *boir*
ìmpidhe *gin,*
beachd *fir*
beachda *gin*
beachdan *iol*
I am of that persuasion
tha mi den bheachd sin

persuasive *adj*
bhuadhmhor *br,*
a bheir neach a thaobh *br*
a persuasive speech
òraid a bheir neach a thaobh

Perth
(Constituency)
Peairt
Peairt *gin*

pervade *v*
bi (*gr*) uile-sgaoilte (tro)
the view was all-pervading
bha am beachd uile-sgaoilte

peter *v* **out**
sìolaidh (*gr*) às
sìoladh (*agr*) às
the debate petered out after some hours
shìolaidh an deasbad às an dèidh grunnan de dh'uairean a thìde

petition *n*
athchuinge *boir*
athchuinge *gin*
athchuingean *iol*

petition *v*
thoir (*gr*) athchuinge do
toirt (*agr*) athchuinge do *gin*

petitioner *n*
athchuingiche *fir*
athchuingiche *gin*
athchuingichean *iol*

petty *adj*
suarach *br*
a petty comment
facal suarach

phase *v* **in**
thoir (*gr*) a-steach mean air mhean
toirt (*agr*) a-steach mean air mhean

phase *v* **out**
cuir (*gr*) às mean air mhean
cur (*agr*) às mean air mhean

phasing-in *n*
toirt (*boir*) a-steach mean air mhean
toirt a-steach mean air mhean *gin*

phasing-out *n*
cur (*fir*) às mean air mhean
cuir às mean air mhean *gin*

Physical Training and Recreation Act *n*
Achd (*boir*) Trèanaidh Bodhaig agus Chur-seachad
Achd Trèanaidh Bodhaig agus Chur-seachad *gin*

pick-up area *n*
làrach (*boir*) togail
làraich togail *gin*
làraichean togail *iol*

pie chart *n*
clàr-cearcaill *fir*
clàir-chearcaill *gin*
clàran-cearcaill *iol*

piecemeal *adj*
mean air mhean
a piecemeal approach to the problem
dol mun cuairt an duilgheadais mean air mhean

pilot *v* **(a scheme)**
dèan (*gr*) pìolat air
dèanamh (*agr*) pìolait air,
dèan (*gr*) dearbhadh air
dèanamh (*agr*) dearbhadh air

pilot measure *n*
ceum (*fir*) pìolait
ceum phìolait *gin*
ceuman pìolait *iol,*
ceum (*fir*) dearbhaidh
ceum dhearbhaidh *gin*
ceuman dearbhaidh *iol*

pilot scheme *n*
sgeama (*fir*) pìolatach
sgeama phìolataich *gin*
sgeamaichean pìolatach *iol*,
sgeama (*fir*) dearbhaidh
sgeama dhearbhaidh *gin*
sgeamaichean dearbhaidh *iol*

pilot study *n*
tùs-rannsachadh *fir*
tùs-rannsachaidh *gin*
tùs-rannsachaidhean *iol,*
rannsachadh (*fir*) dearbhaidh
ransachaidh dhearbhaidh *gin*
ransachaidhean dearbhaidh *iol*

pioneer *n*
tùsaire *fir*
tùsaire *gin*
tùsairean *iol*

pioneer *v*
rach (*gr*) air thùs
dol (*agr*) air thùs

pioneering *adj*
a thèid air thùs
pioneering legislation
reachdas a thèid air thùs (ghnothaichean)

pipeline *n*
pìob-loidhne *boir*
pìob-loidhne *gin*
pìob-loidhneachan *iol*
a decision is in the pipeline
tha co-dhùnadh sa bheart

Pipelines Act *n*
Achd (*boir*) nam Pìob-loidhneachan
Achd nam Pìob-loidhneachan *gin*

pitfall *n*
sloc-tuislidh *fir*
sluic-thuislidh *gin*
slocan-tuislidh *iol*

place *n*
àite *fir*
àite *gin*
àiteachan *iol*
the legislation is in place
tha an reachdas stèidhichte

place *v*
cuir *gr*
cur *agr*
to place on record
cur ann an cunntas

Places of Worship Sites Amendment Act *n*
Achd (*boir*) Atharrachaidh Làraichean Adhraidh
Achd Atharrachaidh Làraichean Adhraidh *gin*

plaintiff *n*
gearanaiche *fir*
gearanaiche *gin*
gearanaichean *iol*

plan *n*
plana *fir*
plana *gin*
planaichean *iol*
1 development plan
plana leasachaidh
2 plan of a building
plana de thogalach
3 plan of campaign
dòigh air adhart san iomairt

plan *v*
dealbh *gr*
dealbhadh *agr*

plank *n*
earrann *boir*
earrainn *gin*
earrainnean *iol*
major plank of the legislation
prìomh earrann den reachdas

planning *n*
dealbhadh *fir*
dealbhaidh *gin*

Planning (Hazardous Substances) Act *n*
Achd (*boir*) Dealbhaidh (Stuthan Cunnartach)
Achd Dealbhaidh (Stuthan Cunnartach) *gin*

Planning (Listed Buildings and Conservation Areas) Act *n*
Achd (*boir*) Dealbhaidh (Togalaichean air Liosta agus Àrainnean Glèidhteachais)
Achd Dealbhaidh (Togalaichean air Liosta agus Àrainnean Glèidhteachais) *gin*

Planning and Compensation Act *n*
Achd (*boir*) Dealbhaidh agus Dìolaidh
Achd Dealbhaidh agus Dìolaidh *gin*

planning appeal *n*
ath-thagradh (*fir*) dealbhaidh
ath-thagraidh (*fir*) dhealbhaidh
ath-thagraidhean dealbhaidh *iol*

planning application *n*
iarrtas (*fir*) dealbhaidh
iarrtais dhealbhaidh *gin*
iarrtasan dealbhaidh *iol*

planning committee *n*
comataidh (*boir*) dealbhaidh
comataidh dealbhaidh *gin*
comataidhean dealbhaidh *iol*

planning consent *n*
aonta (*fir*) dealbhaidh
aonta dhealbhaidh *gin*
aontaidhean dealbhaidh *iol*

planning control *n*
smachd (*fir*) dealbhaidh
smachd dhealbhaidh *gin*

planning inquiry *n*
rannsachadh (*fir*) dealbhaidh
rannsachaidh dhealbhaidh *gin*
rannsachaidhean dealbhaidh *iol*

planning permission *n*
cead (*fir*) dealbhaidh
cead dhealbhaidh *gin*
ceadan dealbhaidh *iol*

planning policy *n*
poileasaidh (*fir*) dealbhaidh
poileasaidh dhealbhaidh *gin*
poileasaidhean dealbhaidh *iol*

planning powers *npl*
cumhachdan (*fir iol*) dealbhaidh
chumhachdan dealbhaidh *gin*

planning procedure *n*
modh (*boir*) dealbhaidh
modha dealbhaidh *gin*
modhan dealbhaidh *iol*

planning process *n*
pròiseas (*fir*) dealbhaidh
pròiseis dhealbhaidh *gin,*
modh (*boir*) dealbhaidh
modha dealbhaidh *gin*

planning regulation *n* **(rule(s) governing planning matters)**
riaghailt (*boir*) dealbhaidh
riaghailte dealbhaidh *gin*
riaghailtean dealbhaidh *iol*

planning regulation *n* **(control of planning matters)**
riaghladh (*fir*) dealbhaidh
riaghlaidh dhealbhaidh *gin*

planning restraint *n*
srianadh (*fir*) dealbhaidh
srianadh dealbhaidh *gin*

planning system *n*
siostam (*fir*) dealbhaidh
siostaim dhealbhaidh *gin*
siostaman dealbhaidh *iol*

platform *n*
àrd-ùrlar *fir*
àrd-ùrlair *gin*
àrd-ùrlaran *iol*

play *v*
cluich *gr*
cluich *agr*
1 to play one faction off against the other
aon bhuidheann a chur an aghaidh na buidhne eile
2 to play one's part
cuid neach (ann an gnothach) a choileanadh

plea *n*
tagradh *fir*
tagraidh *gin*
tagraidhean *iol*
a plea for leniency
tagradh airson iochdalachd

plead *v* **(a case)**
tagair *gr*
tagradh *agr*

plead *v* **(to implore)**
guidh (*gr*) air
guidhe (*agr*) air

plebiscite *n*
sluaigh-bhreith *boir*
sluaigh-bhreith *gin*
sluaigh-bhreithean *iol,*
sluaigh-bhòt *boir*
sluaigh-bhòt *gin*
sluaigh-bhòtan *iol*

pledge *n*
gealladh (sòlaimte) *fir*
geallaidh (shòlaimte) *gin*
geallaidhean (sòlaimte) *iol*
Pledge of Office
Gealladh na Dreuchd

pledge *v*
rach (*gr*) an geall
dol (*gr*) an geall,
geall *gr*
gealladh *agr*

plenary *adj*
làn- *br*
in plenary (session)
ann an làn-choinneimh

plenary chamber *n*
seòmar (*fir*) làn-choinneimh
seòmair làn-choinneimh *gin*

plenary debate *n*
deasbad (*fir*) làn-choinneimh
deasbaid làn-choinneimh *gin*
deasbadan làn-choinneimh *iol*

plenary jurisdiction *n*
làn-dlighe-chomas *fir*
làn-dlighe-chomais *gin*

plenary meeting *n*
làn-choinneamh *boir*
làn-choinneimh *gin*
làn-choinneamhan *iol*

plenary power *n*
làn-chumhachd *fir*
làn-chumhachd *gin*

plenary session *n*
làn-sheisean *fir*
làn-sheisein *gin*
làn-sheiseanan *iol*

plenipotentiary *adj*
làn-chumhachdach *br*

plenipotentiary *n*
làn-chumhachdach *fir*
làn-chumhachdaich *gin*
làn-chumhachdaich *iol*

plethora *n*
ro iomadach *br*
we are faced with a plethora of options
tha ro iomadach roghainn againn

plot *n* **(conspiracy)**
guim *fir*
guim *gin*
guimean *iol,*
innleachd *boir*
innleachd *gin*
innleachdan *iol*

plot *n* **(of land)**
pìos (*fir*) talmhainn
pìos thalmhainn *gin*
pìosan talmhainn *iol*

plot *v* **(to conspire)**
dèan (*gr*) guim
dèanamh (*agr*) guim
dèan (*gr*) innleachd
dèanamh (*agr*) innleachdan

pluralism *n*
ioma-ghnèitheachd *boir*
ioma-ghnèitheachd *gin*

pluralist *adj*
ioma-ghnèitheach *br*
a pluralist society
comann-sòisealta
ioma-ghnèitheach

podium *n*
podia, podiums *pl*
pòideam *fir*
pòideim *gin*
pòideaman *iol,*
àrd-ùrlar *fir*
àrd-ùrlair *gin*
àrd-ùrlair *iol*

poind *v*
ath-ghabh *gr*
ath-ghabhail *agr*
his goods were poinded
chaidh a chuid seilbh
ath-ghabhail

poinding *n*
ath-ghabhail *fir*
ath-ghabhalach *gin*
ath-ghabhalaichean *iol*

point *n* **of information**
puing (*boir*) fiosrachaidh
puinge fiosrachaidh *gin*
puingean fiosrachaidh *iol*

point *n* **of law**
ceist (*boir*) lagha
ceiste lagha *gin*
ceistean lagha *iol*

point *n* **of order**
puing (*boir*) òrduigh
puinge òrduigh *gin*
puingean òrduigh *iol*

point *n* **of view**
barail *boir*
baraile *gin*
barailean *iol*

Poisons Act *n*
Achd (*boir*) nam Puinnsean
Achd nam Puinnsean *gin*

polarisation *n*
cur (*fir*) calg-dhìreach
an aghaidh a chèile
cuir calg-dhìreach
an aghaidh a chèile *gin*
polarisation of opinions
cur bheachdan calg-dhìreach
an aghaidh a chèile

polarise *v*
cuir (*gr*) calg-dhìreach
an aghaidh a chèile
cur (*agr*) calg-dhìreach
an aghaidh a chèile

Police Federation *n*
Caidreachas (*fir*) a' Phoileis
Caidreachas a' Phoileis

police officer *n*
oifigear (*fir*) poileis
oifigeir phoileis *gin*
oifigearan poileis *iol*

policeman *n*
poileas *fir*
poileis *gin*
poileis / poileasachan *iol*

policewoman *n*
ban-phoileas *boir*
ban-phoileis *gin*
ban-phoileis /
ban-phoileasachan *iol*

policing *n*
obair (*boir*) phoileis
obair phoileis *gin*
community policing
poileas sa choimhearsnachd

policy *n*
poileasaidh *fir*
poileasaidh *gin*
poileasaidhean *iol*

policy adviser *n*
comhairleach (*fir*) poileasaidh
comhairlich phoileasaidh *gin*
comhairlich phoileasaidh *iol*

policy analysis *n*
sgrùdadh (*fir*) poileasaidh
sgrùdaidh phoileasaidh *gin*
sgrùdaidhean poileasaidh *iol*

policy area *n*
raon (*fir*) poileasaidh
raoin phoileasaidh *gin*
raointean poileasaidh *iol*

policy change *n*
atharrachadh (*fir*) poileasaidh
atharrachaidh phoileasaidh *gin*
atharrachaidhean poileasaidh *iol*

policy cycle *n*
cuairt (*boir*) poileasaidh
cuairt poileasaidh *gin*
cuairtean poileasaidh *iol*

policy development *n*
leasachadh (*fir*) poileasaidh
leasachaidh phoileasaidh *gin*

policy formulation *n*
cruthachadh (*fir*) poileasaidh
cruthachaidh phoileasaidh *gin,*
cur (*fir*) ri chèile poileasaidh
cuir ri chèile poileasaidh *gin*

policy implementation *n*
cur (*fir*) gu buil poileasaidh
cuir gu buil phoileasaidh *gin*

policy making *n*
dèanamh (*fir*) poileasaidh
dèanamh poileasaidh *gin*

policy planning *n*
dealbhadh (*fir*) poileasaidh
dealbhaidh phoileasaidh *gin*

policy review *n*
ath-sgrùdadh (*fir*) poileasaidh
ath-sgrùdaidh
phoileasaidh *gin*
ath-sgrùdaidhean
poileasaidh *iol*

political *adj*
poileataigeach *br*

political act *n*
gnìomh (*fir*) poileataigeach
gnìomh phoileataigich *gin*
gnìomhan poileataigeach *iol*

political action *n*
gnìomhachd (*boir*) phoileataigeach
gnìomhachd phoileataigich *gin*
gnìomhan poileataigeach *iol*
to take political action
gnìomhachd phoileataigeach a dhèanamh

political adviser *n*
comhairleach (*fir*) poileataigeach
comhairlich phoileataigich *gin*
comhairlich phoileataigeach *iol*

political appointment *n*
dreuchd (*boir*) phoileataigeach
dreuchd phoileataigich *gin*
dreuchdan poileataigeach *iol,*
cur (*fir*) an dreuchd poileataigeach
cuir an dreuchd phoileataigich *gin*

political asylum *n*
comraich (*boir*) phoileataigeach
comraich phoileataigich *gin*

political background *n*
àrainneachd (*boir*) phoileataigeach
àrainneachd phoileataigich *gin*

political behaviour *n*
dol a-mach (*fir*) poileataigeach
dol a-mach phoileataigich *gin*

political boss *n*
ceannard (*fir*) poileataigeach
ceannaird phoileataigich *gin*
ceannardan poileataigeach *iol*

political campaign *n*
iomairt (*boir*) phoileataigeach
iomairt phoileataigich *gin*
iomairtean poileataigeach *iol*

political climate *n*
faireachdainn (*boir*) phoileataigeach
faireachdainn phoileataigich *gin*
faireachdainnean poileataigeach *iol*

political complexion *n*
dreach (*fir*) poileataigeach
dreacha phoileataigich *gin*
dreachan poileataigeach *iol*

political conflict *n*
còmhstri (*boir*) phoileataigeach
còmhstri phoileataigich *gin*
còmhstrithean poileataigeach *iol*

political control *n*
smachd (*fir*) poileataigeach
smachd phoileataigich *gin*

political correspondent *n*
neach-naidheachd (*fir*) poileataigeach
neach-naidheachd phoileataigich *gin*
luchd-naidheachd poileataigeach *iol*

political creed *n*
creideamh (*fir*) poileataigeach
creideimh phoileataigich *gin*
creideamhan poileataigeach *iol*

political decision *n*
co-dhùnadh (*fir*) poileataigeach
co-dhùnaidh phoileataigich *gin*
co-dhùnaidhean poileataigeach *iol*

political dogma *n*
dogma (*fir*) poileataigeach
dogma phoileataigich *gin,*
dogmathan poileataigeach *iol,*
gnàth-theagasg (*fir*) poileataigeach
gnàth-theagaisg phoileataigich *gin*
gnàth-theagasgan poileataigeach *iol*

political donation *n*
tìodhlac (*fir*) poileataigeach
tìodhlaic phoileataigich *gin*
tìodhlacan poileataigeach *iol*

political editor *n*
neach-deasachaidh (*fir*) poileataigeach
neach-dheasachaidh phoileataigich *gin*
luchd-deasachaidh poileataigeach *iol*

political efficacy *n*
èifeachd (*boir*) phoileataigeach
èifeachd phoileataigich *gin*

political feud *n*
falachd (*boir*) phoileataigeach
falachd phoileataigich *gin*
falachdan poileataigeach *iol*

political football *n*
cèise-ball (*fir*) poileataigeach
cèise-buill phoileataigich *gin*
cèise-buill phoileataigeach *iol*

political forum *n*
fòram (*fir*) poileataigeach
fòraim phoileataigich *gin*
fòraim phoileataigeach *iol*

political group *n*
còmhlan (*fir*) poileataigeach
còmhlain phoileataigich *gin*
còmhlain phoileataigeach *iol*

political institution *n*
bun-nòs (*fir*) poileataigeach
bun-nòis phoileataigich *gin*
bun-nòsan poileataigeach *iol*

political justice *n*
ceartas (*fir*) poileataigeach
ceartais phoileataigich *gin*

political neutrality *n*
neo-phàirteachd (*boir*) phoileataigeach
neo-phàirteachd phoileataigich *gin*

political organisation *n*
buidheann (*fir / boir*) phoileataigeach
buidhne poileataigich *gin*
buidhnean poileataigeach *iol*

political participation *n*
com-pàirteachadh (*fir*) poileataigeach
com-pàirteachaidh phoileataigich *gin*

political party *n*
pàrtaidh (*fir*) poileataigeach
pàrtaidh phoileataigich *gin*
pàrtaidhean poileataigeach *iol*

political prisoner *n*
prìosanach (*fir*) poileataigeach
prìosanaich phoileataigich *gin*
prìosanaich phoileataigeach *iol*

political process *n*
pròiseas (*fir*) poileataigeach
pròiseis phoileataigich *gin*
pròiseasan poileataigeach *iol,*
modh (*boir*) phoileataigeach
modha phoileataigich *gin*
modhan poileataigeach *iol*

political reform *n*
ath-leasachadh (*fir*)
poileataigeach
ath-leasachaidh
phoileataigich *gin*
ath-leasachaidhean
poileataigeach *iol*

political sanctions *npl*
smachd-bhannan (*fir iol*)
poileataigeach
smachd-bhannan
poileataigeach *gin*

political science *n*
saidheans (*fir*) poileataigeach
saidheans phoileataigich *gin*

political settlement *n*
co-chòrdadh (*fir*) poileataigeach
co-chòrdaidh
phoileataigich *gin*
co-chòrdaidhean
poileataigeach *iol*

political stability *n*
seasmhachd (*boir*)
phoileataigeach
seasmhachd phoileataigich *gin*

political system *n*
siostam (*fir*) poileataigeach
siostaim phoileataigich *gin*
siostaman poileataigeach *iol*

political theorising *n*
deilbh (*boir*) teòiridh
phoileataigich
deilbh teòiridh phoileataigich *gin,*
deilbh (*boir*) feallsanachd
phoileataigich
deilbh feallsanachd
phoileataigich *gin*

political theory *n*
teòiridh (*boir*) phoileataigeach
teòiridh phoileataigich *gin,*
feallsanachd (*boir*)
phoileataigeach
feallsanachd phoileataigich *gin*

political thinking *n*
smaoineachadh (*fir*)
poileataigeach
smaoineachaidh
phoileataigich *gin*

political thought *n*
smuain (*boir*) phoileataigeach
smuain phoileataigich *gin,*
beachd (*fir*) poileataigeach
beachd phoileataigich *gin*

political vision *n*
lèirsinn (*boir*) phoileataigeach
lèirsinne poileataigich *gin*

political will *n*
toil (*boir*) phoileataigeach
toile poileataigich *gin*

politically correct *adj*
ceart (*br*) gu poileataigeach

politically incorrect *adj*
mì-cheart (*br*) gu poileataigeach

politician *n*
neach-poileataics *fir*
neach-phoileataics *gin*
luchd-poileataics *iol*

politicisation *n*
dèanamh (*fir*) poileataigeach
dèanaimh phoileataigich *gin*

politicise *v*
dèan (*gr*) poileataigeach
dèanamh (*agr*) poileataigeach

politicking *n*
dol a-mach (*fir*) (suarach)
poileataigeach
dol a-mach (shuaraich)
phoileataigich

politics *n*
poileataics *boir*
poileataics *gin*
1 playing politics
cluich poileataics
2 gutter politics
poileataics a' ghuiteir,
poileataics na sitig

poll *n*
cunntas (*fir*) cheann
cunntais cheann *gin*
cunntasan cheann *iol,*
bhòtadh *fir*
bhòtaidh *gin,*
taghadh *fir*
taghaidh *gin*
1 straw poll
cunntas bheachd neo-fhoirmeil
2 heavy / light poll
bhòtadh trom / aotrom
3 to go to the polls
dol chun an taghaidh

poll *v*
(to receive votes)
faigh (*gr*) de bhòtaichean
faighinn (*agr*) de bhòtaichean

poll clerk *n*
clàrc (*fir*) an taghaidh
clàrc an taghaidh *gin*
clàrcan an taghaidh *iol*

poll rating *n*
ìre (*boir*) san taghadh
ìre san taghadh *gin*
ìrean san taghadh *iol,*
seasamh (*fir*) anns na
cunntasan bheachd
seasaimh anns na
cunntasan bheachd *gin*
seasamhan anns na
cunntasan bheachd *iol*

poll tax *n*
cìs (*boir*) cheann
cìse cheann *gin,*
cìs (*boir*) clàir-bhòtaidh
cìs clàir-bhòtaidh *gin*

polling *n*
bhòtadh *fir*
bhòtaidh *gin*

polling booth *n*
bùthan (*fir*) bhòtaidh
bùthain bhòtaidh *gin*
bùthain bhòtaidh *iol*

polling card *n*
cairt (*boir*) bhòtaidh
cairt bhòtaidh *gin*
cairtean bhòtaidh *iol*

polling day *n*
latha (*fir*) taghaidh
latha taghaidh *gin*
làithean taghaidh,
latha (*fir*) bhòtaidh
latha bhòtaidh *gin*
làithean bhòtaidh

polling district *n*
sgìre (*boir*) bhòtaidh
sgìre bhòtaidh *gin*
sgìrean bhòtaidh *iol*

polling station *n*
ionad (*fir*) bhòtaidh
ionaid bhòtaidh *gin*
ionadan bhòtaidh *iol*

pollutant *n*
stuth-truaillidh *fir*
stuth-truaillidh *gin*
stuthan-truaillidh *iol*

pollute *v*
truaill *gr*
truailleadh *agr*

pollution *n*
truaillidheachd *boir*
truaillidheachd *gin*

pomp *n*
greadhnachas *fir*
greadhnachais *gin*
pomp and circumstance
mòr-ghreadhnachas

pontificate *v*
dèan (*gr*) searmon (de)
dèanamh (*agr*) searmoin (de)

poor *adj*
bochd *br*
1 poor people
bochd,
daoine bochd
2 a poor turnout in the election
cha tàinig mòran a-mach san taghadh

popular democracy *n*
deamocrasaidh (*fir*) an t-sluaigh
deamocrasaidh an t-sluaigh *gin*

population *n*
àireamh-shluaigh *boir*
àireimh-shluaigh *gin*,
sluagh *fir*
sluaigh *gin*

population base *n*
bunait-sluaigh *fir*
bunait-shluaigh *gin*

population decline *n*
lùghdachadh (*fir*) ann an àireimh-shluaigh
lùghdachaidh ann an àireimh-shluaigh

population estimate *n*
tuairmse (*boir*) air àireimh-shluaigh
tuairmse air àireimh-shluaigh *gin*
tuairmsean air àireimh-shluaigh *iol*

population forecast *n*
fàisneachd (*boir*) air àireimh-shluaigh
fàisneachd air àireimh-shluaigh *gin*
fàisneachdan air àireimh-shluaigh *iol*

population growth *n*
fàs (*fir*) ann an àireimh-shluaigh
fàis ann an àireimh-shluaigh *gin*

population projection *n*
ro-thionnsgnadh (*fir*) air àireimh-shluaigh
ro-thionnsgnaidh air àireimh-shluaigh *gin*
ro-thionnsgnaidhean air àireimh-shluaigh *iol*

population statistics *npl*
staitistig (*fir*) a thaobh àireimh-shluaigh
staitistig a thaobh àireimh-shluaigh *gin*

Port Health Authority *n*
Ùghdarras (*fir*) Slàinte nam Port
Ùghdarras Slàinte nam Port *gin*

portable equipment *n*
uidheam (*boir*) so-ghiùlan
uidheim sho-ghiùlain *gin*,
uidheam (*boir*) gluasadach
uidheim ghluasadaich *gin*

portfolio *n*
cùram (*fir*) roinne
cùraim roinne *gin*
cùraman roinne *iol*
1 ministerial portfolio
cùram ministeir
2 Minister without Portfolio
Ministear gun Chùram Roinne

pose *v* **a problem**
adhbharaich (*gr*) duilgheadas
adhbharachadh (*agr*) duilgheadais

position statement *n* **(update on progress)**
aithris (*boir*) air adhartas
aithris air adhartas *gin*

position statement *n* **(statement of policy)**
aithris (*boir*) air suidheachadh
aithris air suidheachadh *gin*

positive *adj*
dòchasach *br*,
deimhinneach *br*
1 a positive attitude
dòigh-smuaineachaidh dheimhinneach
2 to end on a positive note
a thighinn gu ceann ann an dòigh dheimhinnich

positive discrimination *n*
lethbhreith (*boir*) thaiceil
lethbhreith thaiceil *gin*

post *n*
post *fir*
puist *gin*
by return of post
air a' chiad phost eile

post office *n* **(building)**
oifis (*boir*) a' phuist
oifis a' phuist *gin*
oifisean a' phuist *iol*

Post Office *n* **(organisation) (Consignia)**
Oifis (*boir*) a' Phuist
Oifis a' Phuist *gin*

Post Office Act *n*
Achd (*boir*) Oifis a' Phuist
Achd Oifis a' Phuist *gin*

Post Office Advisory Committee *n*
(POAC)
Comataidh (*boir*) Comhairleachaidh Oifis a' Phuist
Comataidh Comhairleachaidh Oifis a' Phuist *gin*

Post Office Counters Ltd *n*
Cunntairean (*fir iol*) Oifis a' Phuist eta
Cunntairean Oifis a' Phuist eta *gin*

Post Office Users' Council *n* **for Scotland**
Comhairle (*boir*) Luchd-chleachdaidh Oifis a' Phuist airson Alba
Comhairle Luchd-chleachdaidh Oifis a' Phuist airson Alba *gin*

Post Office Users' National Council *n*
(POUNC)
Comhairle (*boir*) Nàiseanta Luchd-chleachdaidh Oifis a' Phuist
Comhairle Nàiseanta Luchd-chleachdaidh Oifis a' Phuist *gin*

postal ballot *n*
baileat (*fir*) tron phost
baileit tron phost *gin*
baileatan tron phost *iol*,
bhòtadh (*fir*) tron phost
bhòtaidh tron phost *gin*

postal referendum *n*
referendum (*fir*) tron phost
referenduim tron phost *gin*

postal survey *n*
suirbhidh (*fir*) tron phost
suirbhidh tron phost *gin*
suirbhidhean tron phost *iol*,
rannsachadh (*fir*) tron phost
rannsachaidh tron phost *gin*
rannsachaidhean tron phost *iol*

postal vote *n*
bhòt (*boir*) tron phost
bhòt tron phost *gin*
bhòtaichean tron phost *iol*

postcode *n*
còd (*fir*) puist
còd phuist *gin*
còdan puist *iol*

post-devolution *adj*
iar-chumhachd-thiomnadh, an dèidh do chumhachdan a bhith air an tiomnadh *br*
(gu Pàrlamaid na h-Alba)

postpone *v*
cuir (*gr*) dheth
cur (*agr*) dheth

posture *n*
seasamh *fir* (a leigeas neach air)
seasaimh (a leigeas neach air) *gin*
seasamhan (a leigeas neach air) *iol*
to adopt a political posture
seasamh poileataigeach a leigeil ort

posture *v*
cuir (*gr*) an ìre
cur (*agr*) an ìre

posturing *n*
cur (*fir*) an ìre
cuir an ìre *gin*

potential market *n*
comas (*fir*) margaidh
comas margaidh *gin*
comas margaidhean *iol*

poverty *n*
bochdainn *boir*
bochdainn *gin*
1 the poverty of the argument
cho bochd agus a tha an argamaid
2 poverty trap
ribe na bochdainn, an sàs anns a' bhochdainn

power *n* **(authority)**
ùghdarras *fir*
ùghdarrais *gin*
1 the majority party is in power
's ann aig a' phàrtaidh leis a' mhòr-chuid a tha an t-ùghdarras
2 power to act
ùghdarras gus gnìomhachadh
3 to take power
ùghdarras a ghabhail

power *n*
(physical strength)
neart *fir*
neirt *gin*

power consumption *n*
caitheamh (*fir*) cumhachd
caitheimh chumhachd *gin*

power struggle *n*
còmhstri (*boir*) airson cumhachd
còmhstri airson cumhachd *gin*
còmhstrithean airson cumhachd *iol*

powers *npl*
ùghdarrasan *fir iol*
ùghdarrasan *gin*
the powers that be
na h-ùghdarrasan a tha ann

practical *adj*
pra(g)taigeach, seaghach *br*
1 a practical proposition
gnothach pra(g)taigeach
2 practical considerations
nithean pra(g)taigeach

practically *adv*
gu pra(g)taigeach *cgr*
practically speaking
a' bruidhinn gu pra(g)taigeach

practice *n*
cleachdadh *fir*
cleachdaidh *gin*
cleachdaidhean *iol*
1 in practice, we work differently
nuair a thig e gu h-aon 's a dhà, tha diofar dhòighean obrach againn
2 common practice
cleachdadh cumanta
3 an example of good practice
eisimpleir de dheagh chleachdadh
4 best practice
an cleachdadh as fheàrr
5 practice and procedure
cleachdadh agus modh

practise *v*
cleachd *gr*
cleachdadh *agr,*
dèan (*gr*) gnìomh
dèanamh (*agr*) gnìomh
1 to practise politics
poileataics a chleachdadh
2 you should practise what you preach
bu chòir dhut gnìomh a dhèanamh a rèir d' fhacail

pragmatic *adj*
pragmatach *br*
a pragmatic approach
modh phragmatach

pragmatism *n*
pragmatachas *fir*
pragmatachais *gin*

pragmatist *n*
pragmataiche *fir*
pragmataiche *gin*
pragmataichean *iol*

prayer *n*
ùrnaigh *boir*
ùrnaigh *gin*
ùrnaighean *iol*

preamble *n*
ro-ràdh *fir*
ro-ràidh *gin*
ro-ràdhan *iol*
1 as a preamble to the debate
mar ro-ràdh don deasbad
2 preamble to an Act
ro-ràdh do dh'Achd

precaution *n*
earalas *fir*
earalais *gin*
to take reasonable precautions
earalas ciallach a chleachdadh

precedence *n*
còir (*boir*) air a bhith air thoiseach
còire air a bhith air thoiseach *gin*

precedent *n*
ro-shampall *fir*
ro-shampaill *gin*
ro-shampallan *iol*
1 as a precedent
mar ro-shampall
2 to set a precedent
ro-shampall a stèidheachadh

precedented *adj*
le ro-shampall

preceding *adj*
roimhe *cgr*

precept *v*
àithn *gr*
àithne *agr*

precepts *npl*
àithntean *boir iol*
àithntean *gin*

precisely *adv*
gu cruinn ceart
to express precisely
cur am briathran cruinne cearta

precision *n*
cruinneas *fir*
cruinneis *gin*
the precision of their argument
cruinneas an argamaid

pre-condition *n*
ro-chùmhnant *fir*
ro-chùmhnaint *gin*
ro-chùmhnantan *iol*

predatory *adj*
air tòir creiche

predicament *n*
càs *fir*
càis *gin*
càsan *iol,*
droch shuidheachadh *fir*
droch shuidheachaidh *gin*
droch shuidhichidhean *iol*
he found himself in an awkward predicament
thuig e gun robh e ann an suidheachadh a bha croiseil

predict *v*
ro-innis *gr*
ro-innse *agr,*
dèan (*gr*) fàisneachd air
dèanamh (*agr*) fàisneachd air
he predicted the outcome of the debate
rinn e fàisneachd air toradh an deasbaid

predictable *adj*
ro-innseach *br,*
ris a bheil dùil *br*
the debate followed predictable lines
lean an deasbad cùrsa ris an robh dùil

prediction *n*
ro-innse *boir*
ro-innse *gin,*
fàisneachd *boir*
fàisneachd *gin*
to make a prediction
ro-innse a dhèanamh, fàisneachd a dhèanamh

pre-empt *v*
ro-chaisg *gr*
ro-chasg *agr*

pre-emptive *adj*
ro-chasgach *br*
pre-emptive strike
ionnsaigh ro-chasgach

preferential *adj*
am fàbhar (neach)
preferential treatment
làimhseachadh am fàbhar (neach)

preferment *n*
àrdachadh (*fir*) an ceum-inbhe
àrdachaidh an ceum-inbhe *gin*

prejudge *v*
thoir (*gr*) ro-bhreith air
toirt (*agr*) ro-bhreith air

prejudice *n*
claon-bhreith *boir*
claon-bhreith *gin*
claon-bhreithean *iol*
without prejudice to
gun chlaon-bhreith

prejudice *v*
dochainn *gr*
dochann *agr,*
dochairich *gr*
dochaireach *agr*

prejudiced *adj*
le claon-bharail

prejudicial *adj*
dochannach *br*

preliminaries *npl*
ro-fhiosrachadh *fir*
ro-fhiosrachaidh *gin*

preliminary hearing *n*
ro-rannsachadh *fir*
ro-rannsachaidh *gin*
ro-rannsachaidhean *iol*

preliminary ruling *n*
ro-riaghladh *fir*
ro-riaghlaidh *gin*
ro-riaghlaidhean *iol*

premature *adj*
ron mhithich
premature closure of the debate
dùnadh ron mhithich air an deasbad

pre-meeting *n*
ro-choinneamh *boir*
ro-choinneimh *gin*
ro-choinneamhan *iol*

premise *n*
tùs-abairt *boir*
tùs-abairte *gin*
tùs-abairtean *iol*

premises *npl*
togalach *fir*
togalaich *gin*
on Assembly premises
ann an togalach an t-Seanaidh

premium savings bonds *npl*
bannan-sàbhalaidh (*fir iol*) pisich
bhannan-sàbhalaidh (*iol*) pisich

prerogative *adj*
le còir shònraichte,
le pribhleid shònraichte

prerogative *n*
còir (*boir*) shònraichte
còire sònraichte *gin,*
pribhleid (*boir*) shònraichte
pribhleide sònraichte *gin*

prescribe *v*
òrdaich *gr*
òrdachadh *agr*

prescription *n*
òrdugh *fir*
òrduigh *gin*
òrdughan *iol,*
seòl *fir*
siùil *gin*
siùil *iol*

prescriptive *adj*
òrdachail *br*
over-prescriptive
ro-òrdachail

present *adj*
an làthair *cgr,*
làthaireach *br*

present *n*
tiodhlac *fir*
tìodhlaic *gin*
tìodhlacan *iol*

present *v*
builich *gr*
buileachadh *agr,*
thoir (*gr*) do (mar dhuais)
toirt (*agr*) do (mar dhuais)

preside *v*
bi (*gr*) air ceann
to preside over a meeting
a bhith air ceann coinneimh

presidency *n*
(of a body / meeting)
ceannas *fir*
ceannais *gin,*
a bhith sa chathair

presidency *n*
(of a state)
ceannas *fir*
ceannais *gin*
ceannais *iol,*
uachdranachd *boir*
uachdranachd *gin*
uachdranachdan *iol*

Presidency *n* **of the European Union**
Ceannas (*fir*) an Aonaidh Eòrpaich
Ceannas an Aonaidh Eòrpaich

president *n*
(of a body / meeting)
ceann-suidhe *fir*
cinn-suidhe *gin*
cinn-suidhe *iol,*
cathraiche *fir*
cathraiche *gin*
cathraichean *iol*

president *n*
(of a state)
ceann-suidhe *fir*
cinn-suidhe *gin*
cinn-suidhe *iol*

President *n* **of the Court of the European Communities (Luxembourg)**
ceann-suidhe (*fir*) Cùirt nan Coimhearsnachdan Eòrpach
ceann-suidhe Cùirt nan Coimhearsnachdan Eòrpach *gin*

President *n* **of the European Commission**
Ceann-suidhe (*fir*) a' Choimisein Eòrpaich
Ceann-suidhe a' Choimisein Eòrpaich *gin*

presidential *adj*
cinn-suidhe
presidential address
òraid a' chinn-suidhe

presidential system *n*
siostam (*fir*) riaghaltais le ceann-suidhe
siostam riaghaltais le ceann-suidhe *gin*
siostaman riaghaltais le ceann-suidhe *iol*

presiding *adj*
bhith an ceannas,
bhith sa chathair

presiding officer *n*
(in election)
oifigear (*fir*) an taghaidh
oifigear an taghaidh *gin*
oifigearan nan taghaidhnean *iol*

Presiding Officer *n*
(Parliament)
Oifigear-riaghlaidh *fir*
Oifigeir-riaghlaidh *gin*

press *n*
clò *fir*
clò *gin,*
pàipearan-naidheachd *fir iol*
phàipearan-naidheachd *gin,*
meadhanan *fir iol*
mheadhanan *gin*
1 the press
na pàipearan-naidheachd
2 the gutter press
pàipearan-naidheachd
a' ghuiteir

press *v*
leig (*gr*) cudthrom air
leigeil (*agr*) cudthruim air,
cuir (*gr*) ìmpidh air
cur (*agr*) ìmpidh air
1 I wish to press home the point
tha mi airson cudthrom a
leigeil air a' phuing seo
2 I will press the secretary for a reply
cuiridh mi ìmpidh air an
rùnaire gum faighear freagairt

press briefing *n*
(cur a-mach) brath (*fir*)
naidheachd
brath naidheachd *gin*

press conference *n*
coinneamh (*boir*) naidheachd
coinneimh naidheachd *gin*
coinneamhan naidheachd *iol*

press corps *n*
luchd (*iol*) nam meadhanan
luchd nam meadhanan *gin*

press cutting *n*
gearradh (*fir*) à
pàipear-naidheachd
gearraidh à
pàipear-naidheachd *gin*
gearraidhean à
pàipear-naidheachd *iol*

press gallery *n*
ùrlar (*fir*) luchd nam meadhanan
ùrlar luchd nam meadhanan *gin*

press office *n*
oifis (*boir*) nam meadhanan
oifis nam meadhanan *gin*
oifisean nam meadhanan *iol*

press officer *n*
oifigear (*fir*) nam meadhanan
oifigear nam meadhanan *gin*
oifigearan nam meadhanan *iol*

press release *n*
fios (*fir*) naidheachd
fios naidheachd *gin*
fiosan naidheachd *iol*

press secretary *n*
rùnaire (*fir*) naidheachd
rùnaire naidheachd *gin*
rùnairean naidheachd *iol*

press statement *n*
brath (*fir*) naidheachd
bratha naidheachd *gin*
brathan naidheachd *iol*

pressing *adj*
èiginneach *br*
there is pressing business to handle
tha gnothach èiginneach ri
dèiligeadh ris

pressure *n*
cudthrom *fir*
cudthruim *gin*
cudthroman *iol*
pressure of business
cudthrom na h-obrach
(a tha ri dèanamh)

pressure group *n*
buidheann-tagraidh *boir*
buidhne-tagraidh *gin*
buidhnean-tagraidh *iol*

pressurise *v*
leig (*gr*) cudthrom air
leigeil (*gr*) cudthruim air
to pressurise someone into making a mistake
toirt air neach mearachd
a dhèanamh le bhith a'
leigeil cus cudthruim air

prestige *n*
inbhe (theisteil) *boir*
inbhe (teisteil) *gin*

prestigious *adj*
a sheallas inbhe

presume *v*
rach (*gr*) dàn
dol (*agr*) dàn
you presume too much
tha thu a' dol ro dhàn

presumption *n*
ladarnas *fir*
ladarnais *gin,*
ro-bheachd *fir*
ro-bheachd *gin*

presumptuous *adj*
dàn *br*
his action was considered presumptuous
bhathar an dùil gun deach
e ro dhàn

pre-tax profit *n*
prothaid (*boir*) ro-chìse
prothaid ro-chìse *gin*
prothaidean ro-chìse *iol*

prevail *v*
bi (*gr*) … buaidh aig
statute prevails
is ann aig an reachdas
a bhitheas a' bhuaidh

prevaricate *v*
bi (*gr*) ri mealltaireachd

prevarication *n*
mealltaireachd *boir*
mealltaireachd *gin*

preventive detention *n*
ceapadh (*fir*) casgach
ceapaidh chasgaich *gin*

preventive measures *npl*
seòl (*fir*) casgach
siùil chasgaich *gin*

price commission *n*
coimisean (*fir*) nam prìsean
coimisean nam prìsean *gin*
coimiseanan nam prìsean *iol*

pride *n*
pròis *boir*
pròise *gin*
moit *boir*
moite *gin*
1 a matter of national pride
cùis a bhuineas do phròis san
rìoghachd

2 to take pride in our work
a bhith moiteil às ar n-obair

primary *adj*
(basic)
prìomh *br*
primary legislation
prìomh reachdas

primary health care *n*
prìomh chùram (*fir*) slàinte
prìomh chùraim shlàinte *gin*

prime example *n*
fìor dheagh eisimpleir (*fir*)
fìor dheagh eisimpleir *gin*
fìor dheagh eisimpleirean *iol*

Prime Minister *n*
Prìomhaire *fir*
Prìomhaire *gin*

Prime Minister's Questions *npl*
Ceistean (*boir iol*) don Phrìomhaire
Cheistean don Phrìomhaire *gin*

prime-ministerial *adj*
a bhuineas don phrìomhaire,
a rinneadh leis a' phrìomhaire
a prime-ministerial action
gnìomh a rinneadh leis a' phrìomhaire

prince *n*
prionnsa *fir*
prionnsa *gin*
prionnsan *iol*

Principal Civil Service Pension Scheme *n*
Prìomh Sgeama (*fir*) Peinnsein na Seirbheis Chatharra
Prìomh Sgeama Peinnsein na Seirbheis Chatharra *gin*

principal engineer *n*
prìomh einnseanair *fir*
prìomh einnseanair *gin*
prìomh einnseanairean *iol*

Principal Inspector *n* **of Ancient Monuments**
Prìomh Neach-sgrùdaidh (*fir*) nan Làraichean Àrsaidh
Prìomh Neach-sgrùdaidh nan Làraichean Àrsaidh *gin*

Principal Resource Planning Adviser *n*
Prìomh Chomhairleach (*fir*) air Dealbhadh Goireis
Prìomh Chomhairlich air Dealbhadh Goireis *gin*

Principal School Medical Officer *n*
Prìomh Oifigear (*fir*) Meidigeach nan Sgoiltean
Prìomh Oifigear Meidigeach nan Sgoiltean *gin*

principal structural engineer *n*
prìomh einnseanair (*fir*) structaran
prìomh einnseanair structaran *gin*

principality *n*
prionnsachd *boir*
prionnsachd *gin*
prionnsachdan *iol*

principle *n*
prionnsabal *fir*
prionnsabail *gin*
prionnsabail *iol*

principled *adj*
prionnsabalta *br*
a principled decision
co-dhùnadh prionnsabalta

prioritise *v*
cuir (*gr*) an òrdugh tàbhachd
cur (*agr*) an òrdugh tàbhachd
we have to prioritise our aims
feumaidh sinn ar n-amasan a chur an òrdugh tàbhachd

priority *n*
àite (*fir*) air thoiseach
àite air thoiseach *gin*
nì (*fir*) (a tha) air thoiseach
nì air thoiseach *gin*
nithean air thoiseach *iol*
this matter will receive little priority
chan fhaigh a' chùis seo mòr àite air thoiseach air nithean eile

Prison Reform Trust *n*
Urras (*fir*) Ath-leasachaidh nam Prìosan
Urras Ath-leasachaidh nam Prìosan *gin*

private *adj*
dìomhair *br*
prìobhaideach *br*
private and confidential
dìomhair agus fo rùn

Private Act *n* **of Parliament**
Achd (*boir*) Phrìobhaideach Pàrlamaid
Achd Phrìobhaideach Pàrlamaid *gin*
Achdan Prìobhaideach Pàrlamaid *iol*

Private Bill *n*
(Parliamentary)
Bile (*fir*) Prìobhaideach
Bile Phrìobhaidich *gin*
Bilean Prìobhaideach *iol*

Private Funding Initiative *n*
(PFI)
Iomairt (*boir*) le Maoineachadh Prìobhaideach
Iomairt le Maoineachadh Prìobhaideach *gin*
Iomairtean le Maoineachadh Prìobhaideach *iol*

Private Member's Bill *n*
Bile (*fir*) Buill Phrìobhaidich
Bile Buill Phrìobhaidich *gin*
Bilean Bhall Prìobhaideach *iol*

private office *n*
oifis (*boir*) phrìobhaideach
oifise prìobhaidich *gin*
oifisean prìobhaideach *iol*

private secretary *n*
rùnaire (*fir*) prìobhaideach
rùnaire phrìobhaidich *gin*
rùnairean prìobhaideach *iol*

private sector *n*
earrann (*boir*) phrìobhaideach
earrainn phrìobhaidich *gin*

privilege *n*
pribhleid *boir*
pribhleid *gin,*
sochair *boir*
sochaire *gin*
an abuse of privilege
mì-ghnàthachadh air pribhleid / air sochair

privileged *adj*
fo phribhleid,
fo shochair
privileged from arrest
fo phribhleid / fo shochair ro chur an làimh

Privy Council *n*
Comhairle (*boir*) Dhìomhair
(na) Comhairle Dìomhair *gin*

Privy Council Office
Oifis (*boir*) na Comhairle Dìomhair
Oifis na Comhairle Dìomhair *gin*

Privy Councillor *n*
(PC)
Ball (*fir*) den Chomhairle Dhìomhair
Buill den Chomhairle Dhìomhair *gin*
Buill den Chomhairle Dhìomhair *iol*

proactive *adj*
for-ghnìomhach *br*
proactive approach
dòigh fhor-ghnìomhach

Probation Office *n*
Oifis (*boir*) Probhaidh
Oifise Probhaidh *gin*

probity *n*
ionracas (dearbhte) *fir*
ionracais (dhearbhte) *gin*

procedural *adj*
modha *boir,*
a bhuineas do mhodh *gin*

procedural device *n*
innleachd (*boir*) modha
innleachd modha *gin*
innleachdan modha *iol*

procedural matter *n*
cùis (*boir*) modha
cùise modha *gin*
cùisean modha *iol*

procedural mechanism *n*
meadhan (*fir*) modha
meadhain mhodha *gin*
meadhanan modha *iol,*
uidheam (*boir*) modha
uidheim mhodha *gin*
uidheaman modha *iol*

procedural motion *n*
gluasad (*fir*) a thaobh modha
gluasaid a thaobh modha *gin*
gluasadan a thaobh modha *iol*

procedure *n*
modh *boir*
modha *gin*
modhan *iol,*
dòigh-obrach *boir*
dòighe-obrach *gin*
dòighean-obrach *iol*

Procedures Committee *n*
Comataidh (boir) nan Dòighean-obrach
Comataidh nan Dòighean-obrach gin,
Comataidh (boir) nam Modhan
Comataidh nam Modhan gin

proceed *v*
rach (*gr*) air adhart
dol (*agr*) air adhart
to proceed with a debate
dol air adhart le deasbad

proceedings *npl* **(transactions)**
còmhraidhean *fir iol*
chòmhraidhean *gin,*
imeachdan *boir iol*
imeachdan *gin,*
cùisean *boir iol*
chùisean *gin*

proceedings *npl* **(legal)**
cùis-lagha *boir*
cùise-lagha *gin*
cùisean-lagha *iol*

process *n*
pròiseas (*fir*)
pròiseis *gin*
pròiseasan *iol,*
modh-obrachaidh *boir*
modh-obrachaidh *gin*
modhan-obrachaidh *iol,*
modh *fir / boir*
modha *gin*
modhan *iol*
1 the political process
am pròiseas poileataigeach, a' mhodh-obrachaidh phoileataigeach
2 the due process of law
modh dhligheach an lagha

process *v*
cuir (*gr*) an eagar
cur (*agr*) an eagar,
làimhsich *gr*
làimhseachadh *agr*

procession *n*
mòr-shiubhal *fir*
mòr-shiubhail *gin*
mòr-shiubhail *iol*

proclamation *n*
èigheachd *boir*
èigheachd *gin*
èigheachdan *iol,*
gairm *boir*
gairme *gin*
gairmean *iol*

proctor *n*
procadair *fir*
procadair *gin*
procadairean *iol*

Procurator Fiscal *n*
Procurators Fiscal *pl*
Neach-casaid (*fir*) a' Chrùin
Neach-casaid a' Chrùin *gin*
Luchd-casaid a' Chrùin *iol*
Procurator Fiscal Service
Seirbheis Luchd-casaid a' Chrùin

produce *v* **(to make)**
dèan *gr*
dèanamh *agr*

produce *v* **(to put forward in court / Parliament)**
tog *gr*
togail *agr,*
cuir (*gr*) an cèill
cur (*agr*) an cèill

produce *v* **(to set out)**
cuir (*gr*) ri chèile
cur (*agr*) ri chèile,
thoir (*gr*) gu buil
toirt (*agr*) gu buil

profession *n*
dreuchd *boir*
dreuchd *gin*
dreuchdan *iol,*
ceàird *boir*
ceàirde *gin*
ceàirdean *iol*

professional *adj*
dreuchdail *br,*
proifeiseanta *br*
a professional politician
neach-poileataics proifeiseanta

Professional Association of Teachers *n* **(PAT)**
Comann (*fir*) Proifeiseanta an Luchd-teagaisg
Comann Proifeiseanta an Luchd-teagaisg *gin*

professional etiquette *n*
beusachd (*boir*) phroifeiseanta
beusachd phroifeiseanta

profile *n*
geàrr-thuairisgeul *fir*
geàrr-thuairisgeil *gin*
geàrr-thuairisgeulan *iol,*
ìomhaigh *boir*
ìomhaigh *gin*
we must raise our profile
feumaidh sinn ar n-ìomhaigh a thoirt am follais barrachd

profile *v*
dèan (*gr*) geàrr-thuairisgeul air
dèanamh (*agr*) geàrr-thuairisgeil air

profit *n*
prothaid *boir*
prothaide *gin*
prothaidean *iol,*
buannachd *boir*
buannachd *gin*
buannachdan *iol*
profit and loss
prothaid is call,
buannachd is call

profit *v*
dèan (*gr*) prothaid (à)
dèanamh (*agr*) prothaid (à),
faigh (*gr*) buannachd (à)
faighinn (*gr*) buannachd (à)

proforma *n*
proforma *fir*

program *n* **(computer)**
prògram *fir*
prògraim *gin*
prògraman *iol*

program *v* **(computer)**
prògram *gr*
prògramadh *agr*

programme *n*
clàr *fir*
clàir *gin*
clàir / clàran *iol,*
prògram *fir*
prògraim *gin*
prògraman *iol*

programme *v*
cuir (*gr*) air clàr
cur (*agr*) air clàr

programme budget *n*
buidseat (*fir*) prògraim
buidseit phrògraim *gin*
buidseatan prògraim *iol*

programme committee *n*
comataidh (*boir*) phrògram
comataidh phrògram *gin*
comataidhean phrògram *iol*

programme evaluation *n*
measadh (*fir*) clàir
measaidh chlàir *gin*
measaidhean clàir *iol*

Programme Executive *n* **for European Structural Funds**
Buidheann-ghnìomha (*boir*) Clàir airson Mhaoinean Structarail na h-Eòrpa
Buidhne-gnìomha Clàir airson Mhaoinean Structarail na h-Eòrpa

programme planning *n*
dealbhadh (*fir*) prògraim
dealbhadh prògraim *gin,*
dealbhadh (*fir*) clàir
dealbhadh clàir *gin*

progress *n*
adhartas *fir*
adhartais *gin*

progress report *n*
aithisg (*boir*) air adhartas
aithisg air adhartas *gin*
aithisgean air adhartas *iol*

progressive *adj*
adhartach *br*

progressive opinion *n*
barail (*boir*) adhartach
barail adhartaich *gin*

progressive policy *n*
poileasaidh (*fir*) adhartach
poileasaidh adhartaich *gin*
poileasaidhean adhartach *iol*

prohibit *v*
toirmisg *gr*
toirmeasg *agr*

prohibited *adj*
toirmisgte *br*

project *n*
pròiseact *fir*
pròiseict *gin*
pròiseactan *iol*

project engineer *n*
einnseanair (*fir*) pròiseict
einnseanair phròiseict *gin*
einnseanairean pròiseict *iol*

project manager *n*
manaidsear (*fir*) pròiseict
manaidseir phròiseict *gin*
manaidsearan pròiseict *iol*

projected figures *npl*
figearan (*fir iol*) ro-mheasta
fhigearan ro-mheasta *gin,*
figearan (*fir iol*) san amharc
fhigearan san amharc *gin*

projection *n*
ro-mheasadh *fir*
ro-mheasaidh *gin*
ro-mheasaidhean *iol*
1 population projection
ro-mheasadh air àireimh-shluaigh
2 financial projection
ro-mheasadh ionmhais

prolong *v*
sìn (*gr*) a-mach
sìneadh (*agr*) a-mach
to prolong a debate
deasbad a shìneadh a-mach

prolongation *n*
sìneadh (*fir*) a-mach
sìnidh a-mach *gin*
a closure motion prevents the unnecessary prolongation of a debate
tha gluasad dùnaidh a' cur stad air an deasbad a bhith air a shìneadh a-mach gun adhbhar

prolonged *adj*
a mhair fada *br*
the opposition made a prolonged attack on the government
thug am pàrtaidh dùbhlain ionnsaigh air an riaghaltas a mhair fada

promise *n*
gealladh *fir*
geallaidh *gin*
geallaidhean *iol*

promise *v*
geall *gr*
gealltainn *agr*

promising *adj*
gealltanach *br*
the situation is not promising
chan eil an suidheachadh gealltanach

promote *v*
cuir (*gr*) air adhart
cur (*agr*) air adhart,
cuir (*gr*) taic ri
cur (*agr*) taice ri
to promote a bill
bile a chur air adhart,
taic a chur ri bile

promote *v* **(staff)**
àrdaich *gr*
àrdachadh *agr,*
thoir (*gr*) àrdachadh (ceum) do
toirt (*agr*) àrdachadh (ceum) do

promotion *n* **(staff)**
àrdachadh (ceum) *fir*
àrdachaidh (ceum) *gin*
àrdachaidhean (ceum) *iol*
promotion procedure
modh àrdachaidh

promulgate *v*
craobh-sgaoil *gr*
craobh-sgaoileadh *agr,*
thoir (*gr*) gu buil
toirt (*agr*) gu buil
to promulgate a Standing Order
Gnàth-riaghailt a thoirt gu buil

prone *adj*
buailteach *br* (air)
he is prone to exaggeration
tha e buailteach air a bhith a' cur ris an fhìrinn

proof *n*
dearbhadh *fir*
dearbhaidh *gin*
dearbhaidhean *iol*

propaganda *n*
propaganda *fir*
propaganda *gin*

proper *adj*
iomchaidh *br,*
ceart *br*
1 proper authority
ùghdarras iomchaidh,
ùghdarras ceart
2 the proper channels
na meadhanan iomchaidh

properly *adv*
mar bu chòir *cgr*
properly carried out
air a choileanadh mar bu chòir

property *n*
seilbh *boir* seilbhe *gin,*
cuid-seilbhe *boir* cuid-seilbhe *gin,*
togalach (*fir*) agus talamh
togalaich agus talmhainn *gin*
togalaichean agus talmhainnean *iol*

Property Services Agency *n* **(PSA)**
Buidheann-ghnìomha (*boir*) airson Sheirbheisean Togalaich is Talmhainn
Buidhne-gnìomha airson Sheirbheisean Togalaich is Talmhainn *gin*

prophecy *n*
fàisneachd *boir*
fàisneachd *gin*
fàisneachdan *iol,*
manadh *fir*
manaidh *gin*
manaidhean *iol*
to make a prophecy
fàisneachd a dhèanamh,
cur air mhanadh

prophesy *v*
fàisnich *gr*
fàisneachadh *agr,*
cuir (*gr*) air mhanadh
cur (*agr*) air mhanadh

proportion *n*
co-roinn *boir*
co-roinne *gin*
co-roinnean *iol*

proportion *n* **(part)**
pàirt *boir*
pàirt *gin*
pàirtean *iol,*

proportion *n* **(symmetry)**
cumadh *fir*
cumaidh *gin,*
cunbhalachd *boir*
cunbhalachd *gin,*
co-rèir *fir*
co-rèir *gin*
to keep a sense of proportion
fuireach mothachail air dè cho cudthromach is a tha a' chùis dha rèir fhèin

proportional *adj*
co-rèireach *br,*
co-roinneil *br*
1 on a proportional basis
air stèidh cho-rèirich
2 proportional representation
riochdachadh co-roinneil

proportional representation *n* **(PR)**
siostam (*fir*) riochdachaidh co-roinneil
siostaim riochdachaidh cho-roinneil *gin*

proportionality *n*
co-rèireachas *fir*
co-rèireachais *gin*

proportionate *adj*
co-rèireach *br*

proportionately *adv* **(correspondingly)**
gu co-rèireach *cgr,*
a rèir sin *cgr*

proposal *n*
moladh *fir*
molaidh *gin*
molaidhean *iol*

propose *v*
mol *gr*
moladh *agr*
to propose an amendment
atharrachadh a mholadh

proposed *adj*
air a mholadh
proposed legislation
reachdas a tha air a mholadh

proposer *n*
neach-molaidh *fir*
neach-mholaidh *gin*
luchd-molaidh *iol*
the proposer of the motion
neach-molaidh a' ghluasaid

proposition *n*
tairgse *boir*
tairgse *gin*
tairgsean *iol*

prorogation *n*
cur (*fir*) stad air
cuir stad air *gin*

prorogue *v*
cuir (*gr*) stad air
cur (*agr*) stad air

proscribe *v*
toirmisg *gr*
toirmeasg *agr,*
caisg *gr*
casg *agr*

proscribed *adj*
toirmisgte *br*

proscription *n*
fògradh *fir*
fògraidh *gin,*
toirmeasg *fir*
toirmisg *gin*

prosecute *v*
lean *gr* (san lagh)
leantainn *agr* (san lagh),
cuir (*gr*) casaid às leth
cur (*agr*) casaid às leth

prosecution *n*
casaid *boir*
casaide *gin*
casaidean *iol,*
luchd-casaid *iol*
luchd-casaid *gin*

prosecution service *n*
seirbheis (*boir*) casaid (a' chrùin)
seirbheis casaid (a' chrùin) *gin*

prospective *adj*
san amharc

prospective parliamentary candidate *n*
neach (*fir*) a tha gu bhith na thagraiche don phàrlamaid
neach a tha gu bhith na thagraiche don phàrlamaid *gin*
daoine a tha gu bhith nan tagraichean don phàrlamaid *iol*

protect *v*
dìon *gr*
dìon *agr*
to protect our position
gus ar suidheachadh a dhìon

protection *n*
dìon *fir*
dìona *gin*
the protection of standards in public life
dìon air inbhean mathais sa bheatha phoblaich

protectionism *n*
poileasaidh (*fir*) dìonachais
poileasaidh dìonachais *gin*

Protection from Eviction Act *n*
Achd (*boir*) Dìon air Cur à Taigh
Achd Dìon air Cur à Taigh *gin*

Protection of Wrecks Act *n*
Achd (*boir*) Dìon air Longan Briste
Achd Dìon air Longan Briste *gin*

protest *n*
casaid *boir*
casaide *gin*
casaidean *iol,*
gearan *fir*
gearain *gin*
gearain *iol*

protest *v*
tagair *gr*
tagradh *agr,*
tog (*gr*) fianais
togail (*agr*) fianaise
1 to protest one's innocence
tagradh nach eil neach ciontach
2 to protest against an injustice
fianais a thogail an aghaidh mì-cheartais

protester *n*
neach-togail-fianais *fir*
neach-thogail-fianais *gin*
luchd-togail-fianais *iol*

protocol *n*
protocal *fir*
protocail *gin,*
co-ghnàths *fir*
co-ghnàiths *gin,*
leas-chunnradh *fir*
leas-chunnraidh *gin*
leas-chunnraidhean *iol*
1 to observe protocol
cumail ri protocal,
cumail ri co-ghnàths
2 to sign a protocol
ainm a sgrìobhadh ri leas-chunnradh

Protocol *n* **on Privileges and Immunities**
Leas-chunnradh (*fir*) air Sochairean is Saorsainnean
Leas-chunnraidh air Sochairean is Saorsainnean *gin*

prototype *n*
ro-shamhla *fir*
ro-shamhla *gin*
ro-shamhlaidhean *iol*
a prototype for future legislation
ro-shamhla air reachdas sam àm ri teachd

proud *adj*
moiteil *br*
1 to be proud of our achievements
a bhith moiteil às na choilean sinn
2 a proud record
nithean a chaidh a choileanadh às am faodar a bhith moiteil

prove *v*
dearbh *gr*
dearbhadh *agr*

province *n*
roinn (nàisein / ìmpireachd) *boir*
roinne (nàisein / ìmpireachd) *gin*
roinnean (nàisein / ìmpireachd) *iol*

provincial *adj*
a bhuineas don tuath, neo-ionnsaichte

provision *n*
ullachadh *fir*
ullachaidh *gin*
ullachaidhean *iol*

provisional *adj* **(temporary)**
sealach *br*

provisional *adj* **(with conditions)**
ion-atharrachaidh *br*,
le cumha *br*

proviso *n*
provisoes *pl*
cumha *boir*
cumha *gin*
cumhachan *iol*

provoke *v* **(to annoy)**
cuir (*gr*) conas air
cur (*agr*) conais air
do not provoke him to anger
na cuir conas feirge air

provoke *v* **(to engender)**
thoir (*gr*) air
toirt (*agr*) air
to provoke a response
toirt air (neach) freagairt

Provost *n*
Pròbhaist *fir*
Pròbhaist *gin*
Pròbhaistean *iol*

Provost-Marshal *n*
Pròbhaist-mharasgal *fir*
Pròbhaist-mharasgail *gin*
Pròbhaist-mharasgail *iol*

proxy *n*
ùghdarras (*fir*) neach-ionaid
ùghdarras neach-ionaid *gin*,
neach-ionaid *fir*
neach-ionaid *gin*
luchd-ionaid *iol*,
procsaidh *fir*
procsaidh *gin*
procsaidhean *iol*
1 proxy vote
bhòt neach-ionaid
2 to vote by proxy
bhòtadh tro neach-ionaid,
bhòtadh tro phrocsaidh

public *adj*
follaiseach *br*,
poblach *br*,
a' mhòr-shluaigh
1 to make public
toirt am follais
2 in public
air beulaibh a' mhòr-shluaigh,
air beulaibh an t-sluaigh,
gu poblach

public *n*
mòr-shluagh *fir*
mòr-shluaigh *gin*,
poball *fir*
poboill *gin*

public accountability *n*
cunntachalachd (*boir*) don phoball
cunntachalachd don phoball *gin*

Public Accounts Committee *n* **(PAC)**
Comataidh (*boir*) nan Cunntas Poblach
Comataidh nan Cunntas Poblach *gin*

public administration *n*
rianachd (*boir*) phoblach
rianachd poblaich *gin*

public analyst *n*
mion-sgrùdaire (*fir*) poblach
mion-sgrùdaire phoblaich *gin*
mion-sgrùdairean poblach *iol*

public area *n*
raon (*fir*) poblach
raoin phoblaich *gin*
raointean poblach *iol*

public authorities *npl*
ùghdarrasan (*fir iol*) poblach
ùghdarrasan poblach *gin*

Public Bodies (Admissions to Meetings) Act *n*
Achd (*boir*) nam Buidhnean Poblach (Cead Coinneamhan a Fhrithealadh)
Achd nam Buidhnean Poblach (Cead Coinneamhan a Fhrithealadh) *gin*

public building *n*
togalach (*fir*) poblach
togalaich phoblaich *gin*
togalaichean poblach *iol*

public confidence *n*
earbsa (*boir*) phoblach
earbsa phoblaich *gin*

public consultation *n*
co-chomhairleachadh (*fir*) poblach
co-chomhairleachaidh phoblaich *gin*
co-chomhairleachaidhean poblach *iol*

public decency *n*
beusachd (*boir*) phoblach
beusachd phoblaich *gin*

public enquiry *n*
rannsachadh (*fir*) poblach
rannsachaidh phoblaich *gin*
rannsachaidhean poblach *iol*

public enterprise *n*
iomairt (*boir*) phoblach
iomairte poblaich *gin*

public expenditure *n*
caiteachas (*fir*) poblach
caiteachais phoblaich *gin*
public expenditure cuts
gearraidhean ann an caiteachas poblach

Public Expenditure Survey *n* **(PES)**
Sgrùdadh (*fir*) air Caiteachas Poblach
Sgrùdaidh air Caiteachas Poblach *gin*

public finance *n*
ionmhas (*fir*) poblach
ionmhais phoblaich *gin*
ionmhasan poblach *iol*

public funds *npl*
maoinean (*boir iol*) poblach
mhaoinean poblach *gin*

public gallery *n*
(seating for the public)
ùrlar (*fir*) a' phobaill
ùrlar a' phobaill *gin*
ùrlair a' phobaill *iol*

public gallery *n*
(gallery open to the public)
gailearaidh (*fir*) poblach
gailearaidh phoblaich *gin*
gailearaidhean poblach *iol*

public good *n*
math (*fir*) a' phobaill
math a' phobaill *gin*
for the public good
a chum math a' phobaill

Public Health (Control of Diseases) Act *n*
Achd (*boir*) Slàinte a' Phobaill (Smachd air Galaran)
Achd Slàinte a' Phobaill (Smachd air Galaran) *gin*

Public Health (Drainage of Trade Premises) Act *n*
Achd (*boir*) Slàinte a' Phobaill (Drèanadh Thogalaichean Ciùird)
Achd Slàinte a' Phobaill (Drèanadh Thogalaichean Ciùird) *gin*

Public Health Act *n*
Achd (*boir*) Slàinte a' Phobaill
Achd Slàinte a' Phobaill *gin*

Public Health Amendment Act *n*
Achd (*boir*) Atharrachaidh Slàinte a' Phobaill
Achd Atharrachaidh Slàinte a' Phobaill *gin*

Public Health Authority *n*
Ùghdarras (*fir*) Slàinte a' Phobaill
Ùghdarras Shlàinte a' Phobaill *gin*

public health officer *n*
oifigear (*fir*) slàinte a' phobaill
oifigear slàinte a' phobaill *gin*
oifigearan slàinte a' phobaill *iol*

public health unit *n*
aonad (*fir*) slàinte a' phobaill
aonad slàinte a' phobaill *gin*
aonadan slàinte a' phobaill *iol*

public hearing *n*
rannsachadh (*fir*) poblach
rannsachaidh phoblaich *gin*
rannsachaidhean poblach *iol*
the committee will hold public hearings before submitting its report
cumaidh a' chomataidh rannsachaidhean poblach mun cuirear a-steach a h-aithisg

public holiday *n*
saor-latha (*fir*) poblach
saor-latha phoblaich *gin*
saor-làithean poblach *iol*

Public Information Service *n*
Seirbheis (*boir*) Fiosrachaidh a' Phobaill
Seirbheis Fiosrachaidh a' Phobaill *gin*

public inquiry *n*
rannsachadh (*fir*) poblach
rannsachaidh phoblaich *gin*
rannsachaidhean poblach *iol*

public interest *n*
leas (*fir*) a' phobaill
leas a' phobaill *gin*
in the public interest
a chum leas a' phobaill

public investment *n*
cur (*fir*) an seilbh poblach
cuir an seilbh phoblaich *gin*

Public Libraries and Museums Act *n*
Achd (*boir*) nan Leabharlannan is nan Taighean-tasgaidh Poblach
Achd nan Leabharlannan is nan Taighean-tasgaidh Poblach *gin*

Public Local Inquiry *n*
Rannsachadh (*fir*) Poblach Ionadail
Rannsachaidh Phoblaich Ionadail *gin*
Rannsachaidhean Poblach Ionadail *iol*

public meeting *n*
coinneamh (*boir*) phoblach
coinneimh phoblaich *gin*
coinneamhan poblach *iol*

public morality *n*
moraltachd (*boir*) phoblach
moraltachd phoblaich *gin*

public order *n*
rian (*fir*) poblach
rian phoblaich *gin*

public participation *n*
com-pàirteachadh (*fir*) poblach
com-pàirteachaidh phoblaich *gin*
public participation exhibition
taisbeanadh (*fir*) le com-pàirteachadh poblach

public path extinguishment order *n*
òrdugh (*fir*) cuir-às do cheum poblach
òrduigh chuir-às do cheum poblach *gin*
òrdughan cuir-às do cheum poblach *iol*

Public Petitions Committee *n*
Comataidh (boir) nan Athchuingean Poblach
Comataidh nan Athchuingean Poblach gin

public place *n*
àite (*fir*) poblach
àite phoblaich *gin*
àiteachan poblach *iol*

public policy *n*
poileasaidh (*fir*) poblach
poileasaidh phoblaich *gin*
contrary to public policy
an aghaidh poileasaidh phoblaich

public procurement *n*
solar (*fir*) poblach
solair phoblaich *gin*

Public Records Office *n*
Oifis (*boir*) nan Clàr Poblach
Oifis nan Clàr Poblach *gin*

public relations *npl*
(PR)
dàimh (*fir*) poblach
dàimh phoblaich *gin*

public relations officer *n*
(PRO)
oifigear (*fir*) dàimh phoblaich
oifigear dàimh phoblaich *gin*
oifigearan dàimh phoblaich *iol*

public sector *n*
earrann (*boir*) phoblach
earrainn phoblaich *gin*
earrannan poblach *iol*

public sector borrowing *n*
iasad (*fir*) san earrainn phoblaich
iasaid san earrainn phoblaich *gin*
public sector borrowing requirement
riatanas iasaid san earrainn phoblaich

public servant *n*
seirbheiseach (*fir*) poblach
seirbheisich phoblaich *gin*
seirbheisich phoblach *iol*

public services *npl*
seirbheisean (*boir iol*) poblach
sheirbheisean poblach *gin*

public speaking *n*
labhairt (*boir*) phoblach
labhairt phoblaich *gin*

public spirit *n*
spiorad (*fir*) a' phobaill
spiorad a' phobaill *gin*

public utilities *npl*
seirbheisean (*boir iol*) goireis poblach
sheirbheisean goireis poblach *gin*

Public Works Loan Commissioners *npl*
Coimiseanair (*fir*) Iasaid airson Obraichean Poblach
Coimiseanair Iasaid airson Obraichean Poblach *gin*

publication *n*
foillseachadh *fir*
foillseachaidh *gin*
foillseachaidhean *iol*

publicise *v*
cuir (*gr*) am follais
cur (*agr*) am follais,
cuir (*gr*) air beulaibh a' mhòr-shluaigh
cur (*agr*) air beulaibh a' mhòr-shluaigh

publicity *n*
follaiseachd *boir*
follaiseachd *gin*

public-spirited *adj*
le ùidh ann an leas a' phobaill

publish *v*
foillsich *gr*
foillseachadh *gin*

punish *v*
peanasaich *gr*
peanasachadh *agr*

punitive *adj*
peanasach *br*
1 punitive damages
damaistean peanasach
2 punitive measures
ceuman peanasach

Pupil Referral Unit *n*
(PRU)
Aonad (*fir*) Tar-chur Cloinne-sgoile
Aonad Tar-chur Chloinne-sgoile *gin*

purpose *n*
adhbhar *fir*
adhbhair *gin*
adhbhair / adhbharan *iol*
General Purposes Committee
Comataidh nan Cuspairean Coitcheann

pursuance,
in pursuance of
a rèir *roi le gin,*
a thaobh *roi le gin,*
a' leantainn air

pursue *v*
lean *gr*
leantainn *agr*
to pursue the matter
a' chùis a leantainn

put *v*
cuir *gr*
cur *agr*
I move that the motion be put
tha mi a' cur adhart gun tèid an gluasad a chur

put *v* **down**
(to table)
cuir (*gr*) sìos
cur (*agr*) sìos,
cuir (*gr*) air bòrd
cur (*agr*) air bòrd
to put down an amendment
atharrachadh a chur sìos,
atharrachadh a chur air bòrd

put *v* **forward a motion**
cuir (*gr*) air adhart gluasad
cur (*agr*) air adhart gluasaid

put *v* **out to contract**
leig (*gr*) a-mach air cùmhnant
leigeil (*agr*) a-mach air cùmhnant

put *v* **to the vote**
leig (*gr*) gu bhòtadh
leigeil (*agr*) gu bhòtadh

qualification *n*
barrantas *fir*
barrantais *gin*
barrantasan *iol,*
teisteanas *fir*
teisteanais *gin*
teisteanasan *iol*

qualified *adj*
(conditional)
an urra ri,
le aonta
qualified majority voting
bhòtadh mòr-chodach le aonta

qualified *adj*
(having gained qualifications)
a thoradh air teisteanas,
barrantaichte *br*
1 qualified privilege
pribhleid / sochair a thoradh air teisteanas
2 qualified teacher status
inbhe neach-theagaisg bharrantaichte

qualified *adj*
(to hold office)
barrantaichte *br*

qualified majority *n*
mòr-chuid (*boir*) le aonta
mòr-chodach le aonta *gin*
qualified majority voting
bhòtadh mòr-chodach le aonta

qualify *v*
thoir (*gr*) a-mach teisteanas
toirt (*gr*) a-mach teisteanais
to qualify as a barrister / an advocate
teisteanas a thoirt a-mach mar neach-tagraidh

qualitative *adj*
càileachdail *br,*
inbheil *br*
a qualitative judgment
breith chàileachdail,
breith inbheil

quality *n*
càileachd *boir*
càileachd *gin,*
mathas *fir*
mathais *gin*
quality control
smachd air mathas

quango *n*
quangos *pl*
cuango *fir*
cuango *gin*
cuangothan *iol*
quango state
stàit fo bhuaidh nan cuangothan

quantify *v* **(non-technical)**
meas *gr*
measadh *agr*

quantify *v* **(technical)**
cainnich *gr*
cainneachadh *agr*

quantitative *adj*
cainneachdail *br*
a rèir meud

quarter day *n*
latha (*fir*) cinn ràithe
latha cinn ràithe *gin*
làithean cinn ràithe *iol*

quarterly *adj*
gach ràith

quash *v*
cuir (*gr*) air neoni
cur (*agr*) air neoni,
cuir (*gr*) an dara taobh
cur (*agr*) an dara taobh

quasi-judicial *adj*
cuasai-bhreitheach *br*

queen *n*
bànrigh *boir*
bànrighe *gin*
bànrighrean *iol*
Her Majesty The Queen
A Mòrachd a' Bhànrigh

Queen's Award *n* **for Export Achievement**
Duais (*boir*) na Bànrighe airson Às-mhalairt
Duais na Bànrighe airson Às-mhalairt *gin*

Queen's Bench Division *n*
Roinn (*boir*) Beinge na Bànrighe
Roinn Beinge na Bànrighe *gin*

Queen's Birthday Honours List *n*
Liosta (*boir*) Urraim Latha-breith na Bànrighe
Liosta Urraim Latha-breith na Bànrighe *gin*

Queen's Counsel *n*
(QC)
Neach-tagraidh (*fir*) na Bànrighe
Neach-tagraidh na Bànrighe *gin*

Queen's Institute *n* **of District Nursing**
Institiud (*fir*) na Bànrighe airson Nursaidh Sgìreil
Institiud na Bànrighe airson Nursaidh Sgìreil *gin*

Queen's Proctor *n*
Procadair (*fir*) na Bànrighe
Procadair na Bànrighe *gin*
Procadairean na Bànrighe *iol*

Queen's Speech *n*
Òraid (*boir*) na Bànrighe
Òraid na Bànrighe *gin*

query *n*
ceist *br*
ceiste *gin*
ceistean *iol*

query *v*
ceasnaich *gr*
ceasnachadh *agr,*
faighnich *gr*
faighneachd *agr*
to query whether / if
faighneachd a bheil

question *n*
ceist *boir*
ceiste *gin*
ceistean *iol,*
to call into question
teagamh a chur ann an (rud)

question *v*
ceasnaich *br*
ceasnachadh *agr*
cuir (*gr*) teagamh
cur (*agr*) teagamh
to question whether / if
teagamh a chur a bheil

question *n* **of fact**
ceist (*boir*) fìrinne
ceist fìrinne *gin*
ceistean fìrinne *iol*

question *n* **of law**
ceist (*boir*) lagha
ceist lagha *gin*
ceistean lagha *iol*

Question *n* **to a Minister**
Ceist (*boir*) gu Ministear
Ceiste gu Ministear *gin*

Question Time *n*
Àm (*fir*) nan Ceist
Àm nan Ceist *gin*

questionable *adj*
amharasach *br*
questionable behaviour
giùlan amharasach

questionnaire *n*
ceisteachan *fir*
ceisteachain *gin*
ceisteachain *iol*
to issue a questionnaire
ceisteachan a chur a-mach

quibble *n*
gearan (*fir*) beag-seagh
gearain bheag-seagh *gin*
gearain bheag-seagh *iol,*
ceist (*boir*) bheag fhaoin
ceist bheag fhaoin *gin*
ceistean beaga faoine *iol*
1 his objection was regarded as a quibble
chaidh coimhead air a' ghearan aige mar nì beag-seagh,
2 a no-quibble guarantee
barrantas gun mur-bhiodh / gun cheist
3 quibbles!
ceistean beaga faoine!

quibble *v*
gearain (*gr*) mu nithean beag-seagh
gearan (*agr*) mu nithean beag-seagh
to quibble over the details
gearan gu mionaideach mu nithean beag-seagh

quorate *adj*
cuòraichte *br,*
le cuòram
a quorate meeting
coinneamh chuòraichte

quorum *n*
cuòram *fir*
cuòraim *gin*
cuòraman *iol*

quota *n*
cuota *fir*
cuota *gin*
cuotathan *iol*

quota hopping *n*
leum (*fir*) cuota
leum cuota *gin*

race *n*
cinneadh *fir*
cinnidh *gin*
cinnidhean *iol*

race equality *n*
co-ionannachd (*boir*) cinnidh
co-ionannachd cinnidh *gin*

race relations *npl*
dàimh (*fir sg*) cinnidh
dàimh chinnidh *gin*

Race Relations Act *n*
Achd (*boir*) an Dàimh Chinnidh
Achd an Dàimh Chinnidh *gin*

Race Relations Board *n*
Bòrd (*fir*) an Dàimh Chinnidh
Bhòrd an Dàimh Chinnidh *gin*

Race Relations Employment Advisory Service *n*
Seirbheis (*boir*) Comhairleachaidh Cosnaidh airson Dàimh Chinnidh
Seirbheis Comhairleachaidh Cosnaidh airson Dàimh Chinnidh *gin*

racial *adj*
cinneadail *br*
1 racial discrimination
lethbhreith chinneadail
2 racial tension
frionas cinneadail

racism *n*
gràin-chinnidh *boir*
gràine-cinnidh *gin*

racist *adj*
le gràin-chinnidh

racist *n*
neach (*fir*) ri gràin-chinnidh
neach ri gràin-chinnidh *gin*
daoine ri gràin-chinnidh *iol*

radical *adj*
radaigeach *br*
radical agenda
prògram radaigeach

radical *n*
neach (*fir*) radaigeach
neach radaigich *gin*
daoine radaigeach *iol*

radicalism *n*
radaigeachd *boir*
radaigeachd *gin*

Radioactive Substance Act *n*
Achd (*boir*) nan Stuthan Rèidio-beò
Achd nan Stuthan Rèidio-beò *gin*

Radiological Protection Act
Achd (*boir*) Dìon Rèididheachd
Achd Dìon Rèididheachd *gin*

radon *n*
radon *fir*
radoin *gin*
radon-affected areas
ceàrnaidhean fo bhuaidh radoin

raft *n*
ràth *fir*
ràtha *gin*
ràthan *iol*
1 a raft of legislation
ràth de reachdas
2 the whole raft of amendments
an ràth de dh'atharrachaidhean air fad

Railways Act *n*
Achd (*boir*) na Rèile
Achd na Rèile *gin*

raise *v*
cuir (*gr*) ri *gr*
cur (*agr*) ri *agr,*
tog *gr*
togail *agr,*
dùisg *gr*
dùsgadh *agr,*
cruthaich *gr*
cruthachadh *agr,*
àrdaich *gr*
àrdachadh *agr*
1 to raise the quality of the argument
cur ri mathas na h-argamaid
2 to raise an issue
cuspair a thogail
3 to raise awareness
mothachadh a dhùsgadh, mothachadh a chruthachadh
4 to raise to the peerage
àrdachadh don mhoraireachd

Ramblers Association *n*
Comann (*fir*) nam Fàrsanach
Comann nam Fàrsanach *gin*

ramification *n*
buaidh (*boir*) fharsaing
buaidhe farsaing *gin*
buaidhean farsaing
this course of action will have serious ramifications
bidh iomadh droch bhuaidh aig a' chùrsa seo

Ramsar Convention *n*
Cùmhnant (*fir*) Ramsar
Chùmhnant Ramsar *gin*

random *adj*
air thuaiream, tuaireamach
1 to chose at random
taghadh air thuaiream
2 random selection
taghadh tuaireamach / air thuaiream

range *n*
sreath *fir*
sreatha *gin*
sreathan *iol*
a range of functions
sreath (*fir*) de dh'fheumalachdan

range *v*
rach (*gr*) thairis air sreath, dol (*gr*) thairis air sreath
to range over a variety of issues
dol thairis air sreath de chuspairean

rank *n* **(grade)**
rang *fir*
raing *gin*
rangan *iol*

rank *n* **(position)**
inbhe *boir*
inbhe *gin*
inbhean *iol*

rank and file *adj*
bhon mhòr-chuid chumanta

rank and file *n* **(the common members of a group)**
a' mhòr-chuid (*boir*) chumanta
na mòr-chodach chumanta *gin*

rate *n*
ìre *boir*
ìre *gin*
ìrean *iol,*
reat *fir*
reat *gin*
reataichean *iol*
1 basic rate of income tax
ìre bhunaiteach na cìse cosnaidh
2 the rates
na reataichean

rate capping *n*
cuibhricheadh (*fir*) reataichean
cuibhrichidh reataichean *gin*

rate precept *n*
reachd (*boir*) reataichean
reachd reataichean *gin*

rate support *n*
taic-reataichean *boir*
taic-reataichean *gin*
rate support grant
tabhartas airson taic-reataichean

rateable value *n*
luach (*fir*) reatachail
luach reatachail *gin*
luachan reatachail *iol*

ratification *n*
daingneachadh *fir*
daingneachaidh *gin*

ratify *v*
daingnich *gr*
daingneachadh *agr*
to ratify a treaty
cunnradh a dhaingneachadh

ration *n*
cuibhreann
cuibhrinn
cuibhrinnean *iol*

ration *v*
cuibhrinnich *gr*
cuibhrinneachadh *agr,*
roinn *gr*
roinn *agr*

rational *adj*
reusanta *br*
rational discussion
beachdachadh reusanta

rationing *n*
cuibhrinneachadh *fir*
cuibhrinneachaidh *gin*

react *v*
gabh (*gr*) ri
gabhail (*agr*) ri

reaction *n*
gabhail (*fir*) ris
gut reaction
faireachdainn is beachd

reactionary *adj*
ais-ghnìomhach *br*

reactionary *n*
ais-ghnìomhaiche *fir*
ais-ghnìomhaiche *gin*
ais-ghnìomhaichean *iol*

reading *n* **(of Bill)**
leughadh *fir*
leughaidh *gin*
leughaidhean *iol*
1 First Reading
a' Chiad Leughadh
2 Second Reading
an Dàrna Leughadh
3 Third Reading
an Treas Leughadh

realign *v*
ath-thaobhaich *gr*
ath-thaobhadh *agr*

realignment *n*
ath-thaobhadh *fir*
ath-thaobhaidh *gin*

realism *n*
fìorachas *fir*
fìorachais *gin*

realistic *adj*
pra(g)taigeach *br*

reality *n*
fìrinn *boir*
fìrinne *gin*
in reality
gu fìor

realm *n*
rìoghachd *boir*
rìoghachd *gin*

reappraisal *n*
ath-bheachdachadh *fir*
ath-bheachdachaidh *gin*
ath-bheachdachaidhean *iol*

reappraise *v*
ath-bheachdaich *gr*
ath-bheachdachadh *agr*

reason *n*
adhbhar *fir*
adhbhair *gin*
adhbhair / adhbharan *iol,*
ciall *boir*
cèille *gin*
1 a compelling reason
adhbhar èiginneach
2 I have reason to believe that it is true
tha adhbhar agam a chreidsinn gum bheil e fìor
3 reason dictates that we act with caution
tha ar ciall ag innse dhuinn gum bi sinn faicilleach

reason *v*
reusanaich *gr*
reusanachadh *agr*
to reason with someone
reusanachadh le cuideigin

reasonable *adj*
reusanta *br*
reasonable notice
brath reusanta

reassurance *n*
misneachadh *fir*
misneachaidh *gin*
to give a reassurance
misneachadh a thoirt

reassure *v*
thoir (*gr*) misneachadh do
toirt (*agr*) misneachaidh do

reassuring *adj*
misneachail *br*

rebate *n*
lasachadh *fir*
lasachaidh *gin*
lasachaidhean *iol*

rebel *n*
reubaltach *fir*
reubaltaich *gin*
reubaltaich *iol*

rebel *v*
dèan (*gr*) ar-a-mach
dèanamh (*agr*) ar-a-mach

rebellion *n*
ar-a-mach *fir*
ar-a-mach *gin*
ar-a-mach *iol*

rebuke *n*
achmhasan *fir*
achmhasain *gin*
achmhasain *iol*

rebuke *v*
thoir (*gr*) achmhasan (do)
toirt (*agr*) achmhasain (do)

rebut *v*
breugnaich *gr*
breugnachadh *agr,*
dearbh (*gr*) ceàrr
dearbhadh (*agr*) ceàrr

rebuttable presumption *n*
barail (*boir*) a ghabhas breugnachadh
baraile a ghabhas breugnachadh *gin*

receipt *n*
(receiving)
faighinn *boir*
faighinn *gin*
I am in receipt of your letter
fhuaras ur litir

receipt *n*
(written)
cuidhteas *fir*
cuidhteis *gin*
cuidhteasan *iol*

receipts *npl*
(monetary)
teachd-a-steach *fir*
teachd-a-steach *gin*

receive *v*
faigh *gr*
faighinn *agr*

receiver *n*
(in bankruptcy)
neach-trusaidh (*fir*) nam fiach
neach-trusaidh nam fiach *gin*
luchd-trusaidh nam fiach *iol*
the Official Receiver
Neach-trusaidh Oifigeil nam Fiach

reception *n*
(area)
ionad-fàilte *fir*
ionaid-fhàilte *gin*
ionadan-fàilte *iol*

receptionist *n*
fàiltiche *fir*
fàiltiche *gin*
fàiltichean *iol*

recess *n*
fosadh *fir*
fosaidh *gin*
fosaidhean *iol*
1 to go into recess
dol gu fosadh
2 Parliament is in recess
tha a' Phàrlamaid na fosadh

recession *n*
seacadh *fir*
seacaidh *gin*
seacaidhean *iol*
a recession in the economy
seacadh anns an eaconamaidh

reciprocal trade *n*
co-mhalairt *boir*
co-mhalairt *gin*
reciprocal trade arrangement
aonta co-mhalairt

reckon *v*
(count)
meas *gr*
meas *agr*

recommend *v*
mol *gr*
moladh *agr*

recommendation *n*
moladh *fir*
molaidh *gin*
molaidhean *iol*

recommended course *n* **of action**
dòigh (*boir*) air adhart a thathar a' moladh
dòighe air adhart a thathar a' moladh *gin*
dòighean air adhart a thathar a' moladh *iol*

reconcile *v*
rèitich *gr*
rèiteachadh *agr*

reconsider *v*
ath-bheachdaich *gr*
ath-bheachdachadh *agr*

record *n*
teist *boir*
teiste *gin*
teistean *iol,*
clàr *fir*
clàir *gin*
clàran *iol,*
cunntas *fir*
cunntais *gin*
cunntasan *iol*
1 an outstanding record of achievement
teist bharraichte a thaobh na rinneadh,
obair ionmholta a rinneadh
2 record of proceedings
clàr nan imeachdan
3 for the record
air sgàth na fìrinne
4 on the record
clàraichte sa chunntas
5 off the record
ann an dìomhaireachd

record *v* **(express)**
cuir (*gr*) an cèill
cur (*agr*) an cèill
we wish to record our thanks
bu mhiann leinn ar buidheachas a chur an cèill

record *v* **(report)**
clàraich *gr*
clàrachadh *agr*
we will record that point in the minutes
clàraichidh sinn a' phuing sin sa gheàrr-chunntas

record, off the record *n*
ann an dìomhaireachd

record office *n*
oifis (*fir*) nan clàr
oifis nan clàr *gin*

recorded delivery service *n*
seirbheis (*boir*) lìbhrigidh chlàraichte
seirbheis lìbhrigidh chlàraichte *gin*

recorded vote *n*
bhòt (*boir*) chlàraichte
bhòt chlàraichte *gin*
bhòtaichean clàraichte *iol*

recount *v*
(to narrate)
innis *gr*
innse *agr*

re-count *n*
(of votes)
ath-chunntadh *fir*
ath-chunntaidh *gin*
ath-chunntaidhean *iol*
1 a recount of the votes
ath-chunntadh air na bhòtaichean
2 to demand a recount
ath-chunntadh iarraidh
3 to order a recount
ath-chunntadh òrdachadh

re-count *v*
(votes)
ath-chunnt *gr*
ath-chunntadh *agr*

recoup *v*
ath-bhuannaich *gr*
ath-bhuannachadh *agr*

recoupment *n*
ath-bhuannachadh *fir*
ath-bhuannachaidh *gin*

recovery *n*
dol (*fir*) am feabhas
dol am feabhas *gin*
the economy is recovering
tha an eaconamaidh a' dol am feabhas

recruit *n*
neach (*fir*) air ùr thogail
neach air ùr thogail *gin*
daoine air an ùr thogail *iol*

recruit *v*
tog *gr*
togail *agr*

rectify *v*
ceartaich *gr*
ceartachadh *agr*

red tape *n*
cus riaghailtean *boir*
cus riaghailtean *gin,*
ro-oifigealachd *boir*
ro-oifigealachd *gin*

redeem *v* **(convert paper money into bullion)**
fuasgail *gr*
fuasgladh *agr*
right to redeem
còir fhuasglaidh

redevelop *v*
leasaich *gr* (le ath-thogail)
leasachadh *agr* (le ath-thogail)

redevelopment *n*
leasachadh *fir* (ath-thogalach)
leasachaidh (ath-thogalach) *gin*

redistribute *v*
ath-riaraich *gr*
ath-riarachadh *agr*

redistribution *n*
ath-riarachadh *fir*
ath-riarachaidh *gin*
the redistribution of wealth
ath-riarachadh na maoine

redress *n* **(financial)**
ath-dhìoladh *fir*
ath-dhìolaidh *gin*

redress *n* **(legal)**
sàsachadh *fir*
sàsachaidh *gin*
to have no redress in law
gun sàsachadh a bhith aig neach fon lagh

redress *v*
ceartaich *gr*
ceartachadh *agr,*
leigheis *gr*
leigheas *agr*
1 to redress the balance
an cothrom a cheartachadh
2 to redress damaged pride
tàmailteachadh a leigheas

redundancy *n*
anbharra *fir*
anbharra *gin,*
pàigheadh (*fir*) dheth
pàighidh dheth *gin*
pàighidhean dheth *iol*
redundancy payment
airgead-dìolaidh anbharra

re-elect *v*
ath-thagh *gr*
ath-thaghadh *agr*

re-election *n*
ath-thaghadh *fir*
ath-thaghaidh *gin*
ath-thaghaidhnean *iol*

re-enact *v*
ath-achdaich *gr*
ath-achdachadh *agr*

re-enactment *n*
ath-achdachadh *fir*
ath-achdachaidh *gin*
ath-achdachaidhean *iol*

refer *v*
cuir *gr*
cur *agr,*
thoir (*gr*) iomradh air
toirt (*agr*) iomraidh air
1 to refer a matter to the committee
cùis a chur chun na comataidh
2 to refer to a matter
iomradh a thoirt air cuspair

reference *n* **(number)**
àireamh-bhratha *boir*
àireimh-bhratha *gin*
àireamhan-bratha *iol*

reference *n* **(to a subject)**
iomradh *fir*
iomraidh *gin*
iomraidhean *iol*
references from National Courts (in the European Union (EU))
iomraidhean bho na Cùirtean Nàiseanta (san Aonadh Eòrpach)

reference *n* **(testimonial)**
teisteanas *fir*
teisteanais *gin*
teisteanasan *iol*

reference, with reference to
a thaobh *roi le gin*

referendum *n*
referendums / referenda *pl*
referendum *fir*
referenduim *gin*
referenduim *iol*

referral *n*
tar-chur *fir*
tar-chuir *gin*
1 referral pattern
pàtran tar-chuir
2 referral system
siostam tar-chuir

reflate *v*
ath-shèid *gr*
ath-shèideadh *agr*
to reflate the economy
an eaconamaidh ath-shèideadh

reflation *n*
ath-shèideadh *fir*
ath-shèididh *gin*
ath-shèididhean *iol*
reflation of the economy
ath-shèideadh air an eaconamaidh

reflect *v*
meòmhraich *gr*
meòmhrachadh *agr,*
comharraich *gr*
comharrachadh *agr*
1 to reflect on a matter
meòmhrachadh air cuspair
2 this reflects our concerns
tha seo a' comharrachadh nan cùraman a tha òirnn

reflection *n* **(consideration)**
cnuasachadh *fir*
cnuasachaidh *gin*
on (further) reflection
an dèidh an tuilleadh cnuasachaidh

reform *n*
ath-leasachadh *fir*
ath-leasachaidh *gin*
ath-leasachaidhean *iol*

reform *v*
ath-leasaich *gr*
ath-leasachadh *agr*
to reform local government
riaghaltas ionadail ath-leasachadh

reforming *adj*
ath-leasachail *br,*
a nì ath-leasachadh
1 a reforming government
riaghaltas ath-leasachail
2 reforming zeal
dealas airson ath-leasachaidh

refund *v*
pàigh (*gr*) air ais
pàigheadh (*agr*) air ais

refusal *n*
diùltadh *fir*
diùltaidh *gin*
diùltaidhean *iol*
their refusal to allow
mar a dhiùlt iad leigeil le

refuse *n* **(rubbish)**
sgudal *fir*
sgudail *gin*
1 refuse collection
togail sgudail
2 refuse disposal
glanadh sgudail

refuse *v*
diùlt *gr*
diùltadh *agr*

Refuse Disposal (Amenity) Act *n*
Achd (*boir*) Glanaidh Sgudail (Goireas-taitneis)
Achd Glanaidh Sgudail (Goireas-taitneis) *gin*

refuse dump *n*
òtrach *fir*
òtraich *gin*
òtraichean

refute *v*
breugnaich *gr*
breugnachadh *agr*

regime *n* **(government)**
riaghladh *fir*
riaghlaidh *gin*
riaghlaidhean *iol*

regime *n* **(system)**
rèim *boir*
rèime *gin*
rèimean *iol*

region *n*
roinn *boir*
roinne *gin*
roinnean *iol*

regional *adj*
roinneil *br*
regional aid
taic roinneil

regional assembly *n*
seanadh (*fir*) roinneil
seanaidh roinneil *gin*
seanaidhean roinneil *iol*

regional authority *n*
ùghdarras (*fir*) roinneil
ùghdarrais roinneil *gin*
ùghdarrasan roinneil *iol*

regional committee *n*
comataidh (*boir*) roinneil
comataidh roinneil *gin*
comataidhean roinneil *iol*

regional council *n*
comhairle (*boir*) roinneil
comhairle roinneil *gin*
comhairlean roinneil *iol*

regional development *n*
leasachadh (*fir*) roinneil
leasachaidh roinneil *gin*
leasachaidhean roinneil *iol*

Regional Development Fund *n*
(EC)
Maoin (*boir*) Leasachaidh Roinneil
Maoin Leasachaidh Roinneil *gin*

regional development grant *n*
tabhartas (*fir*) leasachaidh roinneil
tabhartas leasachaidh roinneil *gin*
tabhartasan leasachaidh roinneil *iol*

Regional Employment Premium *n*
(REP)
Tàilleabh (*fir*) Cosnaidh Roinneil
Tàillibh Chosnaidh Roinneil *gin*

regional enterprise grant *n*
tabhartas (*fir*) airson iomairt roinneil
tabhartais airson iomairt roinneil *gin*
tabhartasan airson iomairt roinneil *iol*

regional government *n*
riaghaltas (*fir*) roinneil
riaghaltais roinneil *gin*
riaghaltasan roinneil *iol*

Regional Health Authority *n*
Ùghdarras (*fir*) Roinneil Slàinte
Ùghdarrais Roinneil Slàinte *gin*
Ùghdarrasan Roinneil Slàinte *iol*

Regional Horticultural Marketing Inspectorate *n*
Buidheann (*boir*) Rannsachaidh Roinneil airson Margaideachd Tuathanachais-ghàrraidh
Buidhne Rannsachaidh Roinneil airson Margaideachd Tuathanachais-ghàrraidh *gin*

Regional Land Drainage Committee *n*
Comataidh (*boir*) Roinneil airson Drèanadh Fearainn
Comataidh Roinneil airson Drèanadh Fearainn *gin*

regional plan *n*
plana (*fir*) roinneil
plana roinneil *gin*
planaichean roinneil *iol*

regional planning *n*
dealbhadh (*fir*) roinneil
dealbhaidh roinneil *gin*
Regional Planning Adviser
Comhairleach airson Dealbhaidh Roinneil

regional policy *n*
poileasaidh (*fir*) roinneil
poileasaidh roinneil *gin*
poileasaidhean roinneil *iol*

regional selective assistance *n*
cuideachadh (*fir*) roghnach roinneil
cuideachaidh roghnaich roinneil *gin*

regional strategy *n*
ro-innleachd (*boir*) roinneil
ro-innleachd roinneil *gin*
roi-innleachdan roinneil *iol*

register *v*
clàraich *gr*
clàradh *agr,*
leig (*gr*) ris
leigeil (*agr*) ris
1 to register a motion
gluasad a chlàradh
2 to register an interest
com-pàirt a chlàradh

Register *n* **of Members' Interests**
Clàr (*fir*) Com-pàirtean nam Ball
Clàr Com-pàirtean nam Ball *gin*

Register House *n*
Taigh (*fir*) nan Clàr
Thaigh nan Clàr

registered *adj*
clàraichte *br*

Registered General Nurse *n* **(RGN)**
Nurs (*boir*) Choitcheann Chlàraichte
Nurs Choitchinn Chlàraichte *gin*
Nursaichean Coitcheann Clàraichte *iol*

Registered Homes Act *n*
Achd (*boir*) nan Dachaighean Clàraichte
Achd nan Dachaighean Clàraichte *gin*

Registered Mental Nurse *n*
Nurs (*boir*) Inntinneil Chlàraichte
Nurs Inntinneil Chlàraichte *gin*
Nursaichean inntinneil Clàraichte *iol*

registered sick children's nurse *n*
nurs (*boir*) chloinne tinne chlàraichte
nurs chloinne tinne chlàraichte *gin*
nursaichean cloinne tinne clàraichte *iol*

Registered Teacher Programme *n* **(RTP)**
Prògram (*fir*) an Luchd-theagaisg Chlàraichte
Prògram an Luchd-theagaisg Chlàraichte *gin*

registrable *adj*
ion-chlàraichte *br*
registrable interest
com-pàirt ion-chlàraichte

Registrar *n* **General**
Àrd-neach-clàraidh *fir*
Àrd-neach-chlàraidh *gin*

Registrar *n* **of Births, Marriages and Deaths**
Neach-clàraidh (*fir*) air Breith, Pòsadh is Bàs
Neach-chlàraidh air Breith, Pòsadh is Bàs *gin*

Registrar *n* **of Local Land Charges**
Neach-clàraidh (*fir*) Cosgaisean Ionadail Fearainn
Neach-chlàraidh Cosgaisean Ionadail Fearainn *gin*

registration *n* **of interests**
clàrachadh (*fir*) chom-pàirtean
clàrachaidh chom-pàirtean *gin*

regret *n*
duilichinn *boir*
duilichinne *gin*
duilichinnean *iol*
it is a matter of regret to me
tha e na adhbhar duilichinne dhomh

regret *v*
gabh (*gr*) aithreachas
gabhail (*agr*) aithreachas,
bi (*gr*) duilich
I regret I am not able to attend
tha mi duilich nach urrainn dhomh a bhith an làthair

regrettable *adj*
doilgheasach *br*
duilich *br*
a regrettable occurrence
nì doilgheasach

regrettably *adv*
gu duilich *cgr*

regular *adj*
riaghailteach *br*

regulate *v*
riaghlaich *gr*
riaghladh *agr*

regulation *n* **(a rule)**
riaghailt *boir*
riaghailte *gin*
riaghailtean *iol*

regulation *n* **(control)**
riaghladh *fir*
riaghlaidh *gin*

regulator *n*
riaghlaiche *fir*
riaghlaiche *gin*
riaghlaichean *iol*

regulatory *adj*
bhon riaghlaiche,
riaghlaidh *fir gin*
1 regulatory appraisal
measadh bhon riaghlaiche
2 regulatory body
buidheann riaghlaidh

rehearse *v*
ath-aithris *gr*
ath-aithris *agr*
1 to rehearse an argument
argamaid ath-aithris
2 the argument has been rehearsed many times
chaidh an argamaid ath-aithris iomadh uair

reject *v*
diùlt *gr*
diùltadh *agr*

rejection *n*
diùltadh *fir*
diùltaidh *gin*
diùltaidhean *iol*

rejoinder *n*
freagairt *boir*
freagairt *gin*
freagairtean *iol*

related *adj*
càirdeach *br*
co-cheangailte *br*
1 the two were related
bha an dithis càirdeach
2 related matters
gnothaichean co-cheangailte (ri chèile)

relation *n*
co-cheangal *fir*
co-cheangail *gin*
in relation to
an co-cheangal ri

relative *adj*
a rèir a chèile
relative values
luachan a rèir a chèile

relative *n*
(family)
neach-dàimh *fir*
neach-dàimh *gin*
luchd-dàimh *iol*

relatively *adv*
dha rèir fhèin
relatively speaking
a' bruidhinn (air a' chuspair) dha rèir fhèin

relaunch *n*
cur (*fir*) air bhog a-rithist
cuir air bhog a-rithist *gin*

relaunch *v*
cuir (*gr*) air bhog a-rithist
cur (*agr*) air bhog a-rithist

relevance *n*
buntainneas *fir*
buntainneis *gin*

relevant *adj*
buntainneach *br*

relieve *v*
thoir (*gr*) faochadh do
toirt (*agr*) faochaidh do

relocate *v*
gluais (do dh'ionad ùr) *gr*
gluasad (do dh'ionad ùr) *agr*
the company relocated its head office to Scotland
ghluais a' chompanaidh a' phrìomh oifis do dh'Alba

relocation *n*
gluasad (*fir*) do dh'ionad ùr
gluasaid do dh'ionad ùr *gin*
a policy of relocation
poileasaidh gluasaid ionaid

remark *n*
facal *fir*
facail *gin*
faclan *iol*
1 a passing remark
facal neo-bhrìgheil
2 closing remarks of a debate
na faclan mu dheireadh ann an deasbad

remark *v*
thoir (*gr*) iomradh (air)
toirt (*agr*) iomraidh (air)
to remark on the situation
iomradh a thoirt air an t-suidheachadh

remarkable *adj*
sònraichte *br*
a remarkable feat
euchd sònraichte

remediable *adj*
a ghabhas leasachadh

remedy *n*
leasachadh *fir*
leasachaidh
I can see no easy remedy for the problem
chan fhaic mi gun gabh a' chùis a leasachadh gu furasta

remedy *v*
leasaich *gr*
leasachadh *agr*
to remedy the situation
an suidheachadh a leasachadh

remit *n* **(a brief)**
raon-ùghdarrais *fir*
raoin-ùghdarrais *gin*

remit *v* **(cancel)**
cuir (*gr*) air ais
cur (*agr*) air ais

remit *v* **(to refer back)**
till *gr*
tilleadh *agr*
to remit the recommendation to a committee for reconsideration
am moladh a thilleadh gu comataidh airson ath-bheachdachaidh

remote *adj*
iomallach *br*

remove *v*
thoir (*gr*) air falbh
toirt (*agr*) air falbh
to remove a disqualification
dì-cheadachadh a thoirt air falbh

remuneration *n*
ìocadh *fir*
ìocaidh *gin*

renew *v*
ath-nuadhaich *gr*
ath-nuadhachadh *agr*

Rent Act *n*
Achd (*boir*) a' Mhàil
Achd a' Mhàil *gin*

rent assessment panel *n*
pannal (*fir*) measaidh a' mhàil
pannal measaidh a' mhàil *gin*
pannalan measaidh a' mhàil *iol*

Rent Charges Act *n*
Achd (*boir*) Cosgaisean a' Mhàil
Achd Cosgaisean a' Mhàil *gin*

rent registration *n*
clàradh (*fir*) airson màil
clàraidh airson màil *gin*

reorganisation *n*
ath-eagrachadh *fir*
ath-eagrachaidh *gin*
ath-eagrachaidhean *iol*

reorganise *v*
cuir (*gr*) rian ùr air
cur (*agr*) rian ùir air

repay *v*
ath-dhìol *gr*
ath-dhìoladh *agr*

repayment *n*
ath-dhìoladh *fir*
ath-dhìolaidh *gin*
ath-dhìolaidhean *iol*

repeal *n*
ais-ghairm *boir*
ais-ghairme *gin*

repeal *v*
ais-ghairm *gr*
ais-ghairm *agr,*
cuir (*gr*) às do
cur (*agr*) às do
1 to repeal an Act
Achd ais-ghairm
2 to repeal a law
cur às do lagh

repealable *adj*
a ghabhas ais-ghairm

repeat *v*
ath-aithris *gr*
ath-aithris *agr*

repeatedly *adv*
uair is uair
I have repeatedly stated
tha mi air aithris uair is uair

repercussion *n*
toradh *fir*
toraidh *gin*
toraidhean *iol*

repetition *n*
ath-aithris *boir*
ath-aithris *gin*
the speaker was guilty of repetition
bha an neach-labhairt ri ath-aithris

repetitive *adj*
a nì ath-aithris,
ath-aithriseil

replicate *v*
dèan (*gr*) mac-samhail
dèanamh (*agr*) mic-shamhail

replication *n*
dèanamh (*fir*) mic-shamhail
dèanamh mic-shamhail *gin*

reply *n*
freagairt *boir*
freagairte *gin*
freagairtean *iol*
Parliamentary reply
freagairt Pàrlamaid

report *n*
aithisg *boir*
aithisge *gin*
aithisgean *iol*
1 report stage
ìre na h-aithisge
2 report writing
sgrìobhadh aithisg

report *v*
thoir (*gr*) cunntas
toirt (*agr*) cunntas,
thoir (*gr*) cunntas foirmeil
toirt (*agr*) cunntas foirmeil,
thoir (*gr*) cunntas sgrìobhte
toirt (*gr*) cunntas sgrìobhte
1 to report back
cunntas a thoirt air ais
2 to report a bill
cunntas foirmeil a thoirt air bile
3 to report a meeting
cunntas sgrìobhte a thoirt air coinneimh
4 to report progress
cunntas a thoirt air adhartas
5 to report to committee
cunntas foirmeil a thoirt don chomataidh

represent *v*
riochdaich *gr*
riochdachadh *agr*
to represent a constituency
roinn-taghaidh a riochdachadh

representation *n* **(political)**
riochdachadh *fir*
riochdachaidh *gin*
1 proportional representation
riochdachadh co-roinneil
2 parity of representation
co-chothrom riochdachaidh
3 increased representation
barrachd riochdachaidh

Representation of the People Act *n*
Achd (*boir*) Riochdachaidh an t-Sluaigh
Achd Riochdachaidh an t-Sluaigh *gin*

representational role *n*
dleastanas (*fir*) riochdachaidh
dleastanas riochdachaidh *gin*
dleastanasan riochdachaidh *iol*

representations *npl*
agartas *fir*
agartais *gin,*
ìmpidh *boir*
ìmpidhe *gin*
to make representations to committee
ìmpidh a chur air comataidh

representative *adj*
riochdachail *br,*
samhlach *br*
1 representative democracy
deamocrasaidh riochdachail
2 a representative sample
earrann shamhlach

representative *n*
riochdaire *fir*
riochdaire *gin*
riochdairean *iol*
a representative of the people
riochdaire den t-sluagh

repress *v*
ceannsaich *gr*
ceannsachadh *agr*

repression *n*
ceannsal *fir*
ceannsail *gin*

repressive *adj*
ceannsachail *br*

reprographics *npl*
reaprografaig *fir sg*
reaprografaig *gin*

republic *n*
poblachd *boir*
poblachd *gin*
poblachdan *iol*

republican *adj*
poblachdach *br*

republican *n*
poblachdach *fir*
poblachdaich *gin*
poblachdaich *iol*

republicanism *n*
poblachdas *fir*
poblachdais *gin*

repudiate *v*
diùlt (*gr*) gabhail ri
diùltadh (*agr*) gabhail ri

repudiation *n*
cur (*fir*) bhuat
cuir bhuat *gin*

reputation *n*
cliù *fir*
cliù *gin*
1 the reputation of Parliament
cliù na Pàrlamaid
2 the (good) reputation of this Member
(deagh) c(h)liù a' Bhuill seo

request *n*
iarrtas *fir*
iarrtais *gin*
iarrtasan *iol*

requirement *n*
riatanas *fir*
riatanais *gin*
riatanasan *iol*

rescue archaeology *n*
arc-eòlas (*fir*) teasairginn
arc-eòlais theasairginn
Rescue Archaeology Trust
Urras an Arc-Eòlais Theasairginn

rescue package *n*
màileid (*boir*) teasairginn
màileid teasairginn *gin*
màileidean teasairginn *iol*

research *n*
rannsachadh *fir*
rannsachaidh *gin*
rannsachaidhean *iol*
1 research facilities
goireasan rannsachaidh
2 research library
leabharlann rannsachaidh

research *v*
rannsaich *gr*
rannsachadh *agr*

researcher *n*
rannsaiche *fir*
rannsaiche *gin*
rannsaichean *iol*

reservation *n*
cumha *fir*
cumha *gin*
cumhaichean *iol,*
teagamh *fir*
teagamh *gin*
teagamhan *iol*
without reservation
gun chumhaichean,
gun teagamh

reserve *n*
(financial)
cùl-stòr *fir*
cùl-stòir *gin*
cùl-stòran *iol*
reserve fund
maoin chùl-stòir

reserve *v*
caomhain *gr*
caomhnadh *agr,*
glèidh *gr*
gleidheadh *agr*
to reserve judgement
breith a chaomhnadh,
breith a ghleidheadh

reserved *adj*
glèidhte *br*

reserved power *n*
(Parliamentary)
cumhachd (*fir*) glèidhte
cumhachd ghlèidhte *gin*
cumhachdan glèidhte *iol*
a power reserved to Westminster
cumhachd air a ghleidheadh
fo chùram Westminster

Reservoirs Act *n*
Achd (*boir*) nan Stòr-amaran
Achd nan Stòr-amaran *gin*

reshuffle *n*
gluasad *fir*
gluasaid *gin*
Cabinet reshuffle
gluasad buill a' Chaibineit
(gu dreuchdan eile)

reshuffle *v*
dèan (*gr*) iomlaid dhreuchd
dèanamh (*agr*) iomlaid dhreuchd,
gluais *gr*
gluasad *agr*
to reshuffle the Cabinet
iomlaid dhreuchd a dhèanamh
air buill a' Chaibineit,
buill a' Chaibineit a ghluasad

resident *n*
neach-còmhnaidh *fir*
neach-còmhnaidh *gin*
luchd-còmhnaidh *iol*
resident broadcaster
craoladair còmhnaidheach

residuary *adj*
iarmaid *fir gin*
residuary body
buidheann iarmaid

resign *v*
thoir (*gr*) suas (do dhreuchd)
toirt (*agr*) suas (do dhreuchd)

resignation *n*
toirt (*boir*) suas (dreuchd)
1 a resignation matter
cùis (a bheir air neach a)
dhreuchd a thoirt suas
2 resignation speech
òraid aig àm a bheir neach
suas a dhreuchd

resolution *n*
rùn *fir*
rùin *gin*
rùintean *iol*
to pass a resolution
gabhail ri rùn

resolve *n*
rùn (*fir*) suidhichte
rùin shuidhichte *gin*
we admire her resolve
tha sinn a' moladh cho suidhichte
'S a tha i na rùn

resolve *v*
fuasgail *gr*
fuasgladh *agr,*
rùnaich *gr*
rùnachadh *agr*
1 to resolve a problem
duilgheadas fhuasgladh
2 to resolve to recommend
rùnachadh a mholadh

resort *n*
innleachd *boir*
innleachd *gin*
innleachdan *iol*
as a last resort
an innleachd mu dheireadh
(a tha aig neach),
ann an èiginn

resort *v*
dèan (*gr*) feum de
dèanamh (*agr*) feum de
resort to
tionndaidh gu

resource *n*
goireas *fir*
goireis *gin*
goireasan *iol,*
stòras *fir*
stòrais *gin*
stòrasan *iol*

resource allocation *n*
co-chur (*fir*) ghoireasan / stòrais
co-chuir ghoireasan / stòrais *gin*

resource management *n*
rianachd (*boir*) ghoireasan /
stòrais
rianachd ghoireasan / stòrais *gin*

resource planning *n*
dealbhadh (*fir*) ghoireasan /
stòrais
dealbhaidh ghoireasan /
stòrais *gin*

resourcing *n*
cur (*fir*) stòrais ri
cur storais ri *gin,*
goireasachadh *fir*
goireasachaidh *gin*

respect *n*
meas *fir*
measa *gin*
with (all due) respect
le ur cead

respect,
with respect to
a thaobh *roi le gin*

respectively *adv*
fa leth *cgr*

respond *v*
freagair *gr*
freagairt *agr*

respondent *n*
neach-freagairt *fir*
neach-fhreagairt *gin*
luchd-freagairt *iol*

response *n*
freagairt *boir*
freagairte *gin*
freagairtean *iol*

responsibility *n*
(accountability)
cunntachalachd *boir*
cunntachalachd *gin*

responsibility *n*
(duty, assigned task)
cùram *fir*
cùraim *gin*
cùraman *iol*,
dleastanas *fir*
dleastanais *gin*
dleastanasan,
uallach *fir*
uallaich *gin*
uallaich *iol*
1 language policy is one of the Minister's responsibilities
's e poileasaidh cànain fear de dhleastanasan a' Mhinisteir
2 a sense of responsibility
mothachadh air dleastanas

responsible *adj* **(accountable)**
cunntachail *br*

responsible *adj* **(behaviour)**
stuama *br*

responsive *adj*
mothachail *br*
responsive government
riaghaltas mothachail

Restart Programme *n*
Prògram (*fir*) Ath-thòiseachaidh
Prògram Ath-thòiseachaidh *gin*

restitution *n*
ath-dhìoladh *fir*
ath-dhìolaidh *gin*

restrict *v*
cuibhrich *gr*
cuibhreachadh *agr,*
cuingealaich *gr*
cuingealachadh *agr*
restricted capacity
inbhe chuibhrichte

restriction *n*
cuibhreachadh *fir*
cuibhreachaidh *gin*
cuibhreachaidhean *iol*
restriction of expenditure
cuibhreachadh air caiteachas,
cuir / cumail srian air cosg

restrictive *adj*
cuibhreachail *br*

restrictive practices *npl*
gnàthasan (*fir iol*) cuibhreachail
ghnàthasan cuibhreachail *gin*

restructure *v*
(to reorganise)
ath-structaraich *gr*
ath-structaradh *agr*

result *n*
toradh *fir*
toraidh *gin*
toraidhean *iol*

result *v*
bi (*gr*) mar thoradh
to result in
a bhith mar thoradh air

resume *v*
lean (*gr*) ort
leantainn (*agr*) ort,
tòisich (*gr*) a-rithist
tòiseachadh (*agr*) a-rithist,
(dèan (*gr*) rud) a-rithist,
1 the Member was asked to resume his seat
chaidh iarraidh air a' Bhall suidhe sìos a-rithist
2 to resume speaking after an interruption
leantainn ort a' labhairt an dèidh briseadh a-steach
3 the meeting will resume in ...
tòisichidh a' choinneimh a-rithist an ceann ...

résumé *n*
geàrr-chunntas *fir*
geàrr-chunntais *gin*
geàrr-chunntasan *iol*
she gave a résumé of the report
thug i geàrr-chunntas air an aithisg

retire *v*
leig (*gr*) dhiot (do dhreuchd)
leigeil (*agr*) dhiot (do dhreuchd)

retirement *n*
leigeil (*fir*) dheth dreuchd
leigeil dheth dreuchd *gin*
during one's retirement
an dèidh do neach a dhreuchd a leigeil dheth

retreat *n*
tarraing (*boir*) air ais
tarraing air ais *gin*

retreat *v*
teich *gr*
teicheadh *agr*,
tarraing (*gr*) air ais
tarraing (*agr*) air ais

retrievable *adj*
a ghabhas leasachadh
a retrievable situation
suidheachadh a ghabhas leasachadh

retrograde *adj*
ais-cheumach *br*
a retrograde step
fìor cheum air ais

retrospect *n*
sealltainn (*fir*) air ais
sealltainn air ais *gin*
in retrospect
le bhith sealltainn air ais

retrospective *adj*
ais-ghabhalach *br*
a bhuineas don àm a chaidh seachad (a thuilleadh air an àm ri teachd)
1 retrospective legislation
reachdas ais-ghabhalach
2 retrospective taxation
cìs-leigeil ais-ghabhalach

retrospectively *adv*
gu h-ais-ghabhalach,
a' buintinn don àm a chaidh seachad (a thuilleadh air an àm ri teachd)
the law is to be applied retrospectively
cuirear an lagh an sàs gu h-ais-ghabhalach

return *n*
(form)
bileag-thuairisgeil *boir*
bileig-thuairisgeil *gin*
bileagan-tuairisgeil *iol*

return *n*
(gain, profit)
piseach *fir boir*
pisich *gin*

return *n*
(go back)
tilleadh *fir*
tillidh *gin*
by return of post
san ath phost

return *v*
till *gr*
tilleadh *agr*,
tagh *gr*
taghadh *agr*
1 to return an MP to Parliament
BP a thaghadh don Phàrlamaid
2 to go back
tilleadh
3 to return to a topic
bruidhinn a-rithist air cuspair

returning officer *n*
(in elections)
oifigear (*fir*) taghaidh
oifigeir taghaidh *gin*
oifigearan taghaidh *iol*

returns *npl*
toradh *fir sg*
toraidh *gin*
questionnaire returns
toradh ceisteachain

reveal *v*
leig (*gr*) ris
leigeil (*agr*) ris

revelation *n*
foillseachadh *fir*
foillseachaidh *gin*
foillseachaidhean *iol*
1 the revelation of what had happened
am foillseachadh air an nì a thachair
2 her speech was a revelation
's e fìor fhosgladh shùilean a bha anns an òraid aice

revenue *n*
teachd-a-steach *fir*
teachd-a-steach *gin*
1 Inland Revenue
Oifis nan Cìsean
2 revenue consequences
buil air teachd-a-steach
3 revenue expenditure
caiteachas air teachd-a-steach
4 revenue funding
maoineachadh do theachd-a-steach

revenue stream *n*
sruth (*fir*) an teachd-a-steach
sruth an teachd-a-steach *gin*

revenue support grant *n*
tabhartas (*fir*) taice do theachd-a-steach
tabhartais taice do theachd-a-steach *gin*

revenue-generating *adj*
a thogas teachd-a-steach

revenue-generation *n*
togail (*boir*) teachd-a-steach
togail teachd-a-steach *gin*

revenue-neutral *adj*
neodrail a thaobh teachd-a-steach,
gun bhuaidh air teachd-a-steach

reversal *n*
car (*fir*) tuathal
car tuathail *gin*
caran tuathal *iol*
reversal of fortune
car tuathal san fhortan

reverse *v*
cuir (*gr*) car de
cur (*agr*) car de
to reverse a decision
car a chur de cho-dhùnadh

revert *v*
till *gr*
tilleadh *agr*
the issue will revert to the Standing Orders Committee
tillidh a' chùis do Chomataidh nan Gnàth-riaghailtean

review *n*
ath-bhreithneachadh *fir*
ath-bhreithneachaidh *gin,*
breithneachadh *fir*
breithneachaidh *gin*
1 review of recent events
breithneachadh air na thachair bho chionn ghoirid
2 review of attitudes and approaches
breithneachadh air beachdan is air dòighean-obrach
3 keep under review
cumail fo bhreithneachadh

review *v*
dèan (*gr*) ath-bhreithneachadh air
dèanamh (*agr*)
ath-bhreithneachaidh air
to review an Act / Statute
ath-bhreithneachadh a dhèanamh air Achd / air Reachd

revision *n*
ath-sgrùdadh *fir*
ath-sgrùdaidh *gin*

revisionism *n*
ath-sgrùdachas *fir*
ath-sgrùdachais *gin*

revisionist *adj*
ath-sgrùdachail *br*

revisionist *n*
neach (*fir*) ath-sgrùdaidh
neach ath-sgrùdaidh *gin*
luchd ath-sgrùdaidh *iol*

revisit *v*
dèan (*gr*) ath-bheachdachadh air
dèanamh (*agr*)
ath-bheachdachaidh air,
thoir (*gr*) sùil eile air
toirt (*agr*) sùil eile air
we should revisit the whole issue
bu chòir dhuinn ath-bheachdachadh air a' chùis gu lèir,
bu chòir dhuinn sùil eile a thoirt air a' chùis gu lèir

revitalisation *n*
ath-bheothachadh *fir*
ath-bheothachaidh *gin*

revitalise *v*
thoir (*gr*) beothalachd air ais an
toirt (*agr*) beothalachd air ais an
to revitalise the local economy
beothalachd a thoirt air ais san eaconamaidh ionadail

revocable *adj*
a ghabhas cùl-ghairm

revocation *n*
cùl-ghairm *boir*
cùl-ghairme *gin*
revocation order
òrdugh cùl-ghairme

revoke *v*
cùl-ghairm *gr*
cùl-ghairm *agr*
1 to revoke an order
òrdugh a chùl-ghairm
2 to revoke a decree
àithne-chùirte a chùl-ghairm

revolution *n* **(political sense)**
rèabhlaid *boir*
rèabhlaide *gin*
rèabhlaidean *iol*,
ar-a-mach *fir*
ar-a-mach *gin*
ar-a-mach *iol*

revolutionary *adj* **(political sense)**
rèabhlaideach *br*,
a nì ar-a-mach

revolutionary *adj* **(radically new)**
gu tur ùr *br*

revolutionary *n* **(political)**
rèabhlaideach *fir*
rèabhlaidich *gin*
rèabhlaidich *iol*,
neach (*fir*) ar-a-mach
neach ar-a-mach *gin*
luchd ar-a-mach *iol*

reward *n*
duais *boir*
duais *gin*
duaisean *iol*
for reward
airson buannachd

rhetoric *n* **(oratory)**
ùr-labhairt *boir*
ùr-labhairt *gin*

rhetoric *n* **(pejorative)**
glòireis *boir*
glòireise *gin*

rhetorical *adj* **(oratory)**
ùr-labhairteach *br*
rhetorical question
ceist dhràmadach

rhetorical *adj* **(pejorative)**
glòireiseach *br*

rider *n* **(to a document)**
clàsa (*fir*) leasachaidh
clàsa leasachaidh *gin*
clàsan leasachaidh *iol,*
clàsa (*fir*) rabhaidh
clàsa rabhaidh *gin*
clàsan rabhaidh *iol*

ridicule *n*
bùrt *fir*
bùirt *gin*
to hold up to ridicule
cùis-bhùirt a dhèanamh de (neach)

ridicule *v*
dèan (*gr*) cùis-bhùirt de
dèanamh (*agr*) cùis-bhùirt de
to ridicule an opponent
cùis-bhùirt a dhèanamh de neach-dùbhlain

ridiculous *adj*
amaideach *br*
a ridiculous situation
suidheachadh amaideach

right *adj*
ceart *br*
the right answer
an fhreagairt cheart

right *n*
còir *boir*
còire / còrach *gin*
còraichean *iol*
1 right of access
còir cothruim
2 right of appeal
còir tagraidh
3 right of entry
còir cothruim / còir inntrigidh

right wing *n*
làmh (*boir*) dheas
làimhe deise *gin*

rights *npl*
còraichean *boir iol*
chòraichean *gin*
1 civil rights
còraichean catharra
2 human rights
còraichean daonna

right-wing *adj*
(na) làimhe deise *boir gin*
right-winger
neach (*fir*) air an làimh dheis

rise *v*
sguir *gr*
sgur *agr,*
èirich *gr*
èirigh *agr,*
rach (*gr*) an àird
dol (*agr*) an àird
1 the House rose last week
sguir a' Phàrlamaid an t-seachdain seo chaidh
2 to rise to the occasion
a bhith cothromach air an t-suidheachadh
3 to rise to speak
èirigh gus labhairt
4 rising costs
cosgaisean a' dol an àird

risible *adj*
(nì) a tha na chùis-bhùirt
a risible speech
òraid a tha na cùis-bhùirt

risk *n*
cunnart *fir*
cunnairt *gin*
cunnartan *iol*

river authority *n*
ùghdarras (*fir*) aibhne
ùghdarrais aibhne *gin*
ùghdarrasan aibhne *iol*

Road Haulage Association *n*
Comann (*fir*) Bathar-tharraing nan Rathaidean / Ròidean
Comann Bathar-tharraing nan Rathaidean / Ròidean *gin*

Road Haulage Distribution and Training Centre *n*
Ionad (*fir*) Riarachaidh is Trèanaidh Bathar-tharraing nan Rathaidean / Ròidean
Ionaid Riarachaidh is Trèanaidh Bathar-tharraing nan Rathaidean / Ròidean *gin*

Road Safety Council *n*
Comhairle (*boir*) Sàbhailteachd nan Rathaidean / Ròidean
Comhairle Sàbhailteachd nan Rathaidean / Ròidean *gin*

road safety engineer *n*
einnseanair (*fir*) sàbhailteachd rathaidean / ròidean
einnseanair shàbhailteachd rathaidean / ròidean *gin*

Road Traffic Act *n*
Achd (*boir*) Trafaig nan Rathaidean / Ròidean
Achd Trafaig nan Rathaidean / Ròidean *gin*

Road Traffic Offenders Act *n*
Achd (*boir*) nan Ciontach a thaobh Trafaig Rathaidean / Ròidean
Achd nan Ciontach a thaobh Trafaig Rathaidean / Ròidean *gin*

Road Traffic Reduction (National Targets) Act *n*
Achd (*boir*) Lùghdachaidh Trafaig Rathaidean / Ròidean (Cuimsean Nàiseanta)
Achd Lùghdachaidh Trafaig Rathaidean / Ròidean (Cuimsean Nàiseanta) *gin*

Road Traffic Reduction Act *n*
Achd (*boir*) Lùghdachaidh Trafaig Rathaidean / Ròidean
Achd Lùghdachaidh Trafaig Rathaidean / Ròidean *gin*

Road Traffic Regulation Act *n*
Achd (*boir*) Smachdachaidh Trafaig Rathaidean / Ròidean
Achd Smachdachaidh Trafaig Rathaidean / Ròidean *gin*

Road Transport Industry Training Board *n*
Bòrd (*fir*) Trèanaidh Gnìomhachas Còmhdhail Rathaidean / Ròidean
Bhòrd Trèanaidh Gnìomhachas Còmhdhail Rathaidean / Ròidean *gin*

robe *n*
èideadh *fir*
èididh *gin*
robe of office
èideadh na dreuchd

robust *n*
làidir *br,*
dìreach *br*
1 robust defence
dìon làidir
2 robust language
cainnt làidir dìreach

role *n*
àite *fir*
àite *gin*
àiteachan *iol,*
riochd *fir*
riochda *gin*
riochdan *iol*
1 to play a role
àite a bhith aig (neach)
2 role model
eisimpleir gus a leantainn

roll call *n*
gairm (*boir*) an rolla
gairm an rolla *gin*
gairm nan rollachan *iol*

Ross, Skye and Inverness West (Constituency)
Ros, An t-Eilean Sgitheanach agus Inbhir Nis an Iar
Rois, An Eilein Sgitheanaich agus Inbhir Nis an Iar *gin*

rough *adj*
garbh *br*
1 the Minister had a rough ride in the debate
fhuair am Ministear a riasladh san deasbad
2 politics is a rough business / trade
'S e ceàird gharbh a tha ann am poileataics

round table conference *n*
co-labhairt (*boir*) aig inbhe cho-ionainn
co-labhairt aig inbhe cho-ionainn *gin*
co-labhairtean aig inbhe cho-ionainn *iol*

Roxburgh and Berwickshire (Constituency)
Rosbrog agus Siorrachd Bearuig
Rosbrog agus Siorrachd Bearuig *gin*

Royal Air Force *n* **(RAF)**
Feachd (*boir*) Rìoghail an Adhair
Feachd Rìoghail an Adhair *gin*

Royal Aircraft Establishment *n* **(RAE)**
Buidheann (*boir*) Rìoghail nan Itealan
Buidhne Rìoghail nan Itealan *gin*

Royal Assent *n*
Aonta (*fir*) Rìoghail
Aonta Rìoghail *gin*

Royal British Legion *n*
Lègion (*fir*) Rìoghail Bhreatainn
Lègion Rìoghail Bhreatainn *gin*

Royal College *n* **of Defence Studies**
Colaiste (*boir*) Rìoghail Foghlaim an Dìona
Colaiste Rìoghail Foghlaim an Dìona *gin*

Royal College *n* **of General Practitioners**
Colaiste (*boir*) Rìoghail nan Dotairean Teaghlaich
Colaiste Rìoghail nan Dotairean Teaghlaich *gin*

Royal College *n* **of Midwives**
Colaiste (*boir*) Rìoghail nam Ban-glùin
Colaiste Rìoghail nam Ban-ghlùin *gin*

Royal College *n* **of Nursing**
Colaiste (*boir*) Rìoghail an Nursaidh
Colaiste Rìoghail an Nursaidh *gin*

Royal Commission *n*
Coimisean (*fir*) Rìoghail
Coimisein Rìoghail *gin*
Royal Commission on the Ancient and Historical Monuments of Scotland
Coimisean Rìoghail nan Làraichean Àrsaidh is Eachdraidheil an Alba

Royal Fine Arts Commission *n*
Coimisean (*fir*) Rìoghail nan Ealain
Coimisean Rìoghail nan Ealain *gin*

Royal Institute *n* **of British Architects (RIBA)**
Institiud (*fir*) Rìoghail nan Ailtirean Breatannach
Institiud Rìoghail nan Ailtirean Breatannach *gin*

Royal Institution *n* **of Chartered Surveyors (RICS)**
Institiud (*fir*) Rìoghail nan Suirbheirean Cairte
Institiud Rìoghail nan Suirbheirean Cairte *gin*

Royal Marines *npl*
Saighdearan-mara (*fir iol*) Rìoghail
Saighdearan-mara Rìoghail *gin*

Royal Mint *n*
Taigh-cùinnidh (*fir*) Rìoghail
Taigh-chùinnidh Rìoghail *gin*

Royal National Institute *n* **for Deaf People (RNID)**
Institiud (*fir*) Nàiseanta Rìoghail nam Bodhar
Institiud Nàiseanta Rìoghail nam Bodhar *gin*

Royal National Institute *n* **for the Blind (RNIB)**
Institiud (*fir*) Nàiseanta Rìoghail nan Dall
Institiud Nàiseanta Rìoghail nan Dall *gin*

Royal National Mod *n*
Mòd (fir) Nàiseanta Rìoghail
Mòid Nàiseanta Rìoghail *gin*
Mòdan Nàiseanta Rìoghail *iol*

Royal Navy *n*
An Cabhlach (*fir*) Rìoghail
A' Chabhlaich Rìoghail *gin*

Royal Navy Maritime Surveillance Service *n*
Seirbheis (*boir*) Faire Mhuireil a' Chabhlaich Rìoghail
Seirbheis Faire Mhuireil a' Chabhlaich Rìoghail *gin*

royal prerogative *n*
còir-dhlighe (*boir*) rìoghail
còire-dlighe rìoghail *gin*

Royal Scottish Society *n* **for the Prevention of Cruelty to Children (RSSPCC)**
Comann (*fir*) Rìoghail Albannach airson Dìon na Cloinne
Comainn Rìoghail Albannaich airson Dìon na Cloinne *gin*

Royal Society *n* **For Nature Conservation**
Comann (*fir*) Rìoghail airson Glèidhteachas Nàdair
Comainn Rìoghail airson Glèidhteachas Nàdair *gin*

Royal Society *n* **for the Prevention Of Accidents (RoSPA)**
Comann (*fir*) Rìoghail airson Seachnadh Thubaistean
Comainn Rìoghail airson Seachnadh Thubaistean *gin*

Royal Society *n* **for the Prevention of Cruelty to Animals (RSPCA)**
Comann (*fir*) Rìoghail Dìon nan Ainmhidhean
Comann Rìoghail Dìon nan Ainmhidhean *gin*

Royal Society *n* **for the Protection of Birds (RSPB)**
Comann (*fir*) Rìoghail Dìon nan Eun
Comann Rìoghail Dìon nan Eun *gin*

Royal Society *n* **of Arts (RSA)**
Comann (*fir*) Rìoghail nan Ealain
Comann Rìoghail nan Ealain *gin*

rubber stamp *n*
stampa (*boir*) rubair
stampa rubair *gin*

rubber-stamp *v*
gnàth-ùghdaraich *gr*
gnàth-ùghdarachadh *agr,*
leig (*gr*) air adhart (gun bheachdachadh)
leigeil (*agr*) air adhart

rule *n*
riaghailt *boir*
riaghailte *gin*
riaghailtean *iol,*
ceannas *fir*
ceannais *gin*
1 as a (general) rule
mar as trice, sa chumantas
2 the rule of law
ceannas an lagha
3 rules and regulations
riaghailtean agus riaghlaidhean

rule *v*
riaghlaich *gr*
riaghladh *agr*
to rule someone out of order
neach a riaghladh às òrdugh

rules *npl* **of debate**
riaghailtean (*boir iol*) deasbaid
riaghailtean deasbaid *gin iol*

rules *npl* **of procedure**
riaghailtean (*boir iol*) na dòighe-obrach
riaghailtean na dòighe-obrach *gin*

ruling *n*
breith *boir*
breith *gin*
breithean *iol,*
riaghladh *fir*
riaghlaidh *gin*
riaghlaidhean *iol*
High Court ruling
breith Àrd-chùirte

running cost *n*
cosgais (*boir*) ruithe
cosgais ruithe *gin*
cosgaisean ruithe *iol*

rural *adj*
dùthchail *br*
1 rural economy
eaconamaidh dùthchail
2 rural partnership / policy
com-pàirteachas / poileasaidh dùthchail

rural affairs *npl*
cùisean (*boir iol*) dùthchail
chùisean dùthchail *gin*

Rural Affairs Department *n*
Roinn (*boir*) Chùisean Dùthchail
Roinn Chùisean Dùthchail *gin*

rural council *n*
comhairle (*boir*) dhùthchail
comhairle dùthchail *gin*
comhairlean dùthchail *iol*

Rural Development Committee *n*
Comataidh (boir) Leasachaidh Dhùthchail
Comataidh Leasachaidh Dhùthchail gin

rural development plan *n*
plana-leasachaidh (*fir*) dùthchail
plana-leasachaidh dhùthchail *gin*
planaichean-leasachaidh dùthchail *iol*

rural district *n*
sgìre (*boir*) dhùthchail
sgìre dùthchail *gin*
sgìrean dùthchail *iol*

rural economy adviser *n*
comhairleach (*fir*) air eaconamaidh dhùthchail
comhairlich air eaconamaidh dhùthchail *gin*
comhairlich air eaconamaidh dhùthchail *iol*

Rural Transport Innovation Grant *n* **(RTIG)**
Tabhartas (*fir*) Nuadhais airson Còmhdhail Dhùthchail
Tabhartais Nuadhais airson Còmhdhail Dhùthchail

S

safeguard *n*
dìon *fir*
dìona *gin*

safeguard *v*
dìon *gr*
dìon *agr*
to safeguard the situation
an suidheachadh a dhìon

safeguarder
dìonadair *fir*
dìonadair *gin*
dìonadairean *iol*

safety *n*
sàbhailteachd *boir*
1 safety equipment
uidheam sàbhailteachd
2 safety policy
poileasaidh sàbhailteachd
3 safety provisions
ullachaidhean sàbhailteachd

salary *n*
tuarastal *fir*
tuarastail *gin*
tuarastalan *iol*
salary negotiation(s)
còmhradh, còmhraidhean
a thaobh tuarastail

Salmon Advisory Committee *n*
Comataidh (*boir*) Comhairleachaidh a' Bhradain
Comataidh Comhairleachaidh a' Bhradain *gin*

salvage *v*
dèan (*gr*) sàbhaladh air
dèanamh (*agr*) sàbhalaidh air
to salvage the situation
sàbhaladh (gu ìre cho mòr is a tha comasach) a dhèanamh air an t-suidheachadh

sample *n*
sampall *fir*
sampaill *gin*
sampallan *iol*
sample survey
sgrùdadh a rèir sampaill

sanction *n*
smachd-bhann *fir*
smachd-bhainn *gin*
smachd-bhannan *iol*
to impose economic sanctions
smachd-bhannan eaconamach a chur an gnìomh

sanction *v*
(to allow)
ceadaich *gr*
ceadachadh *agr*

sanction *v*
(to approve)
ùghdaraich *gr*
ùghdarachadh *agr*

sanction *v*
(to ratify)
daingnich *gr*
daingneachadh *agr*

Save the Children Fund *n*
Maoin (*boir*) Sàbhalaidh na Cloinne
Maoin Sàbhalaidh na Cloinne *gin*

say *n*
labhairt *boir*,
facal *fir*
1 to have their say
cead labhairt a bhith aca, a ràdh na bha aca ri ràdh
2 to have a say in
facal a bhith agad an

say *v*
abair *gr*
ràdh *agr*

scapegoat *n*
ceap (*fir*) coireachaidh
cip choireachaidh *gin*
ceapan coireachaidh *iol*

schedule *n*
(appendix)
pàipear-taice *fir*
pàipeir-thaice *gin*
pàipearan-taice *iol*
schedule to an Act
pàipear-taice do dh'Achd

schedule *n*
(list)
liosta *boir*
liosta *gin*
liostachan *iol*
schedule of documents
liosta sgrìobhainnean

schedule *n*
(timetable)
clàr *fir*
clàir *gin*
clàran / clàir *iol*

schedule *v*
(to list)
dèan (*gr*) liosta de
dèanamh (*agr*) liosta de,
dèan (*gr*) clàr de
dèanamh (*agr*) clàr de

schedule *v*
(to timetable)
cuir (*gr*) air clàr(-ama)
cur (*agr*) air clàr(-ama)

scheme *n*
sgeama *fir / boir*
sgeama *gin*
sgeamaichean *iol*

scheme *v*
dealbh (*gr*) innleachdan
dealbhadh (*agr*) innleachdan

scheming *n*
(a bhith ri) innleachdan *boir iol*
innleachdan *gin*

school *n*
sgoil *boir*
sgoile *gin*
sgoiltean *iol*
1 state school
sgoil stàite
2 private school
sgoil phrìobhaideach
3 voluntary controlled school
sgoil le ceansal saor-thoileach

school *n* **of art**
sgoil (*boir*) ealaine
sgoil ealaine *gin*
sgoiltean ealaine *iol*

School Broadcasting Council *n*
Comhairle (*boir*) Craolaidh Sgoiltean
Comhairle Craolaidh Sgoiltean *gin*

school health service *n*
seirbheis (*boir*) slàinte sgoiltean
seirbheis slàinte sgoiltean *gin*
seirbheisean slàinte sgoiltean *iol*

school meals service *n*
seirbheis (*boir*) bidhe sgoiltean
seirbheis bidhe sgoiltean *gin*
seirbheisean bidhe sgoiltean *iol*

school medical officer *n*
oifigear (*fir*) meidigeach sgoiltean
oifigeir mheidigich sgoiltean *gin*
oifigearan meidigeach sgoiltean *iol*

Science and Technology Act *n*
Achd (*boir*) Saidheans agus Teicneolais
Achd Saidheans agus Teicneolais *gin*

Science Research Council *n*
Comhairle (*boir*) Rannsachaidh Saidheans
Comhairle Rannsachaidh Saidheans *gin*

Scientific and Professional Staffs Council *n*
Comhairle (*boir*) Luchd-obrach Shaidheansail agus Dhreuchdail
Comhairle Luchd-obrach Shaidheansail agus Dhreuchdail *gin*

scope *n*
(of an Act)
farsaingeachd *boir*
farsaingeachd *gin,*
raon *fir*
raoin *gin*
raointean *iol*

Scotland *n*
Alba *boir*
na h-Alba *gin*

Scotland Europa *n*
Alba Europa
Alba Europa *gin*

Scotland Office *n*
Oifis (*boir*) na h-Alba
Oifis na h-Alba *gin*

Scottish Agricultural Science Agency *n*
Buidheann (*boir*) Saidheans Àiteachais na h-Alba
Buidheann Saidheans Àiteachais na h-Alba *gin*

Scottish Ambulance Service *n*
Seirbheis (*boir*) Charbadan-eiridinn na h-Alba
Seirbheis (*boir*) Charbadan-eiridinn na h-Alba *gin*

Scottish Arts Council *n*
Comhairle (*boir*) Ealain na h-Alba
Comhairle Ealain na h-Alba *gin*

Scottish Community Education Council *n*
Comhairle (*boir*) Foghlam Coimhearsnachd na h-Alba
Comhairle Foghlam Coimhearsnachd na h-Alba *gin*

Scottish Constitutional Convention *n*
Co-chruinneachadh (*fir*) Bun-reachdail na h-Alba
Co-chruinneachadh Bun-reachdail na h-Alba *gin*

Scottish Consumer Council *n*
Comhairle (*boir*) Luchd-chleachdaidh na h-Alba
Comhairle Luchd-chleachdaidh na h-Alba *gin*

Scottish Court Service *n*
Seirbheis (*boir*) Chùirtean na h-Alba
Seirbheis Chùirtean na h-Alba *gin*

Scottish Council *n* **for Development and Industry**
Comhairle (*boir*) Leasachaidh is Gnìomhachais na h-Alba
Comhairle Leasachaidh is Gnìomhachais na h-Alba *gin*

Scottish Council *n* **for Research in Education**
Comhairle (*boir*) Rannsachadh Foghlaim na h-Alba
Comhairle Rannsachadh Foghlaim na h-Alba *gin*

Scottish Council *n* **for Voluntary Organisations**
Comhairle (*boir*) Bhuidhnean Saor-thoileach na h-Alba
Comhairle Bhuidhnean Saor-thoileach na h-Alba *gin*

Scottish Council *n* **of Independent Schools**
Comhairle (*boir*) Sgoiltean Neo-eisimeileach na h-Alba
Comhairle (*boir*) Sgoiltean Neo-eisimeileach na h-Alba *gin*

Scottish Council *n* **on Alcohol**
Comhairle (*boir*) Tinneas na Dibhe an Alba
Comhairle Tinneas na Dibhe an Alba *gin,*
Comhairle (*boir*) air Alcol an Alba
Comhairle air Alcol an Alba *gin*

Scottish Courts Administration *n*
Rianachd (*boir*) Chùirtean na h-Alba
Rianachd Chùirtean na h-Alba *gin*

Scottish Crime Squad *n*
Sguad (*fir*) Eucoir na h-Alba
Sguad (*fir*) Eucoir na h-Alba

Scottish Criminal Cases Review Commission *n*
Coimisean (*fir*) Ath-sgrùdaidh Cùisean Eucoir na h-Alba
Coimisean Ath-sgrùdaidh Cùisean Eucoir na h-Alba *gin*

Scottish Criminal Record Office *n*
Oifis (*boir*) Clàraidh Eucoir na h-Alba
Oifis Clàraidh Eucoir na h-Alba *gin*

Scottish Crofters' Union *n*
Aonadh (*fir*) nan Croitearan
Aonadh nan Croitearan *gin*

Scottish Energy Efficiency Office *n*
Oifis (*boir*) Èifeachdas Cumhachd na h-Alba,
Oifis Èifeachdas Cumhachd na h-Alba *gin,*
Oifis (*boir*) Cùmhnadh Cumhachd na h-Alba
Oifis Cùmhnadh Cumhachd na h-Alba *gin*

Scottish Enterprise
Iomairt (*boir*) na h-Alba
Iomairt na h-Alba *gin*

Scottish Environmental Protection Agency *n*
Buidheann (*boir*) Dìon Àrainneachd na h-Alba
Buidheann Dìon Àrainneachd na h-Alba *gin*

Scottish Executive *n*
Riaghaltas (*fir*) na h-Alba
Riaghaltas na h-Alba *gin*

Scottish Executive Advisory Group on Gaelic *n*
Buidheann (*boir*) Comhairleachaidh an Riaghaltais air Gàidhlig
Buidheann Comhairleachaidh an Riaghaltais air Gàidhlig *gin*

Scottish Executive Corporate Services Department *n* **(SECS)**
Roinn (*boir*) Sheirbheisean Corporra (Riaghaltas) na h-Alba
Roinn Sheirbheisean Corporra (Riaghaltas) na h-Alba *gin*

Scottish Executive Development Department *n* **(SEDD)**
Roinn (*boir*) Leasachaidh (Riaghaltas) na h-Alba
Roinn Leasachaidh (Riaghaltas) na h-Alba *gin*

Scottish Executive Education Department *n* **(SEED)**
Roinn (*boir*) Foghlaim (Riaghaltas) na h-Alba
Roinn Foghlaim (Riaghaltas) na h-Alba *gin*

Scottish Executive Enterprise and Lifelong Learning Department *n* **(SEELLD)**
Roinn (*boir*) Iomairt agus Foghlaim Bheatha (Riaghaltas) na h-Alba
Roinn Iomairt agus Foghlaim Bheatha (Riaghaltas) na h-Alba *gin*

Scottish Executive Finance Department *n* **(SEF)**
Roinn (*boir*) Ionmhais (Riaghaltas) na h-Alba
Roinn Ionmhais (Riaghaltas) na h-Alba *gin*

Scottish Executive Health Department *n* **(SEHD)**
Roinn (*boir*) Slàinte (Riaghaltas) na h-Alba
Roinn Slàinte (Riaghaltas) na h-Alba *gin*

Scottish Executive Justice Department *n* **(SEJD)**
Roinn (*boir*) Ceartais (Riaghaltas) na h-Alba
Roinn Ceartais (Riaghaltas) na h-Alba *gin*

Scottish Executive Rural Affairs Department *n* **(SERAD)**
Roinn (*boir*) Chùisean Dùthchail (Riaghaltas) na h-Alba
Roinn Chùisean Dùthchail (Riaghaltas) na h-Alba *gin*

Scottish Executive Secretariat *n* **(SES)**
Clèireachas (*fir*) Riaghaltas na h-Alba
Clèireachas Riaghaltas na h-Alba *gin*

Scottish Fire Service Training School *n*
Sgoil (*boir*) Trèanaidh Seirbheis Smàlaidh na h-Alba
Sgoil Trèanaidh Seirbheis Smàlaidh na h-Alba *gin*

Scottish Fisheries Protection Agency *n*
Buidheann (*boir*) Dìon an Iasgaich an Alba
Buidheann Dìon an Iasgaich an Alba *gin*

Scottish Fisheries Protection Service *n*
Seirbheis (*boir*) Dìon an Iasgaich an Alba
Seirbheis Dìon an Iasgaich an Alba *gin*

Scottish Fishermen's Federation *n*
Caidreachas (*fir*) Iasgairean na h-Alba
Caidreachas Iasgairean na h-Alba *gin*

Scottish Fishermen's Organisation *n*
Buidheann (*fir / boir*) Iasgairean na h-Alba
Buidheann Iasgairean na h-Alba *gin*

Scottish Football Association *n*
Comann (*fir*) Ball-coise na h-Alba
Comann Ball-coise na h-Alba *gin*

Scottish Green Party *n*
Pàrtaidh (*fir*) Uaine na h-Alba
Pàrtaidh Uaine na h-Alba *gin*

Scottish Higher Education Funding Council *n*
Comhairle (*boir*) Mhaoineachaidh Foghlam Àrd-ìre na h-Alba
Comhairle Mhaoineachaidh Foghlam Àrd-ìre na h-Alba *gin*

Scottish Land Court *n*
Cùirt (*boir*) an Fhearainn an Alba
Cùirt an Fhearainn an Alba *gin*

Scottish Landowners' Federation *n*
Caidreachas (*fir*) nan Uachdaran Fearainn
Caidreachas nan Uachdaran Fearainn *gin*

Scottish Law *n*
Lagh (*fir*) na h-Alba
Lagh na h-Alba *gin*

Scottish Law Commission *n*
Coimisean (*fir*) Lagh na h-Alba
Coimisean Lagh na h-Alba *gin*

Scottish Legal Aid Board *n*
Bòrd (*fir*) Taic Laghail na h-Alba
Bòrd Taic Laghail na h-Alba *gin*

Scottish Legal Services Ombudsman *n*
Ombudsman (*fir*) Seirbheisean Laghail na h-Alba
Ombudsman Seirbheisean Laghail na h-Alba *gin*

Scottish Liberal Democrats *npl*
Libearalaich (*fir* iol) Dheamocratach na h-Alba
Libearalaich Dheamocratach na h-Alba

Scottish Museums Council *n*
Comhairle (*boir*) Thaighean-tasgaidh na h-Alba
Comhairle Thaighean-tasgaidh na h-Alba *gin*

Scottish National Party *n*
Pàrtaidh (*fir*) Nàiseanta na h-Alba
Pàrtaidh Nàiseanta na h-Alba *gin*

Scottish Natural Heritage *n*
Dualchas (*fir*) Nàdair na h-Alba
Dualchas Nàdair na h-Alba *gin*

Scottish Parliament *n*
Pàrlamaid (*boir*) na h-Alba
Pàrlamaid na h-Alba *gin*

Scottish Parliamentary Corporate Body *n* **(SPCB)**
Buidheann (*boir*) Chorporra Pàrlamaid na h-Alba
Buidheann Chorporra Pàrlamaid na h-Alba *gin*

Scottish Parliamentary election *n*
taghadh (*fir*) Pàrlamaid na h-Alba
taghadh Pàrlamaid na h-Alba *gin*

Scottish Pre-School Play Association *n*
Comann (*fir*) Cluich Ro-sgoile na h-Alba
Comann Cluich Ro-sgoile na h-Alba *gin*

Scottish Prison Service *n*
Seirbheis (*boir*) Phrìosain na h-Alba
Seirbheis Phrìosain na h-Alba *gin*

Scottish Public Pensions *npl*
Peinnseanan (*fir* iol) Poblach na h-Alba
Peinnseanan Poblach na h-Alba *gin*

Scottish Qualifications Authority *n* **(SQA)**
Ùghdarras (*fir*) Teisteanasan na h-Alba
Ùghdarras Teisteanasan na h-Alba *gin*

Scottish Qualification *n* **for Headship (SQH)**
Teisteanas (*fir*) Albannach airson Ceannais-sgoile
Teisteanais Albannaich airson Ceannais-sgoile *gin*

Scottish Records Office *n*
Oifis (*boir*) Clàraidh na h-Alba
Oifis Clàraidh na h-Alba *gin*

Scottish Secondary Teachers' Association *n*
Comann (*fir*) Luchd-teagaisg Àrd-sgoiltean na h-Alba
Comann Luchd-teagaisg Àrd-sgoiltean na h-Alba *gin*

Scottish Socialist Party *n*
Pàrtaidh (*fir*) Sòisealach na h-Alba
Pàrtaidh Sòisealach na h-Alba *gin*

Scottish Society *n* **for the Prevention of Cruelty to Animals (SSPCA)**
Comann (*fir*) Rìoghail Albannach airson Dìon nan Ainmhidhean
Comainn (*fir*) Rìoghail Albannaich airson Dìon nan Ainmhidhean

Scottish Tourist Board *n*
Bòrd (*fir*) Turasachd na h-Alba
Bòrd Turasachd na h-Alba *gin*

Scottish Trade International *n*
Malairt (*boir*) Eadar-nàiseanta na h-Alba
Malairt Eadar-nàiseanta na h-Alba *gin*

Scottish Vocational Qualification *n* **(SVQ)**
Teisteanas (*fir*) Dreuchdail Albannach
Teisteanais Dhreuchdail Albannaich *gin*

Scottish Water *n*
Uisge (*fir*) na h-Alba
Uisge na h-Alba *gin*

Scottish Water and Sewerage Consumers' Council *n*
Comhairle (*boir*) Luchd-chleachdaidh Uisge is Òtrachas na h-Alba
Comhairle (*boir*) Luchd-chleachdaidh Uisge is Òtrachas na h-Alba *gin*

Scottish Wildlife Trust *n*
Urras (*fir*) Fiadh-bheatha na h-Alba
Urras Fiadh-bheatha na h-Alba *gin*

scrutineer *n*
sgrùdair *fir*
sgrùdair *gin*
sgrùdairean *iol*

scrutinise *v*
sgrùd *gr*
sgrùdadh *agr*

scrutiny *n*
sgrùdadh *fir*
sgrùdaidh *gin*
sgrùdaidhean *iol*
scrutiny committee
comataidh sgrùdaidh

scurrilous *adj*
tuaileasach *br*
a scurrilous comment
tuaileas grànda

Sea Fish Industry Authority *n*
Ùghdarras (*fir*) Gnìomhachas an Èisg-mhara
Ùghdarras Gnìomhachas an Èisg-mhara *gin*

seal *n*
seula *fir*
seula *gin*
seulachan *iol*
1 under seal
fo sheula
2 The Great Seal
An Seula Mòr

seal *v*
seulaich *gr*
seulachadh
to seal a document
sgrìobhainn a sheulachadh

search *v*
sir *gr*
sireadh *agr,*
rannsaich *gr*
rannsachadh *agr*

seat *n*
(in Parliament)
seat *boir*
seat *gin*
seataichean *iol,*
a safe seat
seat shàbhailte

second *adj*
dara *br,*
dàrna *br*
1 second sitting
an dara suidhe
2 second ballot
an dara bhòt
3 second chamber
an dara seòmar
4 Second Reading of a Bill
an Dara Leughadh de Bhile

second *v*
(a motion)
cuir (*gr*) taic ri
cur (*agr*) taic ri,
cuidich (*gr*) le
cuideachadh (*agr*) le

second *v*
(staff)
fo-fhastaich *gr*
fo-fhastadh *agr,*
cuir (*gr*) air iasad
cur (*agr*) air iasad

secondary *adj*
fo- *br,*
dàrnach *br,*
àrd-sgoile *boir gin*
1 secondary legislation
fo-reachdas,
dàrnach reachdas
2 secondary education
foghlam àrd-sgoile

seconder *n*
(of motion)
neach-taice *fir*
neach-thaice *gin*
luchd-taice *iol*

secondment *n*
(of staff)
fo-fhastadh *fir*
fo-fhastaidh *gin*
fo-fhastaidhean *iol,*
air iasad
he went on secondment to another department
chaidh e air iasad gu roinn eile

secrecy *n*
dìomhaireachd *boir*
dìomhaireachd *gin*

secret *adj*
dìomhair *br*
secret ballot
baileat dìomhair

secret *n*
dìomhair *br*
official secret
rùn-dìomhair oifigeil

secretarial *adj*
clèireach *br*
1 secretarial staff
luchd-clèireachd
2 secretarial work
obair-chlèireachd

secretariat *n*
clèireachas *fir*
clèireachais *gin,*
rùnachas *fir*
rùnachais *gin*
rùnachasan *iol*

secretary *n*
(clerical)
clèireach *fir*
clèirich *gin*
clèirich *iol*

secretary *n*
(managerial)
rùnaire *fir*
rùnaire *gin*
rùnairean *iol*

Secretary *n* **of State**
Secretaries of State *pl*
Rùnaire (*fir*) Stàite
Rùnaire Stàite *gin*
Rùnairean Stàite *iol*
Secretary *n* **of State for Scotland**
Rùnaire na Stàite airson Alba

Secretary *n* **Of State for Culture, Media and Sport**
(UK Government)
Rùnaire (*fir*) (Stàite) a' Chultair, nam Meadhanan agus an Spòrs
Rùnaire (Stàite) a' Chultair, nam Meadhanan agus an Spòrs *gin*

Secretary *n* **of State for Defence**
(UK Government)
Rùnaire (*fir*) (Stàite) an Dìon
Rùnaire (Stàite) an Dìon *gin*

Secretary *n* **of State for Education and Employment**
(UK Government)
Rùnaire (*fir*) (Stàite) an Fhoghlaim is a' Chosnaidh
Rùnaire (Stàite) an Fhoghlaim is a' Chosnaidh *gin*

Secretary *n* **of State for Environment, Transport and the Regions**
(UK Government)
Rùnaire (*fir*) (Stàite) na h-Àrainneachd, na Còmhdhail agus nan Roinnean
Rùnaire (Stàite) na h-Àrainneachd, na Còmhdhail agus nan Roinnean *gin*

Secretary *n* **of State for Foreign Affairs**
(UK Government)
Rùnaire (*fir*) (Stàite) nan Dùthchannan Cèin
Rùnaire (Stàite) nan Dùthchannan Cèin *gin*

Secretary *n* **of State for Health**
(UK Government)
Rùnaire (*fir*) (Stàite) na Slàinte
Rùnaire (Stàite) na Slàinte *gin*

Secretary *n* **of State for International Development**
(UK Government)
Rùnaire (*fir*) (Stàite) an Leasachaidh Eadar-nàiseanta
Rùnaire (Stàite) an Leasachaidh Eadar-nàiseanta *gin*

Secretary *n* **of State for Northern Ireland**
(UK Government)
Rùnaire (*fir*) (Stàite) Èireann a Tuath
Rùnaire (Stàite) Èireann a Tuath *gin*

Secretary *n* **of State for Scotland**
(UK Government)
Rùnaire (*fir*) (Stàite) na h-Alba
Rùnaire (Stàite) na h-Alba *gin*

Secretary *n* **of State for Social Security**
(UK Government)
Rùnaire (*fir*) (Stàite) na Tèarainteachd Shòisealta
Rùnaire (Stàite) na Tèarainteachd Shòisealta *gin*

Secretary *n* **of State for the Home Office**
(UK Government)
Rùnaire (*fir*) (Stàite) na Dùthcha
Rùnaire (Stàite) na Dùthcha *gin*

Secretary *n* **of State for Trade and Industry**
(UK Government)
Rùnaire (*fir*) (Stàite) a' Ghnìomhachais is na Malairt
Rùnaire (Stàite) a' Ghnìomhachais is na Malairt *gin*

Secretary *n* **of State for Wales**
(UK Government)
Rùnaire (*fir*) (Stàite) na Cuimrigh
Rùnaire (Stàite) na Cuimrigh *gin*

secrete *v*
(to conceal)
cuir (*gr*) am falach
cur (*agr*) am falach

section *n*
earrann *boir*
earrainn *gin*
earrannan *iol*
section of an Act
earrann dh'Achd

section head *n*
ceannard (*fir*) fo-roinne
ceannaird fho-roinne *gin*
ceannardan fo-roinne *iol*

sectional interest *n*
com-pàirt (*boir*) fho-roinneil
com-pàirte fo-roinneil *gin*
com-pàirtean fo-roinneil *iol*

sector *n*
earrann *boir*
earrainn *gin*
earrannan *iol*
sector of the economy
earrann den eaconamaidh

Secure Status *n*
Inbhe (*boir*) Thèarainte
Inbhe Tèarainte *gin*

Securities and Investments Board *n*
Bòrd (*fir*) Bhannan is Sheilbhean
Bòrd Bhannan is Sheilbhean *gin*

security *n*
teàrainteachd *boir*
teàrainteachd *gin*

security *n*
(commercial: bond)
bann *fir*
bainne *gin*
bannan *iol*

security *n* **of tenure**
còir (*boir*) gabhaltais
còir gabhaltais *gin*

security camera *n*
camara (*fir*) faire
camara faire *gin*
camarathan faire *iol*

security guard *n*
geàrd-faire *fir*
geàrd-faire *gin*
geàrdan-faire *iol*

security lighting *n*
solais (*fir iol*) thèarainteachd
sholas tèarainteachd *gin*
solais thèarainteachd *iol*

security office *n*
oifis (*boir*) tèarainteachd
oifis tèarainteachd *gin*
oifisean tèarainteachd *iol*

security officer *n*
oifigear (*fir*) faire
oifigeir fhaire *gin*
oifigearan faire *iol,*
oifigear (*fir*) tèarainteachd
oifigeir thèarainteachd *gin*
oifigearan tèarainteachd *iol*

security operation *n*
obair (*boir*) tèarainteachd
obair tèarainteachd *gin*
obraichean tèarainteachd *iol*

security pass *n*
pas (*fir*) tèarainteachd
pas thèarainteachd *gin*
pasaichean tèarainteachd *iol*

security services *npl*
seirbheisean (*boir iol*) tèarainteachd
sheirbheisean tèarainteachd *gin*
the security services
na seirbheisean tèarainteachd

seek *v*
iarr *gr*
iarraidh *agr*
the ministry seeks to appoint
tha a' mhinistreachd ag iarraidh neach a shuidheachadh

select *v*
tagh *gr*
taghadh *agr*

select committee *n*
comataidh (*boir*) thaghte
comataidh thaghte *gin*
comataidhean taghte *iol*

selection procedure *n*
modh (*boir*) taghaidh
modh taghaidh *gin*
modhan taghaidh *iol*

self-employed *adj*
fèin-fhastaichte *br*,
ag obair air a cheann / a ceann / an ceann fhèin

self-government *n*
fèin-riaghladh *fir*
fèin-riaghlaidh *gin*

selfless *adj*
neo-fhèineil *br*
selfless devotion to duty
dìlseachd neo-fhèineil do dhleastanas,
dìlseachd do dhleastanas gun suim aig neach ri leas fhèin

selflessness *n*
neo-fhèinealachd *boir*
neo-fhèinealachd *gin*

seminar *n*
seiminear *fir*
seimineir *gin*
seiminearan *iol,*
co-labhairt *boir*
co-labhairt *gin*
co-labhairtean *iol*
policy seminar
co-labhairt air poileasaidh

senate *n*
seanadh *fir*
seanaidh *gin*
seanaidhean *iol*

senator *n*
seanadair *fir*
seanadair *gin*
seanadairean *iol*

senior *adj*
àrd- *br,*
prìomh *br,*
os cionn *roi le gin,*
as sine
1 senior officer
àrd-oifigear,
prìomh oifigear,
oifigear os cionn (neach eile)
2 senior member
àrd-bhall,
ball as sine

senior administrative medical officer *n*
àrd-oifigear (*fir*) meidigeach rianachd
àrd-oifigear meidigeach rianachd *gin*
àrd-oifigearan meidigeach rianachd *iol*

senior adviser *n*
àrd-chomhairleach *fir*
àrd-chomhairlich *gin*
àrd-chomhairlich *iol*

senior agri-environment adviser *n*
àrd-chomhairleach (*fir*) air àiteachas is àrainneachd
àrd-chomhairlich air àiteachas is àrainneachd *gin*
àrd-chomhairlich air àiteachas is àrainneachd *iol*

senior civil servant *n*
àrd-sheirbheiseach (*fir*) catharra
àrd-sheirbheisich chatharra *gin*
àrd-sheirbheisich chatharra *iol*

senior civil service *n*
àrd-sheirbheis (*boir*) chatharra
àrd-sheirbheise catharra *gin*

senior management *n*
àrd-luchd-stiùiridh *fir iol*
àrd-luchd-stiùiridh *gin*
senior management team
àrd-sgioba stiùiridh

senior officer *n*
àrd-oifigear *fir*
àrd-oifigeir *gin*
àrd-oifigearan *iol*

senior policy adviser *n*
àrd-chomhairleach (*fir*) air poileasaidh
àrd-chomhairlich air poileasaidh *gin*
àrd-chomhairlich air poileasaidh *iol*

senior secretary *n*
àrd-rùnaire *fir*
àrd-rùnaire *gin*
àrd-rùnairean *iol*

sensitive *adj* **(aware of need)**
mothachail *br*
I am sensitive to the situation
tha mi mothachail air an t-suidheachadh

sensitive *adj* **(contentious)**
connspaideach *br,*
frionasach *br*
a sensitive issue
cùis ris am feumar dèiligeadh gu cùramach

separation *n* **of powers**
sgaradh (*fir*) chumhachdan
sgaradh chumhachdan *gin*

separatist *adj*
dealachaidh *br*
separatist opinion
beachd (luchd-)dealachaidh

separatist *n*
neach (*fir*) a tha airson dealachadh
neach a tha airson dealachadh *gin*
daoine a tha airson dealachadh *iol*

serious *adj*
droch *br*
a serious problem
droch dhuilgheadas

seriousness *n*
cudthromachd *boir*
cudthromachd *gin*
the seriousness of the situation
cudthromachd an t-suidheachaidh

Serjeant at Arms *n* **(Westminster)**
Seàirdeant (*fir*) aig Airm
Seàirdeint aig Airm *gin*

Serjeant at Arms's Office *n* **(Westminster)**
Oifis (*boir*) an t-Seàirdeint
Oifis an t-Seàirdeint

Serjeant-at-Law *n*
Seàirdeant (*fir*) aig Lagh
Seàirdeint aig Lagh *gin*

servant *n*
seirbheiseach *fir*
seirbheisich *gin*
seirbheisich *iol*
Crown Servants
Seirbheisich a' Chrùin

serve *v*
leig *gr*
leigeil *agr,*
coilean *gr*
coileanadh *agr*
1 to serve a writ / document
sgrìobhainn-chùirte / sgrìobhainn a leigeil (air neach)
2 to serve a term of office
teirm dreuchd a choileanadh

service *n*
seirbheis *boir*
seirbheise *gin*
seirbheisean *iol*
1 to provide a service
seirbheis a sholar
2 Home Civil Service
Seirbheis Chatharra na Dùthcha
3 service delivery / provision
lìbhrigeadh seirbheis, solar seirbheis

service *v*
fritheil *gr*
frithealadh *agr*
to service a department
roinn a fhrithealadh

service desk *n*
deasg (*fir*) frithealaidh
deasg frithealaidh *gin*
deasgan frithealaidh *iol*

service duct *n*
pìob-giùlain *boir*
pìob-giùlain *gin*
pìoban-giùlain *iol*

service level agreement *n*
còrdadh (*fir*) a thaobh ìre seirbheis
còrdaidh a thaobh ìre seirbheis *gin*
còrdaidhean a thaobh ìre seirbheis *iol*

service road *n*
rathad (*fir*) sheirbheisean
rathaid sheirbheisean *gin*
rathaidean / ròidean sheirbheisean *iol*

servile *adj*
tràilleil *br*

session *n*
seisean *fir*
seisein *gin*
seiseanan *iol*
Parliament is in session
tha a' Phàrlamaid ann an seisean

sessional *adj*
seiseanail *br*

set *adj*
suidhichte *br*
1 set rules
riaghailtean suidhichte
2 a set purpose
adhbhar suidhichte

set *n*
seat(a) *fir*
seata *gin*
seataichean *iol*
a set of rules
seata riaghailtean

set *v*
ullaich *gr*
ullachadh *agr,*
suidhich *gr*
suidheachadh *agr*
1 to set a place
àite ullachadh
2 to set a time
àm / uair a shuidheachadh

set *v* **out (indicate)**
comharraich *gr*
comharrachadh *agr*

set *v* **out (outline)**
mìnich *gr*
mìneachadh *agr*

set *v* **up**
cuir (*gr*) air bhonn
cur (*agr*) air bhonn,
stèidhich *gr*
stèidheachadh *agr,*
suidhich *gr*
suidheachadh *agr*
to set up a committee
comataidh a shuidheachadh / a chur air bhonn

setting up *n*
stèidheachadh *fir*
stèidheachaidh *gin*
the setting up of a committee
stèidheachadh comataidh

settle *v*
rèitich *gr*
rèiteachadh / rèiteach *agr*
1 settle a dispute / an argument
deasbad / argamaid a rèiteachadh
2 settle the issue
cùis a rèiteach

settlement *n*
rèiteachadh *fir*
rèiteachaidh *gin*
rèiteachaidhean *iol,*
rèite *boir*
rèite *gin*
rèitean *iol*
1 settlement of a dispute
rèiteachadh deasbaid
2 we have reached a settlement
thàinig sinn gu rèite

Severely Disadvantaged Area (SDA)
Sgìre (*boir*) Fhìor Mhì-leasaichte
Sgìre Fìor Mhì-leasaichte *gin*
Sgìrean Fìor Mhì-leasaichte *iol*

sex discrimination *n*
lethbhreith (*boir*) a thaobh gnè
lethbhreith a thaobh gnè *gin*
Sex Discrimination Act
Achd Lethbhreith a thaobh Gnè

sex equality *n*
co-ionannachd (*boir*) gnè
co-ionannachd gnè *gin*

shadow *adj*
dùbhlain *fir gin,*
cùil *fir gin*
1 the shadow Cabinet
an Caibineat dùbhlain / cùil
2 the shadow spokesman
an labhraiche dùbhlain / cùil

shadow *v*
cùm (*gr*) dùbhlan ri
cumail (*agr*) dùbhlain ri
to shadow the minister
dùbhlan a chumail ris a' mhinistear

shadow spokesperson *n*
neach-labhairt (*fir*) dùbhlain
neach-labhairt dhùbhlain *gin*
luchd-labhairt dùbhlain *iol*

shambles *n*
bùrach *fir*
bùraich *gin*
the policy is an utter shambles
tha am poileasaidh ann am fìor bhùrach

shape *v*
thoir cumadh air *gr*
toirt cumadh air *agr*
to shape policy
cumadh a thoirt air poileasaidh

share *v*
co-roinn *gr*
co-roinn *agr*
to share power
cumhachd a cho-roinn

Sheep Annual Premium Scheme *n* **(SAPS)**
Sgeama (*fir*) Tàillibh Bliadhnail Chaorach
Sgeama Thàillibh Bhliadhnail Chaorach *gin*

shenanigans *npl*
dol (*fir*) a-mach faoin
dol a-mach faoin *gin,*
gabhdaileis *boir*
gabhdaileis *gin*

sheriff *n*
siorraidh *fir*
siorraidh *gin*
siorraidhean *iol*,
siorram *fir*
siorraim *gin*
siorraman *iol*

Sheriff *n* **Principle**
Àrd-shiorraidh *fir*,
Àrd-shiorraidh *gin*
Àrd-shiorraidhean *iol*,
Àrd-shiorram *fir*
Àrd-shiorraim *gin*
Àrd-shiorraman *iol*

sheriff clerk *n*
clèireach (*fir*) cùirte
clèireach cùirte *gin*
clèirich chùirte *iol*

Sheriff Clerk's Office *n*
Oifis (*boir*) Clèireach na Cùirte
Oifis Clèireach na Cùirte *gin*

sheriff court *n*
cùirt (*boir*) an t-siorraidh
cùirt an t-siorraidh *gin*
cùirtean siorraidh *iol*,
cùirt (*boir*) an t-siorraim
cùirt an t-siorraim *gin*
cùirtean siorraim *iol*

sheriff officer *n*
earraid *fir / boir*
earraid *gin*
earraidean *iol*

sheriffdom *n*
siorramachd *boir*
siorramachd *gin*
siorramachdan *iol*

Shetland (Constituency)
Sealtainn
Sealtainn *gin*

short debate *n*
deasbad (*fir*) goirid
deasbaid ghoirid *gin*
deasbadan goirid *iol*

short leet *n*
liosta (*boir*) thaghte
liosta taghte *gin*
liostachan taghte *iol*

short list *n*
liosta (*boir*) thaghte
liosta taghte *gin*
liostachan taghte *iol*

short-list *v* **(draw up a short list)**
ullaich (*gr*) liosta thaghte
ullachadh (*agr*) liosta thaghte

short-list *v* **(place on a short list)**
cur (*gr*) air liosta thaghte
cur (*agr*) air liosta thaghte

short term *n*
geàrr-ùine *boir*
in the short term
sa gheàrr-ùine

shortfall *n*
geàrr-shuim *boir*
geàrr-shuime *gin*
geàrr-shuimean *iol*

short-sighted *adj*
geàrr-bhreithneachail *br*

short-term *adj*
geàrr-ùineach *br*
1 the short-term view
sealladh geàrr-ùineach
2 short-term considerations
beachdachadh geàrr-ùineach

short-termism *n*
geàrr-ùineachas *fir*
geàrr-ùineachais *gin,*
modh (*boir*) gheàrr-ùineach
modha geàrr-ùineach *gin*

show *n* **of hands**
bhòt (*boir*) làimhe
bhòt làimhe *gin*

sick leave *n*
fòrladh (*fir*) tinneis
fòrlaidh thinneis *gin*

sick pay *n*
pàigheadh (*fir*) tinneis
pàighidh thinneis *gin*

sickness benefit *n*
sochair (*boir*) tinneis
sochair tinneis *gin*
sochairean tinneis *iol*

side *n*
taobh *fir*
taoibh *gin*
taobhan *iol*
1 members on the same side of the chamber
buill air an aon taobh den t-seòmar
2 members on the other side of the chamber
buill air an taobh eile an t-seòmair
3 to take sides with a person
taobhadh ri neach

side *v*
taobh *gr*
taobhadh *agr*
to side with the opposition
taobhadh ris an luchd-dùbhlain

sideline *n*
iomall *fir*
iomaill *gin*
iomaill *iol*
on the sidelines
air iomall na cùise

sideline *v*
cuir (*gr*) gus an oir
cur (*agr*) gus an oir
to sideline an issue
cùis a chur gus an oir

sign *n*
soighne *fir*
soighne *gin*
soighnichean *iol*

sign *v*
sgrìobh (*gr*) ainm ri
sgrìobhadh (*agr*) ainm ri

signature *n*
ainm (*fir*) sgrìobhte
ainm sgrìobhte *gin*
ainmean sgrìobhte

signing-in book *n*
leabhar-clàraidh (*fir*) (ainm)
a-steach
leabhair-chlàraidh
a-steach *gin*

signing-out book *n*
leabhar-clàraidh (*fir*) (ainm)
a-mach
leabhair-chlàraidh
a-mach *gin*

silence *n*
sàmhchair *fir*
sàmhchaire *gin*

silent *adj*
sàmhach *br*
the silent majority
a' mhòr-chuid shàmhach

simple majority *n*
mòr-chuid (*boir*) shìmplidh
mòr-chodach shìmplidh *gin*
mòr-chodaichean sìmplidh *iol*

simple majority system *n*
siostam (*fir*) mòr-chuid
shìmplidh / siostam (*fir*)
mòr-chodach shìmplidh
siostam mòr-chuid
shìmplidh *gin*
siostaman mòr-chuid
shìmplidh *iol*

simplify *v*
sìmplich *gr*
sìmpleachadh *agr*
to simplify the argument
an argamaid a shìmpleachadh

simplistic *adj*
ro shìmplidh *br*
a simplistic approach to a problem
dòigh ro shìmplidh air dèiligeadh
ri duilgheadas

simultaneous translation *n*
eadar-theangachadh (*fir*)
mar-aon
eadar-theangachaidh
mar-aon *gin*
eadar-theangachaidhean
mar-aon *iol*
simultaneous translation facilities
goireasan eadar-theangachaidh
mar-aon

simultaneous translator *n*
eadar-theangair (*fir*) mar-aon
eadar-theangair mar-aon *gin*
eadar-theangairean mar-aon *iol*

Single European Act *n*
Achd (*boir*) na h-Eòrpa Shingilte
Achd na h-Eòrpa Shingilte *gin*

single European market *n*
margadh (*fir / boir*) singilte
na h-Eòrpa
margadh singilte
na h-Eòrpa *gin*

single transferable vote *n*
(STV)
bhòt (*boir*) shingilte ghluasadach
bhòt shingilte ghluasadaich *gin*

site *n*
làrach *boir*
làraich *gin*
làraich *iol*
site boundary
crìoch làraich

Site *n* **of Special Scientific Interest**
(SSSI)
Ionad (*fir*) de Shuim Shònraichte
Shaidheansail (ISSS)
Ionaid de Shuim Shònraichte
Shaidheansail *gin*
Ionadan de Shuim Shònraichte
Shaidheansail *iol*

Sites and Monuments Register *n*
Clàr (*fir*) nan Làraichean Àrsaidh
Chlàr nan Làraichean
Àrsaidh *gin*

sitting *n*
suidhe *fir*
suidhe *gin*
suidhean *iol*,
àm (*fir*) suidhe
ama shuidhe *gin*
amannan suidhe *iol*
sitting of the Court
suidhe na Cùirte

sitting days *npl*
làithean (*fir iol*) suidhe
Tuesday and Wednesday are designated as sitting days
Tha Dimàirt agus Diciadain air
an comharrachadh mar làithean
suidhe

sittings *npl*
amannan (*fir iol*) suidhe /
coinneachaidh
amannan suidhe /
coinneachaidh *gin*
sittings of the Scottish Parliament
amannan suidhe / coinneachaidh
Pàrlamaid na h-Alba

situation *n*
suidheachadh *fir*
suidheachaidh *gin*
suidheachaidhean /
suidhichidhean *iol*
situation report
aithisg air suidheachadh

Six Counties *npl*, **the**
na Sia Conntaidhean *fir iol*
nan Sia Conntaidhean *gin*

skilful *adj*
sgileil *br*
skilful in debate
sgileil san deasbad

skilfulness *n*
teòmachd *boir*
teòmachd *gin*

skill *n*
sgil *fir*
sgil *gin*
sgilean *iol*
skills upgrade project
pròiseact leasachaidh sgilean

slander *n*
cliù-mhilleadh *fir*
cliù-mhillidh *gin,*
tuaileas *fir*
tuaileis *gin*
tuaileasan *iol*

slander *v*
cliù-mhill *gr*
cliù-mhilleadh *agr,*
cùl-chàin *gr*
cùl-chàineadh *agr*

slum clearance order *n*
òrdugh (*fir*) leagail slumaichean
òrdugh leagail
slumaichean *gin*
òrduighean leagail
slumaichean *iol*

slump *n*
(economic)
slump *fir / boir*
slump *gin*

Small and Medium-Sized Enterprises *npl*
(SMEs)
Iomairtean (*boir iol*) Beaga agus Meadhanach
Iomairtean Beaga agus Meadhanach *gin*

small business unit *n*
aonad (*fir*) gnothachais beag
aonaid gnothachais bhig *gin*
aonadan gnothachais beaga *iol*

Small Establishments Loan Fund *n*
Maoin (*boir*) Iasaid do Ghnothachais Bheaga
Maoin Iasaid do Ghnothachais Bheaga *gin*

Small Firms Employment Subsidy *n*
Subsadaidh (*fir*) Fastaidh do Ghnothachais Bheaga
Subsadaidh Fhastaidh do Ghnothachais Bheaga *gin*

Small Firms Information Centre *n*
Ionad (*fir*) Fiosrachaidh do Ghnothachais Bheaga
Ionaid Fhiosrachaidh do Ghnothachais Bheaga *gin*

Small Firms Merit Award *n*
Duais (*boir*) airson Mathais do Ghnothachais Bheaga
Duais airson Mathais do Ghnothachais Bheaga *gin*

Smallholdings and Allotments Act *n*
Achd (*boir*) nan Gabhaltas Beaga agus nan Cuibhreann Talmhainn
Achd nan Gabhaltas Beaga agus nan Cuibhreann Talmhainn *gin*

snap election *n*
grad-thaghadh *fir*
grad-thaghaidh *gin*
grad-thaghaidhean *iol*

soapbox *n*
cùbaid (*boir*) /
cùbainn (*boir*) deasbaid
cùbaid deasbaid *gin*
cùbaidean deasbaid *iol*

social exclusion *n*
às-dùnadh (*fir*) sòisealta
às-dùnaidh shòisealta *gin*

Social Exclusion Unit *n*
Aonad (*fir*) Às-dùnaidh Shòisealta
Aonad Às-dùnaidh Shòisealta *gin*

Social Fund *n*
Maoin (*boir*) Shòisealta
Maoine Sòisealta *gin*

social inclusion *n*
in-ghabhail (*fir*) sòisealta
in-ghabhail shòisealta *gin*
com-pàirteachadh (*fir*) sòisealta
com-pàirteachaidh shòisealta *gin*

Social Justice Committee *n*
Comataidh (boir) a' Cheartais Shòisealta
Comataidh a' Cheartais Shòisealta gin

Social Security Act *n*
Achd (*boir*) Teàrainteachd Shòisealta
Achd Teàrainteachd Shòisealta *gin*

Social Security Office *n*
Oifis (*boir*) airson Teàrainteachd Shòisealta
Oifis airson Teàrainteachd Shòisealta *gin*

social services *npl*
seirbheisean (*boir iol*) sòisealta
sheirbheisean sòisealta *gin*

Social Services Inspectorate *n*
Luchd-sgrùdaidh (*iol*) Sheirbheisean Sòisealta
Luchd-sgrùdaidh Sheirbheisean Sòisealta *gin*

social work *n*
obair (*boir*) shòisealta
obrach shòisealta *gin*
Social Work Services Inspectorate
Luchd-sgrùdaidh Seirbheisean Obrach Shòisealta

socialism *n*
sòisealachd *boir*
sòisealachd *gin*

socialist *adj*
sòisealach *br*

socialist *n*
sòisealach *fir*
sòisealaich *gin*
sòisealaich *iol*

society *n*
(organisation)
comann *fir*
comainn *gin*
comainn *iol*

society *n*
(community)
comann-sòisealta *fir*
comainn-shòisealta *gin*
comainn-shòisealta *iol,*
sòisealtas *fir*
sòisealtais *gin*
the individual's place in society
àite an duine fa leth sa chomann-shòisealta,
àite an duine fa leth ann an sòisealtas

Society *n* **for Mentally Handicapped Children**
Comann (*fir*) airson Cloinne le Ciorram Inntinn
Comainn airson Cloinne le Ciorram Inntinn *gin*

Society *n* **for the Blind**
Comann (*fir*) nan Dall
Comann nan Dall *gin*

Society *n* **of Architects**
Comann (*fir*) nan Ailtirean
Comann nan Ailtirean *gin*

Society *n* **of Education Officers**
Comann (*fir*) nan Oifigearan Foghlaim
Comann nan Oifigearan Foghlaim *gin*

Society *n* **of Local Authority Chief Executives**
(SOLACE)
Comann (*fir*) Àrd-oifigearan nan Ùghdarrasan Ionadail
Comann (*fir*) Àrd-oifigearan nan Ùghdarrasan Ionadail *gin*

socio-economic *adj*
sòiseo-eaconamach *br*

soft *adj*
furasta *br,*
socair *br*
1 to take the soft option
an roghainn as fhasa a ghabhail
2 a soft landing
tighinn sìos gu socair

software *n*
bathar-bog *fir*
bathair-bhuig

Soil Association *n*
Comann (*fir*) na h-Ùireach
Comann na h-Ùireach *gin*

Soldiers', Sailors' and Airmens' Families Association *n*
(SSAFA)
Comann (*fir*) Teaghlaichean Shaighdearan, Sheòltairean agus Luchd-adhair
Comainn Teaghlaichean Shaighdearan, Sheòltairean agus Luchd-adhair *gin*

solicitor *n*
neach-lagha *fir*
neach-lagha *gin*
luchd-lagha *iol*

Solicitor-General *n*
Solicitors-General *pl*
Àrd-neach-lagha (*fir*) a' Chrùin
Àrd-neach-lagha a' Chrùin *gin*
Àrd-luchd-lagha a' Chrùin *iol*

Solicitor *n* **General for Scotland**
Àrd-neach-lagha (*fir*) a' Chrùin an Alba
Àrd-neach-lagha a' Chrùin an Alba *gin*

Solicitor *n* **to Scottish Executive**
Neach-lagha (*fir*) Riaghaltas na h-Alba
Neach-lagha (*fir*) Riaghaltas na h-Alba *gin*

solidarity *n*
dìlseachd *boir*
dìlseachd *gin,*
dlùth-phàirteachas *boir fir*
dlùth-phàirteachais *gin*

solution *n*
fuasgladh *fir*
fuaslaidh *gin*
fuasglaidhean *iol*
the solution to a problem
fuasgladh ceiste

solve *v*
fuasgail *gr*
fuasgladh *agr*

sorting office *n*
oifis (*boir*) seòrsachaidh
oifise seòrsachaidh

sound *adj*
earbsach
fallain *br*
1 his judgment is sound
tha a bhreithneachadh earbsach
2 sound finances
suidheachadh ionmhais fallain

sound *n*
fuaim *fir / boir*
fuaime *gin*
fuaimean *iol*

sound *v*
seinn *gr*
seinn *agr,*
fairich *gr*
faireachdainn *agr,*
tomhais *gr*
tomhas *agr*
1 Sound the bell!
Seinn an clag!
2 to sound strange
fuaim neònach a bhith aig (neach / rud),
faireachdainn neònach
3 to sound out opinion
beachd a thomhas

sound system *n*
siostam (*fir*) fuaim
siostaim fhuaim *gin*
siostaman fuaim *iol*

soundbite *n*
blas (*fir*) fuaim
blas fuaim *gin*

sounding-board *n*
clàr-èisteachd *fir*
clàir-èisteachd *gin*
clàran-èisteachd *iol*

soundings *npl*
èisteachd *boir*
èisteachd *gin*
I will take soundings
èistidh mi ri beachdan

source *n*
tobair *boir*
tobrach *gin*
tobraichean *iol,*
freumh *fir*
freumha *gin*
freumhan *iol,*
bun *fir*
buna *gin*
bunan *iol,*
màthair *boir*
màthar *gin*
màthraichean *iol*

sovereign *adj*
uachdarail *br,*
neo-eisimeileach *br*
sovereign law
lagh uachdarail,
lagh neo-eisimeileach

Sovereign *n*
Àrd-uachdaran *fir*
Àrd-uachdarain *gin*
Àrd-uachdarain *iol*

sovereignty *n*
uachdranas *fir*
uachdranais *gin*

space *n*
farsaingeachd *boir*
farsaingeachd *gin,*
àite *fir*
àite *gin*
àiteachan *iol,*
rum *fir*
ruim *gin*
1 open space
àite fosgailte
2 space utilisation
cleachdadh ruim

spacious *adj*
rumail *br*
spacious accommodation
àite-obrach rumail

sparring *n*
cothachadh (*fir*) an aghaidh a' cheile
cothachaidh an aghaidh a' cheile *gin*

speak *v*
labhair *gr*
labhairt *agr*
1 to speak to an item
labhairt air cuspair
2 he spoke to the motion with conviction
labhair e air a' ghluasad gu dùrachdach

speaker *n*
neach-labhairt *boir*
neach-labhairt *gin*
luchd-labhairt *iol*

Speaker *n*
Labhraiche *fir*
Labhraiche *gin*
Speaker of the House of Commons
Labhraiche Thaigh nan Cumantan

Speaker's procession *n*
mòr-shiubhal (*fir*) an Labhraiche
mòr-shiubhal an Labhraiche *gin,*
caismeachd (*boir*) an Labhraiche
caismeachd an Labhraiche *gin*

Speaker's Chair *n*
Cathair (*boir*) an Labhraiche
Cathair an Labhraiche *gin*

Special Area *n* **of Conservation (SAC)**
Ionad (*fir*) Sònraichte Glèidhteachais
Ionaid Shònraichte Glèidhteachais *gin*
Ionadan Sònraichte Glèidhteachais *iol*

Special Care Baby Association *n*
Comann (*fir*) airson Cùraim Shònraichte do Naoidhein
Comainn airson Cùraim Shònraichte do Naoidhein *gin*

Special Community Review *n*
Sgrùdadh (*fir*) Sònraichte air Coimhearsnachd
Sgrùdaidh Shònraichte air Coimhearsnachd *gin*

Special Development Area *n*
Àite (*fir*) Sònraichte Leasachaidh
Àite Shònraichte Leasachaidh *gin*

Special Educational Needs *npl* **(SEN)**
Feuman (*fir iol*) Sònraichte Foghlaim
Fheuman Sònraichte Foghlaim *gin*

Special Educational Needs Co-Ordinator *n* **(SENCO)**
Co-òrdanaiche (*fir*) Feuman Sònraichte Foghlaim
Co-òrdanaiche Feuman Sònraichte Foghlaim *gin*

Special Environmental Assistance Scheme *n*
Sgeama (*fir*) Taice Sònraichte na h-Àrainneachd
Sgeama Taice Sònraichte na h-Àrainneachd *gin*

Special Market Allowance *n*
Cuibhreann (*fir*) Sònraichte Margaidh
Cuibhrinn (*fir*) Shònraichte Margaidh

special pleading *n*
argamaid (*boir*) le fiaradh
argamaid le fiaradh *gin*

special powers *npl*
cumhachdan (*fir iol*) sònraichte
chumhachdan sònraichte *gin*

Special Protection Area *n* **(SPA)**
Àite (*fir*) Sònraichte Dìona
Àite Shònraichte Dìona *gin*
Àitean Sònraichte Dìona *iol*

special provisions *npl*
ullachaidhean (*fir iol*) sònraichte
ullachaidhean sònraichte *gin*

special review *n*
sgrùdadh (*fir*) sònraichte
sgrùdaidh shònraichte *gin*
sgrùdaidhean sònraichte *iol*

Special Temporary Employment Programme *n* **(STEP)**
Prògram (*fir*) Sònraichte a thaobh Obair Shealach
Prògraim Shònraichte a thaobh Obair Shealach *gin*

special waste regulations *npl*
riaghailtean (*boir iol*) sònraichte sgudail
riaghailtean sònraichte sgudail *gin*

specialism *n*
spèisealachd *fir*
spèisealachd *gin*
spèisealachdan *iol*

specialist *adj*
spèisealta *br*

specialist *n*
spèisealaiche *fir*
spèisealaiche *gin*
spèisealachdean *iol*

specific *adj*
sònraichte *br*
a specific example
eisimpleir sònraichte

specification *n*
sònrachadh *fir*
sònrachaidh *gin*
mion-chomharrachadh *fir*
mion-chomharrachaidh *gin*
mion-chomharrachaidhean *iol*

specified *adj*
sònraichte *br*

specify *v*
sònraich *gr*
sònrachadh *agr*
to specify certain conditions
cumhachan àraidh a shònrachadh

speculate *v* **(non-financial)**
beachdaich *gr*
beachdachadh *agr*

speculation *n*
beachdachadh *fir*
beachdachaidh *gin*
beachdachaidhean *iol*

speculative *adj*
baralach *br*

speech *n* **(an address)**
òraid *boir*
òraide *gin*
òraidean *iol*
to make a speech
òraid a dhèanamh

speechwriter *n*
sgrìobhaiche (*fir*) òraid
sgrìobhaiche òraid *gin*
sgrìobhaichean òraid *iol*

spend *v*
cosg *gr*
cosg *agr,*
caith *gr*
caitheamh *agr*

spending *n*
cosg *fir*
cosg *gin,*
caitheamh *fir*
caitheimh *gin*

spending departments *npl*
roinnean (*boir iol*) cosg
roinnean cosg *gin*

spending powers *npl*
cumhachdan (*fir iol*) cosg
chumhachdan cosg *gin*

spending programme *n*
prògram (*fir*) cosg
prògraim cosg *gin*
prògraman cosg *iol*

spending review *n*
sgrùdadh (*fir*) air cosg
sgrùdaidh air cosg *gin*
sgrùdaidhean air cosg *iol*
a spending review may produce improvements
faodaidh leasachadh a thighinn an lùib sgrùdaidh air cosg airgid

spin doctor *n*
dotair-grèisidh *fir* (naidheachdan)
dotair-ghrèisidh *gin*
dotairean-grèisidh *iol*

spiritual *adj*
spioradail *br*
the Lords Spiritual
Na Morairean Spioradail

spokesman *n*
fear-labhairt *fir*
fir-labhairt *gin*
luchd-labhairt *iol*

spokesperson *n*
neach-labhairt *fir*
neach-labhairt *gin*
luchd-labhairt *iol*

spokeswoman *n*
tè-labhairt *boir*
tè-labhairt *gin*
luchd-labhairt *iol*

Spongiform Encephalopathy Advisory Committee *n* **(SEAC)**
Comataidh (*boir*) Comhairleachaidh air Spongiform Encephalopathaidh

sponsor *n*
sponsair *fir*
sponsair *gin*
sponsairean *iol,*
goistidh *fir*
goistidh *gin*
goistidhean *iol,*
urrasair *fir*
urrasair *gin*
urrasairean *iol*

sponsor *v*
rach (*gr*) mar sponsair
dol (*agr*) mar sponsair,
rach (*gr*) mar ghoistidh
dol (*agr*) mar ghoistidh

sponsorship *n* **(financial support)**
sponsaireachd *boir*
sponsaireachd *gin*
sponsaireachdan *iol,*
goistidheachd *boir*
goistidheachd *gin*
goistidheachdan *iol*

sporadic *adj*
an-dràsta is a-rithist
sporadic outbreaks of hostility
sabaid a' briseadh a-mach an-dràsta is a-rithist

Sports Council *n*
Comhairle (*boir*) Spòrs
Comhairle Spòrs *gin*
Sports Council for Scotland
Comhairle Spòrs na h-Alba

sportscotland *n*
spòrsalba *fir*

spotlight *n*
sgrùdadh *fir*
sgrùdaidh *gin*
he found himself in the spotlight of public scrutiny
bha e fo lom sgrùdadh a' phobaill

springboard *n*
stèidh *boir*
stèidhe *gin*
stèidhean *iol*
a springboard for future development
stèidh airson leasachaidh san àm ri teachd

staff *n*
luchd-obrach *iol*
luchd-obraich *gin*

staff *v*
cuir (*gr*) luchd-obrach an dreuchd
cur (*agr*) luchd-obrach an dreuchd

Staff Advisory Committee *n*
Comataidh (*boir*) Comhairleachaidh Luchd-obrach
Comataidh Comhairleachaidh Luchd-obrach *gin*

staff appraisal *n*
measadh (*fir*) luchd-obrach
measadh luchd-obrach *gin*

staff assessment *n*
measadh (*fir*) luchd-obrach
measadh luchd-obrach *gin*

Staff Commission *n* **for Scotland**
Coimisean (*fir*) Luchd-obrach na h-Alba
Coimisean Luchd-obrach na h-Alba *gin*

staff development *n*
leasachadh (*fir*) air oideachadh luchd-obrach
leasachaidh air oideachadh luchd-obrach *gin*

staff recruitment *n*
fastadh (*fir*) luchd-obrach
fastadh luchd-obrach *gin*,
togail (*boir*) luchd-obrach
togail luchd-obrach *gin*
Staff Recruitment Board
Bòrd Fastaidh Luchd-obrach

staff selection *n*
taghadh (*fir*) luchd-obrach
taghadh luchd-obrach *gin*

staff shortage *n*
gainnead (*fir*) luchd-obrach
gainnead luchd-obrach *gin*

staff training *n*
trèanadh (*fir*) luchd-obrach
trèanadh luchd-obrach *gin*
Staff Training Unit
Aonad Trèanaidh Luchd-obrach

stage *n*
(period of time)
àm *fir*
ama *gin*
amannan *iol*

stage *n*
(platform)
àrd-ùrlar *fir*
àrd-ùrlair *gin*
àrd-ùrlaran *iol*

stage *n*
(step)
ìre *boir*
ìre *gin*
ìrean *iol*

stalemate *n*
glasadh *fir*
glasaidh *gin*
glasaidhean *iol*

stamp *v* **out**
cuir (*gr*) às do
cur (*agr*) às do
to stamp out opposition
cur às do dhùbhlan / do na tha an aghaidh (neach)

stance *n*
seasamh *fir*
seasaimh *gin*
seasamham *iol*
our stance on human rights is well known
tha daoine eòlach air an t-seasamh againn a thaobh còraichean a' chinne-daonna

stand *n*
seasamh *fir*
seasaimh *gin*
to take a stand on a matter of principle
seasamh a dhèanamh air sgàth prionnsabail

stand *v*
seas *gr*
seasamh *agr*,
cuir (*gr*) suas ri
cur (*agr*) suas ri
1 **to stand up for one's rights**
seasamh airson do chòraichean
2 **I will not stand for any further disruption**
cha chuir mi suas ris a' chòrr buairidh
3 **our party stands for democracy**
tha am pàrtaidh againn a' seasamh airson deamocrasaidh
4 **as things stand at the moment**
mar a tha cùisean an-dràsta

stand *v* **down**
leig (*gr*) dheth
leigeil (*agr*) dheth
to stand down at the next election
falbh aig an ath thaghadh

stand *v* **for election**
seas (*gr*) airson taghadh
seasamh (*agr*) airson taghadh

stand *v* **up to examination**
seas (*gr*) ri sgrùdadh
seasamh (*agr*) ri sgrùdadh

stand-alone *adj*
a sheasas na aonar
a stand-alone body
buidheann a sheasas na aonar

standard *adj*
bun-tomhasach *br,*
suidhichte *br,*
coitcheann *br*

standard *n*
ìre (*boir*) de mhathas
ìre de mhathas *gin*
ìrean de mhathas *iol,*
bun-tomhas *fir*
bun-tomhais *gin*
bun-tomhasan *iol,*
inbhe boir
inbhe gin
inbhean iol
to set a high standard
ìre àrd de mhathas a
chur ro (neach)

Standard Assessment Task *n*
(SAT)
Gnìomh (*fir*) Measaidh
Coitcheann
Gnìomh Mheasaidh
Choitchinn *gin*

Standard Spending Assessment *n*
(SSA)
Measadh (*fir*) Cosg Coitcheann
Measaidh Cosg Choitchinn *gin*

Standards Committee *n*
Comataidh (boir) Inbhean
Comataidh Inbhean gin

standing *adj*
gnàth *br*

Standing Advisory Council *n* **on Religious Education**
(SACRE)
Gnàth-chomataidh (*boir*)
Comhairleachaidh air
Foghlam Creideimh
Gnàth-chomataidh
Comhairleachaidh air
Foghlam Creideimh *gin*

standing committee *n*
gnàth-chomataidh *fir*
gnàth-chomataidh *gin*
gnàth-chomataidhean *iol*

Standing Conference *n* **on Drug Abuse**
Gnàth-cho-labhairt (*boir*)
air Mì-ghnàthachadh
Dhrogaichean
Gnàth-cho-labhairt
air Mì-ghnàthachadh
Dhrogaichean *gin*

Standing Maternity and Midwifery Advisory Committee *n*
Gnàth-chomataidh (*boir*)
Comhairleachaidh air
Màthrachas agus
Banas-glùine
Gnàth-chomataidh
Comhairleachaidh air
Màthrachas agus
Banas-glùine *gin*

standing orders *npl*
gnàth-riaghailtean *boir iol*
gnàth-riaghailtean *gin*
to suspend Standing Orders
Gnàth-riaghailtean a
chur an dàrna taobh

Standing Orders Commission *n*
Coimisean (*fir*) air
Gnàth-riaghailtean
Coimisein air
Gnàth-riaghailtean *gin*

Standing Orders Committee *n*
Comataidh (*boir*) air
Gnàth-riaghailtean
Comataidh air
Gnàth-riaghailtean *gin*

standing ovation *n*
urram (*fir*) le seasamh agus
bualadh bhasan
the speaker received a standing ovation
fhuair an neach-labhairt urram
le daoine a bhith a' seasamh
agus a' bualadh bhasan

Standing Programme Committee *n*
Gnàth-chomataidh (*boir*)
Phrògram
Gnàth-chomataidh Phrògram *gin*

standpoint *n*
seasamh *fir*
seasaimh *gin*
seasamhan *iol,*
taobh *fir*
taoibh *gin*
taobhan *iol*

standstill budget *n*
buidseat (*fir*) gun fhàs
buidseit gun fhàs *gin*

state *n*
(condition)
staid *boir*
staide *gin*
staidean *iol,*
cor *fir*
coir / cuir *gin*

state *n*
(nation)
stàit *boir*
stàite *gin*
stàitean *iol*

state *v*
cuir (*gr*) an cèill
cur (*agr*) an cèill

state *n* **of emergency**
states of emergency *pl*
staid (*boir*) èiginneach
staid èiginnich *gin*
staidean èiginneach *iol*

State Enrolled Nurse *n*
(SEN)
Nurs (*boir*) Stàit-chlàraichte
Nurs Stàit-chlàraichte *gin*
Nursaichean Stàit-chlàraichte *iol*

State Opening *n* **of Parliament**
Fosgladh (*fir*) Stàite na
Pàrlamaid
Fosgladh Stàite na Pàrlamaid *gin*

state pension *n*
peinnsean-stàite *fir*
peinnsein-stàite *gin*
peinnseanan-stàite *iol*

state secret *n*
rùn-dìomhair (*fir*) stàite
rùin-dìomhair stàite *gin*
rùintean-dìomhair stàite *iol*

state security *n*
tèarainteachd (*boir*) na stàite
tèarainteachd na stàite *gin*

stateless *adj*
gun stàite
stateless person
duine gun stàite

statement *n*
aithris *boir*
aithrise *gin*
aithrisean *iol*
1 statement of intent
aithris rùin
2 statement of the law
aithris air an lagh
3 statement of facts
aithris air fìrinn na cùise
4 statement on oath
aithris fo bhòidean / fo mhionnan

statesman *n*
stàitire *fir*
stàitire *gin*
stàitirean *iol*

statesmanlike *adj*
stàitireil *br*

stateswoman *n*
ban-stàitire *boir*
ban-stàitire *gin*
ban-stàitirean *iol*

stationery *n*
stàiseanaireachd *boir*
stàiseanaireachd *gin*,
stuth-sgrìobhaidh *fir*
stuth-sgrìobhaidh *gin*,
pàipearachd *boir*
pàipearachd *gin*

stationery office *n*
oifis (*boir*) pàipearachd
oifis pàipearachd *gin*

statistic *n*
staitistig *fir*
staitistig *gin*
staitistig *iol*

statistical *adj*
staitistigeil *br*,
àireamhail *br*

Statistical Enquiries *npl*
Fiosrachadh (*fir*) mu Staitistig
Fiosrachaidh mu Staitistig *gin*,
Fiosrachadh (*fir*) mu Àireamhan
Fiosrachaidh mu Àireamhan *gin*

status *n*
inbhe *boir*
inbhe *gin*
inbhean *iol,*
1 a position of high status
suidheachadh de dh'àrd inbhe
2 secure status for Gaelic
inbhe thèarainte airson na Gàidhlig

status quo *n*
status quo *fir*
status quo *gin*
suidheachadh (*fir*) a tha ann an dràsta
suidheachaidh a tha ann an dràsta *gin*
preserve the status quo
an suidheachadh a tha ann an-dràsta a ghleidheadh

status-map *n*
clàr (*fir*) inbhe
clàir inbhe *gin*
clàir inbhe / clàran inbhe *iol*

statute *n*
reachd *fir*
reachd *gin*
reachdan *iol*
1 statute law
lagh reachdail
2 the committee was required by statute
dh'fheumadh a' chomataidh a rèir reachd
3 on the statute book
ann an leabhar nan reachd
4 statute of limitations
reachd nan crìoch (ama)

statute-barred *adj*
fo chasg reachdail

statutory *adj*
reachdail *br*

statutory authority *n*
ùghdarras (*fir*) reachdail
ùghdarrais reachdail *gin*
ùghdarrasan reachdail *iol*

statutory board *n*
bòrd (*fir*) reachdail
bùird reachdail *gin*
bùird reachdail *iol*

statutory body *n*
buidheann (*boir*) reachdail
buidhne reachdail *gin*
buidhnean reachdail *iol*

statutory committee *n*
comataidh (*boir*) reachdail
comataidh reachdail *gin*
comataidhean reachdail *iol*

statutory declaration *n*
dearbhadh (*fir*) reachdail
dearbhaidh reachdail *gin*
dearbhaidhean reachdail *iol*

statutory duty *n*
dleastanas (*fir*) reachdail
dleastanais reachdail *gin*
dleastanasan reachdail *iol*

statutory function *n*
dreuchd (*boir*) reachdail
dreuchd reachdail *gin*
dreuchdan reachdail *iol,*
feum (*fir*) reachdail
feum reachdail *gin*
feumannan reachdail *iol*

statutory instrument *n* **(SI)**
ionnstramaid (*boir*) reachdail
ionnstramaid reachdail *gin*
ionnstramaidean reachdail *iol*

statutory maximum *n*
uas-mheud (*fir*) reachdail
uas-mheud reachdail *gin*
uas-mheudan reachdail *iol*

statutory minimum *n*
ìos-mheud (*fir*) reachdail
ìos-mheud reachdail *gin*
ìos-mheudan reachdail *iol*

statutory modification *n*
mion-atharrachadh (*fir*) reachdail
mion-atharrachaidh reachdail *gin*
mion-atharrachaidhean reachdail *iol*

statutory notice *n*
fios (*fir*) reachdail
fiosa reachdail *gin*
fiosan reachdail *iol*

statutory obligation *n*
dleastanas (*fir*) reachdail
dleastanais reachdail *gin*
dleastanasan reachdail *iol,*
comain (*boir*) reachdail
comaine reachdail *gin*
comainean reachdail *iol*

statutory periodic tenancy *n*
teanantachd (*boir*) chuairteach reachdail
teanantachd chuairtich reachdail *gin*
teanantachdan cuairteach reachdail *iol,*
gabhaltas (*fir*) cuairteach reachdail
gabhaltais chuairtich reachdail *gin*
gabhaltasan cuairteach reachdail *iol*

statutory power *n*
cumhachd (*fir*) reachdail
cumhachd reachdail *gin*
cumhachdan reachdail *iol*

statutory requirement *n*
riatanas (*fir*) reachdail
riatanais reachdail *gin*
riatanasan reachdail *iol*

statutory responsibility *n*
uallach (*fir*) reachdail
uallaich reachdail *gin*
uallaich reachdail *iol*

statutory rules and orders *npl*
riaghailtean (*boir iol*) agus òrdughan (*fir iol*) reachdail
riaghailtean agus òrdughan reachdail *gin*

statutory services *npl*
seirbheisean (*boir iol*) reachdail
sheirbheisean reachdail *gin*

steadfast *adj*
daingeann *br*
he remained steadfast in adversity
dh'fhan e gu daingeann is e ann an cruaidh-chàs

steam *n*
teas *fir*
the debate generated a fair head of steam
bha deagh thomhas de theas anns an deasbad

steering committee *n*
comataidh (*boir*) stiùiridh
comataidh stiùiridh *gin*
comataidhean stiùiridh *iol*

steering group *n*
buidheann (*boir*) stiùiridh
buidhne stiùiridh *gin*
buidhnean stiùiridh *iol*

stenographer *n*
luath-sgrìobhadair *fir*
luath-sgrìobhadair *gin*
luath-sgrìobhadairean *iol*

step *v*
gabh (*gr*) ceum
gabhail ceum *agr*
to step down from office
dreuchd fhàgail

steward *n*
stiùbhard *fir*
stiùbhaird *gin*
stiùbhardan *iol*

stewardship co-ordinator *n*
co-òrdanaiche (*fir*) stiùbhardachd
co-òrdanaiche stiùbhardachd *gin*
co-òrdanaiche stiùbhardachd *iol*

stewardship project officer *n*
oifigear (*fir*) pròiseict stiùbhardachd
oifigear pròiseict stiùbhardachd *gin*
oifigearan pròiseact stiùbhardachd *iol*

stifle *v*
mùch *gr*
mùchadh *agr*
to stifle debate
deasbad a mhùchadh

stipulate *v*
sònraich (cumhachan) *gr*
sònrachadh (chumhachan) *agr*
1 to stipulate conditions
cumhachan a shònrachadh
2 as stipulated in the contract
fo na cumhachan a chaidh a shònrachadh sa chunnradh

stipulation *n*
sònrachadh *fir*
sònrachaidh *gin*
sònrachaidhean *iol,*
cumha *boir*
cumha *gin*
cumhachan *iol*

Stirling (Constituency)
Sruighlea
Shruighlea *gin*

stirring *adj*
brosnachail *br*
stirring speech
òraid bhrosnachail

stock *n*
seilbh *boir*
seilbhe *gin*
to take stock of our situation
measadh a dhèanamh air ar suidheachadh

stock exchange *n*
margadh (*fir boir*) nan earrannan
margadh nan earrannan *gin*

stock-take *n*
measadh (*fir*) mionaideach
measaidh mhionaidich *gin*
to conduct a stock-take of the Health Service
measadh mionaideach a dhèanamh air Seirbheis na Slàinte

stock-take *v*
dèan (*gr*) measadh (air stoc)
dèanamh (*agr*) measadh (air stoc)

stone-walling *n*
cuilbheartan-bacaidh
chuilbheartan-bacaidh *gin*
the Bill was defeated by the stone-walling tactics of its opponents
chaidh cuir às don Bhile le cuilbheartan-bacaidh na feadhna a bha na aghaidh

stop-gap *adj*
a lìonas beàrn

stop-gap *n*
nì (*fir*) / neach (*fir*) a lìonas beàrn

straight *adj*
dìreach *br*
1 a straight fight between two candidates
strì dhìreach eadar dà thagraiche
2 straight talking
còmhradh dìreach

strain *n*
uallach *fir*
uallaich *gin,*
strèan *fir*
strèan *gin*
1 a strain on his patience
(rud) a dh'fheuchas fhoighidinn
2 to be under strain
a bhith fo uallach

strain *v*
feuch *gr*
feuchainn *agr*
it was enough to strain his patience
bha siud gu leòr airson fhoighidinn fheuchainn

straitened *adj*
truagh *br*
in straitened circumstances
ann an suidheachadh (a tha air fàs) truagh

strand *n*
dual *fir*
duail *gin*
dualan *iol*
that is one strand of the argument
's e sin aon dual san deasbaireachd

stranger *n*
coigreach *fir*
coigrich *gin*
coigrich *iol*
neach-tadhail *fir*
neach-tadhail *gin*
luchd-tadhail *iol*

Strangers' Gallery *n* **(Westminster)**
Ùrlar (*fir*) an Luchd-tadhail
Ùrlar an Luchd-tadhail *gin*

Strasbourg *n*
Strasbourg *fir*
Strasbourg *gin*

strategic *adj*
ro-innleachdail *br*
1 strategic body
buidheann ro-innleachdail
2 strategic plan
plana ro-innleachdail
3 strategic planning
dealbhadh ro-innleachdail

strategy *n*
ro-innleachd *boir*
ro-innleachd *gin*
ro-innleachdan *iol*

Strathkelvin and Bearsden (Constituency)
Srath Cheilbhin agus Bearsden
Shrath Cheilbhin agus Bearsden *gin,*
Srath Cheilbhin agus Cille Phàdraig Ùr
Shrath Cheilbhin agus Cille Phàdraig Ùr *gin*

straw poll *n*
beachd (*fir*) air thuairmeas
beachd air thuairmeas *gin*

streamline *v* **(to rationalise, to speed up)**
sgioblaich *gr*
sgioblachadh *agr*

strengthen *v*
neartaich *gr*
neartachadh *agr*
to strengthen the role of school governors
dleastanas luchd-riaghlaidh-sgoile a neartachadh

stress *n*
cudthrom *fir*
cudthruim *gin*
cudthroman *iol*
1 stress counselling
comhairle mu chudthrom inntinn
2 we are working under great stress
tha sinn ag obair fo chudthrom mòr

stress *v*
cuir (*gr*) cudthrom (air)
cur (*agr*) cudthruim (air)
I wish to stress a point
tha mi airson cudthrom a chur air puing

stringency *n*
teanntachd *fir*
teanntachd *gin*
the stringency of the rules inhibited discretion
bha teanntachd nan riaghailtean a' cur bacaidh air saorsa neach

stringent *adj*
teann *br*
a stringent interpretation of the rules
mìneachadh teann air na riaghailtean

structural *adj*
structarail *br*
1 structural unemployment
cion-cosnaidh structarail
2 structural engineer
einnseanair structarail

structure *n*
structair *fir*
structair *gin*
structairean *iol*

structure plan *n*
plana (*fir*) structarail
planaichean structarail *iol*

structured *adj*
le structair *iol*

Student Awards Agency *n* **for Scotland**
Buidheann (*boir*) Tabhartais Oileanach na h-Alba
Buidheann Tabhartais Oileanach na h-Alba *gin*

study *n*
(room)
seòmar-rannsachaidh *fir*
seòmair-rannsachaidh *gin*
seòmraichean-rannsachaidh *iol*

study *n* **(work)**
rannsachadh *fir*
rannsachaidh *gin*
rannsachaidhean *iol*

study *v*
rannsaich *gr*
rannsachadh *agr*

sub-committee *n*
fo-chomataidh *boir*
fo-chomataidh *gin*
fo-chomataidhean *iol*

sub-contract *n*
fo-chunnradh *fir*
fo-chunnraidh *gin*
fo-chunnraidhean *iol*

sub-contract *v*
fo-chunnraich *gr*
fo-chunnrachadh *agr*

sub-head *n*
fo-cheann *fir*
fo-cheann *gin*
fo-chinn *iol*

subject *n*
cuspair *fir*
cuspair *gin*
cuspairean *iol*

subject *v*
cuir (*gr*) fo
cur (*agr*) fo
to subject a speaker to heckling
labhraiche a chur fo bhuaireadh, briseadh a-steach air labhraiche

subject committee *n*
comataidh (*boir*) cuspair
comataidh cuspair *gin*
comataidhean cuspair *iol*

subject matter *n*
cuspair *fir*
cuspair *gin*
cuspairean *iol*

subject to
le ùmhlachd do
I agree, subject to certain conditions
tha mi ag aontachadh, ma bhithear umhail do chuid de chùmhnantan

subjective *adj*
pearsanta *br*
a subjective view
sealladh pearsanta

submission *n* **(something presented, recommendation)**
tagradh *fir*
tagraidh *gin*
tagraidhean *iol*

submit *v*
cuir (*gr*) a-steach
cur (*agr*) a-steach,
tagair *gr*
tagradh *agr,*
agair *gr*
agairt *agr*
1 to submit a report
aithisg a chur a-steach
2 I submit this for your approval
tha mi a' cur seo a-steach airson d' aonta
3 I submit that my view is correct
tha mi ag agairt gu bheil mo bheachd ceart

subordinate *adj*
fo- *br*
subordinate legislation
fo-reachdas

subordinate *n*
ìochdaran *fir*
ìochdarain *gin*
ìochdarain *iol*

Subordinate Legislation Committee *n*
Comataidh (boir) an Fho-reachdais
Comataidh an Fho-reachdais *gin*

sub-section *n* **(of an Act)**
fo-earrann *boir*
fo-earrainn *gin*
fo-earrainnean *iol*

subsequent *adj*
an dèidh làimhe

subsequently *adv*
mar sin,
na dhèidh sin
an dèidh làimhe

subsidiarity *n*
sìneadas *fir*
sìneadais *gin,*
cumhachd (*fir*) a thoirt nas fhaisg air na daoine
cumhachd a thoirt nas fhaisg air na daoine *gin*

subsidiary *adj*
fo-,
ìochdaireil,
cuideachail *br*
1 subsidiary legislation
reachdas cuideachail
2 subsidiary motion
gluasad cuideachail

subsidise *v*
thoir (*gr*) tabhartas do
toirt (*agr*) tabhartais do,
thoir (*gr*) subsadaidh do
toirt (*agr*) subsadaidh do

subsidy *n*
subsadaidh *fir*
subsadaidh *gin*
subsadaidhean *iol,*
tabhartas *fir*
tabhartais *gin*
tabhartasan *iol*

subsistence *n*
teachd-an-tìr *fir*
teachd-an-tìr *gin*
subsistence allowance
cuibhreann teachd-an-tìr

substance *n*
brìgh *boir*
brìgh *gin*
the substance of the report
brìgh na h-aithisg

substantiate *v*
dearbh *gr*
dearbhadh *agr*
to substantiate a claim
tagradh a dhearbhadh

substantive *adj*
brìoghmhor *br*
1 substantive issue
cùis bhrìoghmhor
2 substantive motion
gluasad brìoghmhor

substitute *n* **(object)**
nì-ionaid *fir*
nì-ionaid *gin*
nithean-ionaid *iol*

substitute *n* **(person)**
neach-ionaid *fir*
neach-ionaid *gin*
luchd-ionaid *iol*

substitute *v*
cuir (*gr*) an àite
cur (*agr*) an àite

sub-subsection *n*
fo-fho-earrann *boir*
fo-fho-earrainn *gin*
fo-fho-earrainnean *iol*

Suckler Cow Premium Scheme *n* **(SCPS)**
Sgeama (*fir*) Tàillibh Crodh-bainne
Sgeama (*fir*) Thàillibh Chrodh-bhainne *gin*

suffer *v*
fuiling *gr*
fulang *agr*
1 to suffer defeat
call fhulang
2 she does not suffer fools gladly
chan eil i idir deònach cur suas ri amadain

suffrage *n*
guth-bhòtaidh *fir*
gutha-bhòtaidh *gin,*
còir-bhòtaidh *boir*
còire-bhòtaidh *gin*
on suffrage
le mì-chiataidh

suggest *v*
mol *gr*
moladh *agr*

suggestion *n*
moladh *fir*
molaidh *gin*
molaidhean *iol*

sully *v*
cuir (*gr*) smal air
cur (*agr*) smal air
to sully one's reputation
smal a chur air cliù neach

summarise *v*
thoir geàrr-chunntas air *gr*
toirt geàrr-chunntas air *agr*
to summarise a report
geàrr-chunntas a thoirt air aithisg

summary *adj*
grad *br*
summary dismissal
grad chur à dreuchd

summary *n*
geàrr-chunntas *fir*
geàrr-chunntais *gin*
geàrr-chunntasan *iol*
1 a summary of the report
geàrr-chunntas air an aithisg
2 an executive summary
geàrr-chunntas gnìomhach
3 summary report
gèarr-aithisg
4 summary table
gèarr-chlàr

summit meeting *n*
àrd-choinneamh *boir*
àrd-choinneimh *gin*
àrd-choinneamhan *iol*

summon *v*
gairm *gr*
gairm *agr*
to summon support
cuideachadh a ghairm

summons *n*
sumanadh *fir*
sumanaidh *gin*
sumanaidhean *iol*
bàirlinn *boir*
bàirlinn *gin*
bàirlinnean *iol*
a summons to appear in court
sumanadh gus a thighinn gu cùirt

summons *v*
sumain *gr*
sumanadh *agr*
to summons to appear in court
sumanadh gus nochdadh sa chùirt

sundry *adj*
measgaichte *br*
1 sundry expenses
cosgaisean measgaichte
2 sundry items
nithean measgaichte

sunset provision *n*
solar (*fir*) deireadh-latha
solair deireadh-latha *gin*

superannuation *n*
peinnseanachadh *fir*
peinnseanachaidh *gin*
1 NHS Superannuation Scheme
Sgeama Peinnseanachaidh Seirbheis na Slàinte
2 Teachers' Superannuation Scheme
Sgeama Peinnseanachaidh Luchd-teagaisg

superintendent *n*
stiùireadair *fir*
stiùireadair *gin*
stiùireadairean *iol*
àrd-neach-stiùiridh *fir*
àrd-neach-stiùiridh *gin*
àrd-luchd-stiùiridh *iol*
superintendent engineer
einnseanair stiùireadair

supersede *v*
cuir (*gr*) às àite
cur (*agr*) às àite

supervise *v*
stiùir *gr*
stiùireadh *agr,*
cùm (*gr*) sùil air
cumail (*agr*) sùil air

supervision *n*
stiùireadh *fir*
stiùiridh *gin,*
aireachas *fir*
aireachais *gin*

supervision order *n*
òrdugh (*fir*) stiùiridh
òrduigh stiùiridh *gin*
òrdughan stiùiridh *iol,*
òrdugh (*fir*) aireachais
òrduigh aireachais *gin*
òrdughan aireachais *iol*

supervisory staff *n*
luchd-obrach (*iol*) an dreuchd stiùiridh
luchd-obrach an dreuchd stiùiridh *gin*

supplementary *adj*
leasachail *br*

supplementary benefit *n*
sochair-leasachaidh *boir*
sochair-leasachaidh *gin*

Supplementary Benefit Commission *n*
Coimisean (*fir*) nan Sochairean-leasachaidh
Coimisean nan Sochairean-leasachaidh *gin*

supplementary estimates *npl*
tuairmsean (*boir iol*) leasachail
thuairmsean leasachail *gin*

supplementary questions *npl*
ceistean (*boir iol*) leasachail
cheistean leasachail *gin*

supplementary rate *n*
reata (*fir*) leasachail
reata leasachail *gin*
reataichean leasachail

supplementary vote *n*
bhòt (*boir*) leasachail
bhòt leasachail *gin*

supply estimates *npl*
tuairmsean (*boir iol*) solair
tuairmsean solair *gin*

supply-driven *adj*
a rèir solair
a supply-driven initiative
tionnsgnadh a tha a rèir an t-solair

support *n*
taic(e) *boir*
taice *gin*,
tacsa *fir*
tacsa *gin*
1 we need financial support for the project
feumaidh sinn taic ionmhais airson a' phròiseict
2 an expression of support
taic fhollaiseach
3 you can count on my support
faodaidh tu a bhith cinnteach às mo thaic
4 in support of their argument
a' toirt taic don argamaid

support *v*
thoir (*gr*) taic do
toirt (*agr*) taice do
I will support you in the debate
bheir mi taic dhut san deasbad

support staff *n*
luchd-obrach (*iol*) taice
luchd-obrach thaice *gin*

supporter *n*
neach-taice *fir*
neach-thaice *gin*
luchd-taice *iol*

supporting paper *n*
pàipear-taice *fir*
pàipeir-thaice *gin*
pàipearan-taice *iol*

supportive *adj*
taiceil *br*

suppress *v*
cùm (*gr*) fodha
cumail (*agr*) fodha
to suppress a language
cànan a chumail fodha

suppression *n*
cumail (*boir*) fodha
cumail fodha *gin*,
mùchadh *fir*
mùchaidh *gin*

supremo *n*
àrd-cheannard *fir*
àrd-cheannaird *gin*
àrd-cheannardan *iol*

surcharge *n*
for-chìs *boir*
for-chìse *gin*
for-chìsean *iol*
to impose a surcharge
for-chìs a leigeil (air)

surcharge *v*
leig (*gr*) for-chìs air
leigeil (*agr*) for-chìse air

surgery *n*
freasdal-lann *fir / boir*
freasdal-lainn *gin*
freasdal-lannan *iol,*
lèigh-lann *fir / boir*
lèigh-lainn *gin*
lèigh-lannan *iol*
1 the surgery of an MSP
freasdal-lann a' BhPA
2 a doctor's surgery
lèigh-lann dotair

survey *n*
suirbhidh *fir*
suirbhidh *gin*
suirbhidhean *iol*
sgrùdadh *fir*
sgrùdaidh *gin*
sgrùdaidhean *iol*

survey *v*
sgrùd *gr*
sgrùdadh *agr*

survey *n* **of opinion**
surveys of opinion *pl*
sgrùdadh (*fir*) bheachd
sgrùdadh bheachd *gin*
sgrùdaidhean bheachd *iol*

Survey Control Liaison Officer *n* **(SCLO)**
Oifigear-ceangail (*fir*) airson Smachd Sgrùdaidh
Oifigeir-cheangail airson Smachd Sgrùdaidh *gin*

Survey Control Unit *n*
Aonad (*fir*) Smachd Sgrùdaidh
Aonad Smachd Sgrùdaidh *gin*

suspect *adj*
fo amharas
his logic was suspect
bhathar amharasach às argamaid

suspect *n*
neach (a tha) fo amharas
the suspect was arrested
chaidh an neach (a bha) fo amharas a chur an grèim

suspect *v*
bi (*gr*) amharasach,
bi (*gr*) an amharas

1 **I have reason to suspect his motive**
tha adhbhar agam a bhith amharasach à chuid rùintean
2 **I suspect she is right**
tha mi an amharas gu bheil i ceart

suspend *v*
cuir (*gr*) à dreuchd rè ùine
cur (*agr*) à dreuchd rè ùine,
cuir (*gr*) dheth
cur (*agr*) dheth
1 **to suspend a Member of Parliament**
BP a chur à dreuchd rè ùine
2 **the sitting is suspended for 15 minutes**
tha a' choinneamh ga cur dheth airson cairteal na h-uarach
3 **to suspend standing orders**
gnàth-riaghailtean a chur an dara taobh

suspension *n*
cur (*fir*) à dreuchd rè ùine
cuir à dreuchd rè ùine *gin,*
cur (*fir*) an dara taobh
cuir an dara taobh *gin*
1 **suspension of a member**
cur ball à dreuchd rè ùine
2 **suspension of standing orders**
gnàth-riaghailtean a chur an dara taobh

suspicion *n*
amharas *fir*
amharais *gin*
amharais *iol*
1 **his motives were regarded with suspicion**
bhathar an amharas air a chuid rùintean
2 **to be above suspicion**
gun aon amharas a bhith air (neach)
3 **to be under suspicion**
a bhith fo amharas

suspicious *adj*
amharasach *br*
1 **I am suspicious of his motives**
tha mi amharasach à chuid rùintean
2 **suspicious behaviour**
dòigh-ghiùlain amharasach
3 **suspicious circumstances**
suidheachaidhean amharasach
4 **a suspicious package**
pacaid às a bheilear amharasach

sustain *v*
fuiling *gr*
fulang *agr,*
cùm (*gr*) suas
cumail (*agr*) suas
1 **to sustain a defeat**
call fhulang
2 **to sustain an argument**
argamaid a chumail suas
3 **to sustain criticism**
càineadh fhulang

sustainability *n*
seasmhachd *boir*
seasmhachd *gin*

sustainable *adj*
seasmhach *br*
sustainable development
leasachadh seasmhach

swear *v*
bòidich *gr*
bòideachadh *agr,*
mionnaich *gr*
mionnachadh *agr*
1 **to swear an oath**
bòid a mhionnachadh
2 **to swear on oath**
dol air mhionnan, mionnachadh

swift *adj*
grad *br*
a swift rebuke
grad chronachadh

swine vesicular disease *n*
tinneas (*fir*) bheasaiciular
nam muc
tinneas bheasaiciular
nam muc *gin*

swing *n*
gluasad *fir*
gluasaid *gin*
gluasadan *iol,*
luasgadh *fir*
luasgaidh *gin*
luasgaidhean *iol,*
a swing of ten per cent
gluasad de deich sa cheud

swing *v*
gluais *gr*
gluasad *agr*

swingeing *adj*
eagallach *br*
swingeing cut
gearradh eagallach

switch *n* **of policy**
(grad-)atharrachadh (*fir*) poileasaidh
(grad-)atharrachadh poileasaidh *gin*

switchboard *n*
suids-chlàr *fir*
suids-chlàir *gin*
suids-chlàir /
suids-chlàran *iol*

sworn *adj*
fo mhionnan *br*
1 **a sworn statement**
cunntas fo mhionnan
2 **to be sworn in**
a bhith air cur fo mhionnan

sympathetic *adj*
truasail *br*
tuigseach *br*
1 **I am sympathetic to your position**
tha truas agam ris an t-suidheachadh anns a bheil thu
2 **I will give this matter sympathetic consideration**
beachdaichidh mi air a' chùis seo le tuigse (don t-suidheachadh)

synopsis *n*
giorrachadh *fir*
giorrachaidh *gin*
giorrachaidhean *iol,*
sionopsas *fir*
sionopsais *gin*
sionopsais *iol*
the synopsis of a report
giorrachadh de dh'aithisg,
sionopsas de dh'aithisg

system *n*
siostam *fir*
siostaim *gin*
siostaman *iol*
the system of government
siostam riaghlaidh

systematic *adj*
eagarach *br*
a systematic defence of policy
dìon eagarach air phoileasaidh

T

table *v*
cuir (*gr*) sìos
cur (*agr*) sìos *agr*
to table an amendment
leasachadh a chur sìos

Table Office *n*
Oifis (*boir*) a' Bhùird
Oifis a' Bhùird *gin*

tacit approval *n*
aonta (*fir*) tostach
aonta thostaich *gin,*
ceadachadh (*fir*) tostach
ceadachaidh thostaich *gin*

tackle *v*
rach (*gr*) an sàs
dol (*agr*) an sàs

tactic *n*
innleachd *fir*
innleachd *gin*
innleachdan *iol*
1 a diversionary tactic
innleachd airson aire a chlaonadh air falbh (bho rud)
2 to employ tactics
innleachdan a chleachdadh

tactical *adj*
innleachdach *br*
1 a tactical retreat
tarraing air ais innleachdach
2 a tactical vote
bhòt innleachdach
3 tactical voting
bhòtadh innleachdach

tactically *adv*
le innleachd *cgr*
to vote tactically
bhòtadh le innleachd

tactician *n*
neach-innleachd *fir*
neach-innleachd *gin*
luchd-innleachd *iol*
a master tactician
sàr neach-innleachd

take *v*
thoir *gr*
toirt *agr*
1 to take matters forward
gnothaichean a thoirt air adhart
2 we are taking steps to remedy the problem
tha sinn a' gluasad chun an suidheachadh a leasachadh
3 to take up a challenge
dùbhlan a ghabhail os làimh
4 to take to task
achmhasan a thoirt do

takeover *n*
gabhail (*fir*) thairis
gabhail thairis *gin*
gabhalaichean thairis *iol*

talent *n*
tàlant *fir*
tàlant *gin*
tàlantan *iol*
a talent for debate
tàlant airson a bhith a' deasbad

talented *adj*
ealanta *br,*
tàlantach *br*
a talented orator
òraidiche tàlantach / ealanta

talk *v*
bruidhinn *gr*
bruidhinn *agr*
1 to talk out a Bill
Bile a mhùchadh le cainnt
2 to talk sense
ciall a dhèanamh

tamper *v*
bean (*gr*) ri
beantainn (*agr*) ri,
buin (*gr*) ri
buntainn (*agr*) ri
to tamper with
beantainn ri

target *n*
targaid *boir*
targaide *gin*
targaidean *iol*

target *v*
cuimsich (*gr*) air
cuimseachadh (*agr*) air
1 to target resources
cuimseachadh air stòrasan
2 to target needs
cuimseachadh air feumalachdan

tariff *n*
cìs *boir*
cìse *gin*
cìsean *iol,*
taraif *boir*
taraif *gin*
taraifean *iol*

task *n*
gnìomh *fir*
gnìomh *gin*
gnìomhan *iol*
I must take the Minister to task
feumaidh mi achmhasan a thoirt don Mhinistear

task and finish *n*
gnìomh (*fir*) is crìoch
gnìomh is crìoch *gin*
1 task and finish contract
cunnradh gnìomh is crìoch
2 task and finish working group
còmhlan-obrach gnìomh is crìoch

task force *n*
buidheann (*boir*) gnìomha
buidheann gnìomha *gin*
buidhnean gnìomha *iol*

tax *n*
cìs *boir*
cìse *gin*
cìsean *iol*

tax *v*
cuir (*gr*) cìs (air)
cùr (*agr*) cìs (air)

tax allowance *n*
cuibhreann (*fir*) cìse
cuibhrinn chìse *gin*
cuibhreannan cìse *iol*

tax avoidance *n*
seachnadh (*fir*) cìse
seachnadh cìse *gin*

tax benefit *n*
sochair (*boir*) cìse
sochair cìse *gin*
sochairean cìse *iol*

tax concession *n*
lasachadh (*fir*) cìse
lasachaidh chìse *gin*
lasachaidhean cìse *iol*

tax credits *n*
creideasan (*fir iol*) cìse
chreideasan cìse *gin*

tax cut *n*
gearradh (*fir*) cìse
gearraidh chìse *gin*
gearraidhean cìse *iol*

tax deductible *adj*
ceadaichte a chur an
aghaidh chìsean

tax evasion *n*
seachnadh (*fir*) cìse mì-laghail
seachnadh cìse mì-laghail *gin*

tax exemption *n*
saorsa (*boir*) bho chìs
saorsa bho chìs *gin*

tax fraud *n*
foill (*boir*) cìse
foille cìse *gin*
foillean cìse *iol*

tax free *adj*
saor bho chìs

tax haven *n*
tèarmann (*fir*) cìse
tèarmainn chìse *gin*
tèarmannan cìse *iol*

tax incentive *n*
brosnachadh (*fir*) cìse
brosnachaidh chìse *gin*

tax liability *n*
buailteachd (*boir*) do chìs
buailteachd do chìs *gin*

tax office *n*
oifis (*boir*) chìsean
oifis chìsean *gin*
oifisean chìsean *iol*

tax paid *adj*
cìs (*boir*) phàighte
cìse pàighte *gin*

tax rate *n*
ìre *boir* cìse
ìre cìse *gin*
ìrean cìse *iol*

tax rebate *n*
ais-ìocadh (*fir*) cìse
ais-ìocaidh chìse *gin*
ais-ìocaidhean cìse *iol*

tax reduction *n*
lùghdachadh (*fir*) cìse
lùghdachaidh chìse *gin*
lùghdachaidhean cìse *iol*

tax reform *n*
ath-leasachadh (*fir*) cìse
ath-leasachaidh chìse *gin*
ath-leasachaidhean cìse *iol*

tax relief *n*
faochadh (*fir*) cìse
faochaidh chìse *gin*

tax threshold *n*
stairsneach (*boir*) cìse
stairsnich cìse *gin*
stairsnichean cìse *iol*

taxable income *n*
teachd-a-steach (*fir*)
cìs-bhuailteach
teachd-a-steach
chìs-bhuailtich *gin*

taxation *n*
cìs *boir*
cìse *gin*
cìsean *iol*
1 taxation band
bann cìse
2 taxation policy
poileasaidh cìse

taxpayer *n*
neach-pàighidh (*fir*) cìse
neach-phàighidh cìse *gin*
luchd-pàighidh cìse *iol*

tax-raising powers *npl*
comasan (*fir iol*) cìs-thogail
chomasan cìs-thogail *gin*

tax-varying powers *npl*
comasan (*fir iol*)
cìs-atharrachaidh
chomasan cìs-atharrachaidh *gin*

Teacher Training Agency *n* **(TTA)**
Buidheann (*boir*) Treànaidh
Luchd-teagaisg
Buidheann Treànaidh
Luchd-teagaisg *gin*

Teachers' Superannuation Regulations *npl*
Riaghailtean (*boir iol*)
Peinnseanachaidh
Luchd-teagaisg
Riaghailtean
Peinnseanachaidh
Luchd-teagaisg *gin*

Teaching and Higher Education Act *n*
Achd (*boir*) Teagaisg agus
Àrd-fhoghlaim
Achd Teagaisg agus
Àrd-fhoghlaim *gin*

technical services department *n*
Roinn (*boir*) Sheirbheisean
Teicnigeach
Roinne Sheirbheisean
Teicnigeach *gin*

technology unit *n*
Aonad (*fir*) Teicneolais
Aonaid Theicneolais *gin*

tedious *adj*
ràsanach *br*,
sàrachail *br*
1 tedious repetition
ath-aithris ràsanach
2 a tedious speaker
labhraiche ràsanach
3 a tedious matter
cuspair ràsanach

tediously *adv*
gu ràsanach *cgr*
gu sàrachail *cgr*
he spoke tediously for half an hour
labhair e gu ràsanach fad leth-uair a thìde

teething problem *n*
duilgheadas (*fir*) tòiseachaidh
duilgheadais thòiseachaidh *gin*
duilgheadasan tòiseachaidh *iol*

telecommunication(s) *n(pl)*
tele-chonaltradh *fir*
tele-chonaltraidh *gin*

teleconferencing *n*
tele-cho-labhairt *boir*

telephone *n*
fòn *fir / boir*
fòn *gin*
fònaichean *iol*

telephone *v*
fòn / fònaig *gr*
fònadh / fònaigeadh *agr*

telephone conferencing *n*
co-labhairt (*boir*) fòn
co-labhairt fòn *gin*

telephone number *n*
àireamh (*boir*) fòn
àireamh fòn *gin*
àireamhan fòn *iol*

telephone operator *n*
oibriche (*fir*) fòn
oibriche fòn *gin*
oibrichean fòn *iol*

telephonist *n*
neach-freagairt (*fir*) fòn
neach-freagairt fòn *gin*
luchd-freagairt fòn *iol*

teletext *n*
tele-theacsa *fir*
tele-theacsa *gin*

televise *v*
craoil (*gr*) air telebhisean
craoladh (*agr*) air telebhisean

televising *n*
craoladh (*fir*) air telebhisean
craolaidh air telebhisean *gin*

television licence enquiries office *n*
oifis (*boir*) fiosrachaidh ceadachd telebhisein
oifis fiosrachaidh ceadachd telebhisein *gin*
oifisean fiosrachaidh ceadachd telebhisein *iol*

Television Licence Records Office *n*
Oifis (*boir*) Clàraidh Ceadachd Telebhisein
Oifis Clàraidh Ceadachd Telebhisein *gin*

telex *n*
teleacs *fir*
teleacs *gin*
teleacsan *iol*

telex *v*
cuir (*gr*) fios air teleacs
cur (*agr*) fios air teleacs

teller *n*
neach-cunntaidh *fir*
neach-cunntaidh *gin*
luchd-cunntaidh *iol*
teller at an election
neach-cunntaidh aig taghadh

temporal *adj*
aimsireil *br*
the Lords Temporal
na Morairean Aimsireil

temporarily *adv*
rè tamaill *cgr*,
gu sealach *cgr*

temporary *adj*
sealach *br*
on a temporary basis
air stèidh shealaich

temporary accommodation *n*
àite-còmhnaidh (*fir*) sealach
àite-chòmhnaidh shealaich *gin*

temporary employment *n*
cosnadh (*fir*) sealach
cosnaidh (*fir*) shealaich

temporary employment subsidy *n*
subsadaidh (*fir*) obrach sealach
subsadaidh obrach shealaich *gin*

temporary expedient *n*
seòl (*fir*) sealach
siùil shealaich *gin*
siùil shealach *iol*

temporary measure *n*
seòl (*fir*) sealach
siùil shealaich *gin*
siùil shealach *iol*

temporary separation allowance *n*
cuibhreann (*fir*) dealachaidh sealach
cuibhrinn dealachaidh shealaich *gin*
cuibhreannan dealachaidh sealach *iol*

temporary staff *n*
luchd-obrach (*iol*) sealach
luchd-obrach shealaich *gin*

temporary work *n*
obair (*boir*) shealach
obrach shealaich *gin*

ten o'clock rule *n*
riaghailt (*boir*) deich uairean
riaghailt deich uairean *gin*

Tenant Farmers Association *n*
Comann (*fir*) nan Tuathanach Màil
Comann nan Tuathanach Màil *gin*

Tenants' Association *n*
Comann (*fir*) nan Teanant
Comann nan Teanant

tender *n*
tairgse *boir*
tairgse *gin*
tairgsean *iol*
1 to accept a tender
tairgse a ghabhail
2 to award a tender
tairgse a thoirt (do)
3 to put out to tender
a chur a-mach gu tairgse
4 to invite tenders
cuireadh a thoirt tairgsean
a chur a-steach,
tairgsean a shireadh

tender *v*
tabhainn *gr*
tabhann *agr,*
tairg *gr*
tairgsinn *agr*
1 to tender advice
comhairle a thabhann
2 to tender one's resignation
tabhann do dhreuchd
a leigeil dhìot
3 to tender for a contract
tairgsinn airson cunnraidh

ten-minute rule *n*
riaghailt (*boir*) nan
deich mionaid

tenure *n*
gabhaltas (*fir*)
gabhaltais *gin*
security of tenure
còir gabhaltais

term *n*
teirm *boir*
teirme *gin*
teirmean *iol,*
cumha *boir*
cumha *gin*
cumhachan *iol,*
briathar *fir*
briathair *gin*
briathran *iol,*
stèidh *boir*
stèidhe *gin*
stèidhean *iol*
1 in the current term
san teirm làithreach
2 term of office
teirm dhreuchd
3 terms of reference
cumhachan iomraidh
4 a technical term
briathar teicnigeach
5 on equal terms
air stèidh cho-ionainn

terminable *adj*
ion-chrìochnachadh *br,*
a ghabhas a thoirt gu crìoch *br*

terminate *v*
cuir (*gr*) crìoch air
cur (*agr*) crìoch air
to terminate a contract
crìoch a chur air cunnradh

test *n*
deuchainn *boir*
deuchainne *gin*
deuchainnean *iol*
1 test period
ùine deuchainne
2 test case
cùis deuchainne

test *v*
dèan (*gr*) deuchainn air
dèanamh (*agr*) deuchainn air

testimonial *n*
teisteanas *fir*
teisteanais *gin*
teisteanasan *iol*

testimony *n*
fianais *boir*
fianaise *gin*
fianaisean *iol,*
teisteas *fir*
teisteis *gin*
teisteasan *iol*

text *n*
teacsa *boir*
teacsa *gin*
teacsaichean *iol*
text of the Treaty
teacsa a' Chunnraidh

theoretical *adj*
teòiridheach *br*
a theoretical approach
seòl teòiridheach

theoretician *n*
neach-teòiridh *fir*
neach-theòiridh *gin*
luchd-teòiridh *iol*
he was the theoretician of the party
b' e neach-teòiridh
a' phàrtaidh

theory *n*
teòiridh *boir*
teòiridh *gin*
teòiridhean *iol*
1 the theory of economics
teòiridh-eaconamais
2 in theory
a rèir teòiridh,
gu fìrinneach

thereupon *adv*
uime sin *cgr*

think-tank *n*
buidheann-bheachdachaidh *boir*
buidhne-beachdachaidh *gin*
buidhnean-beachdachaidh *iol*

third party *n*
treas pàrtaidh *fir*
treas pàrtaidh *gin*

third reading *n*
treas leughadh *fir*
treas leughaidh *gin*
treas leughaidhean *iol*
Third Reading (Parliamentary)
Treas Leughadh

thorny *adj*
ciogailteach *br*
1 a thorny issue
cùis chiogailteach
2 a thorny problem
duilgheadas ciogailteach

three-line whip *n*
cuip thrì-loidhne

threshold *n*
stairsneach *boir*
stairsnich *gin*
stairsnichean *iol*

thrust *n*
puing *boir*
puinge *gin*
puingean *iol*
the main thrust of the argument
prìomh phuing na h-argamaid

ticket *n*
ticead *boir*
ticeid *gin*
ticeadan *iol*
1 to be elected on a 'yes' ticket
a bhith air do thaghadh air ticead 'seadh'
2 to be elected on a 'no' ticket
a bhith air do thaghadh air ticead 'chan eadh'

tidy *v*
sgioblaich *gr*
sgioblachadh *agr*
to tidy up the wording of a Bill
briathran Bile a sgioblachadh

tidying-up *n*
sgioblachadh *fir*
sgioblachaidh *gin*
a tidying-up exercise
obair sgioblachaidh

tier *n*
ìre *boir*
ìre *gin*
ìrean *iol,*
sreath *fir*
sreatha *gin*
sreathan *iol*

tight schedule *n*
clàr-ama (*fir*) teann
clàir-ama theinn *gin*
clàir-ama teanna *iol*

time *n*
ùine *boir*
ùine *gin,*
àm *fir*
ama *gin*
amannan *iol*
1 the Bill ran out of time
cha robh an còrr ùine ann don Bhile
2 at all times
aig a h-uile àm, an còmhnaidh
3 time limit (for payment)
crìoch ama-phàighidh
4 time constraints
crìochan ama, cuingealachdan ama

timely *adj*
àm *fir*
ama *gin*
amannan *iol*
a timely intervention
eadar-theachd an deagh àm, tighinn a-steach an deagh àm

timescale *n*
raon-ama *fir*
raoin-ama *gin*
raointean-ama *iol*
I have drawn up a timescale for the debate
dh'ullaich mi raon-ama fa chomhair an deasbaid

timetable *n*
clàr-ama *fir*
clàir-ama *gin*
clàir-ama / clàran-ama *iol*
the legislative timetable
an clàr-ama reachdail

timetable *v*
ullaich (*gr*) clàr-ama
ullachadh (*agr*) clàr-ama

timing *n*
tomhas (*fir*) ama
tomhas ama *gin,*
àm *fir*
ama *gin*
amannan *iol*
the timing of the guillotine motion
àm / tomhas ama a' ghluasaid ghileatain

title *n*
tiotal *fir*
tiotail *gin*
tiotalan *iol*

top secret *adj*
fìor dhìomhair *br*

top-down *adj*
a-nuas bhon mhullach
a top-down approach
dòigh-obrach a-nuas bhon mhullach

topic *n*
cuspair *fir*
cuspair *gin*
cuspairean *iol*

tory *n*
tòraidh *fir*
tòraidhean *iol*
Tory Party
Am Pàrtaidh Tòraidheach

total *adj*
iomlan *br*
1 total loss
call gu h-iomlan
2 total quality management
rianachd mathas iomlan

totally *adv*
gu tur *cgr*
the two matters are totally opposed
tha an dà ghnothach gu tur an aghaidh a chèile

touch screen *n*
sgrion-suathaidh *fir*
sgrion-suathaidh *gin*
sgrionachan-suathaidh *iol*
the monitor was equipped with a touch screen
bha sgrion-suathaidh air a' mhonator

touch-screen *adj*
sgrìon-suathaidh *br*
touch-screen technology
teicneolas an sgrion-suathaidh

tourist board *n*
bòrd (*fir*) turasachd
bùird turasachd *gin*

Tourist Information Centre *n*
Ionad (*fir*) Fiosrachaidh Turasachd
Ionad Fiosrachaidh Turasachd *gin*
Ionadan Fiosrachaidh Turasachd *iol*

town and country planning *n*
dealbhadh (*fir*) baile agus dùthcha
dealbhadh baile agus dùthcha *gin*
Town and Country Planning Act
Achd Dealbhaidh Baile is Dùthcha

town and country planning regulations *npl*
riaghailtean (*boir iol*) dealbhaidh baile is dùthcha
riaghailtean dealbhaidh baile is dùthcha *gin*

town council *n*
comhairle (*boir*) baile *fir*
comhairle baile *gin*
comhairlean baile *iol*

Town Development Act *n*
Achd (*boir*) Leasachaidh Baile
Achd Leasachaidh Baile *gin*

town hall *n*
talla (*fir / boir*) baile
talla baile *gin*
tallachan baile *iol*,
tallachan bhailtean *iol*

town plan *n*
plana (*fir*) baile
plana bhaile *gin*
planaichean baile *iol*,
planaichean bhailtean *iol*

trace *v*
lorg *gr*
lorg *agr*

trade *v*
malairtich *gr*
malairteachadh *agr*
trade insults
inisgean a thilgeil air cach a chèile

trade mission *n*
turas (*fir*) malairt
turais mhalairt *gin*
turasan malairt *iol*

trade union *n*
trades unions *pl*
aonadh (*fir*) ciùird
aonaidh chiùird *gin*
aonaidhean ciùird *iol*

Trades Protection Association *n*
Comann (*fir*) Dìon nan Ceàird
Comainn Dìon nan Ceàird *gin*

Trades Union Congress *n*
(TUC)
Còmhdhail (*boir*) nan Aonaidhean Ciùird
Còmhdhail nan Aonaidhean Ciùird *gin*

trading estate *n*
raon (*fir*) malairt
raoin mhalairt *gin*
raointean malairt *iol*

trading standards department *n*
roinn (*boir*) inbhean malairt
roinn inbhean malairt *gin*

tradition *n*
traidisean *fir*
traidisein *gin*
traidiseanan *iol*,
dualchas *fir*
dualchais *gin*
dualchasan *iol*

traditional *adj*
traidiseanta *br*,
dualchasach *br*,
seann-nòsach *br*
traditional values
luachan dualchasach,
luachan san t-seann nòs

traditionalist *n*
neach (*fir*) traidiseanta
neach thraidiseanta *gin*
daoine traidiseanta *iol*

train *v*
ionnsaich *gr*
ionnsachadh *agr*,
trèanaig *gr*
trèanadh *agr*,
ullaich *gr*
ullachadh *agr*

trained *adj*
air a thrèanadh *br*,
ionnsaichte *br*,
ullaichte *br*

trainee *n*
foghlamach *fir*
foghlamaich *gin*
foghlamaich *iol*,
neach (*fir*) a tha ga thrèanadh
neach a tha ga thrèanadh *gin*
daoine a tha gan trèanadh *iol*

training *n*
trèanadh *fir*
trèanaidh *gin*

Training Agency *n*
Buidheann (*boir*) Trèanaidh
Buidhne Trèanaidh *gin*
Buidhnean Trèanaidh *iol*

Training and Enterprise Council *n*
(TEC)
Comhairle (*boir*) Trèanaidh agus Iomairt
Comhairle Trèanaidh agus Iomairt *gin*

training centre *n*
ionad (*fir*) trèanaidh
ionaid thrèanaidh *gin*
ionadan trèanaidh *iol*

Training Commission *n*
Coimisean (*fir*) Trèanaidh
Coimisein Trèanaidh *gin*

training officer *n*
oifigear (*fir*) trèanaidh
oifigeir thrèanaidh *gin*
oifigearan trèanaidh *iol*

Training Opportunities Scheme *n*
Sgeama (*fir*) Chothroman Trèanaidh
Sgeama Chothroman Trèanaidh *gin*

training policy *n*
poileasaidh (*fir*) trèanaidh
poileasaidh thrèanaidh *gin*
poileasaidhean trèanaidh *iol*

Training Services Agency *n*
Buidheann (*boir*) Sheirbheisean Trèanaidh
Buidheann Sheirbheisean Trèanaidh *gin*

Training Support Programme *n* **(TSP)**
Prògram (*fir*) Taice Trèanaidh
Prògraim Thaice Trèanaidh

transcribe *v*
ath-sgrìobh *gr*
ath-sgrìobhadh *agr,*
tar-sgrìobh *gr*
tar-sgrìobhadh *agr*

transcript *n*
ath-sgrìobhadh *fir fir*
ath-sgrìobhaidh *gin*
ath-sgrìobhaidhean *iol,*
tar-sgrìobhadh *fir*
tar-sgrìobhaidh *gin*
tar-sgrìobhaidhean *iol*

transfer *n*
atharrachadh *fir*
atharrachaidh *gin*
atharrachaidhean *iol*
1 the transfer of powers
atharrachadh cumhachd
2 Transfer of Functions Order
Òrdugh Atharrachaidh Dreuchd
3 transfer order
òrdugh atharrachaidh

transfer *v*
atharraich *gr*
atharrachadh *agr,*
gluais (*gr*) thairis
gluasad (*agr*) thairis
to transfer powers
cumhachdan atharrachadh, cumhachdan a ghluasad thairis

transfix *v*
beò-ghlac *gr*
beò-ghlacadh *agr*
he transfixes the audience by his rhetoric
tha e a' beò-ghlacadh a luchd-èisteachd le chomas labhairt

transform *v*
cruth-atharraich *gr*
cruth-atharrachadh *agr*
to transform the situation
an suidheachadh a chruth-atharrachadh

transformation *n*
cruth-atharrachadh *fir*
cruth-atharrachaidh *gin*
cruth-atharrachaidhean *iol*
the transformation of the region's economy
atharrachadh cruth eaconamaidh na roinne

transition *n*
eadar-ghluasad *boir*
eadar-ghluasaid *gin*
eadar-ghluasadan *iol*

transitional *adj*
san eadar-ama *br,*
eadar-amail *br*
1 transitional arrangements
ullachaidhean san eadar-ama
2 transitional period
ùine eadar-amail
3 transitional provisions
solar san eadar-ama

translate *v*
eadar-theangaich *gr*
eadar-theangachadh *agr*

translation *n*
eadar-theangachadh *fir*
eadar-theangachaidh *gin*
eadar-theangachaidhean *iol*
1 translation booth
bùthan eadar-theangachaidh
2 translation services
seirbheisean eadar-theangachaidh
3 simultaneous translation
eadar-theangachadh mar-aon
4 consecutive translation
eadar-theangachadh co-leanailteach

translator *n*
eadar-theangair *fir*
eadar-theangair *gin*
eadar-theangairean *iol*
1 simultaneous translator
eadar-theangair mar-aon
2 consecutive translator
eadar-theangair co-leanailteach

transparency *n*
follaiseachd *boir*
follaiseachd *gin,*
trìd-shoilleireachd *boir*
trìd-shoilleireachd *gin*

transparent *adj*
follaiseach *br,*
trìd-shoilleir *br*

transport *n*
còmhdhail *boir*
còmhdhalach *gin*
còmhdhailean *iol*

Transport Act *n*
Achd (*boir*) na Còmhdhalach
Achd na Còmhdhalach *gin*

Transport and Environment Committee *n*
Comataidh (boir) na Còmhdhail agus na h-Àrainneachd
Comataidh na Còmhdhail agus na h-Àrainneachd *gin*

Transport and General Workers Union *n* **(TGWU)**
Aonadh (*fir*) Luchd-obrach Còmhdhail is Choitchinn
Aonadh Luchd-obrach Còmhdhail is Choitchinn *gin*

Transport and Works Act *n*
Achd (*boir*) Còmhdhail agus Obraichean
Achd Còmhdhail agus Obraichean *gin*

Transport Supplementary Grant *n* **(TSG)**
Tabhartas (*fir*) Leasachaidh Còmhdhail
Tabhartais Leasachaidh Còmhdhail *gin*

Transport Users Consultative Committee *n*
Comataidh (*boir*) Comhairleachaidh Luchd-chleachdaidh Còmhdhail
Comataidh Comhairleachaidh Luchd-chleachdaidh Còmhdhail *gin*

trappings *npl*
greadhnas *fir*
greadhnais *gin*
1 trappings of office
greadhnas a thig an lùib dreuchd
2 trappings of power
greadhnas a thig an lùib cumhachd

travel *n*
siubhal *fir*
siubhail *gin*
1 travel warrant
barrantas siubhail
2 travel expenses
cosgaisean siubhail

travelling people *npl*
luchd-siubhail *iol*
luchd-shiubhail *gin*

travel-to-work area *n*
sgìre (*boir*) siubhal-gu-obair
sgìre siubhal-gu-obair *gin*

Trawler Owners Association *n*
Comann (*fir*) Luchd-seilbh nan Tràlairean
Comainn Luchd-seilbh nan Tràlairean *gin*

treachery *n*
cealg *boir*
ceilge *gin*

treason *n*
traoidhtearachd *boir*
traoidhtearachd *gin,*
brathadh *fir*
brathaidh *gin*
1 high treason
mòr-thraoidhtearachd
2 to commit treason
an dùthaich a bhrathadh

treasurer *n*
ionmhasair *fir*
ionmhasair *gin*
ionmhasairean *iol*

Treasury *n*
Roinn (*boir*) an Ionmhais
Roinn an Ionmhais *gin*

treat *v*
dèilig (ri) *gr*
dèiligeadh *agr*
1 he refused to treat with them
dhiùlt e dèiligeadh leotha
2 to treat the staff well / badly
dèiligeadh gu math / gu dona leis an luchd-obrach

treatise *n*
tràchdas *fir*
tràchdais *gin*
tràchdais *iol*

treatment *n*
làimhseachadh *fir*
làimhseachaidh *gin*
làimhseachaidhean *iol*

treaty *n*
cunnradh *fir*
cunnraidh *gin*
cunnraidhean *iol*
1 Treaty of Rome
Cunnradh na Ròimhe
2 treaty of accession
cunnradh sealbhachaidh

trespass *n* **(on land)**
briseadh (*fir*) chrìochan
briseadh chrìochan *gin,*
coiseachd (*boir*) gu mì-laghail
coiseachd gu mì-laghail *gin,*
treaspas *fir*
treaspas *gin*

tribunal *n*
tribiunal *fir*
tribiunail *gin*
tribiunail *iol*

tribute *n*
moladh *fir*
molaidh *gin,*
teisteanas *fir*
teisteanais *gin*
teisteanasan *iol*
1 I pay tribute to him
tha mi airson a mholadh
2 it is a tribute to her courage
tha e na (dheagh) chomharr air a misneachd

triplicate *adj*
trì lethbhric
in triplicate
le trì lethbhric

truce *n*
fosadh *fir*
fosaidh *gin*
to declare a truce
fosadh a ghairm

true *adj*
fìor *br*
1 a true account of the events
cunntas fìor air na tachartasan
2 the true cost of the project
fìor chosgais a' phròiseict

trust *n*
urras *fir*
urrais *gin*
urrasan *iol*
1 a charitable trust
urras carthannais
2 to hold in trust
a chumail an urras

trust *v*
earb à *gr*
earbsadh à *agr*

trustee *n*
urrasair *fir*
urrasair *gin*
urrasairean *iol*

trusteeship *n*
urrasachd *boir*
urrasachd *gin*
urrasachdan *iol*

truth *n*
fìrinn *boir*
fìrinne *gin*
1 in truth
gu fìrinneach
2 to tell the truth
an fhìrinn innse

tumbled document *n*
sgrìobhainn (*boir*) thaom-(chlò-)bhuailte

tumble-printing *n*
taom-chlò-bhualadh *fir*
taom-chlò-bhualaidh *gin*

turnout *n*
frithealadh *fir*
frithealaidh *gin,*
tionndadh a-mach *fir*
tionndadh a-mach *gin,*
na nochd
1 there was a good turnout for the meeting
thàinig deagh chuid chun na coinneimh
2 the turnout at the election
na nochd / bhòt aig an taghadh

TV camera *n*
camara (*fir*) telebhisein
camara thelebhisein *gin*
camarathan telebhisein *iol*

tweak *v*
cuir (*gr*) gleans air
cur (*agr*) gleans air
to tweak the results
car teannachaidh a dhèanamh air an toradh,
gleans a chur air an toradh

tweaking *n*
car (*fir*) teannachaidh
car teannachaidh *gin*

Tweeddale, Ettrick and Lauderdale (Constituency)
Srath Thuaidh, Eadaraig agus Srath Labhdair
Shrath Thuaidh, Eadaraig agus Shrath Labhdair *gin*

two-line whip *n*
cuip (*boir*) dà-loidhne
cuipe dà-loidhne *gin*
cuipean dà-loidhne *iol*

two-stage tender *n*
tairgse (*boir*) dà ìre
tairgse dà ìre *gin*
tairgsean dà ìre *iol*

two-tier *adj*
dà-shreathach *br*
1 a two-tier process
modh dhà-shreathach
2 two-tier administration
rianachd dhà-shreathach

type *v*
clò-sgrìobh *gr*
clò-sgrìobhadh *agr*

typescript *n*
clò-sgrìobhainn *boir*
clò-sgrìobhainne *gin*
clò-sgrìobhainnean *iol*

typewriter *n* **(keyboard)**
clò-sgrìobhadair *fir*
clò-sgrìobhadair *gin*
clò-sgrìobhadairean *iol*

typing *n*
clò-sgrìobhadh *fir*
clò-sgrìobhaidh *gin*

typist *n*
clò-sgrìobhaiche *fir*
clò-sgrìobhaiche *gin*
clò-sgrìobhaichean *iol*

Ulster *n*
Ulaidh *fir*
Uladh *gin*

ultimate *adj*
deireannach *br,*
mu dheireadh *cgr*
1 the ultimate deterrent
a' chulaidh-bhacaidh dheireannach
2 the ultimate stage in the process
an ìre mu dheireadh san dol air adhart

ultimatum *n*
rabhadh (*fir*) deireannach
rabhaidh dheireannaich *gin*
rabhaidhean deireannach *iol,*
fògradh (*fir*) deireannach
fògraidh dheireannaich *gin*
fògraidhean deireannach *iol*
to set an ultimatum
fògradh / rabhadh deireannach a chur a-mach

ultra vires
thar chumhachd

unacceptable *adj*
(rud) ris nach tèid gabhail
unacceptable behaviour
giùlan ris nach tèid gabhail

unaccountable *adj*
do-mhìneachadh *br,*
do-thuigsinn *br*
an unaccountable defeat
call gun fhios carson,
call nach gabh a thuigsinn

unambiguous *adj*
aon-seaghach *br*

unanimity *n*
aon-inntinn *boir*
aon-inntinn *gin*
to achieve unanimity
aon-inntinn a ruighinn

unanimous *adj*
aon-ghuthach *br*
a unanimous view
beachd aon-ghuthach,
beachd a h-uile duine

unanimously *adv*
gu h-aon-ghuthach

unavoidable *adj*
do-sheachanta *br*

uncertainty *n*
mì-chinnt *boir*
mì-chinnte *gin*

unconditional *adj*
gun chumhachan
unconditional surrender
gèilleadh gun chumhachan

underdeveloped *adj*
dì-leasaichte *br*

underestimate *n*
measadh (*fir*) fon luach
measaidh fon luach *gin*

underestimate *v*
meas (*gr*) fon luach
measadh (*agr*) fon luach
to underestimate an opponent
neart neach-dùbhlain a mheasadh ro ìosal

underfund *v*
maoinich (*gr*) fo ìre iomchaidh
maoineachadh (*agr*) fo ìre iomchaidh

underfunded *adj*
gun mhaoineachadh iomchaidh

underfunding *n*
maoineachadh (*fir*) fo ìre iomchaidh

undergo *v*
thig (*gr*) air
tighinn (*agr*) air
to undergo a transformation
cruth-atharrachadh a thighinn air (neach, nì)

underhand *adj*
cealgach *br*
underhand tactics
innleachdan cealgach

underline *v*
dearbh *gr*
dearbhadh *agr,*
comharraich *gr*
comharrachadh *agr,*
cuir (*gr*) loidhne fo
cur (*agr*) loidhne fo
1 the election result underlines their popularity
tha toradh an taghaidh a' comharrachadh a' mheas a tha aig daoine orra
2 to underline a part of the text
loidhne a chur fo phàirt den teacsa

underlying *adj*
air cùl (chùisean) *roi*
the underlying trend is good
an gluasad a gheibhear air cùl chùisean - tha e math

undermine *v*
toll (*gr*) fo
tolladh (*agr*) fo,
lagaich *gr*
lagachadh *agr*
to undermine someone's authority
tolladh fo ùghdarras neach, ùghdarras neach a lagachadh

under-representation *n*
(a bhith) gun riochdachadh (*fir*) iomchaidh

under-represented *adj*
gun riochdachadh (*fir*) iomchaidh
1 our party is under-represented on committees
chan eil riochdachadh iomchaidh aig ar pàrtaidh air comataidhean
2 an under-represented group
buidheann gun riochdachadh iomchaidh

Under-Secretary of State *n*
Under-Secretaries *npl* **of State**
Fo-rùnaire (*fir*) na Stàite
Fo-rùnaire na Stàite *gin*
Fo-rùnairean na Stàite *iol*

undersigned *adj*
le ainm sgrìobhte shìos

underspend *n*
caiteachas (*fir*) fon t-suim shuidhichte
caiteachais fon t-suim shuidhichte *gin*

underspend *v*
caith (*gr*) fon t-suim shuidhichte
caitheamh (*agr*) fon t-suim shuidhichte

underspending *n*
caitheamh (*fir*) fon t-suim shuidhichte
caitheimh fon t-suim shuidhichte *gin*

underspent *adj*
(suim) nach deach a chaitheamh

understaffed *adj*
gun àireamh iomchaidh de luchd-obrach

understanding *n*
còrdadh *fir*
còrdaidh *gin*
còrdaidhean *iol*

undertake *v*
gabh (*gr*) os làimh
gabhail (*agr*) os làimh,
geall *gr*
gealltainn *agr*
1 I will undertake that task
gabhaidh mi os làimh an dleastanas sin
2 I undertake to meet that target
tha mi a' gealltainn an targaid sin a choileanadh

undertaking *n*
gnothach *fir*
gnothaich *gin*
gnothaichean *iol,*
gealladh *fir*
geallaidh *gin*
geallaidhean *iol,*
iomairt *boir*
iomairt *gin*
iomairtean *iol*
1 this is a risky undertaking
'S e gnothach cugallach a tha seo
2 to give an undertaking
gealladh a thoirt
3 the new undertaking will bring great benefits
thig sochairean mòra an lùib na h-iomairt ùire seo

underway *adv*
ga chur an gnìomh
the policy was now underway
bha am poileasaidh a-nis ga chur an gnìomh

undeveloped region *n*
roinn (*boir*) dì-leasaichte
roinne dì-leasaichte *gin*
roinnean dì-leasaichte *iol*

undisputed *adj*
gun chonnspaid,
gun chur an aghaidh
1 the undisputed leader
an ceannard,
gun duine a' cur na aghaidh
2 her authority is undisputed
chan eil duine a' cur an aghaidh a h-ùghdarrais

undoubtedly *adv*
gun teagamh

undue *adj*
cus *fir*
tuilleadh is a' chòir
he exerted an undue influence on his colleagues
bha tuilleadh is a' chòir / cus buaidh aige air a cho-oibrichean

unedifying *adj*
mì-thlachdmhor,
mì-oileanach
an unedifying spectacle
sealladh mì-oileanach / mì-thlachdmhor

unelected *adj*
neo-thaghte *br*

unemployment *n*
cion-cosnaidh *fir*
cion-cosnaidh *gin*

unemployment benefit *n*
sochair (*boir*) cion-cosnaidh
sochair cion-cosnaidh *gin*

unfair *adj*
mì-chothromach *br*

unfit *adj*
neo-airidh *br*
he is unfit to hold public office
tha e neo-airidh air dreuchd phoblaich

unfortunate *adj*
mì-fhortanach *br,*
leibideach *br*
1 he was in an unfortunate position
bha e ann an suidheachadh mì-fhortanach
2 that was an unfortunate remark!
nach bu leibideach an rud a thubhairt e / i!

unfounded *adj*
gun bhunait
an unfounded allegation
casaid gun bhunait

unholy *adj*
mì-chneasta *br*
an unholy alliance
caidreabhas nach eil cneasta

unification *n*
co-aonachadh *fir*
co-aonachaidh *gin*
German unification
co-aonachadh na Gearmailt

unified *adj*
co-aonaichte
a unified approach
dòigh-obrach aonaichte

uniform *adj*
cunbhalach *br*

uniform *n*
èideadh *fir*
èididh *gin*
èididhean *iol*

uniformed officer *n*
oifigeach (*fir*) na èideadh
oifigich na èideadh *gin*
oifigich nan èideadh *iol*

unify *v*
co-aonaich *gr*
co-aonachadh *agr*
to unify the nation
an nàisean a cho-aonachadh

unilateral *adj*
aon-taobhach *br*

unilateralism *n*
aon-taobhachas *fir*
aon-taobhachais *gin*

unilateralist *adj*
aon-taobhachail *br*
a unilateralist policy
poileasaidh aon-taobhachail

unilateralist *n*
aon-taobhaiche *fir*
aon-taobhaiche *gin*
aon-taobhaichean *iol*

unilaterally *adv*
gu h-aon-taobhach
they have acted unilaterally
rinn iad (nì) gu h-aon-taobhach

unintentional *adj*
gun a bhith a dheòin (neach)
an unintentional error
mearachd nach deach a dhèanamh a dheòin (neach)

union *n*
aonadh *fir*
aonaidh *gin*
aonaidhean *iol*

Union *n* **of Independents**
Aonadh (*fir*) nan Neo-Eisimeileach
Aonadh nan Neo-Eisimeileach *gin*

Union *n* **of Shop Workers, Distribution and Allied Trades (USDAW)**
Aonadh (*fir*) Luchd-Obrach Bhùth, Cheàird Riarachaidh agus an Leithid
Aonadh Luchd-Obrach Bhùth, Cheàird Riarachaidh agus an Leithid *gin*

unit *n*
aonad *br*
aonaid *gin*
aonadan *iol*
economic policy unit
aonad airson poileasaidh eaconamaich

unitary authority *n*
ùghdarras (*fir*) aonadach
ùghdarrais aonadaich *gin*
ùghdarrasan aonadach *iol*

united *adj*
aonaichte
they presented a united front
nochd iad aghaidh aonaichte

United Kingdom *n* **(UK)**
An Rìoghachd (*boir*) Aonaichte
na Rìoghachd Aonaichte *gin*

United Kingdom Central Council *n* **for Nursing, Midwifery and Health Visiting**
Prìomh Chomhairle (*boir*) na Rìoghachd Aonaichte airson Nursaidh, Banais-Ghlùine agus Tadhail Slàinte
Prìomh Chomhairle na Rìoghachd Aonaichte airson Nursaidh, Banais-Ghlùine agus Tadhail Slàinte *gin*

United Nations *npl*
Na Dùthchannan (*boir iol*) Aonaichte
nan Dùthchannan Aonaichte *gin*

United Nations Educational, Scientific and Cultural Organisation *n* **(UNESCO)**
Buidheann (*fir / boir*) nan Dùthchannan Aonaichte airson Foghlaim, Saidheans is Cultair
Buidhne nan Dùthchannan Aonaichte airson Foghlaim, Saidheans is Cultair *gin*

United Nations International Children's Emergency Fund *n* **(UNICEF)**
Maoin (*boir*) Èiginneach Cloinne Eadar-Nàiseanta nan Dùthchannan Aonaichte
Maoin Èiginneach Cloinne Eadar-Nàiseanta nan Dùthchannan Aonaichte *gin*

unity *n*
aonachd *boir*
aonachd *gin,*
co-chòrdadh *fir*
co-chòrdaidh *gin*
1 the unity of the party
aonachd a' phàrtaidh
2 unity of purpose
co-chòrdadh san adhbhar

universal *adj*
uile-choitcheann *br,*
coitcheann *br*
1 a universal truth
fìrinn uile-choitcheann
2 universal suffrage
còir-bhòtaidh choitcheann

Universal Postal Union *n*
An t-Aonadh (*fir*) Postail Coitcheann
an Aonaidh Phostail Choitchinn *gin*

Universities Funding Council *n*
Comhairle (*boir*) Maoineachaidh nan Oilthighean
Comhairle Maoineachaidh nan Oilthighean *gin*

University *n* **for Industry (UfI)**
Oilthigh (*fir*) airson Gnìomhachais
Oilthigh airson Gnìomhachais *gin*

University *n* **of the Highlands and Islands (UHI)**
Oilthigh (*fir*) na Gaidhealtachd is nan Eilean
Oilthigh na Gaidhealtachd is nan Eilean *gin*

University Grants Committee *n*
Comataidh (*boir*) airson Thabhartasan Oilthigh
Comataidh airson Thabhartasan Oilthigh *gin*

university hospital *n*
ospadal (*fir*) oilthigh
ospadail oilthigh *gin*
ospadalan oilthigh *iol*

unjust *adj*
mì-cheart *br*

unjustifiable *adj*
nach gabh a dhìon

unjustified *adj*
gun adhbhar cothromach
unjustified criticism
càineadh gun adhbhar cothromach

unlawful *adj*
mì-laghail *br*

unless *conj*
mur *nr*
it will become law unless we can prevent it
thèid e na lagh mur cuir sinn stad air

unlicensed *adj*
gun cheadachd
unlicensed premises
togalach gun cheadachd

unlimited *adj*
neo-chrìochnach *br*
unlimited jurisdiction
dligheachas neo-chrìochnach

unnecessary *adj*
neo-riatanach *br*

unobtrusive *adj*
neo-fhollaiseach *br*

unofficial *adj*
neo-oifigeil *br*
unofficial language
cainnt neo-oifigeil

unopposed *adj*
gun chur an aghaidh
1 unopposed order
òrdugh gun chur na aghaidh
2 unopposed reading of a Bill
leughadh Bile gun chur na aghaidh

unparliamentary *adj*
neo-phàrlamaideach *br*
1 unparliamentary language
cainnt neo-phàrlamaideach
2 unparliamentary conduct
giùlan neo-phàrlamaideach

unprecedented *adj*
(in law)
gun ro-shampall

unprincipled *adj*
gun chogais,
gun phrionnsabal
an unprincipled rogue
trustair gun chogais,
trustair gun phrionnsabal

unproductive *adj*
neo-tharbhach *br*
an unproductive discussion
beachdachadh neo-tharbhach

unproven *adj*
gun dearbhadh
the case for the policy was unproven
cha robh dearbhadh air buannachd a' phoileasaidh

unqualified *adj*
(unconditional)
gun chumhachan

unqualified *adj*
(without qualifications)
gun teisteanas(an)

unrealistic *adj*
neo-phragtai(g)each *br*
an unrealistic policy
poileasaidh neo-phra(g)taigeach

unreasonable *adj*
mì-reusanta *br*

unregulated *adj*
neo-riaghlaichte *br*

unrepresented *adj*
neo-riochdaichte *br*

unsafe *adj*
mì-shàbhailte *br*

unsocial *adj*
taobh a-muigh nan
uairean obrach àbhaisteach,
mì-shòisealta *br*
1 unsocial hours
taobh a-muigh nan
uairean obrach àbhaisteach
2 unsocial behaviour
giùlan mì-shòisealta

unstable *adj*
neo-sheasmhach *br*

unsuitable *adj*
mì-fhreagarrach *br*

unsustainable *adj*
nach gabh a chumail suas
an unsustainable argument
argamaid nach gabh
a cumail suas

unsympathetic *adj*
(not in sympathy with)
gun cho-chòrdadh (ri)

unsympathetic *adj*
(lacking in sympathy)
gun cho-fhaireachdainn

unthinkable *n*
nach gabh smuaineachadh
to think the unthinkable
beachdachadh air nithean
nach gabhadh roimhe an
smuaineachadh

untidy *adj*
mì-sgiobalta *br*
an untidy document
sgrìobhainn mhì-sgiobalta

untruth *n*
breug *boir*
brèige *gin*
breugan *iol,*
nì (*fir*) neo-fhìor
nì neo-fhìor *gin*
nithean neo-fhìor *iol*

unwarranted *adj*
gun adhbhar cothromach
an unwarranted attack on his integrity
ionnsaigh gun adhbhar
cothromach air a chliù

unwieldy *adj*
an-luchdaichte *br,*
lòdail *br*
the legislation has become unwieldy
tha an reachdas air fàs
lòdail / an-luchdaichte

unworkable *adj*
nach gabh obrachadh
the proposal is unworkable
cha ghabh am
moladh obrachadh

unworthy *adj*
mì-fhreagarrach,
suarach,
neo-airidh *br*
that remark was unworthy of statesman
bu shuarach na faclan sin
do stàitire

unwritten constitution *n*
bun-reachd neo-sgrìobhte *fir*
bun-reachd neo-sgrìobhte *gin*
bun-reachdan neo-sgrìobhte *iol*

update *n*
cunntas (*fir*) as ùr *fir*
cunntais as ùr *gin*
cunntasan as ùr *iol*
an update on progress
cunntas as ùr air adhartas

update *v*
thoir (*gr*) cunntas as ùr do
toirt (*agr*) cunntas as ùr do
please update us on progress
thoir dhuinn cunntas as
ùr air adhartas

upgrade *v*
leasaich (*gr*) ìre
leasachadh (*agr*) ìre

upgrading *n*
(a building)
leasachadh (*fir*) ìre
leasachaidh ìre *gin*

uphold *v*
cùm (*gr*) suas
cumail (*agr*) suas
1 to uphold a tradition
traidisean a chumail suas
2 to uphold the standards of this office
mathas / inbhe na dreuchd
seo a chumail suas

uplift *v*
tog (*gr*) meanmna
togail (*agr*) meanmna,
tog (*gr*) inntinn
togail (*agr*) inntinn
they were uplifted by her example
bha a h-eisimpleir na
thogail inntinn dhaibh

uplifting *adj*
brosnachail *br,*
a thogas meanmna
an uplifting speech
òraid bhrosnachail,
òraid a thogas meanmna
(aignidhean) dhaoine

upper house *n*
seòmar (*fir*) uachdrach
seòmair uachdraich *gin*

upset *n*
cur (*fir*) troimhe-chèile
cuir troimhe-chèile *gin*
the result of the vote was a major upset
chuir toradh na bhòt cùisean
troimhe-chèile gu mòr

upset *v*
cuir (*gr*) troimhe-chèile
cur (*agr*) troimhe-chèile
to upset the apple cart
car a chur de ghnothaichean

upsetting *adj*
a chuireas dragh air

upturn *n*
car (*fir*) math
car mhath *gin*
1 this is an upturn in our fortunes
tha cuisean air car math a ghabhail dhuinn a seo
2 on the upturn
air car math a ghabhail

urban *adj*
bailteil *br*
1 urban development grant
tabhartas leasachaidh bhailteil
2 urban district
sgìre bhailteil
3 urban investment grant
tabhartas calpa-sheilbh bailteil
4 urban programme
prògram bailteil

urge *v*
brosnaich *gr*
brosnachadh *agr,*
cuir (*gr*) ìmpidh air
cur (*agr*) ìmpidh air

urgency *n*
deifir *boir*
deifir *gin*
a matter of urgency
cùis a dh'fheumas deifir,
cùis dheifireach

urgent *adj*
deifireach *br,*
èiginneach *br*
Urgent Questions
Ceistean Èiginneach

urgently *adv*
gu deifireach *cgr,*
gu cabhagach *cgr*

usage *n*
gnàths *fir*
gnàiths *gin*

usher *n*
treòraiche *fir*
treòraiche *gin*
treòraichean *iol*

utility *n*
feum *fir*
feum *gin*

U-turn *n*
car (*fir*) iomlan
car iomlain *gin*
caran iomlan *iol*
to perform a U-turn
car iomlan a chur (de)

V

vacancy *n*
àite (*fir*) bàn
àite bhàin *gin*
àiteachan bàna *iol,*
obair *boir*
obrach *gin*
obraichean *iol,*
dreuchd *boir*
dreuchd *gin*
dreuchdan *iol*

vacant *adj*
falamh *br,*
bàn *br*
1 a vacant expression (facial)
coltas falamh air aodann (neach)
2 a vacant seat in Parliament
roinn-phàrlamaid bhàn

vague *adj*
neo-shoilleir *br*

vagueness *n*
neo-shoilleireachd *boir*
neo-shoilleireachd *gin*
vagueness of expression
cleachdadh cainnt nach eil soilleir

valid *adj*
èifeachdach *br,*
tàbhachdach *br*
1 the offer is valid until the end of the month
tha an tairgse èifeachdach gu deireadh na mìos
2 a valid argument
beachd tàbhachdach

validate *v*
dearbh *gr*
dearbhadh *agr*

validity *n*
èifeachd *boir*
èifeachd *gin*

valuable *adj*
luachmhor *br*
a valuable contribution to the debate
(nì) luachmhor a chaidh a chur ris an deasbad

valuation *n*
luachadh *fir*
luachaidh *gin*
luachaidhean *iol*
Valuation Officer
Oifigeach Luachaidh

value *n*
luach *fir*
luach *gin*
luachan *iol*
1 Value Added Tax (VAT)
Cìs Luach-Leasaichte
2 Value for Money (VFM)
Luach an Airgid

variance *n*
easaonta *fir*
easaonta *gin*
the statement was at variance with the facts
cha robh na chaidh ainmeachadh a rèir na fìrinn

variation *n*
caochladh *fir*
caochladh *gin*
caochlaidhean *iol*
variation order
òrdugh atharrachaidh

vary *v*
atharraich *gr*
atharrachadh *agr*

VAT central unit *n*
prìomh aonad (*fir*) na Cìse Luach-Leasaichte
prìomh aonad na Cìse Luach-Leasaichte *gin*

vehemence *n*
dèineas *fir*
dèineis *gin*

vehement *adj*
dian *br*
she was vehement in her opposition to the scheme
bha i a' cur gu dian an aghaidh an sgeama

vehemently *adv*
gu dian *cgr*

vehicle *n*
carbad *fir*
carbaid *gin*
carbadan *iol,*
seòl *fir*
siùil *gin*
seòlan *iol*
1 to drive a vehicle
carbad a dhràibheadh
2 he used the occasion as a vehicle for his own advancement
rinn e feum de na thachair mar sheòl air e fhèin adhartachadh

Vehicle Inspectorate Executive Agency *n*
Buidheann (*boir*) Gnìomhach Rannsachaidh Charbad
Buidheann Gnìomhach Rannsachaidh Charbad *gin*

vehicular access *n*
cothrom (*fir*) charbad
cothruim charbad *gin*

venture *n*
iomairt *boir*
iomairte *gin*
iomairtean *iol*

venture *v*
bi (*gr*) dàn,
thoir *gr*
toirt *agr*
1 I venture to suggest
tha de dhànachd agam a ràdh, am faod mi bhith cho dàn agus a ràdh
2 he ventured an argument
thug e argamaid

verbal *adj*
beòil *fir gin*
1 verbal abuse
droch bheul
2 a verbal contract
cùmhnant beòil

verbatim *adj*
facal air an fhacal
1 verbatim report
cunntas facal air an fhacal
2 verbatim transcript
tar-sgrìobhadh facal air an fhacal

verbose *adj*
ro-bhriathrach *br*

verbosity *n*
ro-bhriathrachas *fir*
ro-bhriathrachais *gin*

verdict *n*
breith *boir*
breith *gin*
to give a verdict
breith a thoirt

verify *v*
(to check)
dèan (*gr*) cinnteach
dèanamh (*agr*) cinnteach

verify *v*
(to validate)
dearbh *gr*
dearbhadh *agr*

version *n*
cunntas *fir*
cunntais *gin*
cunntasan *iol,*
tionndadh *fir*
tionndaidh *gin*
tionndaidhean *iol*
your version of events is different from mine
chan ionann an cunntas a tha agaibhse air a' chùis agus am fear a tha agamsa

vest *v*
builich *gr*
buileachadh *agr*
1 the authority is vested in the Minister
tha an t-ùghdarras air a bhuileachadh air a' Mhinistear
2 I have a vested interest in the matter
tha com-pàirt phearsanta agam sa chùis

vet *v*
breithnich *gr*
breithneachadh *agr,*
sgrùd *gr*
sgrùdadh *agr*
1 to vet a proposal
moladh a bhreithneachadh
2 to vet for security
sgrùdadh airson tèarainteachd

veto *n*
bhèato *fir*
bhèato *gin*
bhèatothan *iol*
1 power of veto
còir bhèato
2 to exercise a veto
bhèato a dhèanamh

veto *v*
dèan (*gr*) bhèato air
dèanamh (*agr*) bhèato air

viability *n*
ion-obrachadh *fir*
ion-obrachaidh *gin,*
comas (*fir*) obrachaidh
comas obrachaidh *gin*
I have doubts about the viability of the plan
tha teagamh agam gun gabh am plana obrachadh

viable *adj*
a ghabhas obrachadh
viable proposition
moladh a ghabhas obrachadh

vice versa *adv*
agus a chaochladh

vice-chair / vice-chairman *n*
vice-chairs / vice-chairmen *pl*
iar-chathraiche *fir*
iar-chathraiche *gin*
iar-chathraichean *iol*

vicious *adj*
guineach *br,*
millteach *br*
vicious circle
cearcall millteach

victim *n*
neach (*fir*) a dh'fhuiling / dh'fhuilingeas
neach a dh'fhuiling / dh'fhuilingeas *gin*
daoine a dh'fhuiling / dh'fhuilingeas *iol*
he is a victim of his own success
dh'fhuiling e a thoradh mar a shoirbhich leis

victory *n*
buaidh *boir*
buaidhe *gin*
buaidhean *iol*

video conferencing *n*
co-labhairtean (*boir iol*) bhideo
cho-labhairtean bhideo *gin,*
cumail (*boir*) cho-labhairtean bhideo
cumail cho-labhairtean bhideo *gin*

video link *n*
ceangal (*fir*) bhideo
ceangail bhideo *gin*
ceanglaichean bhideo *iol*

view *n*
sealladh *fir*
seallaidh *gin*
seallaidhean *iol*
1 to be of the view
bi den bheachd
2 the Court is of the view
tha a' Chùirt den bheachd

viewdata system *n*
siostam (*fir*) lèir-dàta
siostaim lèir-dàta *gin*
siostaman lèir-dàta *iol*

viewpoint *n*
beachd *fir*
beachd *gin*
beachdan *iol*

vigilance *n*
furachas *fir*
furachais *gin*
to maintain vigilance
furachas a chumail

vigilant *adj*
furachail *br*
to remain vigilant at all times
a bhith an còmhnaidh furachail

vigorous *adj*
sgairteil *br*
a vigorous defence of the case
dìon sgairteil air a' chùis

vigorously *adv*
gu sgairteil *cgr*

vigour *n*
sgairt *boir*
sgairte *gin*
she pursued her argument with vigour
lean i a h-argamaid le sgairt

vilification *n*
dubh-chàineadh *fir*
dubh-chàinidh *gin*

vilify *v*
dubh-chàin *gr*
dubh-chàineadh *agr*
he vilifies his opponents
bidh e a' dubh-chàineadh neach a bhitheas na aghaidh

violent *adj*
dian *br*
a violent disagreement
dian easaontachd

vire *v*
gluais (*gr*) (airgead)
gluasad (*agr*) (airgid)
we will vire the allocation from one heading to another
gluaisidh sinn an t-suim riaraichte bho aon cheann gu ceann eile

virement *n*
iomlaid-ionmhais *boir*
iomlaid-ionmhais *gin*

virtue *n*
subhailc *boir*
subhailce *gin*
subhailcean *iol,*
1 to make a virtue of necessity
àille a dhèanamh den èiginn
2 by virtue of paragraph 1 of the document
mar thoradh air earrainn 1 san sgrìobhainn

virulent *adj*
nimheil *br*
a virulent debate
deasbad nimheil

vision *n*
lèirsinn *boir*
lèirsinne *gin,*
sealladh *fir*
seallaidh *gin*
seallaidhean *iol*
1 a man of vision
duine lèirsinneach
2 a vision of the future
sealladh air na tha i teachd

visionary *adj*
(neach / nì) sa bheil sealladh
a visionary speech
òraid sa bheil sealladh (air na dh'fhaodadh teachd)

visionary *n*
neach (*fir*) le lèirsinn
she is the visionary of her party
is i an neach aig am bheil an fhìor lèirsinn sa phàrtaidh

visitor *n*
neach-tadhail *fir*
neach-tadhail *gin*
luchd-tadhail *iol*
visitor's badge / label
suaicheantas / bileag neach-tadhail

visual *adj*
lèirsinne *boir gin*
1 visual aid
uidheam-cuideachaidh lèirsinne
2 visual impact
tarraing-shùla

vital *adj*
ro-chudthromach *br*
a vital vote
bhòt ro-chudthromach

vocation *n*
gairm (*boir*) beatha
gairm beatha *gin*
gairmean beatha *iol*

vocational *adj*
dreuchdail *br*

vociferous *adj*
sgairteil *br*
1 the proposal received vociferous support
fhuair am moladh taic a bha sgairteil
2 vociferous opposition
cur an aghaidh (gu) sgairteil

voice *n*
guth *fir*
gutha *gin*
guthan *iol*
to speak with one voice
labhairt le aon ghuth

voice *v*
cuir (*gr*) an cèill
cur (*agr*) an cèill
to voice an opinion
barail a chur an cèill

void *n*
(unoccupied council dwelling)
taigh (*fir*) bàn
taighe bhàin *gin*
taighean bàna *iol*

voluntary agency *n*
buidheann-iomairt (*boir*) shaor-thoileach
buidhne-iomairt shaor-thoilich *gin*
buidhnean-iomairt saor-thoileach *iol*

voluntary aided school *n*
sgoil (*boir*) le taic shaor-thoilich
sgoile le taic shaor-thoilich *gin*
sgoiltean le taic shaor-thoilich *iol*

voluntary controlled school *n*
sgoil (*boir*) le ceansal saor-thoileach
sgoile le ceansal saor-thoileach *gin*
sgoiltean le ceansal saor-thoileach *iol*

Voluntary Council *n* **for Handicapped Children**
Comhairle (*boir*) Shaor-Thoileach airson Cloinne Ciorramaich
Comhairle Saor-Thoilich airson Cloinne Ciorramaich *gin*

voluntary organisation *n*
buidheann (*fir / boir*) shaor-thoileach
buidhne saor-thoilich *gin*
buidhnean saor-thoileach *iol*

voluntary redundancy *n*
anbharra (*fir*) saor-thoileach
anbharra shaor-thoilich *gin*
(daoine a' gabhail anbharra shaor-thoilich) *iol*

voluntary sector *n*
roinn (*boir*) shaor-thoileach
roinne saor-thoilich *gin*
roinnean saor-thoileach *iol*

volunteer *n*
saor-thoileach *fir*
saor-thoilich *gin*
saor-thoilich *iol*

volunteer *v*
tairg (*gr*) (nì a dhèanamh) gad dheòin fhèin
tairgse (*agr*) (nì a dhèanamh) gad dheòin fhèin,
thoir *gr*
toirt *agr*
1 I volunteer for the task
tha mi a' tairgse gam dheòin fhèin an obair a dhèanamh
2 I volunteer the information
tha mi a' toirt an fhiosrachaidh (gu deònach)

vote *n*
bhòt *boir*
bhòt *gin*
bhòtaichean *iol*
1 absent vote
bhòt neo-làthaireach
2 postal vote
bhòt tron phost
3 proxy vote
bhòt neach-ionaid

vote *v*
bhòt *gr*
bhòtadh *agr*
1 to vote for a candidate
bhòtadh airson tagraiche
2 to vote by show of hands
bhòtadh le cunntadh làmh
3 to vote down an amendment
atharrachadh a bhòtadh às

vote *n* **of censure**
bhòt (*boir*) cronachaidh
bhòt cronachaidh *gin*
bhòtaichean cronachaidh *iol*

vote *n* **of confidence**
bhòt (*boir*) earbsa
bhòt earbsa *gin*
bhòtaichean earbsa

vote *n* **of no confidence**
bhòt (*boir*) cion-earbsa
bhòt cion-earbsa *gin*
bhòtaichean cion-earbsa

vote office *n*
oifis (*fir*) a' bhòtaidh
oifis a' bhòtaidh *gin*

voter *n*
neach-bhòtaidh *fir*
neach-bhòtaidh *gin*
luchd-bhòtaidh *iol*

voter registration *n*
clàrachadh (*fir*) luchd-bhòtaidh
clàrachadh luchd-bhòtaidh *gin*

voting *n*
bhòtadh *fir*
bhòtaidh *gin*
absent voting
bhòtadh neo-làthaireach

voting lobby *n*
lobaidh (*fir / boir*) a' bhòtaidh
lobaidh a' bhòtaidh *gin*

voting right *n*
còir (*boir*) bhòtaidh
còir bhòtaidh *gin*
còraichean bhòtaidh *iol*

voting strength *n*
neart (*fir*) bhòtaidh
neirt bhòtaidh *gin*

voting system *n*
siostam (*fir*) bhòtaidh
siostaim bhòtaidh *gin*
siostaman bhòtaidh *iol*

vulnerability *n*
so-leòntachd *boir*
so-leòntachd *gin*

vulnerable *adj*
fosgailte *br,*
so-leònte *br*
1 we are vulnerable to criticism
tha sinn fosgailte ri ar càineadh
2 to protect the weak and vulnerable
gus daoine a tha lag, so-leònte, a dhìon

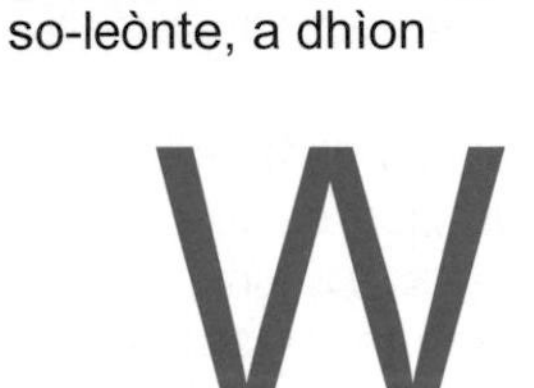

waffle *n*
sruth (*fir*) gun bhrìgh
sruth gun bhrìgh *gin*
that speech was pure waffle
cha robh san òraid ud ach sruth gun bhrìgh / bleadraich gun seagh

waffle *v*
bi (*gr*) ri sruth gun bhrìgh

waffling *n*
ri sruth gun bhrìgh

wage *n*
tuarastal *fir*
tuarastail *gin*
tuarastail *iol*

waiter *n*
fear-frithealaidh *fir*
fir-fhrithealaidh *gin*
luchd-frithealaidh *iol*

waiting list *n*
liosta-feitheimh *boir*
liosta-feitheimh *gin*
liostachan-feitheimh *iol*
1 to be on a waiting list
a bhith air liosta-feitheimh
2 a hospital waiting list
liosta-feitheimh ospadail
3 to reduce waiting lists
liostachan-feitheimh a lùghdachadh

waitress *n*
tè-fhrithealaidh *boir*
tè-frithealaidh *gin*
luchd-frithealaidh *iol*

waive *v*
cuir (*gr*) an dàrna taobh
cur (*gr*) an dàrna taobh
to waive standing orders
gnàth-riaghailtean a chur an dàrna taobh

waiver *n*
tar-sgaoileadh *fir*
tar-sgaoilidh *gin*

Wales *n*
a' Chuimrigh *boir*
na Cuimrigh *gin*

Wales Office *n*
Oifis (*boir*) na Cuimrigh
Oifis na Cuimrigh *gin*

wander *v*
rach (*gr*) air seacharan
dol (*agr*) air seacharan
1 to wander from a prepared speech
dol air seachran bho òraid ullaichte
2 my mind wandered during his speech
dh'fhalbh mo smuaintean leam tron òraid aige

war *n*
cogadh *fir*
cogaidh *gin*
cogaidhean *iol*
the party is now on a war footing
tha am pàrtaidh a-nis air ghleus cogaidh

war chest *n*
ciste (*boir*) cùl-earalais
ciste cùl-earalais *gin*

ward *n*
(electoral)
uàrd *fir*
uàird *gin*
uàrdan *iol*
district ward
uàrd sgìreil

warn *v*
thoir (*gr*) rabhadh do
toirt (*agr*) rabhaidh do
to warn against certain courses of action
rabhadh a thoirt an aghaidh cuid de dhòighean air adhart

warning *n*
rabhadh *fir*
rabhaidh *gin*
rabhaidhean *iol*
to issue a warning
rabhadh a thoirt

wary *adj*
faicilleach *br*
we are wary of such promises
tha sinn air ar faiceall ro a leithid de gheallaidhean

watch committee *n*
comataidh (*boir*) faire (a' phoileis)
comataidh faire (a' phoileis) *gin*
comataidhean faire (a' phoileis) *iol*

watchdog committee *n*
comataidh (*boir*) faire
comataidh faire *gin*
comataidhean faire *iol*

watching brief *n*
dleastanas (*fir*) faire
dleastanais fhaire *gin*
dleastanasan faire
to maintain a watching brief
dleastanas faire a chumail

water authority *n*
ùghdarras (*fir*) uisge
ùghdarrais uisge *gin*
ùghdarrasan uisge *iol*

water rate *n*
reat (*fir*) uisge
reat uisge *gin*
reataichean uisge *iol*

watershed *n*
sgarachdainn *fir*
sgarachdainn *gin*

weakness *n*
laigse *boir*
laigse *gin*
laigsean *iol*
to exploit a weakness
brath a ghabhail air laigse

web *n*
lìon *fir*
lìn *gin*
the World-Wide Web
Lìon na Cruinne

website *n*
làrach-lìn *boir*
làraich-lìn *gin*
làraichean-lìn *iol*

weekly *adj*
seachdaineach *br*
a weekly update on progress
cunntas seachdaineach air adhartas

weigh *v*
cothromaich *gr*
cothromachadh *agr*,
laigh *gr*
laighe *agr*
1 it weighs heavily on my conscience
tha e a' laighe gu trom air mo chogais
2 the Leader weighed in with strong arguments
chaidh an Ceannard an sàs anns a' chùis le argamaidean làidir

weight *n*
truimead *fir*
truimeid *gin*
cudthrom *fir*
cudthruim *gin*
1 the weight of evidence
truimead an teisteanais
2 the weight of opinion
barail na mòrchuid / na mòrchodach

weighty *adj*
cudthromach *br*
there are many weighty matters on the agenda
tha iomadh cuspair cudthromach air a' chlàr-ghnothaich

welcome *adj*
air an cuirear fàilte
the policy is a welcome development
is e ceum air an cuirear fàilte a tha sa phoileasaidh seo

welcome *n*
fàilte *boir*
fàilte *gin*
to extend a warm welcome
ceud fàilte a chur air (neach, nì)

welcome *v*
cuir (*gr*) fàilte air
cur (*agr*) fàilte air
my party welcomes this policy
tha mo phàrtaidh-sa a' cur fàilte air a' phoileasaidh seo

welfare *n*
sochair *boir* (shòisealta)
sochaire (sòisealta) *gin*

welfare reform *n*
ath-leasachadh (*fir*) shochairean
ath-leasachadh shochairean *gin*
ath-leasachaidhean shochairean *iol*

welfare review *n*
ath-bhreithneachadh (*fir*) shochairean
ath-bhreithneachaidh shochairean *gin*

welfare spending *n*
caiteachas (*fir*) shochairean
caiteachais shochairean

welfare state *n*
stàit (*boir*) shochairean
stàit shochairean *gin*

welfare to work
sochair gus cosnadh

well-informed *adj*
fiosrach *br*

well-intentioned *adj*
le deagh rùn
the proposal was well-intentioned
(rinneadh) am moladh le deagh rùn

well-laid *adj*
suidhichte (*br*) gu math
well-laid plans
innleachdan (a tha) suidhichte gu math

well-meaning *adj*
le deagh rùn
he is well-meaning but inept
tha deagh rùn aige ach tha e gun dòigh

well-timed *adj*
an deagh àm
the intervention was well-timed
bha an t-eadar-theachd an deagh àm,
thàinig e / i a-steach a n deagh àm

Welsh Assembly *n*
Seanadh (*fir*) na Cuimrigh
Seanadh na Cuimrigh *gin*

West Aberdeenshire and Kincardine (Constituency)
Siorrachd Obar Dheathain an Iar agus Cinn Chàrdainn
Siorrachd Obar Dheathain an Iar agus Cinn Chàrdainn *gin*

West Renfrewshire (Constituency)
Rinn Friù an Iar
Rinn Friù an Iar *gin*

Western Isles (Constituency)
Na h-Eileanan (*fir iol*) Siar
Nan Eilean Siar *gin*

Western Isles MP
Ball (*fir*) Pàrlamaid Westminster nan Eilean Siar
Ball Pàrlamaid Westminster nan Eilean Siar *gin*

Western Isles MSP *n*
Ball (*fir*) Pàrlamaid Albannach nan Eilean Siar
Ball Pàrlamaid Albannach nan Eilean Siar *gin*

Westminster *n*
an Iar-mhanachainn *boir*
na h-Iar-mhanachainn *gin,*
Westminster *fir*
Westminster *gin*

wheelchair *n*
sèithear-cuibhle *fir*
sèitheir-chuibhle *gin*
sèithrichean-cuibhle *iol,*
cathair-chuibhle *boir*
cathair-chuibhle *gin*
cathraichean-cuibhle *iol*
wheelchair access
cothrom sèitheir-chuibhle

whinge *v*
dèan (*gr*) cànran
dèanamh (*agr*) cànrain

whingeing *adj*
cànranach *br*

whingeing *n*
cànran *fir*
cànrain *gin*

whip *n*
(party official)
cuip *boir*
cuipe *gin*
cuipean *iol*
Whips' Office
Oifis nan Cuipean

whip *v*
cuip *gr*
cuipeadh *agr*

white board *n*
bòrd-geal *fir*
bùird-ghil *gin*
bùird-gheala *iol*

White Paper *n*
Pàipear (*fir*) Geal
Pàipeir Ghil *gin*
Pàipearan Geala *iol*

whitewash *n*
gealachadh *fir* (air mì-chliù)
gealachaidh *gin*

whitewash *v*
gealaich *gr*
gealachadh *agr,*
cuir (*gr*) dreach glan air
cur (*agr*) dreach glan air

wholehearted *adj*
làn- *br*
you have my wholehearted support
tha mo làn thaic agad

wholeheartedly *adv*
le uile chridhe
we wholeheartedly endorse the view
tha sinn ag aontachadh ris a' bheachd sin le ar n-uile chridhe / neart

whom,
to whom it may concern
an neach dom buin a' chùis

widely *adv*
fad (*br*) is farsaing
the party's policy is widely known
tha poileasaidh a' phàrtaidh aithnichte fad is farsaing

wide-ranging *adj*
farsaing *br*
a wide-ranging debate
deasbad farsaing

widespread *adj*
fad (*br*) is farsaing
widespread discontent
mì-thoileachas fad is farsaing

wildlife adviser *n*
comhairleach (*fir*) fiadh-bheatha
comhairlich fhiadh-bheatha *gin*
comhairlich fhiadh-bheatha *iol*

willing *adj*
deònach *br*
a willing member of the partnership
ball deònach sa chom-pàirteachas

willingness *n*
deòntas *fir*
deòntais
they have shown a willingness to co-operate
tha iad air deòntas a nochdadh gus co-obrachadh

win *v*
buannaich *gr*
buannachd *agr*
to win votes
bhòtaichean a bhuannachd

wind up *v*
thoir (*gr*) gu crìoch
toirt (*agr*) gu crìoch
to wind up a debate
an deasbad a thoirt gu crìoch

windfall *n*
turchairt *boir*
turchairte *gin*
turchairtean *iol*
windfall tax
cìs turchairte

winding-up *adj*
crìochnachadh *fir*
crìochnachaidh *gin*
a winding-up speech
òraid chrìochnachaidh

wing *n*
sgiath *boir*
sgèithe *gin*
sgiathan *iol,*
làmh *boir*
làimhe *gin*
làmhan *iol*
1 the left wing of the party
làmh chlì a' phàrtaidh
2 the right wing of the party
làmh dheas a' phàrtaidh

wisdom *n*
gliocas *fir*
gliocais

wise *adj*
glic *br*

wisely *adv*
gu glic *cgr*

wit *n*
eirmseachd *boir*
eirmseachd,
toinisg *boir*
toinisge *gin*
1 the man is a wit
tha an duine eirmseach,
's e neach-eirmseachd
a tha ann
2 he does not have the wit to excel in debate
chan eil de thoinisg aige
gus bàrr a thoirt san deasbad

witch-hunt *n*
geur-leanmhainn *fir*
geur-leanmhainn *gin*
geur-leanmhainnean *iol*

withdraw *v*
tarraing (*gr*) air ais
tarraing (*agr*) air ais,
thoir (*gr*) air falbh
toirt (*agr*) air falbh
1 I beg leave to withdraw the motion
dh'iarrainn cead an gluasad
a tharraing air ais
2 to withdraw a remark
faclan a tharraing air ais
3 to withdraw powers
ùghdarrasan a thoirt air falbh
4 to withdraw the whip
a' chuip a thoirt air falbh

withhold *v*
cùm (*gr*) air ais
cumail (*agr*) air ais
to withhold information
fios a chumail air ais

within *prep*
taobh a-staigh (*rio le gin*)
within the law
taobh a-staigh an lagha

without *prep*
gun *roi*
without prejudice to
gun bheum do

witness *n*
fianais *boir*
fianaise *gin*
fianaisean *iol*

witness *v*
dèan (*gr*) fianais do
dèanamh (*agr*) fianais do
to witness a signature
fianais a dhèanamh do
dh'ainm-sgrìobhte

witty *adj*
eirmseach *br*
1 a witty speech
òraid eirmseach
2 a witty person
neach eirmseach

Women's Institute *n*
(WI)
Institiud (*fir*) nam Ban
Institiud nam Ban *gin*

Women's National Commission *n*
Coimisean (*fir*) Nàiseanta
nam Ban
Coimisean Nàiseanta
nam Ban *gin*

Women's Royal Voluntary Service *n*
(WRVS)
Seirbheis (*boir*) Shaor-Thoileach
Rìoghail nam Ban
Seirbheis Shaor-Thoileach
Rìoghail nam Ban

Woodland Grant Scheme *n*
Sgeama (*fir*) Tabhartais
nan Coilltean
Sgeama Tabhartais
nan Coilltean *gin*

Wool Marketing Board *n*
Bòrd (*fir*) Margaidh na Clòimhe
Bhòrd Margaidh na Clòimhe *gin*

woolly *adj*
ceòthach,
doilleir,
baoth *br*
1 woolly-minded
le smuaintean ceòthach,
le smuaintean doilleir
2 woolly thinking
smuaineachadh ceòthach,
le smuain bhaoith / air
seachran

Woolsack *n*
an Sac-Olainn *fir*
an t-Saic-Olainn *gin*

work *n*
obair *boir*
obrach *gin*
work in progress
obair a tha ga leantainn

work *v*
obraich *gr*
obrachadh *agr*

work sharing *n*
roinn (*boir*) obrach
roinn obrach *gin*

work station *n*
stèisean obrach *fir*
stèisein obrach *gin*
stèiseanan obrach *iol*

workable majority *n*
mòr-chuid (*boir*) ion-dhèante
mòr-chodach ion-dhèante *gin*
mòr-chodaichean ion-dhèante *iol*

worker *n*
neach-obrach *fir*
neach-obrach *gin*
luchd-obrach *iol*

Workers Educational Association *n*
(WEA)
Comann (*fir*) Foghlamach an
Luchd-Chosnaidh
Comann Foghlamach an
Luchd-Chosnaidh *gin*

workforce *n*
luchd-obrach *iol* (gu h-iomlan)
luchd-obrach (gu h-iomlan) *gin*

working *n*
obrachadh *fir*
obrachaidh *gin*
obrachaidhean *iol*
the working of the Committee system
obrachadh an t-siostaim
Chomataidh

working arrangements *npl*
rianan (*fir iol*) obrach
rianan obrach *gin*

working conditions *npl*
suidhichidhean (*fir iol*) obrach
shuidhichidhean obrach *gin*

Working Families Tax Credit *n*
Creideas (*fir*) Cìse Theaghlaichean a tha ag Obair
Creideas Cìse Theaghlaichean a tha ag Obair *gin*

working group *n*
buidheann-obrach
buidhne-obrach *gin*
buidhnean-obrach *iol*

working hours *npl*
uairean (*boir iol*) obrach
uairean obrach *gin*

working majority *n*
mòr-chuid (*boir*) leis an gabh obrachadh
mòr-chodach leis an gabh obrachadh *gin*
mòr-chodaichean leis an gabh obrachadh *iol*

working measures *npl*
seòl (*fir*) obrach
siùil obrach *gin*

working paper *n*
pàipear-obrach *fir*
pàipeir-obrach *gin*
pàipearan-obrach *iol*

working party *n*
còmhlan (*fir*) obrach
còmhlain obrach *gin*
còmhlain obrach *iol*

Working Time Directive *n* **(European Commission)**
Riaghailt (*boir*) Ùine Obrach
Riaghailt Ùine Obrach *gin*

working week *n*
seachdain (*boir*) obrach
seachdain obrach *gin*

workings *npl*
obrachadh *fir sg*
obrachaidh *gin*
the workings of government
obrachadh an riaghaltais

workplace *n*
àite-obrach *fir*
àite-obrach *gin*
àiteachan-obrach *iol*
1 workplace nursery / creche
cròileagan aig an àite-obrach
2 in the workplace
san àite-obrach

World Health Organisation *n*
Buidheann (*fir / boir*) Slàinte na Cruinne
Buidheann Slàinte na Cruinne *gin*

World Heritage *n*
Dualchas (*fir*) na Cruinne
Dualchas na Cruinne *gin*
the area has the status of a World Heritage site
tha inbhe aig an àrainn mar làrach Dhualchas na Cruinne

World Trade Organisation *n* **(WTO)**
Buidheann (*fir / boir*) Malairt na Cruinne
Buidheann Malairt na Cruinne *gin*

worried *adj*
fo chùram,
draghail *br*
to be worried about a problem
a bhith fo chùram mu dhuilgheadas

worry *n*
dragh *fir*
dragha *gin*
draghannan *iol*
cùram *fir*
cùraim *gin*
cùraman *iol*
it was a great worry to us all
bha e na dhragh mòr dhuinn uile

worry *v*
gabh (*gr*) dragh
gabhail (*agr*) dragh,
cuir (*gr*) dragh air
cur (*agr*) dragh air
1 it is nothing to worry about
cha bhithear a' gabhail dragh ma dheidhinn
2 the situation worries me
tha an suidheachadh a' cur dragh orm

worrying *adj*
draghail
a worrying situation
suidheachadh draghail

worst case scenario *n*
sealladh (*fir*) as miosa
seallaidh as miosa *gin*
seallaidhean as miosa *iol*

worthy *adj*
airidh *br*
a speech worthy of praise
òraid airidh air moladh

wound *n*
leòn *fir*
leòin *gin*
leòintean *iol*

wound *v*
leòn *gr*
leòn *agr*
he is too strong to be wounded by such criticism
tha e ro chalma airson a leòn leis a leithid de bheumadh

wounding *adj*
guineach *br*
I found his remarks wounding and hurtful
shaoil mi na thuirt e a bhith guineach, grànda

wrangle *n*
conas *fir*
conais *gin*

wrangle *v*
connsaich *gr*
connsachadh *agr*

wrangling *n*
connsachadh *fir*
connsachaidh *gin*

wrecking amendment *n*
atharrachadh (*fir*) millteach
atharrachaidh mhilltich *gin*
atharrachaidhean millteach *iol*

writ *n*
sgrìobhainn-chùirte *boir*
sgrìobhainn-chùirte *gin*
sgrìobhainnean-cùirte *iol*
original writ
sgrìobhainn-chùirte thùsail

writ *n* **of habeas corpus**
sgrìobhainn-chùirte (*boir*) habeas corpus
sgrìobhainn-chùirte habeas corpus *gin*
sgrìobhainnean-cùirte habeas corpus *iol*

write *v*
sgrìobh *gr*
sgrìobhadh *agr*

write *v* **off**
cuir (*gr*) às a' chunntas
cur (*agr*) às a' chunntas,
dubh (*gr*) às
dubhadh (*agr*) às,
meas (*gr*) gun luach
meas (*agr*) gun luach
1 to write off a debt
fiachan a chur às a' chunntas, fiachan a dhubhadh às
2 do not write me off yet
na meas gun luach mi fhathast

written answer *n*
freagairt (*boir*) sgrìobhte
freagairt sgrìobhte *gin*
freagairtean sgrìobhte *iol*

written constitution *n*
bun-reachd (*fir*) sgrìobhte
bun-reachd sgrìobhte *gin*
bun-reachdan sgrìobhte *iol*

written judgement *n*
breith (*boir*) sgrìobhte
breith sgrìobhte *gin*
breithean sgrìobhte *iol*

written law *n*
lagh (*fir*) sgrìobhte
lagha sgrìobhte *gin*
laghannan sgrìobhte *iol*

written reply *n*
freagairt (*boir*) sgrìobhte
freagairt sgrìobhte *gin*
freagairtean sgrìobhte *iol*

written statement *n*
aithris (*boir*) sgrìobhte
aithris sgrìobhte *gin*
aithrisean sgrìobhte *iol*

wrong *adj*
ceàrr *br*
1 to be on the wrong side of a ruling
a bhith air an taobh cheàrr de riaghladh
2 to be in the wrong
a bhi ceàrr
3 to gain a wrong impression
barail cheàrr fhaighinn
4 they admitted they were wrong
dh'aidich iad gun robh iad ceàrr

Y

year *n*
bliadhna *boir*
bliadhna *gin*
bliadhnachan / bliadhnaichean *iol*
from year to year
o bhliadhna gu bliadhna

year book *n*
leabhar (*fir*) bliadhna
leabhair bhliadhna *gin*
leabhraichean bliadhna *iol*

'yes' lobby *n*
lobaidh (*fir / boir*) luchd 'seadh'
lobaidh luchd 'seadh' *gin,*
lobaidh an taoibh a tha ag aontachadh *fir*
lobaidh an taoibh a tha ag aontachadh *gin*

Young Men's Christian Association *n*
(YMCA)
Comann (*fir*) Crìosdail nam Fear Òga
Comann Crìosdail nam Fear Òga *gin*

Young Offenders' Institution *n*
Ionad (*fir*) Chiontach Òga
Ionad Chiontach Òga *gin*
Ionadan Chiontach Òga *iol*
in the Young Offenders' Institution
ann an Ionad nan Ciontach Òga

Young Women's Christian Association *n*
(YWCA)
Comann (*fir*) Crìosdail nam Ban Òga
Comann Crìosdail nam Ban Òga *gin*

youth assembly *n*
co-chruinneachadh (*fir*) òigridh
co-chruinneachaidh òigridh *gin*
co-chruinneachaidhean òigridh *iol*

youth centre
ionad (*fir*) òigridh
ionad òigridh *gin*
ionadad òigridh *iol*

youth club *n*
club-òigridh *fir*
club-òigridh *gin*
clubaichean-òigridh *iol*

youth custody
grèim (*fir*) òigridh
grèim òigridh *gin*

youth employment
fastadh (*fir*) òigridh
fastadh òigridh *gin*

youth employment officer *n*
oifigear (*fir*) fastadh òigridh
oifigeir fastadh òigridh *gin*
oifigearan fastadh òigridh *iol*

youth employment service *n*
seirbheis (*boir*) fastadh òigridh
seirbheis fastadh òigridh *gin*
seirbheisean fastadh òigridh *iol*

Youth Opportunities Programme *n*
(YOP)
Prògram (*fir*) Chothroman Òigridh
Phrògram Chothroman Òigridh *gin*

youth organisation *n*
buidheann-òigridh *boir*
buidhne-òigridh *gin*
buidhnean-òigridh *iol*

youth service
seirbheis (*boir*) òigridh
seirbheis òigridh *gin*
seirbheisean òigridh *iol*

Youth Training Scheme *n*
(YTS)
Sgeama (*fir*) Treànadh Òigridh
Sgeama Threànadh Òigridh *gin*

youth unemployment
cion-cosnaidh (*fir*) òigridh
cion-chosnaidh òigridh *gin*

youth work
obair-òigridh *boir*
obrach-òigridh *gin*

youth worker
obriche-òigridh *fir*
obriche-òigridh *gin*
obrichean-òigridh *iol*

zebra crossing *n*
trast-rathad (*fir*) seabra
trast-rathaid seabra *gin*
trast-rathaidean / trast-ròidean seabra *iol*

zero *n*
neoni *fir*
neoni *gin*
neonithean *iol,*
nialas *fir*
nialais *gin*
nialais *iol*
zero base-rate
bun-ìre nialasach,
bun-ìre neoni

zero-based budgeting *n*
buidseatadh (*fir*) bun-neoni
buidseataidh bhun-neoni *gin*

zero growth *n*
fàs (*fir*) nialasach
fàis nialasaich *gin,*
fàs (*fir*) aig neoni
fàis aig neoni *gin*

zero rating *n*
reatadh (*fir*) nialasach
reataidh nialasaich *gin,*
reatadh (*fir*) aig neoni
reataidh aig neoni *gin*

zero tolerance *n*
fulangas (*fir*) do neoni
fulangas do neoni *gin,*
(poileasaidh) nach ceadaich
an cron is lugha

zigzag marking *n*
comharradh (*fir*) cam-fhiarach
comharraidh cham-fhiaraich *gin*
comharraidhean cam-fhiarach *iol*

zone *n*
sòn *fir*
sòn *gin*
sònan *iol,*
raon *fir*
raoin *gin*
raointean *iol,*
ceàrn *fir*
ceàrnaidh *gin*
ceàrnaidhean *iol*
1 the Euro Zone
Sòn an Euro,
Ceàrn an Euro
2 development zone
raon leasachaidh
3 enterprise zone
ceàrn iomairt

zone *v*
sòn *gr*
sònadh *agr,*
suidhich (*gr*) sòn / raon
suidheachadh (*agr*) sòn / raoin

zoning *n*
(school catchment areas)
sònadh (*fir*) (sgìrean sgoile)
sònadh (sgìrean sgoile) *gin*